D1155126

COLLECTION TEL

EDMUND HUSSERL

Idées directrices pour une phénoménologie

TRADUIT DE L'ALLEMAND
PAR PAUL RICŒUR

GALLIMARD

Cet ouvrage a initialement paru
dans la « Bibliothèque de Philosophie » en 1950

© *Éditions Gallimard, 1950.*

IDÉES DIRECTRICES
POUR UNE PHÉNOMÉNOLOGIE
ET UNE PHILOSOPHIE
PHÉNOMÉNOLOGIQUE PURES

TOME PREMIER

INTRODUCTION GÉNÉRALE
A LA PHÉNOMÉNOLOGIE PURE

Le texte allemand original

IDEEN ZU EINER REINEN PHAENOMENOLOGIE UND PHAENOMENOLOGISCHEN PHILOSOPHIE

a été publié pour la première fois en 1913 en tirage à part du *Jahrbuch für Philosophie und phänomenologische Forschung*, t. I, édité par E. Husserl (Max Niemeyer, Halle). Cette traduction est faite sur la troisième édition (sans changement) de 1928.

[7] *PREMIÈRE SECTION*

LES ESSENCES ET LA CONNAISSANCE DES ESSENCES[1]

[7] 1. ESSENCE ET CONNAISSANCE DES ESSENCES. — *Cette première section des « Ideen » forme une sorte de préface générale à l'œuvre :* Il n'y est pas encore question de phénoménologie ; mais, comme tout le groupe des sciences auquel elle appartient, la phénoménologie *présuppose* qu'il existe des essences et une science des essences (cf. § 18, premières lignes) qui non seulement rassemble les vérités formelles qui conviennent à toutes les essences, mais encore les vérités matérielles qui régissent leur distribution à priori en certaines « régions » : la phénoménologie elle aussi met en œuvre l'intuition des essences et porte, au moins sous sa forme rudimentaire, sur une « région » de l'être.

Le premier chapitre établit de façon directe et systématique ces présuppositions. Le second chapitre les confirme par la voie indirecte de la polémique avec l'empirisme, l'idéalisme, le réalisme platonicien, etc...

INTRODUCTION A *IDEEN I* DE E. HUSSERL
par le traducteur

à Mikel Dufrenne.

Il ne saurait être question, dans l'espace restreint d'une introduction, de donner une vue d'ensemble de la phénoménologie de Husserl. Aussi bien la masse énorme des inédits que possèdent les *Archives Husserl à Louvain* nous interdit-elle de prétendre actuellement à une interprétation radicale et globale de l'œuvre de Husserl. 30.000 pages in-8° d'autographes, dont la presque totalité est écrite en sténographie, représentent une œuvre considérablement plus vaste que les écrits publiés du vivant de l'auteur. La transcription et la publication, partielle ou totale, de ces manuscrits, entreprise par les *Archives Husserl à Louvain* sous la direction du Dr H. L. Van Bréda, permettra seule de mettre à l'épreuve la représentation que l'on peut se faire actuellement de la pensée de Husserl, principalement d'après les *Logische Untersuchungen* [1], *Vorlesungen zur Phänomenologie des inneren Zeitbewusstseins* [2], *Philosophie als strenge Wissenschaft* [3], *Ideen zu einer reinen Phänomenologie und phänomenologischen Philosophie* [4], *Phenomenology* [5], *Formale und transzendentale Logik* [6], *Méditations Cartésiennes* [7], *die Krisis der europäischen Wissenschaften und die transzendentale Phänomenologie* [8], *Erfahrung und Urteil* [9].

1. 1re éd., t. I (1900), t. II (1901), *Niemeyer* (Halle ; 2e éd. remaniée en 3 vol. (1913 et 1922) ; 3e et 4e éd. sans changement (1922 et 1928). Les lecteurs de langue anglaise en ont un ample résumé dans l'excellent ouvrage de Marvin Farber : THE FOUNDATION OF PHENOMENOLOGY, EDMOND HUSSERL AND THE QUEST FOR A RIGOUROUS SCIENCE OF PHILOSOPHY. Cambridge (Mass.), Harvard University Press, 1943. XII + 586 pp. ; cf. partic. 99-510.

2. Leçons extraites d'un cours de 1904-5 et de travaux échelon-

Le but de cette introduction est donc très modeste : il s'agit d'abord de réunir quelques thèmes issus de la critique *interne* des *Ideen I* et dispersés dans le Commentaire ; ensuite d'esquisser, à l'aide des principaux manuscrits de la période 1901-1911, *l'histoire* de la pensée de Husserl des *Logische Untersuchungen* aux *Ideen.*

I

LE PROGRÈS DE LA RÉFLEXION A L'INTÉRIEUR DE IDEEN I

Il est particulièrement difficile de traiter *Ideen I* comme un livre qui se comprend par lui-même. Ce qui rend la chose plus difficile dans le cas de *Ideen I,* c'est d'abord le fait que ce livre fait partie d'un ensemble de trois volumes dont le premier seul est paru. *Ideen II,* que nous avons pu consulter aux *Archives Husserl,* est une étude très précise des problèmes concernant la constitution de la chose physique, du moi psycho-physiologique et de la personne du point de vue des sciences de l'esprit. C'est donc la mise en œuvre d'une méthode qui, dans *Ideen I,* est seulement présentée dans

nés de 1905 à 1920, édités en 1928 par Heidegger dans le *Jahrbuch für Philos. u. phänomen. Forschung* IX, pp. 367-496 ; reproduites en tirage à part, *Niemeyer* (Halle), 1938.

3. Article publié dans la revue *Logos I* (1911), pp. 289-341.

4. 1re édition du tome I (seul publié) dans le Jahrhuch..., I, 1913; 2e et 3e édition tirées à part sans changement. *Niemeyer* (Halle). — Trad. anglaise de W.-R. Boyce Gibson (Londres : *George Allen and Unwin ;* New-York, *Macmillan*), 1931. Préface de E. Husserl publiée à part avec de légères modifications sous le titre : *Nachwort zu meinen* « IDEEN ZU EINER REINEN PHAENOMENOLOGIE UND PHAENOMENOLOGISCHEN PHILOSOPHIE, *Jahrbuch* .. 1930 ; tirage à part *Niemeyer,* 1930. — E. Levinas en a donné un bon résumé dans la *Rev. Phil,* mars-avril 1929 : « *Sur les* IDEEN *de M. E. Husserl* ».

5. Article publié dans l'*Encyclopædia britannica,* 1927, 4e édition, vol. 17, pp. 699-702.

6. *Jahrbuch...* et *Niemeyer* (Halle), 1930.

7. Paris 1934, *A Colin* (trad. Peiffer et Lévinas).

8. 1re partie seule publiée, revue *Philosophia* I, 1936, pp. 77-176, Belgrade.

9. Edit. par *Landgrebe,* Prague 1939.

son principe et sur quelques exemples très abrégés. *Ideen III*, dont la transcription définitive n'était pas encore achevée quand nous avons terminé notre travail, doit, selon l'introduction de *Ideen I*, fonder la philosophie première sur la phénoménologie. D'autre part *Ideen I* présuppose des connaissances logiques précises, empruntées aux *Logische Untersuchungen* (*Etudes Logiques*); elles sont traitées le plus souvent par allusion dans l'ouvrage présent et on n'est pas en état d'en comprendre le sens technique sans recourir aux *Etudes Logiques*, ni d'en saisir le lien exact avec l'idée centrale de la phénoménologie transcendantale sans recourir à la *Formale und transzendentale Logik* (*Logique formelle et transcendantale*) qui montre le passage de la logique formelle à son fondement transcendantal dans la phénoménologie. Ajoutons enfin que *Ideen I* est un livre dont le sens reste *caché* et que l'on est inévitablement enclin à chercher ailleurs ce sens. A chaque instant on a l'impression que l'essentiel n'est pas dit, parce qu'il est plutôt question de donner à l'esprit une nouvelle vision du monde et de la conscience que de dire sur la conscience et sur le monde des choses définitives qui précisément ne seraient pas comprises sans ce changement de vision. Cette clef de l'œuvre semble échapper, même à la lecture des *Méditations cartésiennes*, postérieures de vingt ans aux *Ideen*. Or le texte le plus explicite que nous possédions pose les questions les plus embarrassantes ; ce texte n'est pas de E. Husserl lui-même, mais de E. Fink qui fut le collaborateur de Husserl pendant plusieurs années et qui connaît de l'intérieur non seulement l'œuvre publiée, mais une bonne part de l'œuvre manuscrite et surtout la pensée vivante du maître; il s'agit du grand article intitulé : *die phänomenologische Philosophie Edmund Husserls in der gegenwärtigen Kritik*, publié dans les *Kantstudien* t. 38, cahier 3-4, 1933. On pourrait craindre qu'il représente seulement l'interprétation de Fink ou une interprétation de Husserl par lui-même, à un moment donné, sous l'influence de E. Fink; il reste que Husserl a accrédité ce texte de la façon la plus nette : « Je me réjouis de pouvoir dire qu'il ne contient pas une phrase que je ne puisse m'approprier parfaitement et reconnaître explicitement comme l'expression de ma propre conviction » *Avant-Propos*. On n'a donc pas le droit de négliger ce texte : nous y recourrons pour tenter d'élucider les questions que la lecture directe laisse en suspens.

Ire SECTION.

Ideen I s'ouvre sur un très difficile chapitre de Logique que le lecteur peut omettre provisoirement pour comprendre le *mouvement spirituel* de l'œuvre, mais qu'il lui sera essentiel de réintégrer en cours de route pour saisir finalement le statut de la *phénoménologie comme science*. Outre un fourmillement de difficultés techniques de caractère en quelque sorte local que nous avons essayé d'éclairer par le commentaire, une incertitude pèse sur l'interprétation générale de ce chapitre : si la phénoménologie doit être « sans présupposé », en quel sens présuppose-t-elle une armature logique ? Il est impossible au premier abord de répondre à cette question : car ce sera précisément la loi de ce mouvement spirituel, que nous allons essayer de surprendre dans *Ideen I*, de s'appuyer d'abord sur une logique et sur une psychologie, puis par un mouvement en vrille de changer de plan, de s'affranchir de ces premières béquilles et finalement de s'apparaître comme *première*, sans présupposé; c'est seulement au *terme* de ce mouvement d'approfondissement que la phénoménologie serait en état de *fonder* les sciences qui d'abord l'avaient amorcée.

Le but de ce chapitre de Logique est de montrer : 1° qu'il est possible d'édifier une science non empirique mais éidétique[1] de la conscience et 2° de comprendre les essences de la conscience comme les genres suprêmes qu'on retrouve dans toute la « région » conscience (par opposé à la « région » nature)[2]. La phénoménologie paraît donc bien tributaire de cette double analyse logique des essences et des régions ;

1. Sur essence, cf. COMMENTAIRE, p. 9 n. 5. N. B. — Le commentaire du traducteur, qu'on trouvera au bas des pages, suit la pagination du texte allemand indiquée par les chiffres entre crochets en marge de la traduction.

2. Sur région, cf. COMMENTAIRE, p. 19 n. 1.

mais précisément elle s'élèvera à un point du sujet qui sera *constituant* par rapport à ces sciences qui lui ont donné son premier statut : on verra en particulier que la « région » conscience n'est pas *coordonnée* à la « région » nature, mais que celle-ci se rapporte à celle-là et même, en un sens très spécial du mot, s'y inclut; ainsi peut-on soupçonner que la phénoménologie qui avait pu paraître découper son objet dans une réalité totale (nature plus conscience) puisse fonder les autres sciences et fonder enfin sa propre méthodologie, en fondant de manière générale la logique elle-même, comme il apparaît dans *Formale und transzendentale Logik.* Laissons donc de côté pour le moment ce rapport complexe de la Logique à la Phénoménologie, puisque aussi bien ce sera le problème *historique* du passage des *Logischen Untersuchungen* aux *Ideen* auquel nous consacrerons la deuxième partie de cette introduction.

IIe Section.

Les *Ideen* dessinent un chemin *ascendant* qui doit conduire à ce que Husserl appelle la réduction ou mieux la « suspension » de la thèse naturelle du monde (thèse= position) et qui n'est encore que l'envers, le négatif d'une œuvre formatrice, peut-être même créatrice de la conscience, appelée constitution transcendantale. Qu'est-ce que la thèse du monde ? Qu'est-ce que la réduire ? Qu'est-ce que constituer ? Qu'est-ce *qui* est constitué ? *Quel* est ce sujet transcendantal qui se dégage ainsi de la réalité naturelle et s'engage dans l'œuvre de constitution ? Cela ne peut être dit « en l'air », mais conquis par l'ascèse même de la méthode phénoménologique. Ce qui déconcerte beaucoup le lecteur des *Ideen,* c'est qu'il est malaisé de dire à quel moment on exerce effectivement la fameuse réduction phénoménologique. Dans cette IIe *Section* on en parle du dehors en termes énigmatiques et même trompeurs (§§ 27-32, 33, 56-62), mais les analyses les plus importantes de la IIe Section sont en *dessous* du niveau de la réduction et il n'est pas certain, si l'on en croit Fink, que les analyses de la IIIe et de la IVe Section, dépassent un niveau indécis entre la psychologie préparatoire et la philosophie vraiment transcendantale. Laissant l'énigmatique chapitre I, qui est en avance sur l'ascèse à produire, considérons les analyses de la IIe Section, qui préparent à la réduction phénoménologique, en partant du plan de la réflexion psychologique. Elles sont encore à l'intérieur de « l'attitude naturelle » qu'il s'agit précisément de réduire. Elles comportent deux temps :

1° Le chapitre II contient l'étude de l'intentionnalité de la conscience, cette propriété remarquable de la conscience d'être conscience de..., visée de transcendance, éclatement vers le monde[1] ; il la couronne par la découverte de la réflexion qui est la révélation de la conscience à elle-même comme éclatement hors de soi. A quoi tend cette analyse (qu'on peut appeler phénoménologique au sens large d'une description des phénomènes tels qu'ils s'offrent à l'intuition, mais non au sens strict de la phénoménologie transcendantale introduite par la réduction et la constitution) ? Le but est modeste : il s'agit de se préparer à s'affranchir de l'attitude naturelle en brisant le naturalisme qui n'en est qu'une des manifestations les moins subtiles. En langage husserlien : la « région » conscience est *autre* que la « région » nature ; elle est *autrement* perçue, *autrement* existante, *autrement certaine*[2]. On voit la méthode toute *cartésienne* d'amorçage. C'est un chemin, mais ce n'est pas le seul, puisque aussi bien *Formale und transzendentale Logik* procédera uniquement par la voie logique (le grand inédit *Krisis* discerne cinq voies différentes). Le chemin n'est pas sans danger ; il incline déjà à penser que la réduction consiste à soustraire quelque chose : la nature *douteuse* —, et à retenir par soustraction un résidu : la conscience *indubitable*. Cette mutilation qui, au reste, ne laisse subsister qu'une conscience psychologique, non un sujet transcendantal, est la contrefaçon de la réduction véritable. Mais la méthode pédagogique, plus cartésienne que kantienne, des *Ideen* prête au risque de cette méprise[3].

2° Le chapitre III redresse l'analyse : la conscience est non seulement *autre* que la réalité, mais la réalité

---

1. J.-P. Sartre : UNE IDÉE FONDAMENTALE DE LA PHÉNOMÉNOLOGIE DE HUSSERL, *N. R. F.* 1939, pp. 129-132.

2. Cf. COMMENTAIRE, pp. 48 n. 1, 57 n. 3, 80 n. 1.

3. COMMENTAIRE, pp. 48 n. 3, 53 n. 1, 54 n. 1, etc., 57 n. 4.

est *relative* à la conscience, en ce sens qu'elle s'y *annonce* comme une *unité de sens* dans un divers « d'esquisses » convergentes [1]; l'esprit est ainsi orienté vers l'idée de réduction et de constitution. On montre qu'il n'est pas contraire à l'essence d'un objet et du monde, que les apparences s'accordent autrement et même qu'elles ne s'accordent plus du tout ; dans cette hypothèse-limite forgée par l'imagination, mais à laquelle ne résiste nulle essence, le monde serait anéanti [2]; dès lors la nature n'est plus seulement douteuse mais *contingente* et *relative;* la conscience n'est plus seulement indubitable mais *nécessaire* et *absolue* [3].

L'esprit ainsi préparé s'aperçoit qu'il s'est peu à peu mis au ton de la réduction, celle-ci d'ailleurs servant de pôle d'aimantation à une analyse qui ne cesse de se dépasser elle-même.

3° Si maintenant on veut approcher de la fameuse réduction phénoménologique, il faut essayer de prendre en bloc « thèse naturelle », « réduction de la thèse » et « constitution transcendantale » [4]. On se ferait illusion si l'on croyait pouvoir définir l'attitude naturelle du sein de cette attitude, pour la dépasser ensuite; c'est précisément la réduction qui la révèle comme « thèse du monde » et c'est en même temps la constitution qui donne son sens positif à la réduction. C'est pourquoi tout ce qu'on dit de la thèse naturelle est d'abord obscur et prête à méprises. En particulier on est tenté d'essayer un schéma cartésien ou kantien, l'un dans la ligne du chapitre II, l'autre dans la ligne du chapitre III. On dira ainsi que la thèse du monde c'est l'illusion que la perception est plus *certaine* que la réflexion ; ou bien que c'est la croyance naïve à l'existence *en soi* du monde. La réduction serait alors quelque chose comme le doute méthodique ou le recours à la conscience comme condition à priori de possibilité de l'objectivité. Ce ne sont là que des voies d'approche possible parmi d'autres. En particulier la réduction

1. COMMENTAIRE, p. 87 n. 4 et 5.
2. § 49.
3. §§ 54-5.
4. Cf. COMMENTAIRE, pp. 48 n. 3, 53 n. 1, 54 n. 1, 4, 5, 56 n. 1, 57 n. 3, 59 n. 3.

n'est pas le *doute*, puisqu'elle laisse intacte la croyance sans y participer ; donc la thèse n'est pas à proprement parler la croyance mais quelque chose qui la contamine. La réduction n'est pas non plus la découverte d'une action législatrice de l'esprit, puisque la conscience continue d'être un sujet d'*intuition* et non de *construction*[1] : l'intuitionnisme de base de l'épistémologie husserlienne n'est pas ruiné par la phénoménologie transcendantale ; au contraire Husserl ne cessera d'approfondir sa philosophie de la perception au sens le plus large d'une philosophie du voir. La thèse est donc quelque chose qui se mêle à une croyance indubitable et, qui plus est, de racine intuitive. Husserl a donc en vue un principe qui s'immisce dans la *croyance* sans être croyance et qui contamine le *voir* sans être ce voir même, puisque le *voir* sortira de la réduction phénoménologique dans toute sa gloire.

Nous progresserons vers le point essentiel en remarquant que la thèse du monde n'est pas un élément positif que viendrait ensuite annuler la réduction entendue comme un moment *privatif :* au contraire la réduction supprime une limitation de la conscience en libérant son envergure absolue.

Ce qui permet de l'affirmer c'est précisément le lien entre thèse, réduction et constitution. Si la constitution doit pouvoir être la positivité essentielle de la conscience, la réduction doit être la levée d'un interdit qui pèse sur la conscience.

Quel interdit peut donc limiter la conscience qui *croit* au monde et qui *voit* le monde auquel elle *croit?* On pourrait dire — en restant encore dans les métaphores — que la thèse du monde c'est la conscience *prise* dans sa croyance, captive du voir, tissée avec le monde dans lequel elle se dépasse. Mais ceci même est encore trompeur : car il faudrait déjà comprendre quel sujet est ainsi captif, puisque cette captivité n'empêche point la liberté psychologique de l'attention qui se tourne ou se détourne, considère ceci ou cela. Mais cette liberté reste une liberté à l'intérieur d'une certaine enceinte qui est précisément l'attitude naturelle. Com-

1. *Nachwort zu meinen,* « IDEEN... », pp. 3-5.

prendre la thèse du monde c'est déjà me réaliser comme sujet non plus psychologique mais transcendantal. Autrement dit c'est déjà avoir accédé au sommet de la phénoménologie (sommet qui n'est encore lui-même qu'un sommet provisoire).

Faute de pouvoir accéder d'un seul coup à l'intelligence radicale du *sujet* transcendantal par rapport auquel la « thèse du monde » prend son sens, l'analyse des *Ideen* laisse la réduction dangereusement associée à l'idée de la destruction du monde et à l'idée de la relativité du monde à l'absolu de la conscience. Mais l'atmosphère kantienne (et même cartésienne) de cette hyperbole pédagogique ne permet plus de comprendre comment dans la IVe section *l'intuition* marque l'ultime « légitimation » de toute croyance, qu'elle soit mathématique, logique, perceptive, etc. En effet la réduction, loin de ruiner l'intuition, en exalte au contraire le caractère primitif, originaire. Si l'intuition doit être le dernier mot de toute constitution, il faut donc aussi que la « thèse du monde » soit quelque altération de l'intuition même.

Une expression étonnante de Husserl nous met sur la voie : Husserl appelle l'intuition qui peut « légitimer » toute signification visée par la conscience: « l'intuition donatrice originaire » (*originär gebende Anschauung*) [1]. Que l'intuition puisse être *donatrice,* c'est là au premier abord une expression plus énigmatique qu'éclairante : en effet, je crois que l'on comprendrait Husserl si l'on arrivait à comprendre que la constitution du monde c'est non une législation formelle mais la donation même du voir par le sujet transcendantal. On pourrait dire alors que dans la thèse du monde je vois sans savoir que je donne. Mais le « je » du « je vois », dans l'attitude naturelle, n'est pas au même niveau que le « je » du « je donne », dans l'attitude transcendantale. Le premier « je » est mondain, comme est mondain le monde où il se dépasse. L'ascèse phénoménologique institue un dénivellement entre le « je » et le monde, parce qu'elle fait jaillir le « je » transcendantal du « je » mondain. Si donc le « je » transcendantal

1. COMMENTAIRE, p. 7 n. 5.

est la clef de la constitution, celle-ci de la réduction, celle-ci de la thèse du monde, on comprend que Husserl ne pouvait parler que très énigmatiquement de la thèse du monde, s'il voulait commencer par là, comme il le fait dans les *Ideen*.

Je pense que chacun est invité à retrouver en soi ce geste de dépassement; j'oserai ainsi esquisser pour moi-même le sens « existentiel » de la thèse du monde : je suis d'abord oublié et perdu dans le monde, perdu dans les choses, perdu dans les idées, perdu dans les plantes et les bêtes, perdu dans autrui, perdu dans les mathématiques; la présence (qui ne sera jamais reniée) est le lieu de la tentation, il y a dans le voir un piège, le piège de mon aliénation; je suis dehors, diverti. On comprend que le naturalisme soit le plus bas degré de l'attitude naturelle et comme le niveau où l'entraîne sa propre retombée; car si je me perds dans le monde, je suis déjà prêt à me traiter comme chose du monde. La thèse du monde est une sorte de cécité au sein même du voir; ce que j'appelle *vivre* c'est me cacher comme conscience naïve au creux de l'existence de toutes choses : « *im natürlichen Dahinleben lebe ich immerfort in dieser Grundform alles aktuellen Lebens* » [1]. Ainsi l'ascèse phénoménologique est une vraie conversion du sens de l'intentionnalité qui est d'abord *oubli* de la conscience et se découvre ensuite comme *don*.

C'est pourquoi l'intentionnalité peut être décrite avant et après la réduction phénoménologique : avant, elle est une rencontre; après, elle est une constitution. Elle reste le thème commun de la psychologie pré-phénoménologique et de la phénoménologie transcendantale. La réduction est le premier geste libre, parce qu'il est libérateur de l'illusion mondaine. Par lui je *perds* en apparence le monde que je *gagne* véritablement.

IIIe SECTION.

Non seulement dans les *Ideen* les problèmes de constitution se situent dans une certaine zone indécise entre une psychologie intentionnelle et une phénoménologie

1. IDEEN I, pp. 50-1.

franchement transcendantale [1], mais ils sont volontairement maintenus dans des bornes étroites : on ne considère que la constitution des « transcendances » et principalement celle de la nature, qui est considérée comme la pierre de touche de l'attitude phénoménologique [2]; c'est tout juste si l'on aborde en passant des transcendances plus subtiles, comme celle du moi psychologique, qui sont « fondées » dans la nature par l'intermédiaire du corps [3]. Une très petite place est faite à la transcendance des essences *logiques*, qui pourtant alimentait les principales analyses des *Etudes Logiques* [4]. Il n'est pas douteux que l'attitude naturelle enveloppe aussi la logique, que la réduction la concerne et qu'il y a un problème de constitution des disciplines logico-mathématiques comme le IIIe chapitre de la IVe Section l'esquisse. Cette esquisse est importante, car elle montre bien que la logique elle-même a une racine transcendantale dans une subjectivité primordiale; les *Logische Untersuchungen* ne sont donc pas reniées mais intégrées; *Formale und transzendentale Logik* le montre surabondamment. Mais dans les *Ideen* la méthode psychologique d'amorçage de la phénoménologie laisse mal entrevoir cette greffe de la logique sur le nouvel arbre phénoménologique. En gros les *Ideen* ont leur centre de gravité dans une phénoménologie de la perception (sensible). De là l'ampleur des problèmes résiduels auxquels on fera allusion pour finir.

Dans la IIIe Section les problèmes de constitution sont présentés avec beaucoup de prudence autour de l'idée de *noème*. Cette idée est amenée lentement, à travers de longs préparatifs méthodologiques (chap. I) et non sans que l'on repasse sur les thèmes de la première analyse phénoménologique (réflexion, intentionalité, etc.) mais surplombés à un autre niveau du mouvement en vrille de l'analyse (chap. II); le *noème*

1. C'est pourquoi dans *Nachwort zu meinen* « IDEEN ZU EINER REINEN PHAENOMENOLOGIE... » Husserl insiste longuement sur le départage de la « Psychologie phénoménologique » et de la « Phénoménologie transcendantale », pp. 3-10.

2. IDEEN, §§ 47 et 56.

3. § 53.

4. §§ 59-60.

est étudié au chap. III : c'est le corrélat de la conscience, mais considéré précisément comme *constitué dans la conscience* (en grec νοῦς veut dire esprit) [1]. Mais *a*) cette constitution est décrite encore comme le *parallélisme* entre tels caractères du noème (côté-objet de la conscience) et tels caractères de la noèse (côté-sujet de la conscience) [2]; *b*) cette constitution laisse provisoirement hors de question la *matière* de l'acte (ou hylé, ὕλη en grec) que la forme constituante anime [3]. Par cette double limitation la constitution n'apparaît pas ici comme créatrice. Mais de temps en temps une percée héroïque en direction des problèmes radicaux de la philosophie phénoménologique laisse entendre que la conscience est ce qui « prescrit » par sa « configuration », par son « enchaînement », le mode de donnée et la structure de tout corrélat de conscience; inversement toute unité de sens qui s'annonce dans la conscience est l'*index* de ces enchaînements de conscience [4].

Mais les exercices phénoménologiques de cette IIIe Section — sous le titre de l'analyse noético-noématique — restent en deçà de cette promesse : ils consistent dans un *départage* et une recherche de *corrélation* entre les traits de l'objet visé (noème) et les traits de la visée même de conscience (noèse) : les analyses les plus remarquables sont consacrées aux « caractères de croyance » (certitude, doute, question, etc., du côté de la noèse; réel, douteux, problématique, etc., du côté du noème). De proche en proche on constitue tous les caractères du « visé comme tel » [5], — tous les caractères, sauf un, celui auquel est consacré la IVe Section. Ces caractères sont constitués en ce sens que par exemple le douteux, le réel sont *inclus* dans le « sens » même du « visé comme tel » et apparaissent *corrélatifs* d'un caractère qui *appartient* à la visée de conscience. Peu à peu le « visé comme tel » se gonfle de tous les caractères qui à la limite égalent la réalité même.

1. Cf. COMMENTAIRE, p. 179 n. 1
2. § 98.
3. Pp. 171-2, 178, 203.
4. §§ 90, 96.
5. Tout le chapitre IV.

Mais les problèmes résiduels de cette IIIe Section sont peut-être plus importants que les analyses explicites : tout porte à penser que si les problèmes de constitution traités dans les *Ideen* concernent les transcendances qui s'annoncent dans le vécu — donc la face-objet du vécu, — il reste le problème plus radical de la constitution du moi — de la face-sujet du moi [1]. Or le sens du moi dont le libre regard « traverse » tous les actes reste indécis : les *Logische Untersuchungen* affirmaient que le moi est dehors parmi les choses et que le vécu n'est qu'un faisceau d'actes liés entre eux qui n'exigent pas le centre de référence d'un moi. Dans les *Ideen* Husserl revient sur cette condamnation : il y a un moi pur non réduit [2]. Mais ce moi pur est-il le sujet trancendantal le plus radical? Rien ne l'indique. Au contraire il est clairement affirmé qu'il est lui-même constitué en un sens spécifique [3] : en effet le problème du temps ouvre une brèche dans le silence de Husserl sur ces difficiles questions. Bien plus, l'ancienneté d'un livre comme *Zeitbewusstsein* (1904-1910) atteste que les problèmes les plus radicaux de l'Egologie sont contemporains de la naissance même de la phénoménologie transcendantale. Un groupe important d'inédits est consacré à cette question [4]. Dans les *Ideen*, même l'enchaînement du temps implique que la réflexion n'est possible qu'à la faveur de la « rétention » du passé immédiat dans le présent. Mais, plus radicalement encore, on entrevoit que c'est dans la connexion immanente du flux vécu que réside l'énigme même de cette matière sensible dont le divers recèle en dernière analyse les ultimes configurations où s'annoncent des transcendances. Or la constitution des transcendances laisse précisément pour résidu cette Hylé (matière), ce divers d'esquisses; on en laisse donc entrevoir la constitution à un autre degré de profondeur. Quoi qu'il en soit, moi,

1. Cf. COMMENTAIRE, pp. 161 n. 1, 163 n. 1.
2. Sur cette discordance entre les LOGISCHE UNTERSUCHUNGEN et les IDEEN, cf. COMMENTAIRE, p. 109 n. 1.
3. Cf. p. 163 haut.
4. Groupe D de la classification des manuscrits élaborés par E. Fink et L. Landgrebe, en 1935, sous le titre : « PRIMORDIALE KONSTITUTION » (« URKONSTITUTION »).

temporalité, Hylé, forment une trilogie qui appelle une proto-constitution seulement saluée de loin dans les *Ideen.*

IVe Section.

Si l'on fait abstraction des lacunes volontaires de l'analyse du côté du sujet et des difficultés corrélatives du côté de l'objet, il reste à combler un dernier écart entre ce que nous appelons désormais le « sens » du noème et la réalité. On a bien essayé de constituer le sens du noème, par exemple le sens de cet arbre que je perçois là, déterminé comme vert, rugueux, et en outre caractérisé comme perçu avec certitude, doute, conjecture, etc.; constituer ce sens de l'arbre, c'était selon la troisième section montrer qu'il est corrélatif de certaines structures de la conscience; le terme même de noème signifie que dans le sujet il y a plus que le sujet et qu'une réflexion spécifique découvre en toute démarche de la conscience un corrélat qui y est impliqué. La phénoménologie apparaît alors comme une réflexion non pas seulement sur le sujet, mais sur l'objet *dans* le sujet.

Or quelque chose d'essentiel échappe encore à cette constitution, à savoir le « plein » de la présence perçue, le « quasi-plein » de l'imaginaire, ou le « simplement visé » des déterminations seulement signifiées [1]. La phénoménologie trancendantale a l'ambition d'intégrer au noème sa relation même à l'objet, c'est-à-dire le « plein » qui achève de constituer le noème complet. Cette péripétie ultime des *Ideen* est capitale : en effet toute la théorie de l'évidence édifiée dans les *Logische Untersuchungen* repose sur le *remplissement* des significations vides par la présence « originaire » (en original, en personne) de la chose *même,* de l'idée *même,* etc. [2]. La fonction universelle de l'intuition — que ce soit l'intuition de l'individu empirique, celle des essences de choses, celle des essences-limites des mathématiques, celle des idées régulatrices au sens kantien — est de remplir le « vide » des signes par le « plein »

1. Cf. Commentaire, p. 265 n. 1.
2. Logische Untersuchungen, *VIe Etude,* 2e Partie.

des présences. Constituer la réalité c'est refuser de laisser *hors* du « sens » du monde sa « présence ».

Les *Ideen* nous ramènent ainsi, dans la IVe Section, à la difficulté initiale qui commandait l'interprétation de la « thèse » du monde. La phénoménologie transcendantale serait édifiée si nous avions montré effectivement que l'intuition est « prescrite » par un « enchaînement de conscience ». *Ideen I* le promet plus qu'il ne le montre : la « relation à l'objet », est-il affirmé, « est le moment le plus intérieur au noème... le point le plus central du noyau » ; l'objet réel représente « un index qui renvoie chaque fois à des systèmes parfaitement déterminés de la conscience présentant une unité téléologique » [1].

Toute la phénoménologie trancendantale est suspendue à cette double possibilité : d'affirmer d'un côté le primat de l'intuition sur toute construction, d'autre part de faire triompher le point de vue de la constitution transcendantale sur la naïveté de l'homme naturel. Dans son *Nachwort...* aux *Ideen* (1931) Husserl souligne la jonction de ces deux exigences : la subjectivité transcendantale issue de la réduction est elle-même un « champ d'expérience », « décrite » et non « construite » [2].

II

DIFFICULTÉS D'UNE INTERPRÉTATION D'ENSEMBLE DES IDEEN

La phénoménologie qui s'élabore dans les *Ideen* est incontestablement un idéalisme, et même un idéalisme transcendantal ; le terme même n'est pas dans les *Ideen,* alors qu'il se rencontre dans les inédits antérieurs, dans *Formale und transzendentale Logik* [3] et dans les *Méditations cartésiennes* [4] *;* néanmoins Land-

1. IDEEN, pp. 268-9, 303.
2. *Nachwort...* p. 4.
3. § 6[illegible] PSYCHOLOGISTISCHER UND PHAENOMENOLOGISCHER IDEALISMUS.
4. § 40 : *passage au problème de l'idéalisme transcendantal ;* § 41 : *l'explication phénoménologique véritable de l' « Ego cogito » comme idéalisme transcendantal.*

grebe, dans son Index Analytique des *Ideen*, n'hésite pas à grouper autour de ce mot les analyses les plus importantes de la constitution et Husserl l'emploie pour caractériser les *Ideen* dans le *Nachwort zu meinen « Ideen... »* [1]. Mais il est finalement impossible, sur la seule base des *Ideen*, de caractériser définitivement cet idéalisme qui reste à l'état de projet — de promesse ou de prétention, comme on voudra. Les parties les plus élaborées des *Ideen* sont soit des fragments d'une psychologie intentionnelle (IIe Section), soit des exercices en direction d'une constitution radicale de la réalité, mais en dessous du niveau de l'idéalisme visé (IIIe et IVe Section). Finalement la « conscience pure », la « conscience transcendantale », « l'être absolu de la conscience », « la conscience donatrice originaire », sont des titres pour une conscience qui oscille entre plusieurs niveaux ou, si l'on veut, qui est décrite à des phases différentes de son ascèse : de là les erreurs d'interprétation dont Husserl s'est plaint si constamment et si amèrement. Si l'on interprète les phases ultérieures en restant au niveau de départ, celui de la psychologie intentionnelle, l'idéalisme trancendantal paraît n'être qu'un idéalisme subjectif; « l'étant » du monde est réduit, au sens de dissous, à « l'étant » de la conscience, telle que la plus ordinaire perception interne la révèle. Mais alors il devient impossible d'accorder cet idéalisme rudimentaire avec la philosophie constante de l'intuition qui ne s'est jamais démentie depuis les *Logische Untersuchungen* (1900-1), jusqu'à *Erfahrung und Urteil* (1939) [2] : c'est l'intuition, soit sous sa forme sensible, soit sous sa forme éidétique ou catégoriale [3] qui « légitime » le sens du monde et celui de la logique

1. Il oppose le *transzendental-phänomenologischer Idealismus* au *psychologischer Idealismus*, p. 11.

2. Lévinas, LA THÉORIE DE L'INTUITION DANS LA PHÉNOMÉNOLOGIE DE HUSSERL, Alcan 1930, pp. 101-174. J. Héring a fortement montré, dans sa discussion avec L. Chestov, qu'il n'y a pas chez Husserl d'autocratie de la raison et de la logique, mais un règne de l'intuition sous toutes ses formes. Hering : *sub specie æterni.* (*Revue d'Histoire et de Philosophie rel.* 1927), en réponse à *Memento mori* (*Revue Phil.* janv. 1926).

3. COMMENTAIRE p. 9 n. 5.

au sens le plus large de ce mot (Grammaire pure, logique formelle et mathesis universalis, etc.). L'idéalisme transcendantal est tel que l'intuition n'y est pas reniée mais fondée.

Les critiques néo-kantiens ont cru discerner dans les *Ideen* un mélange inconsistant de réalisme platonicien et d'idéalisme subjectif, ces éléments disparates étant eux-mêmes maintenus ensemble par l'artifice d'un langage de style kantien [1]. Comme Fink l'a fortement montré, il n'y a jamais eu chez Husserl de réalisme platonicien, même pas dans les *Logische Untersuchungen*, comme on le rappellera tout à l'heure. Il n'y a pas non plus chez lui d'idéalisme subjectif masqué par un langage kantien. Ceci doit être montré maintenant.

Or rien n'est plus difficile que de fixer le sens final de l'idéalisme husserlien qui se réalise par le progrès même de la réflexion. Nous n'avons dans les *Ideen* qu'un chemin parmi d'autres en direction d'un centre qui ne peut être donné du dehors. Il faut bien alors risquer un sens et voir si les « indices de direction », épars dans les *Ideen*, concordent avec ce sens.

C'est ici que s'offre l'interprétation de E. Fink qu'il faut bien au moins *prendre à l'essai*, puisque aussi bien Husserl lui-même l'a reconnue pour sienne à un moment donné [2]..

La « question » de Husserl, écrit E. Fink [3], n'est pas celle de Kant; Kant pose le problème de la *validité* pour une conscience objective possible : c'est pourquoi il reste à l'intérieur d'une certaine enceinte qui est encore l'attitude naturelle. Le sujet transcendantal kantien c'est encore une *apriorische Weltform*, un sujet mondain, *weltimmanent*, bien que formel. Le vrai dénivellement du sujet absolu n'est pas opéré. La question de Husserl, selon E. Fink, c'est la question de l'origine du monde (*die Frage nach dem Ursprung der Welt*) [4]; c'est

1. Fink, art. cité pp. 321-6, 334-6.

2. Dans un autre article, E. Fink parle du « risque » de l'interprétation : Das Problem der Phaenomenologie E. Husserls, *Revue Inter. de Phil.*, 15 janvier 1939, p. 227.

3. Art. cité, cas particulier pp. 336, sq.

4. *Ibid.*, p. 338. — Sur Husserl et Kant, cf. G. Berger, Le Cogito dans la Philosophie de Husserl, *Aubier* 1941, pp. 121-133.

si l'on veut, la question impliquée dans les mythes, les religions, les théologies, les ontologies; mais cette question n'était pas encore élaborée scientifiquement ; la phénoménologie seule met en question l'unité de l'« étant » et de la « forme du monde »; elle n'a pas la naïveté de recourir à un autre « étant », à un arrière-monde; il s'agit précisément de surmonter toute forme « *welthaft* » d'explication, de fondement, de forger un nouveau concept de la science *welttranszendent* et non plus *weltimmanent*. La philosophie phénoménologique prétend fonder même la sphère de problème à laquelle le criticisme se rapporte à sa façon. Elle est une philosophie qui montre l'inclusion du monde — de son « étant », de son sens, des essences, de la logique, des mathématiques, etc. — dans l'absolu du sujet.

a) C'est pourquoi l'*opération principale — ou réduction* — est une conversion du sujet lui-même qui s'affranchit de la limitation de l'attitude naturelle. Le sujet qui se cachait à lui-même comme partie du monde se découvre comme fondement du monde[1].

Mais, dira-t-on, si cette interprétation est exacte, pourquoi Husserl ne l'a-t-il pas dit au début des *Ideen?* Précisément la question même est incompréhensible avant la marche méthodique qui l'élabore en tant que question. La phénoménologie n'a pas de motif intramondain antérieur à elle-même. C'est par la réduction phénoménologique que le projet du problème transcendantal du monde surgit. C'est pourquoi toute description de l'attitude naturelle sur son propre terrain est une méprise. Plus radicalement encore, la phénoménologie n'est pas une possibilité naturelle de l'homme ; c'est en se vainquant comme *homme* que le sujet pur inaugure la phénoménologie. Dès lors la phénoménologie, non motivée dans l'attitude naturelle, ne peut donner que de mauvaises raisons, ou des raisons équivoques — cartésiennes ou kantiennes — à sa propre irruption. Seule la réduction révèle ce qu'est la croyance mondaine et l'érige en « thème transcendantal ». Tant qu'elle est encore énoncée dans la lettre et dans l'esprit de l'attitude naturelle, la réduction paraît n'être que

1. *Ibid.*, pp. 341-3.

l'inhibition mondaine de la croyance intra-mondaine à l'être du monde[1].

b) Ces méprises sur la réduction sont des méprises sur la *constitution :* le sujet transcendantal n'est point hors du monde ; au contraire il est fondation du monde. C'est ce que signifie cette affirmation constante de Husserl : le monde est le corrélat de la conscience absolue, la réalité est l'index des configurations radicales de la conscience. Découvrir le sujet transcendantal c'est précisément *fonder* la croyance au monde.

Toute nouvelle dimension du moi est une nouvelle dimension du monde. C'est en ce sens que l'intentionalité reste le thème commun à la psychologie intentionnelle et à la philosophie phénoménologique[2]. Mais toutes les fois qu'on rabat la réduction phénoménologique sur la conscience psychologique, on réduit le sens du moi à un simple pour-soi de nature mentale, à une pensée impuissante qui laisse l'en-soi au dehors. Tant que la réduction est une « limitation » à l'intérieur du monde et non une « illimitation » [3] par delà le monde, le monde est *hors* de la conscience comme une autre région. C'est en transcendant le monde que la conscience « a-régionale » l'inclut, ainsi que toutes les « régions ». En retour la méthode phénoménologique consiste à faire l'exégèse de l'Ego en prenant le phénomène du monde comme fil conducteur. Il y a ainsi plusieurs plans de vérité concernant la constitution, de même qu'il y a un approfondissement progressif de la réduction; au plus bas degré, celui de la psychologie intentionnelle, la constitution garde un moment de réceptivité dont la doctrine de la hylé est le témoin. Les *Ideen* appellent déjà constitution, par anticipation du plus haut degré, les simples corrélations entre noème et noèse; mais, assure Fink, au dernier degré l'intentionnalité transcendantale est « productive », « créatri-

1. *Ibid.*, p. 359 ; en faveur de cette interprétation : MÉDITATIONS CARTÉSIENNES, pp. 70-4. — G. Berger, o.c., 43-61, donne un remarquable exposé de la réduction phénoménologique avec toutes ses difficultés.

2. Les MÉDITATIONS CARTÉSIENNES proposent cette formule développée du cogito : « Ego-cogito-cogitatum », p. 43.

3. *Einschränkung, Entschränkung,* art. cité p. 359.

ce »[1]. Ces deux mots énormes sont contresignés par Husserl.

Il y aurait donc trois concepts d'intentionnalité : celui de la psychologie qui est synonyme de réceptivité, celui des *Ideen*, dominé par la corrélation noème-noèse, dont on ne sait si elle est réceptive ou créatrice, celui de la constitution véritable, productive et créatrice.

E. Fink indique que la réflexion sur le moi transcendantal implique elle-même un troisième moi : « le spectateur réfléchissant qui regarde (zuschaut) la croyance au monde dans l'actualité de son opération vivante sans y coopérer »[2] : c'est pour lui, radicalement, que le moi transcendantal dans son flux de vie est croyance au monde. C'est lui qui opère la réduction. C'est lui le « spectateur théorétique transcendantal », qui découvre la croyance au monde comme fondatrice du monde.

Inutile de dire que les plus extrêmes difficultés sont soulevées par cette interprétation. En quel sens et à quel niveau de l'ascèse phénoménologique la subjectivité est-elle encore une pluralité de consciences, une intersubjectivité? Le sujet le plus radical est-il Dieu? ou bien la question de « l'origine », élaborée scientifiquement par la phénoménologie transcendantale, dissipe-t-elle, comme un mythe de l'homme naturel, la problématique des religions ? Seule l'étude des inédits sur l'« *Urkonstitution* » permettrait de poser correctement ces questions[3].

---

1. *Ibid.*, p. 373. Mais, comme on l'a dit plus haut, ce « créer » est si peu un « faire » au sens mondain, qu'il est un « voir ». Je rejoins ici G. Berger, o.c., pp. 97-100 : « Il faut apprendre à unir deux concepts que nous sommes habitués à opposer : la phénoménologie est une philosophie de l'*intuition créatrice*... C'est l'évidence, cette forme achevée de l'intentionnalité, qui est constituante » (p. 100). Cette création « au delà de l'action et de la passion » (p. 103, est une « création par intuition », (p. 107).

2. Art. cité pp. 356, 367.

3. Marvin Faber qui étudie si soigneusement et si fidèlement les LOGISCHE UNTERSUCHUNGEN dans THE FOUNDATION OF PHENOMENOLOGY, critique trop sommairement l'idéalisme husserlien, pp. 543-559.

III

NAISSANCE DES IDEEN

C'est seulement quand on les éclaire en avant et de plus haut que les *Ideen* prennent un sens et qu'en retour elles éclairent les ébauches dont elles sont sorties.

On a dit bien souvent qu'en 1901 Husserl était réaliste et qu'en 1911 il est idéaliste. Ce qu'on vient de dire du caractère hiérarchique de la réflexion phénoménologique nous met en garde contre de telles oppositions dont le défaut est non seulement d'être superficielles mais d'interpréter horizontalement le développement de la pensée de Husserl. Les *Ideen* ne s'opposent pas du tout aux *Logische Untersuchungen* parce que, entre temps, la phénoménologie a fait surgir une dimension nouvelle de la conscience, un autre niveau de réflexion et d'analyse.

On dit : les *Logische Untersuchungen* arrachent à la subjectivité les vérités logiques que les *Ideen* incluent à nouveau dans la subjectivité. Mais ce n'est pas la même subjectivité que Husserl combat en 1901 et exalte en 1911. Si l'idéalisme des *Ideen* était subjectiviste, les *Ideen* contrediraient les *Logische Untersuchungen*. Husserl a si peu conscience d'une telle contradiction qu'il n'a cessé d'améliorer les *Logische Untersuchungen* pour les porter au ton des *Ideen;* ainsi la Ve et la VIe *Etude* sont remaniées dans la deuxième et troisième édition en 1913 et 1922 ; la matière des quatre premières *Etudes* est à nouveau élaborée dans le cadre de la première partie de *Formale und transzendentale Logik.*

Il est vrai que les *Ideen* laissent mal entrevoir l'intégration de la logique dans la phénoménologie[1]; la raison en est que dans les *Ideen* la méthode d'amorçage est plus psychologique que logique. Par contre, la lecture la plus superficielle de *Formale und transzendentale*

1. Toutefois cf. IDEEN, §§ 146-9.

Logik ne laisse subsister aucun doute : la logique peut encore être perfectionnée au niveau même d'un apriorisme des essences formelles (première partie), puis portée en bloc au niveau de la philosophie transcendantale (deuxième partie). *Erfahrung und Urteil* confirme cette interprétation [1].

On peut dire en gros que les *Prolégomènes à la logique pure* (qui forment la première partie des *Logische Untersuchungen*) et les quatre premières *Etudes* du tome II sont sur une ligne qui va de la logique formelle à la logique transcendantale, et passe par *Formale und transzendantale Logik* et par *Erfahrung und Urteil,* tandis que la Ve et la VIe *Etudes,* les *Ideen* et les *Méditations cartésiennes* sont sur une autre ligne qui va du Cogito psychologique au Cogito transcendantal. Il faut s'orienter dans l'œuvre de Husserl comme dans celle de Leibniz; c'est un labyrinthe à plusieurs entrées et peut-être à plusieurs centres chaque fois relatifs à des perspectives différentes de l'œuvre d'ensemble. La comparaison entre les *Logische Untersuchungen* et les *Ideen* n'est donc pas homogène parce que les deux œuvres ne sont ni au même niveau de la réflexion ni sur la même ligne d'accès au cœur de la phénoménologie.

Pour découvrir néanmoins une contradiction entre le grand ouvrage de logique et les *Ideen,* il faudrait attribuer au premier un platonisme qui n'y est pas et au second un idéalisme subjectif qui en est la contrefaçon. En effet le platonisme prétendu serait déjà sur le plan de la problématique des *Ideen* et s'y opposerait à l'avance ; en retour l'idéalisme subjectiviste retomberait au psychologisme combattu naguère. Nous avons assez insisté sur l'idéalisme original des *Ideen* pour ne pas avoir à y revenir. Par contre la « neutralité » des *Logische Untersuchungen* par rapport à la problématique des *Ideen* ne saurait être trop fortement soulignée. Les *Prolégomènes* et les quatre premières *Etudes* ont pour tâche d'élucider les structures objectives des propositions et des objectivités formelles (tout et partie, parties

1. Cf. un bon résumé de ERFAHRUNG UND URTEIL, par Marvin Farber dans *the Journal of Philosophy,* vol. 36 n° 9, 27 avril 1939, pp. 247-9.

dépendantes et indépendantes, abstrait et concret, etc.). L'objectivité de ces structures n'implique aucune existence des essences dans un Cosmos des Idées; la notion d'essence n'implique qu'un invariant intelligible qui résiste aux variations empiriques et imaginatives; la notion d'intuition des essences n'implique que la possibilité de « remplir » les significations logiques d'une manière analogue à celle dont la perception « remplit » d'ordinaire les significations vides portant sur les choses [1].

L'objectivité de ces structures doit toujours être reconquise sur l'illusion subjectiviste qui confond les concepts, les nombres, les essences, les structures logiques, etc., avec les opérations psychologiques individuelles qui les visent. Cette reconquête de l'objectivité est sans cesse à refaire. L'idéalisme transcendantal supposera toujours cette première victoire sur le psychologisme. On peut même dire que le logicisme des *Prolégomènes* est le garde-fou permanent de l'idéalisme transcendantal.

C'est pourquoi la *Formale und transzendentale Logik* commence par donner son envergure suprême à la logique formelle *objective* [2], avant de la porter à un autre niveau où l'objectivité est rapportée à une subjectivité plus radicale [3]. Seule une vue plate, horizontale de la pensée de Husserl empêche de comprendre que le passage du « logicisme » à la subjectivité transcendantale soit sans reniement. Mais le passage n'était pas entrevu à l'époque de la première édition des *Logische Untersuchungen*. La V° et la VI° Etudes, dans leur premier état, ne donnent encore qu'une psychologie descriptive de l'intentionnalité et du « remplissement » des intentions vides par le plein de l'intuition ou évidence.

Dès 1907 Husserl eut pleinement conscience de la portée limitée des deux dernières *Etudes;* il n'y voit plus qu'un échantillon de « psychologie descriptive » ou de « phénoménologie empirique » qu'il distingue

1. E. Lévinas. LA THÉORIE DE L'INTUITION DANS LA PHÉNOMÉNOLOGIE DE HUSSERL, pp. 143-174. — COMMENTAIRE des IDÉEN, p. 9 n. 5.

2. DIE VOLLE IDEE DER FORMALEN LOGIK, pp. 42 sq.

3. PSYCHOLOGISMUS UND TRANSZENDENTALE GRUNDLEGUNG DER LOGIK, pp. 133-156.

déjà de la future « phénoménologie transcendantale » [1].

Que s'est-il donc passé entre 1901 et 1907? Six ans après la parution des *Logische Untersuchungen* Husserl traverse une phase de découragement. L'Université de Göttingen écarte le projet du ministère de le nommer professeur « Ordinarius » de Philosophie. Il doute de lui-même et de son existence comme philosophe. Dans son *Notizbuch* du 25-9-1906 il se propose avec passion de réaliser une *critique de la raison :* faute d'atteindre à la clarté sur les problèmes les plus radicaux « je ne peux vivre dans la vérité et la véracité. J'ai suffisamment goûté aux tourments de la non-clarté, du doute où je suis ballotté en tous sens. Je veux accéder à la cohérence intérieure » [2].

L'idée d'une phénoménologie transcendantale, d'un idéalisme transcendantal passant par le chemin de la réduction phénoménologique [3] trouve sa première expression publique dans les *Cinq Conférences* qui portent le titre de *Idee der Phänomenologie* [4].

Comme il ressort de nombreux petits inédits de la période 1907-1911, c'est une véritable crise de scepticisme qui est à l'origine de la question phénoménologique : un hiatus semble se creuser entre le « vécu de conscience » et l'objet : « *Wie kann sie über sie hinaus und ihre Objekt zuverlässig treffen?* » Cette question revient sous mille formes dans les inédits de cette période. C'est sous la menace d'un vrai solipsisme, d'un vrai subjectivisme que naît la phénoménologie. (On ne trouve plus trace de cette situation de péril dans les *Ideen.*) Dès lors, la tâche de première urgence est « d'élucider l'essence de la connaissance et de l'objectivité de connaissance » (première Conférence). La question reste comme une morsure : « *Wie kann das Erlebnis sozusagen über sie hinaus?* » (deuxième Conférence).

---

1. Texte inédit de sept. 1907, sous la signature B II 1 des *Archives Husserl à Louvain.*
2. Texte et renseignements extraits de l'introduction du Dr Biemel à la transcription encore inédite de IDEE DER PHAENOMENOLOGIE.
3. La première allusion à la réduction est de l'automne 1905 : *Seefelder Blättern* A VII 5.
4. Semestre d'été 1907, F I 43.

C'est pourquoi la réduction *erkenntnis-theoretische* apparaît comme une exclusion de transcendance, un repli dans l'immanence. A cette époque, le caractère *limitatif* de la réduction est incontestable. L'image de la mise *hors circuit* (Ausschaltung) se trouve dans cette troisième conférence. Mais en même temps s'affirme la claire vision du but : retrouver le rapport à la transcendance comme « caractère interne du phénomène » saisi dans son immanence. C'est alors que la quatrième Conférence introduit l'intentionnalité comme nouvelle dimension de l'immanence : il y a deux immanences : « *das rell Immanent* » et « *das im intentionalen Sinn Immanent* ». C'est ce que les *Ideen* appelleront le noème. Ainsi le philosophe n'avait paru s'enfermer en lui-même que pour mieux comprendre l'intentionnalité comme une structure de la conscience et non comme une relation intra-objective. La cinquième Conférence peut alors accéder au thème de la constitution qui reste lui aussi marqué par sa victoire même sur le scepticisme : les données immanentes, qui avaient paru un moment simplement contenues dans la conscience « comme dans une boîte », « se figurent à titre d'apparence »; ces apparences ne sont pas elles-mêmes les objets, ne contiennent pas les objets, mais « créent en quelque façon pour le moi les objets ». Devant cette première esquisse de la phénoménologie, le lecteur se défend difficilement contre le sentiment que l'existence absolue est perdue et que l'on a élargi l'enceinte de la conscience pour y introduire seulement le *phénomène* du monde. Quelques manuscrits postérieurs retombent même en deçà de cette première délivrance et se font l'écho de la bataille intérieure que livre le philosophe au fantôme de l'en-soi jamais atteint et toujours perdu [1]. Il sem-

1. M. III 9 II. DAS PROBLEM DER ERKENNTNISTHEORIE, DIE AUFLÖSUNG DES EMPIRISCHEN « SEINS » IN ZUSAMMENHAENGE DES ABSOLUTEN BEWUSSTSEINS. (*La dissolution de l'être empirique dans les enchaînements* (*ou connexions*) *de la conscience absolue*). « Toutes les objectivités sont des « apparences » en un sens spécifique, à savoir des unités de pensée, des unités de diversités, qui de leur côté (en tant que conscience) forment l'absolu dans lequel toutes les objectivités se constituent ». — M. III 9 III parle de l' « énigme » (*Rätsel*) de la connaissance : « C'est dans la pensée elle-même que tout doit se « légitimer » (comme Lotze déjà le remar-

ble que le premier projet de l'idéalisme transcendantal reste marqué par le subjectivisme qu'il tente de vaincre.

On peut surprendre la transition aux *Ideen* dans le *Cours* d'oct.-nov. 1910 intitulé : *Grundprobleme der Phänomenologie*[1] qui tient en germe la plupart des thèmes de *Ideen* I et même de *Ideen* II (en particulier sur l'*Einfühlung* ou intropathie)[2]. Ce cours s'ouvre sur une remarquable description de l'attitude naturelle et de son monde préalable, « pré-trouvé » (vorgefundene). Dans le deuxième chapitre, la réduction est encore présentée, plus nettement que dans les *Ideen,* comme une élimination de la nature et du corps propre. Ainsi l'attitude naturelle semble se comprendre par elle-même, dans le cadre même de la réflexion de l'homme naturel; de son côté la réduction apparaît comme une « autolimitation » à la sphère de l'immanence; celle-ci est ce qui « reste » quand on a soustrait la position de l'existence empirique. Tout ce que Fink regrette dans les *Ideen* s'étale ici. Mais en retour toute résonance sceptique, toute anxiété philosophique apparente a disparu; en même temps la direction future de la pensée se révèle clairement : il est fortement affirmé que la croyance à la nature physique reste intacte et seulement hors d'usage et que le solipsisme est évité par le fait même que le *solus ipse* de la conscience psychologique est lui-même mis hors de jeu. Dans le troisième et le quatrième chapitre l'expérience phénoménologique, ainsi dégagée par la réduction, se dilate à partir de l'intuition du présent jusqu'aux horizons temporels de l'attente et de la réminiscence ; ainsi est restituée à la subjectivité son envergure temporelle. Cette marche est remarquable, parce qu'elle oriente vers l'auto-constitution du temps immanent *avant* même de poser le pro-

que sans en faire un usage correct). Ne vois-je pas alors que je ne peux pas poser préalablement un être en face de la pensée, mais le fonder seulement dans la pensée et sur le fondement de ses motifs ? ». — Dans le même sens M. III 9 IV. TRANSZENDENZPROBLEME, du semestre d'été 1909.

1. Texte préparé par E. Landgrebe ; quelques pages sont du début d'octobre 1910 ; l'essentiel provient de la première partie du semestre d'hiver 1910-11. — M. III 9 IVa et FI.

2. Sur la traduction de *Einfühlung* par intropathie, cf. VOCABULAIRE PHILOSOPHIQUE ET CRITIQUE de Lalande au mot intropathie.

blème de la constitution de la nature : le problème de l'unité du flux du vécu (chapitre IV) a même le pas sur toute considération concernant l'intentionnalité. C'est seulement au chapitre V qu'elle est évoquée et qu'on examine « ce qui réside dans la *cogitatio* à titre intentionnel ». La réduction de la nature au « perçu » et au « souvenu » conduit d'emblée à l'affirmation radicale que la nature n'est plus en phénoménologie « que l'index d'une certaine régulation de la conscience comme conscience pure ». Plus fortement encore : « l'existence vraie de la chose est l'index de certains enchaînements déterminés des apparences qui appellent une description déterminée ». On reconnaît ici quelques-unes des affirmations les plus radicales des *Ideen* et des *Méditations Cartésiennes*. L'expérience de la nature est ainsi intégrée au flux temporel du vécu. Enfin, ultime élargissement du champ phénoménologique (Chapitre VI), l'intropathie permet de considérer, dans le cadre même de la réduction de la nature, une pluralité et une communauté de sujets dont chacun est « présenté » à soi-même et à qui tous les autres sont « présentifiés »[1], non comme des parties de la nature, mais comme des consciences pures.

Le niveau des *Ideen* est désormais atteint.

En résumé : 1° Au point de vue *méthodologique* il n'y a pas de difficulté concernant le passage du « logicisme » à la phénoménologie transcendantale, si l'on prend celle-ci à un niveau suffisamment élevé et suffisamment éloigné de toute psychologie intentionnelle et de tout idéalisme subjectiviste. En 1929 Husserl sera suffisamment fort pour écrire la *Logique Formelle et Transcendantale* où il élargit et renforce encore le « logicisme », avant de l'intégrer radicalement dans la phénoménologie transcendantale.

2° Par contre au point de vue de *l'histoire* de la pensée de Husserl, la phénoménologie transcendantale elle-même a eu une naissance difficile, avant d'être en état de poser correctement le problème de l'intégration de la logique objective et d'une façon générale de tou-

1. Sur *Gegenwärtigung* et *Vergegenwärtigung*, cf. COMMENTAIRE, p. 11 n. 1 et IDEEN § 99.

tes les formes d'intuition dans la phénoménologie. Le développement de la pensée de Husserl de 1905 à 1911 nous paraît consister dans un effort pour subordonner de plus en plus la compréhension de l'attitude naturelle à celle de la réduction phénoménologique et pour éclairer la réduction par la constitution transcendantale du monde. Au début l'attitude naturelle est comprise comme « l'expérience physique » elle-même et la réduction de son côté est provoquée par une crise sceptique ; elle se présente alors comme une limitation au *soi* par expulsion de la *nature* [1].

Si l'on éclaire les *Ideen,* d'une part en se plaçant à un stade plus avancé de la philosophie phénoménologique, de l'autre en les comparant aux premières ébauches de l'idéalisme transcendantal, cet ouvrage apparaît comme le témoin d'une période intermédiaire où les premiers motifs psychologiques, voire même subjectivistes de la réduction ne sont pas encore intégrés dans le projet final de la phénoménologie [2]. Peut-être ne pouvaient-ils pas l'être, s'il est vrai que le sens ultime de la phénoménologie ne peut être approché que par des

---

1. M. Merleau-Ponty s'est au contraire placé à l'autre limite vers laquelle semble tendre la phénoménologie dans sa phase terminale : elle ne « réfléchit » que pour faire jaillir au delà de toute naïveté l'assurance que le monde est toujours « déjà là » ; elle ne « réduit » notre participation à la présence du monde que pour rompre un moment notre familiarité avec le monde et nous restituer l' « étonnement » devant l'étrangeté et le paradoxe d'un monde qui nous situe ; elle ne va aux essences que pour prendre du recul et reconquérir la « facticité » de notre être-au-monde. Avant-Propos de LA PHÉNOMÉNOLOGIE DE LA PERCEPTION. *Gallimard,* 1945. — On consultera également la conférence de A. de Waelhens au Collège Philosophique : DE LA PHÉNOMÉNOLOGIE A L'EXISTENTIALISME. Cette ultime inflexion dans le sens de Heidegger ne peut pas encore être aperçue dans les IDEEN où le moment négatif de la réduction n'est pas encore absorbé dans le moment positif de de la constitution. Mais le signe que l'on va dans ce sens, c'est incontestablement l'identification du *constituer* et du *voir* dans le thème de la *conscience donatrice originaire.*

2. Nul plus que Husserl n'a eu le sentiment d'être en route, et même d'être au commencement. Il revendique pour lui « le sérieux du commencement ». Il aspire à mériter le nom d'un « commençant *réel* », sur le chemin de cette phénoménologie qui est elle-même au « commencement du commencement », *Nachwort zu meinen* IDEEN..., p. 21.

démarches définitivement équivoques. C'est sans doute pourquoi, en 1928, Husserl jugeait les *Ideen* dignes d'être rééditées pour la troisième fois sans changement, alors que des milliers d'autres pages, pourtant achevées, et d'abord la suite même des *Ideen*, restaient refusées au public, au nom de cette rigueur intellectuelle et de ce goût scrupuleux de la perfection qui furent les rares vertus du maître de Göttingen et de Fribourg.

C'est cette troisième édition sans changement que nous présentons en traduction au public français [1].

Qu'il me soit permis, en terminant cette introduction, de remercier le Dr. H. L. Van Bréda, Directeur des *Archives Husserl* à Louvain, pour l'obligeance avec laquelle il m'a donné accès aux inédits et m'a bien souvent initié à leur interprétation. J'ai le plaisir d'associer à son nom celui du Dr. St. Strasser et aussi ceux du Dr. et de Mme Biemel pour leurs conseils précieux qui m'ont permis d'améliorer ma traduction et de mieux comprendre ce texte dense et rigoureux.

PAUL RICŒUR.

1. Les notes (*a*), (*b*) au bas des pages sont de Husserl. Les notes 1. 2. 3. etc. sont du traducteur ; elles se rapportent aux pages de l'édition allemande.

LIVRE PREMIER

INTRODUCTION GÉNÉRALE A LA PHÉNOMÉNOLOGIE PURE

[1] # INTRODUCTION

La Phénoménologie pure à laquelle nous voulons ici préparer l'accès, en caractérisant sa situation exceptionnelle par rapport aux autres sciences, et dont nous voulons établir qu'elle est la science fondamentale de la philosophie, est une science essentiellement nouvelle; ses caractères essentiels la rendent étrangère à la pensée naturelle ; aussi est-ce seulement de nos jours qu'elle a tendu à se développer. Elle se nomme une science des phénomènes. Or c'est également aux phénomènes que s'appliquent d'autres sciences connues depuis longtemps. Ne voit-on pas dans la psychologie une science des « apparences » ou des phénomènes psychiques, et dans les sciences de la nature celles des phénomènes physiques ? De même, on parle parfois en histoire de phénomènes historiques, et dans la science de la civilisation de phénomènes de civilisation ; il en est de même pour les autres sciences du réel. Le sens du mot « phénomène » peut varier dans ces diverses acceptions ; il peut avoir par ailleurs d'autres significations ; il reste sûr que la phénoménologie elle aussi se rapporte à tous ces « phénomènes », en prenant ce terme dans tous ses sens ; mais elle le fait avec une attitude toute différente, qui modifie d'une manière déterminée chacun des sens de ce terme, tel que nous le proposent les sciences qui nous sont de longtemps familières. Ces divers sens ne pénètrent dans la sphère de la phénoménologie qu'après avoir subi cette modification. Comprendre ces modifications ou, pour parler plus exactement, réaliser cette attitude phénoménologique, élever par la réflexion au niveau de la conscience scientifique ses caractères propres et ceux de l'attitude naturelle, c'est la première tâche et non la plus facile à laquelle nous devons satisfaire pleinement si nous voulons prendre pied dans le domaine de la phénoménologie et acquérir de son essence propre une certitude scientifique.

[2] Dans la dernière décade on a beaucoup parlé de phénoménologie dans la philosophie et dans la psychologie allemandes. En se croyant d'accord avec les *Etudes Logiques* ([a]), on conçoit la phénoménologie comme un stade préliminaire de la psychologie empirique, comme un ensemble de descriptions « immanentes » portant sur le « vécu » psychique et, suivant le sens que l'on donne à cette immanence, strictement limitées à l'*expérience* intérieure. J'ai protesté contre cette conception ([b]) : sans succès semble-t-il ; et les explications que j'ai ajoutées et qui mettaient en relief au moins quelques différences essentielles n'ont pas été comprises et ont été rejetées sans autre examen. Faute de saisir le simple *sens* de ma démonstration, les répliques à ma critique de la méthode psychologique ont été dépourvues de toute valeur ; cette critique ne contestait nullement la valeur de la psychologie moderne, ne rabaissait nullement les travaux expérimentaux d'hommes éminents, mais dévoilait certaines lacunes de méthode radicales au sens littéral du mot ; en les comblant, la psychologie doit à mon avis être élevée à un niveau supérieur de certitude scientifique et élargir extraordinairement son champ de travail. Je trouverai

---

(*a*) E. Husserl, Logische Untersuchungen, 2 vol. 1900 et 1901. [Nous citerons désormais à côté de la 1re éd. de 1900-01, la 3e éd. en 3 vol. : I et II (1913), III (1922). N. d. T.].

(*b*) Dans l'article *Philosophie als strenge Wissenschaft* (« la Philosophie comme science rigoureuse »), *Logos*, vol. 1, pp. 316-18 (on notera en particulier le développement consacré au concept d'expérience, p. 316). Cf. la discussion détaillée déjà consacrée au rapport de la phénoménologie à la psychologie descriptive dans ma *Revue des écrits consacrés à la logique en Allemagne entre les années* 1895-99, *Archiv f. system. Philosophie,* t. X (1903), pp. 397-400. Je pourrais aujourd'hui ne pas en changer un mot.

ailleurs l'occasion d'ajouter quelques mots sur la manière dont la psychologie, bien inutilement, s'est défendue contre ces prétendues « attaques » de ma part. Si je fais allusion à ce conflit, c'est pour souligner nettement dès l'abord, en présence des incompréhensions courantes si lourdes de conséquence, les points suivants: *la phénoménologie pure* à laquelle nous voulons accéder grâce à cet ouvrage — celle même qui a fait sa première apparition dans les *Etudes Logiques* et dont j'ai progressivement découvert la richesse et la profondeur au cours des travaux que j'ai poursuivis dans la dernière décade — *n'est pas une psychologie;* ce ne sont pas les hasards des délimitations de domaine et de la terminologie, mais des raisons *de principe* qui lui interdisent d'être annexée à la psychologie. Aussi important que soit le rôle méthodologique auquel la phénoménologie doit prétendre à l'égard de la psychologie, aussi essentiels que soient les « fondements » qu'elle lui fournit, elle est — déjà à titre de science des idées — aussi peu une psychologie que la géométrie une science de la nature. La différence se révèle même [3] encore plus radicale que dans cet exemple. Le fait que la phénoménologie s'occupe de la « conscience », en y comprenant tous les modes du vécu, les actes et les corrélats de ces actes, n'y change rien. Il faut un effort sérieux pour comprendre ce point, étant données les habitudes de pensée qui ont cours. Exclure la totalité des habitudes de pensée qui ont régné jusqu'à ce jour, reconnaître et abattre les barrières spirituelles que ces habitudes dressent autour de l'horizon de notre pensée, pour saisir ensuite avec une entière liberté intellectuelle les véritables problèmes de la philosophie qui demandent à être totalement renouvelés et qu'il sera possible d'atteindre une fois l'horizon débarrassé de tous côtés : ce sont là des prétentions considérables. Le problème n'exige pas moins. En fait si la difficulté est aussi considérable de s'approprier l'essence de la phénoménologie, de comprendre la façon originale dont elle pose les problèmes ainsi que ses rapports avec les autres sciences (en particulier avec la psychologie), c'est avant tout parce qu'elle exige l'abandon des attitudes naturelles liées à notre expérience et à notre pensée, bref *un*

par essence de l'irréel. Il apparaîtra en outre que tous les « vécus », après la purification transcendantale, sont des irréalités, posées en marge de toute inclusion dans le « monde réel » (wirkliche). La phénoménologie consiste précisément à explorer cet irréel, mais en [5] « essence ». Dans quelle mesure pourtant des phénomènes transcendantaux sont-ils accessibles à l'investigation en tant que *faits* (Fakta) singuliers, et quel rapport peut entretenir cette investigation de faits avec l'idée de la métaphysique ? Ces deux points seront examinés seulement dans la série de recherches formant conclusion.

Dans le *premier* livre, nous ne ferons pas seulement la théorie générale des réductions phénoménologiques qui nous permettent de discerner et d'atteindre la conscience transcendantalement purifiée et ses corrélats éidétiques ; nous tenterons également de nous faire une représentation précise de la structure la plus générale de cette conscience pure et, par ce biais, de démêler les principaux groupes de problèmes, les directions de recherches et les méthodes principales qui ressortissent à cette nouvelle science.

Dans le *second* livre nous traiterons en détail quelques groupes de problèmes particulièrement importants; ce sont ceux qu'il faut d'abord poser en termes systématiques et résoudre de façon typique, si l'on veut ensuite réellement éclairer les difficiles rapports de la phénoménologie aux sciences physiques de la nature, à la psychologie et aux sciences de l'esprit et d'autre part à l'ensemble des sciences à priori. Les ébauches phénoménologiques tracées à cette occasion seront en même temps un moyen fort à propos pour approfondir notablement la compréhension que le premier livre nous aura donnée de la phénoménologie et pour acquérir une connaissance infiniment plus riche des vastes cycles de problèmes qu'elle propose.

Un *troisième* et dernier livre est consacré à l'Idée de la philosophie. On suscitera cette évidence que la vraie philosophie, dont l'Idée est de réaliser l'Idée d'une connaissance absolue, prend racine dans la phénoménologie pure ; et cela en un sens tellement strict que cette philosophie, la première des philosophies, ainsi rigoureusement fondée et systématiquement exposée, est la présupposition perpétuelle de toute métaphysique et de toute autre philosophie « qui pourra se donner comme *science* ».

Puisque la phénoménologie devra être établie comme une science de l'essence, une science à priori, ou, comme nous le dirons aussi, une science éidétique, il sera utile de faire précéder tous nos efforts consacrés à la phénoménologie elle-même d'une série de discussions fondamentales sur les essences et la science des essences ; nous y défendrons contre le naturalisme les prérogatives originelles de la connaissance des essences.

Nous terminerons cette introduction par une courte discussion terminologique. Comme dans les *Etudes* [6] *Logiques,* j'éviterai autant que possible les expressions à priori et à posteriori ; trop d'obscurité et d'ambiguïté propices à l'erreur s'attache à leur emploi commun ; en outre, les doctrines philosophiques plus ou moins décriées, héritage fâcheux du passé, les ont profondément contaminées. Nous ne les emploierons que dans des contextes qui les libéreront de toute ambiguïté, et uniquement comme équivalents *d'autres* termes que nous leur associerons et auxquels nous aurons conféré un sens clair et univoque ; nous y recourrons surtout lorsqu'il s'agira d'évoquer des parallèles historiques.

Les expressions *Idée* et *Idéal* ne sont peut-être pas aussi entachées d'équivoques propices aux erreurs ; mais au total elles le sont tout de même passablement, comme les méprises fréquemment commises à propos de mes *Etudes Logiques* me l'ont fait suffisamment sentir. Un autre souci me décide également à changer la terminologie : celui de maintenir pure la distinction entre le *concept kantien* si important d'*Idée* et le concept général d'essence (formelle ou matérielle). C'est pourquoi je recours au terme étranger de : « *Eidos* » qui n'a encore été employé dans aucune terminologie, et au mot allemand « *Wesen* » (essence), susceptibles de n'entraîner que des équivoques inoffensives, quoique parfois fâcheuses.

J'aurais volontiers exclu le mot *réel* (Real), dont l'hérédité est très chargée, si j'avais trouvé un terme convenable à lui substituer.

Je ferai encore une remarque générale : on sait qu'il n'est pas heureux de choisir des expressions techniques totalement étrangères au génie de la langue philosophique telle qu'elle s'est constituée au cours de l'histoire; et surtout on sait que les notions de base de la philosophie ne se laissent pas fixer, au point de vue de la définition, dans des concepts stables et qu'on puisse constamment identifier par référence à des intuitions d'accès immédiat ; on sait au contraire qu'avant d'arriver à les clarifier et à les déterminer de façon définitive, il faut en général de longues recherches : c'est pourquoi on est fréquemment obligé de recourir à des formes combinées de langage qui groupent ensemble un *certain nombre* d'expressions de la langue courante employées dans un sens très voisin, en donnant un privilège terminologique à tel ou tel. En philosophie, les définitions n'ont pas la même nature qu'en mathématiques; toute imitation des procédés mathématiques est à cet égard non seulement infructueuse mais maladroite et de conséquences extrêmement nuisibles. D'ailleurs la terminologie proposée ci-dessus devra se confirmer tout au long de nos développements, à la faveur d'illustrations déterminées et évidentes par elles-mêmes; il nous faudra renoncer par contre à des comparaisons critiques détaillées avec la tradition philosophique, à ce point de vue comme à d'autres, ne serait-ce qu'en raison de l'ampleur de ce travail.

donc toutes des sciences du monde et, pour autant que cette attitude règne exclusivement, on peut poser l'équivalence des trois concepts : « être vrai », « être réel » (wirkliches), c'est-à-dire réel-naturel (reales) [4], et — comme tout ce qui est réel se résume dans l'unité du monde — « être dans le monde ».

Chaque science a pour champ d'étude un domaine d'objets, et toutes les connaissances qu'elle contient (c'est-à-dire ici tout énoncé correct) ont pour source et fondement de droit certaines intuitions : c'est là que les objets du domaine envisagé viennent se donner en personne (zur Selbstgegebenheit kommen) et, pour une part au moins, *sous forme de donnée originaire* (zu originärer Gegebenheit) [5]. L'intuition *donatrice* (gebende) [6] est, pour la première des sphères, pour la

---

notion de fait, est rapidement nouée : expérience, attitude naturelle, monde (être vrai = être réel = être dans le monde), perception. A cette occasion, l'auteur esquisse la théorie générale de l'intuition, puisque la perception n'est qu'une espèce d'intuition à côté de l'intuition du vécu, de l'intuition d'autrui (intropathie), de l'intuition des essences. *b*) Le § 2 montre le passage du fait à l'essence.

4. *Realität* que nous traduisons par réalité naturelle ou mondaine désigne toujours dans les IDEEN ce qui est posé comme réel dans l'attitude naturelle et n'a plus de place après la réduction phénoménologique, §§ 33 sq. Par contre, *Wirklichkeit* — réalité — conserve un sens à l'intérieur de la réduction, d'une part comme modalité de la croyance (certitude, § 103), d'autre part, plus fondamentalement, comme relation du noème à l'objet, §§ 89-90 et surtout §§ 128-153. — Husserl introduit par ailleurs le mot *reell* que nous commenterons aux §§ 41, 85, 88. — Le français n'a pas la ressource, pour traduire ces mots, d'une dualité de racines, germanique et latine, ni d'une capacité illimitée d'invention verbale.

5. *Donnée originaire ou en original* s'oppose à « simplement « pensé », « visé à vide » (§§ 136-8) ; cette notion prend son sens dans l'ensemble d'une théorie de l'évidence et se comprend par la distinction des actes qui signifient à vide et des actes qui remplissent par la présence en personne (*I*e *Etude et VI*e *Etude*, 2e section). Comme on verra (note 5 de la p. 10), il y a aussi une donnée originaire des formes, relations, « catégories » etc. — La théorie de l'évidence et du « remplissement » sera reprise dans les IDEEN, IVe partie. — L'expression « originaire » est introduite dans la 2e édition des PROLÉGOMÈNES A LA LOGIQUE PURE (1913), pp. 190 et 229.

6. *L'intuition donatrice :* ce sens actif du verbe donner appliqué à l'intuition sera confirmé par le passage à la constitution

sphère « naturelle » de connaissances, et pour toutes les sciences de ce ressort, l'expérience naturelle ; et l'expérience donatrice *originaire* est la *perception*, prise [8] au sens habituel du mot. C'est une seule et même chose qu'une réalité naturelle nous soit originairement donnée et que nous nous « en apercevions » (gewahren) ou que nous la « percevions » dans une intuition simple (schlicht). Nous avons une expérience originaire des choses physiques dans la « perception externe » ; nous ne l'avons plus dans le souvenir ou dans l'anticipation de l'attente ; nous avons une expérience originaire de nous-même et de nos états de conscience dans la perception dite interne ou perception de soi ; nous n'en avons pas d'autrui et de son vécu dans « l'intropathie » (Einfühlung)[1]. Nous « apercevons (ansehen) les vécus d'autrui » en nous fondant sur la perception de ses manifestations corporelles. Cette aperception par intropathie est bien un acte intuitif et donateur, mais non plus donateur *originaire*. Nous avons bien conscience d'autrui et de sa vie psychique comme étant « là en personne » (selbst da), inséparable de son corps donné là ; mais à la différence du corps, la conscience d'autrui n'est pas une donnée originaire.

Le monde est la somme des objets d'une expérience possible et d'une connaissance possible par expérience, la somme des objets qui, sur le fondement de l'expérience actuelle (aktueller), peuvent être connus dans le cadre d'une pensée théorique correcte. Ce n'est pas ici le lieu de discuter ce qu'est dans le détail une méthode propre à une science de l'expérience, et comment elle établit son droit à sortir du cadre étroit des données directes de l'expérience. Les sciences qui se rapportent au monde, donc les sciences issues de l'atti-

---

transcendantale qui est une « donation de sens » : § 55 (voir p. 106, n. 1). On reviendra sur l'accent idéaliste de cette expression qui ne supprime pourtant pas le caractère intuitif de la perception et en général de l'évidence. Cf. p. 44, n. 1.

[8] 1. L'intropathie fait l'objet de quelques remarques dans IDEEN I ; IDEEN II lui consacre une longue analyse intentionnelle. Cf. ci-dessous, p. 316, n. 1. Sur la trad. de ce mot, cf. le *Glossaire*.

La Ve *Méditation Cartésienne* élève cette notion de psychologie phénoménologique au plan de la constitution phénoménologique.

tude naturelle, forment toutes ce qu'on appelle au sens plus étroit et au sens plus large du mot *les sciences de la nature :* elles comprennent les sciences de la nature *matérielle,* mais aussi celles des êtres vivants avec leur nature *psycho-physique,* par conséquent aussi la physiologie, la psychologie, etc. Il faut encore inclure ici toutes *les sciences dites de l'esprit* (sog. Geisteswissenschaften), l'histoire, les sciences des civilisations, les disciplines sociologiques de tous genres ; à leur sujet nous pouvons provisoirement réserver la question de savoir si on doit les assimiler ou les opposer aux sciences de la nature, s'il faut y voir des sciences de la nature ou des sciences d'un type essentiellement nouveau.

§ 2. — Le Fait. Que le Fait et l'Essence sont inséparables

Les sciences issues de l'expérience sont *des sciences du « fait ».* Dans l'expérience, les actes de connaissance fondamentaux posent la réalité naturelle (Reales) sous forme *individuelle ;* ils posent une existence spatio-temporelle, une chose qui a telle place dans le temps, telle durée propre et un statut de réalité (Realitätsgehalt), mais qui, en vertu de son essence, aurait pu avoir n'importe quelle autre position dans le temps ; ces actes posent en outre une chose qui est à tel endroit, sous telle forme physique (ou qui est donnée comme inséparable d'un corps de telle forme), alors que la même réalité considérée dans son essence, pourrait aussi bien exister à n'importe quelle autre place, [9] sous n'importe quelle autre forme, pourrait de même changer, tandis qu'en fait elle ne change pas, ou bien pourrait changer d'une tout autre façon qu'elle ne change en fait. L'être individuel sous toutes ses formes est, d'un mot très général, « *contingent* ». Tel il est ; autre il pourrait être en vertu de son essence. Certes des lois déterminées de la nature s'imposent, selon lesquelles, quand telles et telles circonstances réelles se produisent en fait, telles et telles conséquences déterminées doivent apparaître en fait : mais ces lois n'expriment qu'une régulation de fait qui pourrait elle-même prendre un autre cours et qui présuppose déjà, comme l'implique dès l'abord *l'essence* d'objets d'une expérience possible, que les objets réglés par ces lois sont également contingents quand on les considère en eux-mêmes [1].

Or par son sens même cette contingence, qui s'appelle alors facticité (Tatsächlichkeit), a sa limite : elle a un corrélat auquel elle est liée, la *nécessité ;* mais cette nécessité ne désigne pas la simple permanence (Bestand) [2] de fait d'une règle valable de coordination entre des faits spatio-temporels ; elle présente tous les caractères de la *nécessité éidétique* et ainsi a rapport avec *la généralité éidétique* [3]. Quand nous disions : chaque fait, « en vertu de sa propre essence », pourrait être autre, nous exprimions déjà *que, par son sens, tout ce qui est contingent implique précisément la possession d'une essence, et donc la possession d'un Eidos qu'il importe de saisir dans sa pureté,* et qui à son tour se subordonne à des *vérités d'essences de différents degrés de généralité.* Un objet individuel n'est pas seulement quelque chose d'individuel, un « ceci là » (ein Dies da !) [4], quelque chose d'unique ; du fait qu'il a « *en soi-même* » telle ou telle constitution, il a sa *spécificité* (Eigenart), son faisceau permanent (seinen Bestand) [2] de prédicats *essentiels* qui lui surviennent nécessairement (en tant « qu'il est tel qu'en soi-même il

---

[9] 1. Ideen I ne précise pas autrement la distinction entre l'essence et la loi empirique (sinon in § 6, p. 16), ni la technique du passage à l'essence ; seul est précisé le rôle de l'imagination pour éprouver la résistance de l'invariant éidétique aux variations réelles et fictives de sa réalisation, § 4. L'auteur va droit à l'essentiel : tout fait comporte une essence, subordonnée elle-même à une hiérarchie d'essences (§ 12) et toute essence comporte un champ d'individus (ceci *hic et nunc*) contingents : cette contingence institue à elle seule la distinction entre essence et fait, que la dualité des intuitions va confirmer (§ 3). — Le § 2 indique vers la fin une seconde conséquence qui sera reprise au § 9 : la hiérarchie des essences projette sur le champ des individus un découpage en régions et catégories : la phénoménologie, par exemple, a rapport à la « région » conscience.

2. Sur la traduction de Bestand, voir *Glossaire.*

3. Nécessité et généralité sont distinguées au § 6.

4. *Dies da :* τόδε τι; cf. § 14.

est »), de telle sorte que d'autres déterminations, celles-là secondaires et relatives, puissent lui échoir [5]. Par exemple chaque son possède en soi et pour soi une essence et au sommet l'essence générale (allgemeine) de son en général (überhaupt), ou plutôt d'acoustique en général, si l'on entend strictement par là le moment abstrait qu'on peut dégager intuitivement du son individuel (soit sur un cas isolé, soit par comparaison avec d'autres cas à titre d'élément « commun »). De même chaque chose matérielle possède sa propre spécification éidétique et, au sommet, la spécification générale de « chose matérielle en général », avec une détermination temporelle en général, une durée, une figure et la matérialité en général. *Tout ce qui appartient à l'essence de l'individu, un autre individu peut aussi le posséder et les généralités éidétiques suprêmes,* comme celles que nous venons d'indiquer dans nos exemples, viennent *délimiter des « régions » ou « catégories » d'individus.*

5. Cette phrase définit très exactement l'essence en dehors de tout platonisme : dans les PROLÉGOMÈNES A LA LOGIQUE PURE, chap. XI, § 65, la notion d'essence est introduite par celle d'à priori : on demande quelles sont « les conditions idéales de possibilité de la science ou théorie en général » (c'est-à-dire d'un système déductif clos) : « Il est évident, est-il répondu, que les vérités elles-mêmes et spécialement les lois, fondements, principes, sont ce qu'ils sont, que nous en ayons ou non la vue intellectuelle, l'évidence » (*ibid.*, p. 238). Elles sont en elles-mêmes la condition idéale de possibilité de leur connaissance : c'est en ce sens qu'on parle de « l'essence de ces unités idéales » comme loi à priori appartenant à la vérité comme telle, à la déduction, à la théorie comme telles. La plus ultime question des PROLÉGOMÈNES est dès lors celle-ci : « Qu'est-ce qui fait l'essence idéale de la théorie en tant que telle ? » (*ibid.*, p. 241) ; la logique pure sera la théorie des théories, c'est-à-dire « la théorie systématique fondée dans l'essence de la théorie, ou la science nomologique théorique à priori qui se rapporte à l'essence idéale de science en tant que telle » (*ibid.*, p. 242). Tous les concepts primitifs comme par exemple : objet, unité, pluralité, etc., se justifient par une « Einsicht in das Wesen », c'est-à-dire une « intuitive Vergegenwärtigung des Wesens in adäquater Ideation » (*ibid.*, pp. 244-5). — La *VIe Etude* (2e section) donne plus d'ampleur à cette analyse de l'essence et l'introduit par un autre biais : l'intuition y est strictement définie par le « remplissement » de certains actes de pensée qui signifient à vide non la « matière » mais la « forme » de la proposition (copule, fonctions, liaisons, subordination, etc.) et qu'on peut appeler « forme catégoriale » ; ces significations ne peuvent

[10] § 3. — L'INTUITION DE L'ESSENCE ET L'INTUITION DE L'INDIVIDU[1].

D'abord le mot « essence » a désigné ce qui dans l'être le plus intime d'un individu se présente comme son « *Quid* » (sein Was). Or ce Quid peut toujours être « *posé en idée* ». *L'intuition empirique* (*erfahrende*) ou *intuition de l'individu* peut être convertie en *vision de l'essence* (Wesens-Schauung) (*en idéation*) — cette possibilité devant elle-même être entendue non comme pos-

---

être remplies par une perception, par une intuition « sensuelle » mais par une « intuition catégoriale » ; en un sens large du mot « voir » (ou évidence), (pp. 138-139), il y a un « voir » qui a la même fonction par rapport aux moments non sensibles de la signification que la perception par rapport aux moments sensibles (pp. 142, sq.). Il y a une « perception catégoriale » où les éléments formels se donnent en original, en personne. L'idée d'essence n'exige pas autre chose (*ibid.*, pp. 128-155). — Dans l'introduction à la 2e édition des ÉTUDES LOGIQUES, Husserl déclare que si on avait lu et compris cette *VIe Etude* on n'aurait pas fait tant de contresens sur les IDEEN. On ne saurait trop insister sur le caractère non métaphysique de la notion d'essence: elle est introduite ici dialectiquement comme corrélat du fait, comme le statut de détermination qui doit nécessairement survenir à un fait pour qu'il ait ce sens et non un autre.

[10] 1. 2° *L'intuition des essences*, §§ 3-8. C'est la notion capitale de ce chapitre et une des bases de tout l'édifice husserlien, quoique la clef de la phénoménologie soit la réduction transcendantale (sur les rapports de l'intuition et de la réduction, cf. *Introduction*). Le chapitre critique précisera la théorie de l'intuition éidétique en particulier par rapport au reproche de platonisme, § 40. (Husserl parle même d'existence à propos des essences, *infra*, p. 280 : cette existence est un caractère qui s'attache à une pure signification remplie et n'implique aucun redoublement du monde, aucun cosmos des essences).

a) *Le § 3 commence par la distinction des deux intuitions sensible et éidétique et se termine par leur solidarité :* l'intuition de l'individu comporte la possibilité de convertir le regard du fait à l'essence ; le fait subsiste comme illustration (cette fonction sera précisée plus loin) ; mais, quand je saisis l'essence, je ne pose plus l'individu comme existant dans le monde. — En cours de route, Husserl complique cette analyse centrale par des re-

sibilité empirique mais comme possibilité sur le plan des essences. Le terme de la vision est alors l'essence *pure* correspondante ou Eidos, que ce soit la catégorie de degré supérieur ou une forme plus particulière, en descendant jusqu'à l'ultime concret.

Cette vision qui *donne* l'essence, et éventuellement la *donne de façon originaire,* peut être *adéquate,* comme celle que nous pouvons aisément nous former de l'essence du son; mais elle peut aussi être plus ou moins imparfaite, « *inadéquate* », sans que cette différence d'adéquation tienne uniquement au degré plus grand ou plus faible de *clarté* et de *distinction.* La spécification propre de certaines catégories d'essences implique que les essences de cet ordre ne *peuvent* être données que « *sous une face* » (einseitig), « sous plusieurs faces » successivement, mais jamais « sous toutes leurs faces » (allseitig) ; corrélativement, on ne peut avoir d'expérience et de représentation[2] des ramifications individuelles correspondant à ces essences que dans des intuitions empiriques inadéquates et « unilatérales ». C'est la règle pour toute essence se rapportant à *l'ordre des choses* (auf Dingliches), en tenant compte de toutes les composantes éidétiques de l'extension ou de la ma-

---

marques latérales ; il anticipe l'analyse des essences de choses qui ne sont jamais connues d'un seul coup, mais par « esquisses », par touches : leur connaissance est inadéquate : §§ 41 sq. Cette anticipation prévient une confusion possible entre *adéquat* et *originaire :* ce qui importe à l'intuition c'est non d'être achevée, d'épuiser son objet (adéquation), mais de le donner en personne (originarité). — Le caractère originaire des deux intuitions est leur seule analogie ; on ne peut en conclure aucune analogie dans l'existence de leur objet.

2. La représentation au sens très large englobe tous les actes « simples » (perception, imagination, souvenir, etc.) par opposé aux actes « fondés » (synthèse du jugement prédicatif, de relation, etc.), *infra* pp. 213 *ad finem* et 214. Cette notion a un rôle effacé dans les IDEEN ; par contre, une grande partie de la Ve *Etude* (pp. 345, 426-475) est consacrée au sens de cette notion et cherche à donner un sens acceptable à la formule de Brentano : tout acte est une représentation ou repose sur des représentations. Elle aboutit à distinguer comme ici les actes « à un seul rayon » et « à plusieurs rayons ou visées » dont le jugement est le type (*ibid.,* pp. 459-62).

térialité; c'est même la règle, à y regarder de plus près (comme les analyses ultérieures le montreront avec évidence), pour *toutes les réalités naturelles* (Realitäten) en général[3]. Dans ce cas les expressions vagues de face unique et multiple recevront des significations déterminées et on pourra distinguer différents types d'inadéquation.

Il suffit provisoirement d'indiquer que déjà la forme spatiale de la chose physique ne peut par principe se donner que dans de simples esquisses (Abschattungen) unilatérales; et même, si on fait abstraction de cette inadéquation qui persiste aussi loin que progresse le flux continu des intuitions et en dépit de tout gain, chaque propriété physique nous entraîne dans l'infini (in Unendlichkeiten) de l'expérience; et le divers de l'expérience (Erfahrungsmannigfaltigkeit), aussi vaste soit-il, laisse encore la place à des déterminations nouvelles et plus précises de la chose; et ainsi à l'infini[4]. Quel que soit le type auquel appartient l'intuition de l'individu, qu'elle soit adéquate ou non, elle peut se convertir en vision d'essence; cette vision elle-même, adéquate ou inadéquate de façon correspondante, a le caractère d'un acte *donateur*. En conséquence :

L'essence (Eidos) est un objet (Gegenstand) d'un [11] *nouveau type. De même que dans l'intuition de l'individu ou intuition empirique le donné est un objet individuel, de même le donné de l'intuition éidétique est une essence pure.*

Il n'y a pas là une simple analogie extérieure mais une communauté radicale. *L'intuition des essences elle aussi est une intuition* et l'objet éidétique lui aussi un objet. Cette généralisation des concepts solidaires et corrélatifs « d'intuition » et « d'objet » n'est pas une idée arbitraire; elle est impérieusement exigée par la

3. Les réalités naturelles autres que la chose sont les êtres animés et le moi psychologique ; cf. § 53 et surtout IDEEN II.

4. L'inadéquation de la perception, qui par essence n'est jamais achevée, jouera un rôle décisif dans l'analyse ultérieure : c'est elle qui conduira par contraste de la région chose à la région conscience, celle-ci échappant à cette infirmité. Le § 42 explique les mots « divers », « esquisse », etc.

nature des choses (a). L'intuition empirique, spécialement l'expérience, est la conscience d'un objet individuel ; par son caractère intuitif « elle fait accéder l'objet au rang de donnée » (bringt sie ihn zur Gegebenheit); par son caractère de perception elle en fait une donnée originaire; par elle nous avons conscience de saisir l'objet « de façon originaire », dans son ipséité « *corporelle* » (« *leibhaftigen* » Selbstheit). De même l'intuition de l'essence est la conscience de quelque chose, d'un « objet », d'un quelque chose sur quoi se dirige le regard de l'intuition et qui est « donné en personne » (Selbstgegeben) dans cette intuition; mais cet objet peut encore être « représenté » (vorgestellt) dans d'autres actes, pensé de façon vague ou distincte, pris pour sujet de jugements prédicatifs vrais ou faux, — précisément comme n'importe quel « *objet* » (Gegenstand), au *sens nécessairement large que ce mot a en logique formelle.* Tout ce qui peut être objet, ou pour parler en logicien « *tout sujet possible de jugements prédicatifs vrais* » a précisément une manière *propre* de rencontrer, avant toute pensée prédicative, le regard de la représentation, de l'intuition, qui l'atteint éventuellement dans son « ipséité corporelle », le regard qui le « saisit » (erfassenden). La vision de l'essence *est* donc une intuition; et si elle est une vision au sens fort et non une simple et peut-être vague présentification (Vergegenwärtigung) [1], elle est une intuition donatrice

(a) La polémique surprenante que O. Külpe dirige contre ma doctrine de l'intuition catégoriale dans son œuvre récente intitulée DIE REALISIERUNG I (1912), p. 217, illustre de façon frappante la difficulté qu'éprouvent les psychologues de notre temps à assimiler cette évidence simple et tout à fait fondamentale. Je regrette d'être si mal compris par ce remarquable savant. Mais une réponse critique devient impossible quand l'incompréhension est si complète qu'il ne demeure plus rien du *sens* de la position authentique.

[11] 1. *Présentification :* l'intuition originaire ne se distingue pas seulement de la signification vide comme donnée, comme présence ; elle est en outre la présence « en original » par opposé à la présence « en portrait », « en souvenir », etc., § 99. (ETUDES LOGIQUES VI, 2e partie, § 45, p. 144, traduit le *Gegenwärtigsein : das sozusagen in Persona Erscheinen*). La perception présente la chose ; le portrait, le souvenir la présentifient.

originaire qui saisit l'essence dans son ipséité « corporelle » (b). Mais d'autre part l'intuition est par principe [12] d'un *type original et nouveau,* si on la confronte avec les types d'intuitions qui ont pour corrélats des objectivités soumises à d'autres catégories, entre autres avec l'intuition au sens étroit habituel, c'est-à-dire avec l'intuition de l'individu.

Sans aucun doute, l'intuition de l'essence a ceci de particulier qu'elle suppose à sa base une part importante d'intuition portant sur l'individu, à savoir qu'un individu apparaisse, qu'on en ait un aperçu (Sichtigsein) [1]; mais cet individu n'est ni saisi, ni aucunement posé comme réalité; en conséquence il est certain qu'il n'est pas d'intuition de l'essence, si le regard n'a pas la libre possibilité de se tourner vers un individu « correspondant », et si on ne peut former, pour l'illustrer, une conscience d'exemple; de même en retour il n'est pas d'intuition de l'individu sans qu'on ne puisse mettre en œuvre librement l'idéation et, ce faisant, diriger le regard sur l'essence correspondante que la vue de l'individu illustre d'un exemple; mais cela n'empêche pas que les *deux types d'intuitions sont par principe différents;* et dans les propositions comme celles qui viennent d'être énoncées ce sont seulement leurs relations éidétiques mutuelles qui se déclarent. A ces différences éidétiques entre les intuitions correspondent les relations éidétiques mutuelles entre « l'Existence » (Existenz) (prise ici manifestement au sens de l'existence de l'individu) (individuell Daseiendem) et « l'Essence » (Essenz), entre le *Fait* et *l'Eidos.* Si l'on poursuit ces

(*b*) Dans les Etudes Logiques, j'ai employé d'ordinaire le mot idéation pour désigner l'intuition éidétique qui donne de façon originaire et même de préférence pour désigner sa forme adéquate. Cependant nous avons manifestement besoin d'un concept plus souple qui englobe toute conscience dirigée simplement et directement sur une essence pour la saisir et la poser, y compris également toute conscience « obscure », dépourvue par conséquent de toute portée intuitive.

[12] 1. En ce sens l'intuition éidétique est un acte « fondé » et non pas « simple » comme la perception sensible ; *VIe Etude,* 2e partie, § 48 : « Caractérisation des actes catégoriaux comme actes fondés. »

genres de connexions, on saisit *avec évidence* (einsichtig) les essences conceptuelles qui appartiennent à ces expressions et leur sont désormais solidement attachées, et ainsi on peut *éliminer définitivement et radicalement toutes les pensées en partie mystiques* qui adhèrent surtout aux concepts d'Eidos (d'Idée) ou d'Essence (a).

§ 4. — La vision de l'Essence et l'Imagination. Que la connaissance de l'Essence est indépendante de toute connaissance portant sur des faits [2].

L'Eidos, la *pure essence* peut être illustrée par des exemples de caractère intuitif empruntés aux données de l'expérience, à celles de la perception, du souvenir, etc., etc., mais aussi bien *aux simples données de l'imagination* (Phantasie). C'est pourquoi, pour saisir une essence en personne et de façon *originaire*, nous pouvons partir d'intuitions empiriques correspondantes, mais aussi *d'intuitions sans rapport avec l'expérience et n'atteignant pas l'existence, d'intuitions « purement [3] fictives »* (bloss einbildenden).

Formons librement l'image de figures spatiales quelconques, de mélodies, de processus sociaux, etc. ; ou 3] bien forgeons fictivement des actes comme ceux de l'expérience, ceux de l'agréable et du désagréable, ceux du vouloir, etc.; par le moyen de « l'idéation » nous pouvons, à l'occasion de ces actes, avoir de toutes sortes

(a) Cf. mon article in *Logos*, I, p. 315.

2. *b*) *La fonction d'illustration de l'imagination* n'est pas négligeable : la fiction est le véritable révélateur de l'essence ; la fonction d'exemple peut ainsi être jouée par autre chose que l'expérience ; la fiction permet d'essayer des variations illimitées qui délivrent l'invariant éidétique. Husserl dit plus loin : « La fiction est l'élément vital de la phénoménologie comme de toute science éidétique », § 70. En effet, c'est elle qui brise le cercle de la facticité dont le comble est la loi empirique et donne son envergure à la liberté de l'idéation. — Sur la méthode des variations imaginatives, cf. in *the Journal of Philosophy*, vol. 36, n° 9, 27 avril 1939, pp. 233-4.

3. *Bloss* est toujours associé à non-positionnel. *Einbilden* s'oppose donc à *Daseinssetzen*.

d'essences une intuition originaire et même éventuellement adéquate : que ce soit les essences de forme spatiale, de mélodie, de processus social *en général*, ou de forme, de mélodie, etc., répondant au *type* particulier considéré. Il est alors indifférent qu'une essence de ce genre soit effectivement donnée ou non dans une expérience actuelle. Et même si la libre fiction venait, par on ne sait quel miracle psychologique, à forger des données d'un type nouveau par principe (par ex. des données sensibles) qui ne se seraient encore présentées et ne devraient encore plus tard se présenter dans aucune expérience, rien ne serait changé à la façon originaire dont se donnent les essences correspondantes; et pourtant les données forgées par l'imagination ne sont et ne seront jamais des données réelles (wirkliche).

Il en résulte essentiellement que la *position* (Setzung) et la saisie de *l'essence* d'abord par intuition *n'implique à aucun degré la position d'une existence individuelle quelconque; les vérités pures concernant les essences ne contiennent pas la moindre assertion* (Behauptung) *relative à des faits;* et donc, d'elles *seules*, on ne peut non plus dériver la plus mince vérité portant sur des faits. De même que toute pensée et tout énoncé relatifs à des faits requièrent pour fondement l'expérience (dans la mesure où l'exige *nécessairement l'essence de la validité* (der Triftigkeit) qui convient à une telle pensée), de même la pensée qui porte sur les essences pures — la pensée sans contamination, sans mélange du fait et de l'essence — requiert pour *fondement* sous-jacent la vision des essences.

§ 5. — Les Jugements portant sur des Essences, et les Jugements dotés de validité éidétique générale [1].

Il faut toutefois considérer le point suivant. On ne peut pas identifier le jugement qui porte *sur* des essen-

[13] 1. c) *La distinction*, au premier abord subtile, *entre les jugements portant directement sur les essences prises comme objets et les jugements portant sur les individus, mais sous un certain angle qui donne à ces jugements une universalité éidétique*, a pour effet de donner toute son extension au champ éidétique :

ces et des états d'essence[2] (Wesensverhalte) et le jugement éidétique en général, en raison de l'extension qu'il nous faut donner à ce dernier concept; *dans toutes les propositions ressortissant à la connaissance éidétique, les essences ne sont pas des « objets sur quoi » cette connaissance porte;* ajoutons cet autre point étroitement lié au précédent : si, comme nous l'avons fait jusqu'à présent, l'on voit dans l'intuition de l'essence une conscience analogue à l'expérience, à la saisie de l'existence, et où l'essence est saisie *à la façon d'un objet* comme l'individu l'est dans l'expérience, on ne peut faire de l'intuition des essences la seule conscience qui enveloppe l'essence tout en excluant toute position *d'existence* (Daseins). On peut avoir une conscience intuitive des essences et même d'une certaine façon les saisir, sans pourtant qu'elles deviennent des « objets sur quoi » porte la connaissance.

Prenons pour point de départ les jugements. Pour plus de précision il s'agit de distinguer les jugements [14] *sur* les essences et les jugements qui, d'une façon générale qui reste indéterminée et sans qu'interfère la position d'aucun individu, portent sans doute *sur l'individu, mais pris purement comme cas particulier des essences et sous le mode du : « en général »*. Ainsi, en géométrie pure, nous ne jugeons pas en règle générale sur l'Eidos de la droite, de l'angle, du triangle, de la section conique, etc., mais sur la droite et l'angle en général ou « en tant que tels », sur des triangles individuels pris en général, sur des sections coniques en général. Ces jugements universels (universellen) présentent tous les caractères de *la généralité propre aux essences*, de la *généralité « pure »*, ou, comme on dit encore, de la *généralité « rigoureuse », absolument inconditionnée.*

---

la connaissance éidétique est plus vaste que les jugements prenant expressément pour objet une essence et s'étend aux jugements qui les prennent si l'on peut dire de biais. La *VIe Etude* développe l'analyse de ces actes rationnels « mitigés », pp. 183-5.

2. *Verhalt,* en composition *Sachverhalt,* désigne le « jugé » comme corrélat de l'acte de « juger ». *Sachverhalt* est le corrélat du jugement théorique ; le même jugement portant sur une situation éidétique s'appelle *eidetischer Sachverhalt* ou plus brièvement *Wesensverhalt*. V. *infra*, pp. 247, sq.

Supposons pour simplifier qu'il s'agisse « d'axiomes », de jugements immédiatement évidents, auxquels tous les autres jugements se ramènent par dérivation médiate. Ces jugements — quand ils portent, comme on le suppose ici, sur des cas particuliers individuels de la façon qui a été dite — exigent pour fondement noétique, c'est-à-dire pour devenir accessibles à l'évidence, une certaine vision d'essence qu'on pourrait encore (en prenant le sens *modifié*) caractériser comme saisie de l'essence (Wesenserfassung); et celle-ci, au même titre que l'intuition éidétique qui donne à l'essence valeur d'objet (gegenständlichmachende Wesensanschauung), suppose que l'on ait un aperçu (sichtig) [1] sur des cas particuliers individuels correspondant à cette essence, mais elle ne repose pas sur l'expérience de ces cas particuliers individuels. Pour ces jugements également, il suffit de simples représentations de l'imagination ou plutôt de simples aperçus de l'imagination (Phantasiesichtigkeiten); de ces aperçus, nous avons bien conscience comme tels; ils « apparaissent », mais on ne les saisit pas comme existants. — Soit par exemple le jugement : « une couleur en général est différente d'un son en général », qui comporte la généralité éidétique, (la généralité « inconditionnée », « pure ») ; ce qui vient d'être dit trouve ici sa confirmation. On se « représente » intuitivement un cas particulier de l'essence couleur, et un cas particulier de l'essence son, et précisément *en tant que* cas particulier de sa propre essence ; on trouve ensemble d'une certaine façon une intuition de l'imagination (sans position d'existence) et une intuition éidétique, mais qui ne fait pas de l'essence un *objet*. Par essence la situation implique que nous ayons toujours la liberté de nous tourner vers l'autre attitude où l'essence est prise pour objet; c'est précisément une possibilité éidétique. En fonction du changement d'attitude, le jugement changerait aussi et s'énoncerait ainsi : l'essence — le « genre » (Gattung) — cou-

[14] 1. *Sichtig* est un terme plus effacé que *Anschauung*, comme « intuitiv bewusst », « erfasst » du début du § 5 : il désigne cette implication indirecte des essences qui n'est pas une intuition de l'essence comme objet, quoiqu'elle appartienne au plan éidétique.

leur est autre que l'essence — le genre — son[2]. Et ainsi dans tous les cas.

Inversement *tout jugement qui porte sur des essences peut être, de façon équivalente, converti en un jugement de généralité inconditionnée qui porte sur des cas particuliers de ces essences pris en tant que tels.* De cette façon *les jugements purs relatifs aux essences* (les jugements purement éidétiques) sont *solidaires* les uns [15] des autres, *quelle que soit leur forme logique.* Ils ont en commun de ne pas poser d'être individuel, lors même qu'ils portent, — mais précisément selon la pure généralité éidétique, — sur ce qui est individuel.

§ 6. — QUELQUES CONCEPTS FONDAMENTAUX. GÉNÉRALITÉ ET NÉCESSITÉ[1].

On peut poser avec évidence l'implication mutuelle des idées suivantes : le *juger* (Urteilen) éidétique, le *jugement* (Urteil) éidétique ou *proposition* (Satz) éidétique, la *vérité* éidétique (ou proposition vraie) ; nous avons en outre le corrélat de cette dernière idée ou *état de chose* (Sachverhalt) éidétique pur et simple (c'est-à-dire ce qui dans la vérité éidétique demeure permanent) (das Bestehende); enfin, nous avons le corrélat des deux premières idées ou *état de chose* éidétique, pris au sens *modifié* de ce qui est purement visé (*Ver-*

2. Sur la notion de *genre,* cf. § 12.

[15] 1. *d) L'enchaînement des notions de généralité, de nécessité, d'apodicité.* — Cette nouvelle analyse suppose que les synthèses du jugement sont susceptibles d'intuition, comme l'établit la *VIe Etude Logique :* cette extension de l'intuition au Sachverhalt du jugement s'étend aux règles de la déduction elle-même dont les rapports peuvent êre originairement présents. Cette dernière extension de l'intuition lui donne tout son sens .— La notion de généralité commande celle de la nécessité ; elle convient à l'état de chose éidétique *vrai.* La nécessité est une suite de l'universalité, quand on « applique » la vérité éidétique à un objet particulier. L'apodicité convient au jugement où l'on prend conscience des liens de nécessité entre la généralité éidétique et l'état de chose particulier. — La suite du § étend ces notions à la distinction du § 5. —La fin souligne la différence entre la généralité éidétique et la généralité empirique des lois de la nature et précise ainsi l'opposition seulement esquissée au § 2 entre l'essence et les types empiriques issus de l'induction.

meintheit), au sens de la chose jugée en tant que telle, qu'elle puisse ou non subsister [2].

Toute particularisation (Besonderung) et toute individuation (Vereinzelung) éidétique d'un état de chose doté de généralité éidétique — *dans la mesure* où cette condition est remplie, — s'appelle nécessité d'essence. La Généralité éidétique et la Nécessité éidétique sont donc des corrélats. Pourtant l'usage du mot nécessité n'est pas sans flottement, conformément aux rapports d'implication ci-dessus : on appelle aussi nécessaires les jugements correspondants. Or il importe de respecter les distinctions de sens et avant tout de ne pas désigner la généralité éidétique elle-même comme nécessité (comme on le fait d'ordinaire). On appelle *apodictique* la conscience qu'on a d'une nécessité, plus exactement la conscience de jugement par laquelle on prend conscience d'un état de chose comme étant la particularisation d'une généralité éidétique ; le jugement lui-même, la proposition, s'appelle la *conséquence apodictique* (et même apodictiquement nécessaire) du jugement général auquel il se rattache. On peut prendre aussi en un sens plus général les propositions qu'on vient d'énoncer concernant les rapports entre généralité, nécessité, apodicité, de façon qu'elles valent sur n'importe quel plan et pas seulement sur le plan purement éidétique. Il est manifeste par contre qu'en les limitant au plan éidétique on leur confère un sens distinctif et particulièrement important.

---

2. On peut schématiser ainsi :

— le juger éidétique (signifié, exprimé par le jugement ou proposition éidétique) a pour corrélat : le « jugé en tant que tel » (ou encore : l'état de chose éidétique, au sens modifié).

— la vérité éidétique (ou proposition vraie) a pour corrélat : le contenu de vérité ou état de chose éidétique au sens propre.

Ainsi du côté du sujet, la vérité est une espèce du juger et du jugement éidétique ; la distinction entre le juger et le jugement ou proposition n'entre pas en ligne de compte ici (cf. ETUDES LOGIQUES, Ve *Etude,* § 28) ; du côté de l'objet le contenu de vérité est une espèce du « jugé en tant que tel ». — C'est au contenu ou état de vérité éidétique que s'attache le caractère de généralité.

Le jugé en tant que tel (qui peut être vrai ou faux), ne mérite le nom d'état de chose éidétique qu'en un sens modifié et par rapport à la vérité éidétique. — La notion de vérité sera étudiée dans la IVe Section de ce livre.

Le lien qui rattache le juger *éidétique* portant sur l'individuel en général à la *position d'existence* de l'individuel est aussi de grande importance. La généralité éidétique se communique à un individu posé comme existant ou à un ensemble, de généralité indéterminée, d'individus (dont la thèse est affectée du signe de l'existence). C'est le cas toutes les fois qu'on « applique » des vérités géométriques au domaine de la nature (posée elle même comme réelle) (wirklich). L'état de [16] choses posé comme réel est alors un *fait*, dans la mesure où il est l'état de choses d'une réalité individuelle; c'est une *nécessité éidétique*, dans la mesure où il est l'individuation (Vereinzelung) d'une généralité éidétique[1].

Il ne faut pas confondre la *généralité illimitée des lois de la nature* avec la *généralité éidétique*. La proposition: « tous les corps sont lourds » ne pose il est vrai aucune chose déterminée à l'intérieur de la totalité de la nature comme existant. Pourtant elle ne possède pas la généralité inconditionnée des propositions dotées de généralité éidétique, dans la mesure où elle entraîne toujours, comme l'exige par son sens même une loi de la nature, une position d'existence, à savoir celle de la nature elle-même, celle de la réalité (Wirklichkeit) spatio-temporelle : tous les corps — *dans la nature*, tous les corps « réels » — sont lourds. Par contre la proposition « toutes les choses matérielles sont étendues » possède une validité éidétique et peut être entendue en un sens *purement* éidétique, dans la mesure où la position d'existence (Daseinsthesis) opérée par le sujet est exclue. Elle énonce ce qu'impliquent purement l'essence d'une chose matérielle et l'essence de l'extension et ce que nous pouvons porter à l'évidence en tant que validité générale « inconditionnée ». On y arrive en élevant l'essence de chose matérielle (par exemple sur la base d'une image libre que l'on se forme de cette chose) au rang de donnée originaire; la pensée peut alors, à la faveur

[16] 1. L'application des vérités éidétiques à des individus existants, *donc à l'ordre de la nature*, rentre dans le cadre de la nécessité éidétique. Cette remarque complète la distinction de la généralité éidétique et de la généralité des lois inductives. On aura besoin de ces distinctions pour reconnaître le type de nécessité qui convient à la position d'existence du Cogito pp. 86-7.

de cette conscience donatrice, opérer les démarches qu'exige l'« évidence », qu'exige la donnée originaire de l'état de choses éidétique qui trouve son expression dans la proposition que nous examinions. Ce n'est pas un fait contingent qu'à ces vérités corresponde une *réalité* (ein Wirkliches) dans l'espace, mais, puisque c'est la particularisation des lois éidétiques, c'est une *nécessité d'essence*. Le fait s'y réduit seulement à la réalité même à laquelle la loi est appliquée.

§ 7. — Sciences du Fait et Sciences de l'Essence [2].

Le rapport (lui-même éidétique) entre objet individuel et essence implique que tout objet individuel possède un fonds (Bestand) éidétique, *son* essence, et inversement qu'à toute essence corresponde une série d'individus possibles qui *soient* son individuation contingente. Ce rapport commande les relations mutuelles correspondantes entre sciences du fait et sciences de l'essence. Il y a des *sciences pures de l'essence*, telles que la logique pure, la mathématique pure, la théorie pure du temps, de l'espace, du mouvement, etc. [3]. Dans aucune de leurs démarches elles ne posent des faits; ou, ce qui revient au même, *aucune expérience en tant qu'expérience* — si l'on entend par là une conscience qui saisit ou pose une réalité, une existence — *n'y joue le rôle de*
[17] *fondement*. Quand l'expérience y intervient, ce n'est pas *en tant* qu'expérience. Le *géomètre*, lorsqu'il trace au tableau ses figures, forme des traits qui existent en fait sur le tableau qui lui-même existe en fait. Mais, pas plus que le geste physique de dessiner, l'expérience de la figure dessinée, en tant qu'expérience, ne *fonde* aucunement l'intuition et la pensée qui portent sur l'essence géométrique. C'est pourquoi il importe peu qu'en traçant ces figures il soit ou non halluciné et qu'au lieu de dessiner réellement il projette ses lignes et ses cons-

---

2. *Conclusion* §§ 7-8. Il ne reste plus qu'à résumer la distinction (§ 7) et la relation de dépendance (§ 8) qui peuvent être instituées entre les sciences d'essences et les sciences de faits.

3. Cette énumération des sciences éidétiques pures est ici très sommaire : la fin du § 8 apportera quelques précisions.

tructions dans un monde imaginaire. Il en est autrement du *savant dans les sciences de la nature.* Il observe et expérimente ; autrement dit, il constate par expérience une *existence; pour lui l'expérience est l'acte sur lequel tout le reste se fonde* et que la simple fiction ne peut jamais remplacer. C'est précisément pourquoi sciences *du fait* et sciences *de l'expérience* sont des concepts équivalents. Mais pour le *géomètre* qui explore non des réalités mais des « possibilités idéales », non des états de choses propres à la réalité mais des états de choses propres aux essences, *l'intuition des essences* est, à la place de l'expérience, *l'acte qui fournit les ultimes fondements.*

Il en est de même dans toutes les sciences éidétiques Les états de choses éidétiques (ou axiomes éidétiques), saisissables avec une évidence immédiate, servent de fondement aux propriétés médiates qui viennent se donner dans la pensée d'évidence médiate, mais toujours en fonction de principes dont l'évidence est absolument immédiate. *C'est pourquoi toute démarche dont le fondement est médiat, est d'une nécessité apodictique et éidétique.* L'essence d'une science purement éidétique consiste en ceci, qu'elle a une démarche *purement éidétique :* à son point de départ et dans son développement ultérieur, elle ne fait connaître aucun état de choses comme tel qui ait une validité éidétique, qui puisse en conséquence soit être porté sans médiation au rang de donnée originaire (en tant que fondé immédiatement dans une essence dont nous aurions une vision originaire), soit être « inféré » (erchlossen), par pure consécution, de ces états de choses « axiomatiques ».

On peut rattacher étroitement à ces considérations *l'idéal pratique qui anime une science éidétique exacte* (exakter), et dont seule la forme la plus récente des mathématiques nous offre proprement le modèle; le but est de conférer à toute science éidétique le plus haut degré de rationalité, en réduisant toutes les démarches médiates à de simples subsomptions sous les axiomes du domaine éidétique considéré, ces axiomes eux-mêmes formant définitivement système; à ces axiomes, s'il ne s'agit pas au premier chef de la logique « formelle » ou « pure » elle-même (au sens *le plus large* de la mathesis *universalis*) ([a]) [1], il faut joindre l'ensemble des axiomes de la logique.

[18] Aux mêmes principes se rattache encore *l'idéal de « mathématisation »* qui est d'une aussi grande importance épistémologique pratique que l'idéal précédent pour toutes les disciplines éidétiques « exactes » : en effet la totalité des connaissances (comme par exemple en géométrie) y est incluse dans l'universalité d'un petit nombre d'axiomes, selon un pur rapport de nécessité déductive. Ce n'est pas ici le lieu de pousser plus avant cette analyse ([a]).

§ 8. — RELATIONS DE DÉPENDANCE ENTRE SCIENCE DU FAIT ET SCIENCE DE L'ESSENCE.

Il ressort clairement de ce qui précède que par son *sens* une science éidétique *se refuse par principe à incorporer les résultats théoriques des sciences empiriques.* Les positions de réalité qui s'introduisent dans les constatations immédiates de ces sciences, se transmettent de proche en proche à toutes les constatations médiates. Des faits ne peuvent résulter que des faits.

---

[17] (*a*) Sur cette idée de la logique pure entendue comme *mathesis universalis,* cf. ETUDES LOGIQUES, Livre I, chap. de conclusion.

[18] (*a*) Cf. en outre sur ce point *Section III,* chap. I, § 72.

---

[17] 1. Le chap. XI de conclusion des PROLÉGOMÈNES A LA LOGIQUE assigne une triple tâche à la logique pure, par rapport au dessein général de fonder à priori la possibilité d'un enchaînement pur, « d'une unité de la théorie systématiquement achevée » (p. 232). 1° Elle établit les « concepts primitifs » qui assurent la connexion de la connaissance, c'est-à-dire les concepts des formes élémentaires de liaison (disjonction, conjonction, sujet, prédicat, pluriel, etc.) et plus radicalement les catégories formelles de l'objet (objet, état de chose, pluralité, nombre, réalités, etc.) (§ 67, pp. 242-5). 2° Elle établit les lois objectivement valables, fondées dans les catégories précédentes et d'où procèdent les « théories » : théories des inférences (ex., la syllogistique), théorie de la pluralité, etc. (§ 68, pp. 245-7). 3° Elle explore les types de « théories » possibles selon un ordre de construction réglé par des propositions générales : la « mathématique formelle » (ou analyse pure), donne l'illustration la plus remarquable de cette théorie des formes possibles de théories, comme « théorie pure de la multiplicité ». (§§ 69-70, pp. 207-252). V. *infra,* p. 18, n. 2.

Or si toute science éidétique est par principe indépendante de toute science de fait, c'est l'inverse par contre qui est vrai pour les *sciences de fait.* Il n'en est *aucune* qui, ayant atteint *son plein développement de science,* puisse rester pure de toute connaissance éidétique et *donc indépendante des sciences éidétiques formelles* ou *matérielles* [1]. En effet, *premièrement* il va de soi qu'une science basée sur l'expérience, toutes les fois qu'elle procède à un enchaînement médiat de jugements, doit se conformer aux principes *formels* dont traite la logique formelle. D'une manière générale, puisqu'elle est, comme toutes les sciences, dirigée sur des objets, elle doit respecter les lois qui tiennent à l'essence de *l'objectivité en général.* C'est ainsi qu'elle entre en rapport avec le groupe de disciplines qui constituent *l'ontologie formelle* et qui, à côté de la logique formelle au sens étroit, englobent toutes les autres disciplines qui constituent la « *mathesis universalis* » formelle (donc aussi l'arithmétique, l'analyse pure, la théorie de la multiplicité) [2]. *Deuxièmement,* en outre, tout fait inclut

---

[18] 1. La distinction des deux espèces de sciences éidétiques est fondamentale ; la considération des essences matérielles conduit directement au problème des « régions » et des éidétiques régionales et donc à la phénoménologie.

Voici le schéma des sciences éidétiques :

1° formelle (ou « mathesis universalis » formelle).

a) logique formelle.

b) disciplines constituant l'ontologie formelle : (lois de l'objectivité en général, cf. p. 21, n. 1, arithmétique, analyse pure, théorie de la multiplicité).

2° matérielle. Les éidétiques « régionales » qui traitent du genre suprême de chaque région (ex. : région chose, région conscience) sont l'illustration fondamentale de ce groupe d'éidétiques. — Au moment de la réduction phénoménologique (§ 59), ces distinctions prendront leur sens, l' « exclusion » ne portant pas sur toutes les sciences éidétiques.

2. La théorie de la multiplicité est donnée comme l'illustration et la réalisation partielle de la troisième tâche de la logique pure (cf. *supra* p. 17 n. 1) : une multiplicité comme celle des nombres entiers tombe sous une théorie de forme déterminée, régie par des axiomes de forme déterminée ; ainsi cette théorie est-elle un bon exemple de la « théorie des formes possibles de théories » ; la généralisation de l'addition, au delà du nombre entier, à tous les nombres réels, aux nombres complexes, — puis l'élaboration des multiplicités spatiales à n dimensions, — les théories des groupes de transformation, etc., sont données comme des ex. de cette

un fonds éidétique (Bestand) d'ordre *matériel*, et toute vérité éidétique liée aux essences pures enveloppées dans cette structure doit engendrer une loi qui régit les cas empiriques donnés ainsi que tout cas possible en général.

[19] § 9. — Région et Eidétique Régionale[1].

Toute objectivité concrète de caractère empirique s'intègre, ainsi que son essence matérielle, à un genre (Gattung) matériel *suprême*, à une *« région »* (Region) d'objets empiriques. A l'essence régionale pure correspond alors une *science éidétique régionale*, ou, pourrait-on dire, une *ontologie régionale*. Nous admettons par là que l'essence régionale, ou les genres différents qui la composent, servent de fondement à des connaissances si riches et si ramifiées, que leur seul développement systématique permet de parler d'une science ou d'un ensemble complet de disciplines ontologiques qui correspondent aux genres particuliers qui composent la région. Dans quelle large mesure cette présupposition est effectivement satisfaite, nous pourrons nous en persuader abondamment. Dès lors toute science empirique intégrée à l'empire d'une région entretient des rapports

théorie de la multiplicité à l'époque des Prolégomènes a la Logique pure, chap XI, § 70. La Formale und Transzendentalé Logik reprend longuement cette étude : 1re partie, §§ 28-36.

[19] 1. *B*). *Les principes de l'éidétique régionale*, §§ 9-17. Nous abordons la seconde exigence d'une théorie des essences, que présuppose par conséquent la phénoménologie en tant que science éidétique (cf. p. 7 n. 1 et 2).

1) *Nature de l'ontologie régionale*, §§ 9-10. Nous avons rencontré au cours du § 2 le problème de la *hiérarchie* des essences ; les essences matérielles qui dominent les objets empiriques se subordonnent à des genres suprêmes qui sont l'objet d'une science, l'ontologie régionale ; ainsi l'ontologie de la nature traite des propriétés qui appartiennent universellement aux objets de la région nature. — Le § 10 précise les rapports de l'ontologie régionale avec l'ontologie formelle qui domine de haut les ontologies de telle ou telle région ; l'ontologie formelle pose des questions telles que : qu'est-ce qu'un objet, une propriété, une relation, etc. ? Comme la notion même de région que met en jeu chaque ontologie régionale relève de l'ontologie formelle, on peut dire que toutes les réflexions sur la notion de région sont désormais du ressort de l'ontologie formelle (§ 17 au début).

essentiels avec les disciplines ontologiques, tant de type formel que de type régional. Nous pourrons encore exprimer la même chose de la façon suivante : *toute science portant sur des faits* (toute science empirique) *trouve dans des ontologies éidétiques des fondements théoriques essentiels.* Car il va tout à fait de soi (si toutefois notre hypothèse est exacte) que l'investigation des faits empiriques ne peut manquer d'être influencée par l'abondance des connaissances qui ont un rapport pur et de validité *inconditionnée* à tous les objets possibles de la région, dans la mesure où ces connaissances dépendent pour une part de la forme pure de l'objectivité en général [2], pour une part de l'Eidos de la région, cet Eidos représentant pour ainsi dire une forme matérielle nécessaire pour tous les objets de la région.

C'est ainsi par exemple qu'à toutes les disciplines ressortissant aux sciences de la nature correspond la science éidétique de la nature physique en général (*l'ontologie de la nature*), dans la mesure où à la nature de fait correspond un Eidos susceptible d'être saisi dans sa pureté, « l'essence » de *nature en général* et, incluse dans cette essence, une richesse inépuisable d'états de choses éidétiques. Formons *l'Idée d'une science empirique parfaitement rationalisée de la nature,* c'est-à-dire d'une science si avancée dans la voie de la théorie que toute proposition particulière qu'elle contient se ramène à ses principes les plus généraux et les plus fondamentaux : il est clair *que la réalisation de cette idée dépend essentiellement de l'élaboration des sciences éidétiques correspondantes;* elle ne dépend donc pas seulement [20] de la *mathesis formelle* liée de la même façon à toutes les sciences en général [1]; elle suppose plus particulièrement l'élaboration des *disciplines ressortissant à l'ontologie matérielle* qui exposent avec une pureté rationnelle absolue, c'est-à-dire précisément en termes

2. Cette forme pure de l'objectivité en général relève de l'ontologie formelle dont il sera question au § 10. Toute science de fait implique donc la logique formelle, l'ontologie formelle et l'ontologie matérielle de la région considérée, les deux premières constituant la *mathesis formelle* citée p. 18 et p. 20.

[20] 1. Cf. p. 18 n. 1.

éidétiques, *l'essence* de la nature et donc aussi la distribution par espèces des objectivités de la nature prises en tant que telles. Il en est de même bien entendu de n'importe quelle région.

Au point de vue de la connaissance pratique[2] également, on peut prévoir dès l'abord que plus une science issue de l'expérience s'approche du stade « rationnel » où elle devient une science « exacte »[3] ou nomologique, et donc plus elle repose sur le fondement de disciplines élaborées et en tire parti pour justifier ses propres propositions — plus aussi elle gagnera en extension et en efficacité quant à ses conséquences méthodologiques.

Ce point de vue est confirmé par le développement des sciences rationnelles de la nature, des sciences de type physique. Leur essor débute dans les temps modernes précisément au moment où la géométrie, portée à une grande perfection en tant qu'éidétique déjà dans l'antiquité (et pour l'essentiel dès l'école platonicienne), a communiqué soudain et sur une grande échelle sa fécondité à la méthode physique. Comme on le voit clairement, *l'essence* de la chose matérielle implique qu'elle soit une res extensa, et ainsi la *géométrie est la discipline ontologique qui se rapporte à un moment éidétique de cette structure de chose* (*Dinglichkeit*)[4], *c'est-à-dire à la forme spatiale*. Mais on ne voit pas moins clairement que l'essence générale de chose (dans notre langage: l'essence régionale) s'étend beaucoup plus loin. On le voit à ceci que l'évolution des sciences tend en même temps à susciter *une série de nouvelles disciplines* qu'il est possible de coordonner à la géométrie *et qui sont appelées à exercer la même action de rationalisation sur le plan empirique*. L'épanouissement magnifique des sciences mathématiques de type formel et matériel procède de cette tendance. Avec un zèle passionné elles s'édifient ou se remanient sous forme de sciences *purement* « rationnelles » (nous dirions, sous forme *d'ontologies éidétiques*); et ce zèle (à l'aube des temps modernes et encore longtemps après) n'est point

2. Sur la *Praktik* cf. *infra* § 117 et surtout § 147.
3. Sur le sens de « exact », cf. *infra* §§ 72-5.
4. Sur les différents sens du mot français chose (*Ding* et *Sache*), cf. *Glossaire*.

dépensé pour elles-mêmes, mais au profit des sciences empiriques. Car les fruits tant espérés, elles les ont portés en abondance dans le développement parallèle de cette physique rationnelle que nous admirons tant.

§ 10. — Région et Catégorie. La Région analytique et ses Catégories [5].

Plaçons-nous sur le terrain d'une science éidétique quelconque, par exemple celui de l'ontologie de la [21] nature ; nous ne nous trouvons pas (et c'est normal) dirigé sur des essences comme objets, mais sur des objets appartenant aux essences qui dans notre exemple sont subordonnées à la région appelée nature. Nous remarquons par là que le mot « *objet* » (Gegenstand) sert d'accolade à toutes sortes de configurations d'ailleurs solidaires telles que « chose », « propriété », « relation », « état de chose », « groupe », « ordre », etc. [1] ; ces termes ne peuvent manifestement être pris l'un pour l'autre, mais renvoient chaque fois à un type d'objectivité qui a pour ainsi dire le privilège de la *proto-objectivité* (Urgegenständlichkeit), et par rapport auquel tous les autres types font figure dans une certaine mesure de simples dérivés. Dans notre exemple

5. Le rapport des ontologies régionales à l'ontologie formelle introduit une difficulté particulière : la notion de région — non pas telle ou telle région, mais la forme de région en général — appartient à l'ontologie formelle en tant que détermination de l'objectivité en général ; c'est une forme vide qui convient à toutes les régions. Ce n'est donc pas sans précaution qu'on parlera de région formelle, pour désigner la forme vide de région en général, et de région matérielle — qui est un pléonasme — pour désigner telle ou telle région (nature, etc.). La notion de région n'est pas du tout plus vaste dans la hiérarchie des essences matérielles. Sa relation aux régions n'est plus de genre à espèce mais de formel à matériel. Aussi les déterminations fondamentales (ou catégories) de l'idée formelle de région sont-elles analytiques comme toutes les propositions d'ordre formel, tandis que les déterminations de telle région sont synthétiques comme toutes les propositions d'ordre matériel. Le § 16 reviendra sur cette opposition de l'analytique et du synthétique.

[21] 1. Cette énumération donne une idée des questions traitées par la science de l'objectivité en général qui inaugure l'ontologie formelle. Cf. p. 18 n. 1 et p. 22 *ad finem*.

ce privilège appartient naturellement à la *chose même,* par opposé aux propriétés de la chose, à la relation, etc. Nous venons précisément de donner un échantillon de cette législation formelle dont l'élucidation s'impose si l'on veut tirer de la confusion le terme d'objet ainsi que celui de région d'objet. De cette élucidation, à laquelle nous consacrons les analyses suivantes, procédera en outre spontanément l'important *concept de catégorie* qui est en rapport avec le concept de région.

D'une part le mot catégorie, employé en composition dans l'expression « *catégorie d'une région* », renvoie précisément à la région considérée, par exemple à la région nature physique; d'autre part il met en rapport la *région matérielle,* qui est chaque fois déterminée, avec *l'essence formelle d'objet en général* et avec les « *catégories formelles* » du ressort de cette essence.

Voici pour commencer une remarque qui ne manque pas d'importance. L'ontologie formelle semble d'abord être sur le même plan que les ontologies matérielles, dans la mesure où l'essence formelle d'un objet en général et les essences régionales semblent jouer de part et d'autre le même rôle. C'est pourquoi on sera tenté de parler, non plus comme jusqu'à présent de régions tout court, mais de régions matérielles et de leur adjoindre la « *région formelle* ». Si nous adoptons cette façon de parler nous ne devons pas le faire sans quelque précaution. D'un côté nous trouvons les essences *matérielles;* ce sont elles, en un certain sens, les *essences « authentiques »*. De l'autre côté nous avons bien encore quelque chose de caractère éidétique, mais pourtant de nature foncièrement différente : à savoir une *pure forme éidétique,* une essence certes, mais complètement « *vide* », une essence qui convient à *la façon d'une forme vide à toutes les essences possibles,* qui, grâce à son universalité formelle, tient sous sa dépendance jusqu'aux universels matériels de plus haut degré et leur prescrit des *lois* en vertu des vérités formelles qu'elle implique. Ce qu'on appelle « *région formelle* » n'est donc pas quelque chose qui est coordonné [22] aux régions matérielles (aux régions pures et simples) ; *ce n'est pas à proprement parler une région, mais la forme vide de région en général;* toutes les régions, ainsi que les particularisations éidétiques d'ordre matériel (sachaltigen) qu'elles enveloppent, ne sont point à côté d'elles, mais *sous* elles (en un sens purement formel toutefois). Or cette subordination du matériel au formel se déclare en ceci que *l'ontologie formelle contient en soi en même temps les formes de toutes les ontologies possibles* (entendons de toutes les ontologies « authentiques » « matérielles ») et qu'elle *prescrit* aux ontologies matérielles *une législation formelle commune,* — cette législation contenant également les règles que nous avons maintenant à étudier touchant la distinction entre région et catégorie.

Partons de l'ontologie formelle (toujours identifiée à la logique pure suivant son extension la plus vaste et élevée ainsi aux proportions de la mathesis universalis); c'est, nous le savons, la science éidétique de l'objet en général. L'objet, au sens de cette science, c'est tout et n'importe quoi ; à cet effet, on peut instituer une diversité précisément inépuisable de vérités distribuées selon les multiples disciplines de cette mathesis. Mais prises dans leur ensemble, elles renvoient à un petit lot de vérités immédiates ou « fondamentales » qui jouent le rôle *d' « axiomes »* dans les disciplines purement logiques. Nous définissons désormais comme *catégories logiques* ou *catégories de la région logique constituée par l'objet en général, les concepts fondamentaux de caractère purement logique impliqués* dans ces axiomes et par le moyen desquels l'essence logique d'objet en général reçoit ses déterminations dans le système total des axiomes, ou qui expriment les déterminations inconditionnellement nécessaires et constitutives d'un objet en tant que tel, c'est-à-dire d'un quelque chose, — dans la mesure où absolument parlant il doit pouvoir être « un quelque chose ». Et comme le point de vue purement logique, entendu au sens que nous avons délimité avec une exactitude absolue, engendre, par opposé au concept de « *synthétique* », celui d' « *analytique* » (a) 1 qui seul est important pour la philosophie

---

[22] (*a*) Cf. ETUDES LOGIQUES, t. II, *IIIe Etude*, §§ 11 sq.

---

[22] 1. La *IIIe Etude Logique* est consacrée à la *théorie du tout et des parties.* C'est un chapitre important de l'ontologie formelle, à côté

(et même d'importance fondamentale), nous caractériserons aussi ces catégories comme *analytiques.*

Citons comme exemples de catégories logiques les concepts de propriété, de qualité relative, d'état de chose, de relation, d'identité, d'égalité, de groupe (collection), de nombre (Anzahl), de tout et de partie, de genre et d'espèce, etc. Mais il faut aussi mettre à leur nombre les « *catégories de signification* » [2], les concepts fonda-

---

des réflexions sur sujet et propriété, individu, espèce et genre, relation et collection, unité et nombre ; il répond à la première partie du programme que les PROLÉGOMÈNES assignent à la logique pure (au § 67). Les notions d'analytique et de synthétique sont introduites par l'intermédiaire des notions d'objets dépendants (unselbständig) et indépendants (selbständig), ces derniers pouvant être « représentés séparément en vertu de leur nature » (*IIIe Etude,* p. 230), les autres non (comme couleur et extension). Or les différentes sortes de dépendances, c'est-à-dire les manières différentes dont un tout complète une partie, ne sont pas contenues dans la loi générale de dépendance qui est une loi formelle ; il faut alors que le type de dépendance (par ex. entre couleur et extension) soit régi par le genre suprême de la sphère matérielle considérée qui dit à priori comment un moment « s'ajoute » à un moment : ce sont précisément les lois synthétiques à priori. En ce sens « l'extension n'est pas analytiquement fondée dans le concept de couleur » *ibid,* p. 253). On voit combien la démarche de Husserl diffère de celle de Kant. C'est la distinction de l'ontologie formelle et des ontologies matérielles qui commande celle de l'analytique et du synthétique.

2. 1° Les PROLÉGOMÈNES A LA LOGIQUE PURE, § 67, pp. 243-5, distinguent deux plans dans l'établissement des « concepts primitifs » (1re tâche de la logique) : 1° On peut rester au plan des significations, qui est celui des formes élémentaires de la liaison soit entre propositions (conjonction, disjonction, hypothèse, etc.), soit à l'intérieur de la proposition (sujet, prédicats, pluriel, etc.) ; la « grammaire pure », qui fait l'objet de la *IVe Etude,* développe cette entreprise ; elle applique aux *significations* la recherche des modes de dépendance (selon la notion établie dans la *IIIe Etude*) entre les éléments de la signification : la « grammaire pure » exclut ainsi l'*Unsinn* (par ex. : un homme et est, un rond ou), mais non le *Widersinn,* l'absurdité formelle (fer en bois). Ces lois *reinlogisch grammatisch* se distinguent donc des lois purement logiques et permettent d'édifier une « morphologie pure des significations » (*IVe Etude,* pp. 294-5 et 317-41).

2° Les catégories formelles de l'objet (objet, unité, relation, etc.), constituent le plan proprement logique de l'ontologie formelle. Le § 134 des IDEEN précise que le niveau de la proposition ou *apophantique* est le niveau de l' « expression » au sens large. Cette distinction est nécessaire pour l'intelligence du § 11 : certaines distinctions valables au niveau de l'objectivité en général sont

mentaux qui tiennent à l'essence de la proposition (apophansis) et commandent les différentes espèces [23] de propositions, d'éléments de propositions et de formes de propositions, étant bien entendu d'après notre définition qu'on se réfère aux vérités d'essences qui lient l'un à l'autre « l'objet en général » et « la signification en général », et les lient de telle façon que toute vérité pure portant sur les significations se convertisse en vérité pure portant sur les objets. C'est pour cette raison précise que la « *logique apophantique* », même quand elle porte exclusivement sur des significations, relève elle aussi de l'ontologie formelle au sens le plus compréhensif. Néanmoins on doit traiter à part les catégories de signification et y voir un groupe original auquel on oppose toutes les autres catégories en tant que *catégories formelles objectives au sens fort du mot* (a).

Remarquons encore ici que nous pouvons entendre par catégorie, d'une part les concepts entendus comme significations, mais aussi et à plus juste titre les essences formelles elles-mêmes qui viennent s'exprimer dans ces significations. Par exemple, les « catégories » d'état de chose, de pluralité, etc., désignent au second sens l'Eidos formel d'état de chose en général, de pluralité en général, etc. L'équivoque est à redouter aussi long-

---

[23] (*a*). A propos de la division des catégories logiques en catégories de signification et en catégories formelles ontologiques, cf. ETUDES LOGIQUES, t. I, § 67. Toute la *III*e *Etude* porte spécialement sur les catégories de tout et de partie. — A cette époque, je n'osais pas encore adopter l'expression d'ontologie, devenue choquante pour diverses raisons historiques ; je désignais leur étude (o.c. p. 222 de la première édition) comme un fragment d'une « *théorie a priori de l'objet en tant que tel* », ce que A. v. Meinong a rassemblé sous le titre de : *Théorie de l'Objet* (*Gegenstandstheorie*). Au contraire, je tiens maintenant pour plus correct, en tenant compte du changement de situation de notre époque, de remettre en vigueur l'ancienne expression d'ontologie.

---

suggérées par la grammaire pure comme morphologie des significations : c'est le cas de la distinction examinée au § 11. Tous ces problèmes sont longuement développés dans la 1re partie de la FORMALE UND TRANSZENDENTALE LOGIK (définition de l'apophantique, §§ 12, 13, 22 ; élargissement de la logique formelle, au delà de l'apophantique, aux dimensions d'une *mathesis universalis*, §§ 23-7. Le § 27 résume le chemin parcouru de 1901 à 1929).

temps qu'on n'a pas appris à distinguer nettement ce qui doit toujours être distingué, à savoir la « signification » et ce qui, à *travers* la signification, peut recevoir une « expression », et à nouveau la signification et l'objectivité signifiée. Au point de vue de la terminologie on peut expressément distinguer les *concepts catégoriaux* (qui sont des significations) et les *essences catégoriales.*

§ 11. — Objectivités syntactiques et ultimes Substrats. Catégories syntactiques [1].

Une distinction importante s'impose maintenant sur le terrain des objectivités en général, qui se reflète dans une autre distinction à l'intérieur de la morphologie des significations, dans la distinction « purement grammaticale » entre « formes syntactiques » et « substrats » ou « matières (Stoffen) syntactiques ». Cette distinction grammaticale annonce une division des catégories de l'ontologie formelle qu'il nous faut maintenant étudier de plus près : la distinction des *catégories syntactiques* et des *catégories-substrats* [2].

---

[23] 1. 2) *Distinctions préliminaires à une définition analytique de la région*, §§ 11-15. C'est désormais à l'intérieur de l'ontologie formelle que nous allons poursuivre notre réflexion sur l'objectivité en général et la forme vide de région. L'auteur introduit une série de cinq distinctions qui toutes tendent à préciser le rapport fondamental de l'essence à la région.

2. *a) La distinction des termes simples et des fonctions syntactiquement dérivées est introduite par la « grammaire pure »* au sens de la *IVe Etude Logique* (cf. *supra* p. 22 n. 2). Le § 7 de cette étude (p. 308) distingue jusque dans le mot une partie syntactique (racine, préfixe, suffixe, complexe de mots). Transposée dans la théorie de l'objectivité en général, la distinction grammaticale permet de nommer « syntactiques » toutes les formations dérivées de l'objet qui auront précisément pour expression une construction syntactique, comme le nombre dans le pluriel. Toutes les catégories comme propriété, relation, pluralité, — impliquées dans des opérations syntactiques comme attribuer, mettre en relation, multiplier — sont dérivées par rapport à la simple position d'un substrat de ces diverses opérations : le problème des derniers substrats conduit à la difficile question de l'*individu* qui fera l'objet du § 14, mais que ne peut être traitée sans introduire de nouvelles dis

[24] Par *objectivités syntactiques* nous entendons les objectivités dérivées d'autres objectivités par le moyen de « *formes syntactiques* ». Nous nommons *catégories syntactiques* les catégories correspondant à ces formes. Parmi elles on peut compter par exemple les catégories d'état de chose, de relation, de propriété, d'unité, de pluralité, de nombre, d'ordre, de nombre ordinal, etc. On peut décrire de la façon suivante la situation éidétique que nous rencontrons ici : tout objet, dans la mesure où il peut être explicité, rapporté à d'autres objets, bref, déterminé logiquement, prend différentes formes syntactiques ; il se constitue des objectivités de degré supérieur, à titre de corrélats de la pensée déterminante ; ce sont par exemple des qualités et des objets déterminés quant à leurs qualités, des relations entre objets quelconques, des pluralités d'unités, des membres de séries ordonnées, des objets en tant que porteurs de déterminations ordinales, etc. Si la pensée est du type prédicatif, on voit naître graduellement des expressions et des complexes de signification correspondants dans l'ordre apophantique, qui reflètent les objectivités syntactiques selon toutes leurs articulations et toutes leurs formes dans des formules syntactiques signifiantes (Bedeutungssyntaxen) qui correspondent exactement à ces objectivités syntactiques. Toutes ces « objectivités catégoriales » (a) peuvent comme les objectivités en général jouer à leur tour le rôle de substrats à l'égard d'autres constructions catégoriales et celles-ci de même et ainsi de suite. Inversement chacune de ces constructions renvoie de façon évidente à *d'ultimes substrats*, c'est-à-dire à des objets du premier et ultime degré, donc à des objets *qui ne sont plus des constructions de l'ordre des catégories syntactiques* et qui ne retiennent plus en eux-mêmes aucune de ces formes ontologiques servant de simples corrélats aux fonctions de pensée (accorder ou refuser un prédicat,

---

[24] (a) ÉTUDES LOGIQUES, t. II, *IVe Etude*, 2e section, en particulier les §§-46 sq. [3e éd., t. III, *ibid.*].

---

tinctions. Sur tous ces points, cf. l'*Appendice I* à la FORMALE UND TRANSZENDENTALE LOGIK, pp. 259-275. Sur le concept de « terminus » cf. en particulier p. 273.

mettre en relation, relier, compter, etc.). De là résulte une division de la région formelle constituée par l'objectivité en général : la division en ultimes substrats et en objectivités syntactiques. Nous appelons ces dernières des *dérivés* (Ableitungen) *syntactiques* par rapport aux substrats correspondants auxquels se rattachent aussi, comme nous allons l'apprendre à l'instant, tous les « individus ». Si on parle de propriété individuelle, de relation individuelle, etc., ces objets obtenus par dérivation méritent naturellement ce nom à cause des substrats dont ils sont dérivés.

Une remarque encore : on arrive aux ultimes substrats, purs de toute forme syntactique, également par le biais de la morphologie des significations : toute proposition et tout membre de proposition possible con- [25] tiennent ce qu'on appelle des « termes », qui servent de substrat à leurs formes apophantiques. Ce peuvent être des termes en un sens purement relatif, si eux-mêmes contiennent à nouveau des formes (par exemple la forme du pluriel, des fonctions d'attribution, etc.). Dans chaque cas nous sommes ramenés nécessairement aux *termes ultimes,* aux derniers substrats qui n'enveloppent plus de formation syntactique ([a]).

§ 12. — Genre et Espèce [1].

Il nous faut introduire maintenant un nouveau groupe de distinctions catégoriales valables pour tout l'empire des essences. Toute essence, qu'elle soit maté-

[25] (*a*) Je communiquerai l'analyse plus détaillée de la théorie des « formes syntactiques » et de la « matière syntactique », — théorie d'une grande importance pour la morphologie des significations et qui constitue la pièce maîtresse d'une « grammaire à priori » — quand j'aurai l'occasion de publier mes leçons, déjà anciennes de plusieurs années, sur la logique pure. Sur la grammaire « pure » et la tâche générale d'une morphologie des significations, cf Etudes Logiques, t. II, *IVe Etude.*

[25] 1. *b*) *Le rapport d'espèce à genre* n'est pas propre à l'ontologie matérielle mais convient aussi à l'ontologie formelle. Cette réflexion est destinée à définir les dernières différences spécifiques et à poser correctement le problème des singularités éidétiques. Il est bien entendu que l'individu éidétique (le nombre 1 par rap-

rielle (sachhaltigen) ou vide (donc purement logique) [2] se place dans une *échelle de généralité et de spécialité* qui possède nécessairement deux limites qui ne coïncident jamais. En descendant cette échelle nous arrivons aux *différences spécifiques de plus bas degré,* autrement dit aux *singularités éidétiques;* en la remontant et en passant par toutes les essences spécifiques et génériques nous touchons à un *genre suprême.* Les singularités éidétiques sont des essences au-dessus desquelles, bien entendu, on rencontre des essences « plus générales » qui jouent à leur égard le rôle de genres, mais qui au-dessous d'elles ne souffrent plus de particularisations à l'égard desquelles elles joueraient elles-mêmes le rôle d'espèce (qu'il s'agisse d'espèces de degré immédiatement voisin, de genres médiats, de genres de degré plus élevé). De même le genre suprême est celui au-dessus duquel il n'y a plus de genre.

En ce sens, si on considère le domaine purement logique des significations, la « signification en général » est le genre le plus élevé, chaque forme propositionnelle déterminée — proposition ou élément de proposition — est une singularité éidétique, la proposition en général, un genre intermédiaire. De même le nombre en général est un genre suprême. Deux, trois, etc., sont les différences ultimes de ce genre, c'est-à-dire ses singularités éidétiques. Dans la sphère matérielle (sachhaltigen), la chose en général, la qualité sensible, la forme spatiale, le vécu en général, par exemple, sont des genres suprêmes ; les propriétés éidétiques qui s'attachent aux choses déterminées, aux qualités sensibles, aux formes spatiales, aux vécus déterminés pris en tant que tels, sont des singularités éidétiques et, dans le cas considéré, des singularités matérielles.

Ces relations éidétiques désignées par les mots espèce et genre (et différentes des relations d'appartenance à des classes, c'est-à-dire à des groupes) impliquent

---

port au genre suprême du nombre, le bleu par rapport au genre qualité sensible) n'est pas l'individu existant (ce rouge *hic et nunc*). Comme il sera dit plus loin, l'individu empirique est subsumé sous l'essence qui peut être elle-même individuelle ou générique. L'essence individuelle est subordonnée à l'espèce et au genre.

2. *Sachhaltig* s'oppose à *leer* comme matériel à formel.

que dans l'essence la plus particulière, la plus générale soit « immédiatement ou médiatement *contenue* », mais en un sens déterminé qui demande à être saisi dans son originalité propre par l'intuition éidétique. C'est pour cette raison précise que bien des auteurs ont ramené la relation du genre éidétique à l'espèce éidétique, à un cas particulier éidétique des relations de « partie » à « tout ». Ici les mots « tout » et « partie » répondent précisément au concept le plus vaste de « contenant » et de « contenu » dont la relation éidétique d'espèce à genre devient une forme particulière : ce qui est singulier dans l'ordre éidétique implique donc la totalité des universels situés au-dessus de lui, lesquels de leur côté « résident l'un dans l'autre » par degrés successifs, le degré le plus élevé étant toujours contenu dans le degré le plus bas.

§ 13. — Passage au Général (Generalisierung) et passage au Formel (Formalisierung)[1].

Il faut rigoureusement distinguer les rapports de généralisation ou de spécification et les rapports essentiellement différents *par lesquels on s'élève du matériel* (Sachhaltigen) *à une généralité* (Verallgemeinerung) *formelle de type purement logique*, ou réciproquement par lesquels on *matérialise* (Versachlichung) ce qui est de l'ordre de la logique formelle. En d'autres termes, c'est une tout autre opération de s'élever au général et de *s'élever au formel* (Formalisierung), cette dernière opération jouant un si grand rôle par exemple dans l'analyse mathématique ; autre chose également est de passer au spécial et *d'abolir la pureté de la forme* (Entformalisierung), comme quand on « *remplit* » (Ausfüllung) une forme vide de type logico-mathématique ou une vérité formelle.

Il en résulte qu'on ne doit pas confondre la subordination d'une essence à la généralité formelle d'une es-

[26] 1. c) *Le rapport de l'espèce au genre se distingue du rapport du matériel au formel.* Ainsi, réfléchir sur la notion d'essence, ce n'est pas atteindre le genre des genres pour telle essence et tel genre suprême ou région : c'est passer du matériel au formel.

sence *purement logique* et celle d'une essence à ses *genres* éidétiques de degré supérieur. Par exemple l'essence du triangle est subordonnée au genre suprême de la forme spatiale, l'essence du rouge au genre suprême de la qualité sensible. D'un autre côté le rouge, le triangle et toutes les essences tant hétérogènes qu'homogènes sont placés sous l'accolade d'une même catégorie, celle « d'essence », qui ne représente pas en face d'elles toutes un genre éidétique et ne possède ce caractère à l'égard *d'aucune* d'entre elles. Il serait même aussi absurde de considérer la notion « d'essence » comme un genre par rapport aux essences matérielles, que de prendre par erreur l'objet en général (c'est-à-dire la notion vide de quelque chose) pour un genre dominant la diversité des objets et de là tout naturellement pour le seul et unique genre suprême, pour le genre des genres. Il faudra plutôt voir dans toutes les catégories de l'ontologie formelle des singularités éidétiques qui ont pour genre suprême l'essence de « catégorie en général de l'ontologie formelle ».

De la même façon il est clair que toute inférence (Schluss) déterminée, par exemple celle dont on use [27] en physique, est l'individuation d'une forme d'inférence déterminée d'ordre purement logique ; et chaque proposition déterminée de physique est l'individuation d'une forme propositionnelle déterminée. Mais les formes pures ne sont pas des genres à l'égard des propositions ou des raisonnements matériels; ce ne sont elles-mêmes que des différences ultimes à l'égard de genres purement logiques tels que proposition, inférence, — lesquels, comme tous les genres semblables, ont pour genre suprême le genre de la « signification en général » [1]. Quand on remplit ces formes logiques vides (or dans la mathesis universalis on ne rencontre que des formes vides), « l'opération » à laquelle on procède diffère totalement du passage proprement dit au spécial en descendant jusqu'aux ultimes différences. On peut le vérifier n'importe où; c'est le cas, en particulier,

[27] 1. L'exemple donné ici est emprunté à la théorie des significations, plus précisément à la logique des propositions ou apophantique : on a vu, §§ 10-11, qu'on passe aisément de celle-ci à la théorie des objets comme tels.

quand on passe de l'espace à la « multiplicité euclidienne » : on ne généralise pas mais on s'élève à la généralité « formelle ».

Pour vérifier cette opposition radicale il faut revenir comme dans tous les cas semblables à l'intuition des essences ; elle nous apprend aussitôt que les essences formelles de type logique (par exemple les catégories) ne « résident » pas dans les cas particuliers d'ordre matériel issus de l'individuation, comme le rouge considéré dans sa généralité « réside » dans les diverses essences du rouge, ou la « couleur » dans le rouge ou dans le bleu, et qu'elles ne sont nullement « dans » ces cas particuliers, au sens spécifique du « dans » qui aurait suffisamment de parenté avec le rapport de partie à tout au sens étroit ordinaire pour nous autoriser à dire que la forme logique est *contenue dans* les ultimes cas particuliers.

Indiquons, sans qu'il soit besoin d'explications plus détaillées, qu'il ne faut pas non plus confondre la *subsomption* d'un individu et en général d'un « ceci-là » sous une essence (laquelle a un caractère différent selon qu'il s'agit d'une différence ultime ou d'un genre) avec la *subordination* d'une essence à l'espèce qui lui est supérieure ou à un genre[2].

Contentons-nous de même pour l'instant de faire une simple allusion à l'expression incertaine des *extensions* (Umfänge), qui touche tout particulièrement à la fonction des essences dans le jugement universel : cette expression doit manifestement subir une décomposition parallèle aux distinctions développées plus haut[3]. Toute essence, si elle n'est pas une différence ultime,

2. Cf. p. 25, n. 1. Si la hiérarchie des essences matérielles (Generalisierung), qui est ici le thème central, est globalement soumise à celle des essences de l'ontologie formelle (ce qui vient d'être précisé au § 13), elle domine globalement à son tour le règne empirique des individus, du ceci existant ici et maintenant : l'individu est *subsumé* sous l'essence singulière, laquelle à son tour est *subordonnée* aux espèces et genres éidétiques, matériels puis formels.

3. Les trois sens du mot extension résultent des deux couples de distinctions opérées. Le genre éidétique — qu'il soit formel ou matériel — a une extension éidétique par rapport à ses espèces et aux singularités éidétiques. Par rapport à ce sens fondamen-

a une *extension éidétique,* qui couvre tout un champ d'espèces et en tout cas en dernier ressort de singularités éidétiques. D'autre part toute essence formelle a son *extension* formelle ou « *mathématique* ». En outre toute essence en général a une *extension* composée de *cas individuels,* c'est-à-dire qu'elle constitue l'ensemble idéal de tous les « ceci-là » possibles auxquels l'essence peut être rapportée dans le cadre de la pensée universelle d'ordre éidétique. L'expression *extension empirique* dit plus : elle indique que l'essence se limite à une certaine sphère *d'existence* (Daseins), en faisant intervenir une position d'existence (Daseinssetzung) qui retire à l'essence sa généralité *pure* [4]. Tout ce qui vient d'être dit des essences se laisse naturellement transposer aux « concepts » entendus comme significations [5].

[28] § 14. — LES CATÉGORIES SUBSTRATS. L'ESSENCE SUBSTRAT ET LE τόδε τι [1].

Notons encore la distinction entre d'une part les *substrats* « pleins », dotés d'un « *contenu matériel* » (Sachhaltigen), auxquels correspondent les objectivités syntactiques « pleines », « matérielles », et d'autre part les *substrats vides,* auxquels s'ajoutent dans l'ordre

tal s'ordonnent les deux autres sens : le rapport du formel au matériel introduit la notion d'extension formelle ou « mathématique » par rapport au règne des essences matérielles — mathématique ayant ici le sens qu'il a dans *mathesis universalis* employé plus haut. Le rapport du règne éidétique (formel et matériel), au règne empirique (cf. p. 27 n. 2), introduit le troisième sens du mot extension.

4. Cette nuance n'est pas subtile : le champ des individus répondant en fait à une essence est plus étroit que le champ des individus *possibles* réalisant cette essence ; il suffit de se rappeler le rôle de l'imagination par delà l'expérience effective pour éprouver la résistance de l'essence, cf. § 4.

5. Cf. p. 27, n. 1.

[28] 1. *d) Comparaison de la singularité éidétique et du substrat non syntactique.* La distinction des plans de l'ontologie formelle, de l'ontologie matérielle et de l'existence individuelle (§ 14) permet de reprendre la distinction du substrat et des formes syntactiques introduite par la « grammaire pure » (§ 11). C'est ainsi qu'on

syntactique les objectivités formées à partir de ces substrats, les dérivés de la notion vide de « Quelque chose ». Cette seconde classe en elle-même n'est nullement vide ou stérile : elle se détermine en effet comme l'ensemble des états de chose du ressort de la logique pure entendue comme mathesis universalis, en y incluant toutes les objectivités catégoriales à partir desquelles ces états de chose se construisent. Cette classe contient donc tous les états de chose qui s'énoncent dans quelque axiome ou théorème de type syllogistique ou arithmétique, toutes les formes d'inférence, tous les nombres numériques, toutes les formations numériques complexes, toutes les fonctions au sens de l'analyse pure et toute multiplicité de type euclidien ou non euclidien, tel que l'analyse pure le définit correctement.

Si maintenant nous considérons plutôt la classe des objectivités matérielles, nous arrivons aux *ultimes substrats matériels,* qui forment le noyau de toutes les constructions syntactiques. Au nombre de ces noyaux se trouvent les *catégories substrats* qui se distribuent sous deux rubriques qui s'excluent mutuellement : « *l'essence ultime matérielle* » et le « *ceci-là* », ou la pure unité individuelle, libre de toute forme syntactique. Le terme d'individu que nous serions tenté d'employer ne convient pas ici, car précisément l'indivisibilité qu'évoque ce mot et qui appelle comme toujours une détermination, ne peut être retenue dans le con-

---

parle de substrats matériel et formel : le substrat formel, c'est le pur « quelque chose », dont les formes dérivées par voie syntactique sont, comme on l'a vu (§ 11), toutes les formes élaborées dans des actes comme juger (corrélat : « l'état de chose »), conclure (corrélat : les « formes d'inférence »), compter (corrélat : « le nombre »), analyser, constituer une multiplicité, etc. C'est dans l'ordre « matériel » que se pose la question intéressante ici, à savoir la bifurcation entre le plan des essences matérielles et le plan empirique des existences : au premier appartiennent les essences matérielles *ultimes,* au second le τόδε τι existant. Essences singulières et existences individuelles constituent, au sens logico-grammatical, des substrats irréductibles à de nouvelles formes syntactiques. On arrive à ceci : l'essence singulière du « ceci » a nécessairement la fonction substrat ; dans le langage de la grammaire pure : l'individu est antérieur aux opérations syntactiques qui ont pour corrélat les catégories d'état de chose, de relation, de propriété, de nombre, etc.

cept et doit plutôt rester réservée pour le concept particulier et absolument indispensable d'individu. C'est pourquoi nous adoptons l'expression aristotélicienne de τόδε τι, qui, au moins verbalement, ne comporte pas de référence à cette indivisibilité.

Nous avons opposé l'essence dernière et sans forme et le « ceci-là » ; il nous faut maintenant établir la relation d'essence qui les régit : elle consiste en ceci que chaque « ceci-là » a toujours son fonds éidétique matériel, lequel possède tous les caractères d'une essence substrat libre de toute forme (formlos) au sens que nous avons donné à ce mot[2].

§ 15. — Objets indépendants et dépendants. Le concret et l'individu[3].

Une autre distinction fondamentale s'impose : la distinction entre *objets indépendants* et *objets dépendants*. Un exemple d'objet dépendant est donné par les formes catégoriales, dans la mesure où elles renvoient nécessairement à un substrat dont elles sont la forme. Substrat et forme sont des essences qui renvoient l'une à l'autre et sont impensables « l'une sans l'autre ».

2. *Formlos* ne désigne pas ici le matériel par opposé au formel, mais le substrat par opposé à la forme syntactique.

[28] 3. *e*) *Essences singulières de type concret et de type abstrait.* La définition du concret est décisive pour la définition rigoureuse du concept de *région* (§ 16) : c'est elle qui est l'intention de cet article. L'auteur y accède en prenant pour point de départ la distinction des objets dépendants et indépendants. Cette distinction est longuement étudiée dans la *IIIe Etude Logique* (à laquelle on a déjà fait allusion pour introduire les notions d'analytique et de synthétique, p. 22, n.1, puis celle de grammaire logiquement pure, p. 22, n. 2) : dépendance et indépendance sont la principale détermination analytique (purement formelle) du rapport de partie à tout (Etudes Logiques II, p. 228) : « Les contenus indépendants se rencontrent là où les éléments d'un complexe représentatif peuvent être représentés séparément en vertu de leur nature. » (*ibid.*, p. 230). Le § 17 de cette *Etude* définit la partie au sens étroit, mieux appelée *Stück* : « la partie indépendante relative à un tout G », et le « moment » ou partie abstraite : « toute partie dépendante relative à ce même tout G » (*ibid.*, n. 266), ex. la qualité et l'extension ; on arrive ainsi à la définition de l'abstrait: « un abstrait est un objet pour qui il y a un tout par rapport au-

[29] En ce sens très large, la forme purement logique, par exemple la forme catégoriale d'objet, est dépendante à l'égard de tout ce qui est matière d'objet, la catégorie d'essence par rapport à toutes les essences déterminées, etc. Faisons abstraction de ces relations de dépendance et rapprochons une acception plus rigoureuse du mot dépendance ou indépendance de certains rapports, à savoir de relations telles que « *être contenu dans...* », « *être un avec...* » et éventuellement « *être lié à...* », cette expression prise elle-même en un sens plus rigoureux du terme.

Nous nous attacherons particulièrement ici au cas des substrats ultimes et, pour serrer de plus près la difficulté, au cas des essences-substrats d'ordre matériel. Deux possibilités s'offrent à elles : ou bien une de ces essences fonde avec une autre une *unique* essence, ou bien elle ne réalise pas cette unité. Dans le premier cas apparaissent des relations de dépendance, unilatérales ou mutuelles, qui demandent une description plus serrée, et, si l'on considère les cas individuels et éidétiques qui tombent sous l'emprise de ces essences unies entre elles, on arrive à cette conséquence absolument nécessaire que les cas individuels relevant d'une essence ne peuvent exister que déterminés par les essences qui ont avec l'autre essence au moins une parenté générique ([a]). Par exemple la qualité sensible renvoie nécessairement à quelque différence dans l'or-

(*a*) Cf. les analyses détaillées des ETUDES LOGIQUES, t. II, *IIIe Etude,* spécialement dans l'exposé quelque peu amélioré de la dernière édition (1913).

quel il est une partie dépendante », *ibid.*, p. 267. Un objet et même une partie (*Stück*) en relation à ses moments abstraits est un « concret relatif » ; un concret qui n'est abstrait à aucun égard est un « concret absolu », (*ibid.*, p. 268). On voit alors que si les espèces et les genres sont nécessairement dépendants, donc abstraits, les singularités éidétiques peuvent seules être concrètes, mais peuvent aussi être abstraites, si c'est seulement en composition qu'une essence singulière coopère au concret. On réserve le mot individu au « ceci » dont l'essence matérielle est concrète. Le concret désigne donc une sorte d'essence singulière qui contient en même temps des essences singulières abstraites : ainsi la chose réelle, essence concrète, contient les essences abstraites d'extension et de qualité.

dre de l'étendue ; l'étendue à son tour est nécessairement l'étendue de quelque qualité qui lui est jointe, la « recouvre ». Un « accroissement », relevant par exemple de la catégorie de l'intensité, n'est possible que s'il est immanent à un contenu qualitatif, et un contenu emprunté à ce genre n'est pas pensable à son tour sans quelque degré d'accroissement. Un apparaître, en tant que vécu présentant certaines déterminations génériques, est impossible sinon en tant qu'apparaître d'un « apparaissant en tant que tel », et de même réciproquement, etc.

En conséquence, les concepts d'individu, de concret et d'abstrait, appartenant aux catégories formelles, reçoivent d'importantes déterminations : une essence dépendante s'appelle un *abstrait,* une essence absolument indépendante un *concret.* Un « ceci-là », dont l'essence matérielle est un concret s'appelle un *individu.*

Si nous comprenons « l'opération » de généralisation sous le concept désormais élargi de « dérivation » logique, nous pouvons dire que l'individu est l'objet premier, le proto-objet (Urgegenstand) qu'exige la logique pure, l'absolu logique auquel renvoient toutes les dérivations logiques.

[30] Le concret, cela va de soi, est une singularité éidétique, puisque les espèces et les genres (ces expressions excluant d'ordinaire les différences ultimes) sont par principe dépendants. *Les singularités éidétiques* se décomposent donc en *abstraites* et en *concrètes.*

Les singularités éidétiques contenues dans une réalité concrète mais exclusives l'une de l'autre sont nécessairement « hétérogènes », si l'on se réfère à la loi de l'ontologie formelle selon laquelle deux singularités éidétiques appartenant à un seul et même genre ne peuvent être associées dans l'unité *d'une* même essence ; autrement dit, les différences ultimes d'un même genre sont entre elles « incompatibles ». C'est pourquoi toute singularité liée à quelque chose de concret, quand on la considère comme différence, conduit à un système séparé d'espèces et de genres, par conséquent aussi à des genres suprêmes séparés. Par exemple, dans l'unité d'une chose phénoménale, la figure déterminée conduit au genre suprême de forme spatiale en général, la couleur déterminée à la qualité visuelle en général. Cependant les différences ultimes au lieu de s'exclure mutuellement peuvent empiéter l'une sur l'autre ; ainsi par exemple les propriétés physiques présupposent et incluent en elles-mêmes certaines déterminations spatiales. Dans ce cas les genres suprêmes ne s'excluent pas non plus mutuellement.

Il en résulte en outre une division caractéristique et fondamentale des genres en deux groupes : ceux qui ont au-dessous d'eux des concrets, ceux qui ont au-dessous d'eux des abstraits. Pour plus de commodité nous parlons de *genres concrets et abstraits,* en dépit de la dualité des sens que reçoivent alors les adjectifs. Car l'idée ne peut venir à personne de prendre les genres concrets eux-mêmes pour des concrets au sens primitif du mot. Mais là où l'exactitude l'exige, il faut revenir à l'expression plus lourde : genres régissant respectivement le concret ou l'abstrait. On peut donner comme exemples de genres concrets : la chose réelle, le phantasme visuel (la forme visuelle qui apparaît avec une plénitude sensible), le vécu, etc. Au contraire, la forme spatiale, la qualité visuelle, etc. sont des exemples de genres abstraits.

§ 16. — Région et Catégorie dans la sphère matérielle. Connaissances synthétiques a priori [1].

La définition des concepts d'individu et de concret nous donne en même temps une définition rigoureusement « analytique » du concept fondamental pour la théorie scientifique de *région. La région n'est pas autre chose que l'unité générique à la fois totale et suprême*

[30] 1. 3° *Définition finale de la région et de l'éidétique régionale,* §§ 16-17. *a) Définition de la région :* c'est une définition analytique au sens du § 10 ; à la différence de la définition plus nominale du début du § 9, elle intègre les définitions précédentes : subordination des singularités éidétiques aux genres suprêmes (§ 12), incorporation des singularités abstraites dans les singularités concrètes (§§ 11, 14 et surtout 15). La région est donc le faisceau des genres suprêmes qui régissent les singularités abs-

qui appartient à un concret, donc le lien qui confère [31] une unité de type éidétique aux genres suprêmes qui répondent aux différences ultimes à l'intérieur du concret. L'extension éidétique de la région représente la totalité idéale que forme le système concrètement unifié des différences placées sous ces genres ; tandis que l'extension individuelle représente la totalité idéale de tous les individus possibles correspondant à ces essences concrètes.

Toute essence régionale détermine des *vérités éidétiques de caractère « synthétique »*[1], *c'est-à-dire des vérités qui ont leur fondement en elle, en tant qu'elle est telle essence générique,* et qui *ne sont pas simplement des formes particulières de vérités empruntées à l'ontologie formelle.* Le concept régional et ses subdivisions régionales ne sont donc pas susceptibles de variations arbitraires dans le cadre de ces vérités synthétiques; le remplacement par des inconnues des termes déterminés considérés ne donne pas naissance à une loi de logique formelle, comme c'est le cas de façon caractéristique pour toutes les vérités nécessaires de type « analytique ». L'ensemble des vérités synthétiques ayant leur fondement dans l'essence régionale forment le contenu de l'ontologie régionale. L'ensemble des vérités *fondamentales,* parmi elles l'ensemble des *axiomes régionaux,* délimitent — et pour nous *définissent* — *l'ensemble des catégories régionales.* Ces concepts n'expriment pas seulement, comme les concepts en général, des formes particulières de catégories purement logiques, mais ont ceci de remarquable qu'en vertu des axiomes régionaux ils expriment ce qui appartient *en propre* à l'essence régionale, ou encore *expriment en termes de généralité éidétique ce qui doit survenir à priori et « synthétiquement » à un objet individuel de la région.* L'application de ces concepts (étrangers à la logique pure) à des individus donnés est

---

traites incluses dans les singularités concrètes. C'est en ce sens que la région a une extension éidétique, composée de toutes les singularités abstraites.

[31] 1. *b*) *Définition de l'éidétique régionale.* Sur le rapport entre ontologie matérielle et vérité synthétique, cf. *supra,* p. 22, n. 1.

d'une nécessité apodictique et inconditionnée [2], d'ailleurs réglée par les axiomes régionaux (synthétiques).

Si l'on veut prolonger cet écho que notre analyse fait à la critique kantienne de la raison pure (en dépit des différences importantes qui affectent les conceptions de base [3], sans toutefois exclure une parenté interne) il faudrait entendre *par connaissances synthétiques à priori les axiomes régionaux,* et nous aurions autant de classes irréductibles de ces connaissances que de régions. Les « *concepts synthétiques fondamentaux* » ou *catégories* seraient les concepts fondamentaux d'ordre régional (essentiellement rapportés à la région déterminée et à ses principes synthétiques) et il nous faudrait distinguer autant de *groupes différents de catégories qu'il y a de régions.*

C'est ainsi que d'un point de vue *extrinsèque l'ontologie formelle* se place sur le même rang que les ontologies régionales (c'est-à-dire les ontologies proprement « *matérielles* », « *synthétiques* »). Le concept ré- [32] gional « d'objet » détermine (voir plus haut § 10) le système formel d'axiomes et par là l'ensemble des catégories formelles (« analytiques »). Nous avons ici dans le fait un moyen de justifier le parallèle institué entre l'ontologie formelle et les ontologies régionales en dépit de toutes les différences essentielles que nous avons fait apparaître.

§ 17. — Conclusion des Analyses logiques [1].

Toute notre analyse a gardé un caractère purement logique ; elle ne s'est développée dans aucune sphère « matérielle » ou, ce qui revient au même, dans aucune

2. Sur apodictique, cf. *supra,* § 6.

3. Ces différences portent pour une part sur le mode de détermination des notions d'analytique et de synthétique à partir de la doctrine du tout et des parties dans la *IIIe Etude Logique* (cf. *supra,* p. 22, n. 1), mais surtout sur la conception fondamentale : comme chez Kant les sciences sont fondées non sur la logique pure, mais sur des synthèses à priori ; de plus celles-ci ne sont pas des constructions mais l'objet d'intuition éidétique.

[32] 1. *Conclusion générale.* Cette conclusion n'éclaire aucunement le rapport de la logique avec la phénoménologie : le souci principal de l'auteur reste de fonder les sciences empiriques non seu-

région *déterminée;* elle a traité universellement de régions et de catégories; et cette généralité est restée purement logique, conformément au sens des définitions que nous avons vu s'édifier l'une sur l'autre. Il fallait précisément se placer sur *le terrain de la logique pure et y brosser une esquisse qui puisse fournir un échantillon de cette législation fondamentale — issue de la logique et appliquée à toute connaissance possible ou à toutes les objectivités possibles de la connaissance — selon laquelle les individus doivent pouvoir être déterminés sous des « principes synthétiques à priori », en fonction de concepts et de lois, ou bien selon laquelle toutes les sciences empiriques doivent avoir pour fondement les ontologies de leur ressort* et non uniquement la logique pure commune à toutes les sciences.

En même temps nous puisons ici *l'Idée directrice d'une tâche à accomplir*[2] : il s'agit de déterminer, à l'intérieur du cercle des intuitions que nous avons des individus, *les genres suprêmes qui régissent le concret et,* de cette façon, *de distribuer tout l'être individuel tombant sous l'intuition en régions de l'être, chacune de ces régions caractérisant une science* (ou un groupe de sciences) *éidétique et empirique, qui se distingue de toute autre par principe,* puisque la distinction repose sur des raisons éidétiques absolument radicales. La distinction radicale des sciences n'exclut d'ailleurs nullement leur entrelacement et leur coïncidence partielle.

Par exemple, la « chose matérielle » et « l'âme » sont des régions différentes de l'être et pourtant la seconde a un fondement dans la première ; de là résulte que

---

lement sur la logique pure, mais sur des ontologies régionales. La phénoménologie est seulement évoquée de manière évasive à la fin du paragraphe. C'est à l'exploration de ces « régions » et à la constitution des ontologies régionales que les premiers phénoménologues se sont attachés. Mais la phénoménologie transcendantale voudra fonder d'une autre manière les ontologies régionales elles-mêmes, bien qu'elle soit d'abord introduite, sous forme élémentaire, comme ontologie de la « région » conscience. (Cf. E. Fink, *Die phänomenologische Philosophie Edmund Husserls in der gegenwärtigen Kritik.* Kant-Studien XXXVIII, Heft, 3/4, pp. 357-366).

2. Dans les IDEEN, *Idée* n'a pas le sens de *Eidos,* mais le sens kantien de principe régulateur, cf. pp. 6, 33, 139, 166, 297. C'est ce sens qui est visé dans le titre même : IDEEN ZU...

la théorie de l'âme se fonde dans la théorie du corps[3].
Le problème d'une « classification » radicale des sciences est pour l'essentiel le problème du découpage des régions ; à cet effet nous avons besoin à nouveau, à titre préliminaire, d'études de logique pure du genre de celles que nous avons esquissées en quelques lignes. D'autre part il faut recourir aussi, bien entendu, à la phénoménologie : mais d'elle, jusqu'à présent, nous ne savons encore rien.

---

3. Ce problème est longuement étudié dans IDEES II.

[33] CHAPITRE II

LES FAUSSES INTERPRÉTATIONS DU NATURALISME[1]

§ 18. — INTRODUCTION AUX DISCUSSIONS CRITIQUES.

Dans les développements généraux que nous avons placés en tête de ce livre et consacrés aux essences et à la science des essences par opposé aux faits et à la science des faits, nous avons traité des fondements essentiels dont nous avions besoin pour construire l'Idée d'une phénoménologie pure (laquelle, d'après l'introduction même, doit devenir une science des essences)[2] et pour comprendre sa position par rapport aux autres sciences empiriques, donc aussi à la psychologie. Or toutes les démarches où se déterminent les principes exigent d'être correctement comprises, tellement elles

[33] 1. CHAPITRE II. — DÉFENSE ET ILLUSTRATION DE L'INTUITION ÉIDÉTIQUE. — Ce chapitre, le seul de style polémique, est dirigé contre le psychologisme comme les PROLÉGOMÈNES A LA LOGIQUE PURE et comme les deux premières *Etudes Logiques*. 1° Les §§ 19-23 développent l'argument : le platonisme et l'idéalisme sont seulement l'occasion d'élargir la discussion de l'empirisme. 2° Le § 24 est la charnière de ce chapitre : il établit dans toute son ampleur le sens de l'intuition. 3° Les §§ 25-26 tirent les dernières conséquences anti-empiristes de cette doctrine de l'intuition. — L'ensemble de ce chapitre, comme le précédent, ne prendra tout son sens que quand la réduction phénoménologique s'appliquera à la « transcendance » des essences : §§ 59-63 (cf. en particulier p. 116, n. 2).

2. La phénoménologie est provisoirement définie comme éidétique régionale de la région conscience ; à ce titre, elle est le *fondement* de la psychologie et des sciences de l'esprit (cf. fin du paragraphe). Cette fonction de la phénoménologie est encore très élémentaire par rapport aux ultimes problèmes de constitution, en particulier dans l'œuvre inédite.

sont lourdes de conséquences. Nous n'avons pas argumenté sur elles — je le souligne nettement — à partir d'une position philosophique préalable. Nous n'avons tiré parti d'aucune philosophie reçue, fût-elle même communément admise, nous avons seulement procédé à *quelques éclaircissements portant sur les principes* au sens strict du mot ; entendons par là que nous avons seulement tenté de rendre par une expression fidèle des distinctions qui nous sont données directement dans *l'intuition*[3]. Nous les avons prises exactement comme elles se donnent, sans adjonction d'hypothèse ou d'interprétation et sans y lire quoi que ce soit qui puisse nous être suggéré par telle ou telle théorie empruntée aux auteurs anciens ou modernes. Des constatations qui répondent à de telles exigences ont la valeur de véritables « commencements »; et si elles comportent comme les nôtres une universalité qui embrasse les régions de l'être dans toute leur ampleur, elles s'élèvent certainement à la dignité de principes, au sens philosophique du mot, et appartiennent elles-mêmes à la philosophie. Toutefois nous n'avons pas besoin de présupposer ce dernier patronage : toutes nos analyses antérieures, comme le feront toutes celles qui suivent, jouissent d'une totale indépendance à l'égard d'une « science » aussi contestable et aussi suspecte que la philosophie. Dans nos positions de base nous n'avons rien présupposé, même pas le concept de philosophie, et nous sommes décidés par la suite également à observer cette règle. L'ἐποχή *philosophique*[4] que nous proposons

3. Le discours sur l'intuition est lui-même issu de l'intuition ; c'est en ce sens qu'il est un vrai commencement par rapport à toute construction ; on remarque qu'à ce stade on appelle *premier* ce qui est intuitif. Ce sera un problème de savoir comment la *constitution* de l'objectivié au sein de la subjectivité pourra intégrer cette docilité de l'intuition à ce qui est simplement *vu*. Les problèmes de constitution sont à un autre niveau philosophique et en ce sens plus radicaux que le « principe des principes » ou principe de l'intuition. Mais la phénoménologie, prise à ce niveau supérieur, loin d'annuler le primat de l'intuition, le retiendra en le constituant.

4. Cette ἐποχή de la philosophie n'est pas, bien entendu, la réduction phénoménologique. Le sens péjoratif donné au mot philosophie — « philosophie du point de vue » — est provisoire et rappelle la critique du préjugé chez Descartes. Le titre général de

de réaliser, formulée en termes exprès, doit consister en ceci que nous *suspendions notre jugement à l'égard de l'enseignement de toute philosophie préalable, et que nous poursuivions toutes nos analyses dans les limites imposées par cette suspension du jugement.* Par contre, nous ne sommes pas condamnés pour autant à nous interdire absolument — le voudrions-nous d'ailleurs que nous ne le pourrions même pas — de parler du tout de philosophie, si par philosophie nous entendons un fait historique, ou des directions prises en fait par le philosophe et qui ont donné une orientation déci-[34] sive, parfois bonne, mais assez souvent aussi mauvaise, aux convictions scientifiques générales de l'humanité ; cette remarque s'impose particulièrement pour ce qui concerne les questions fondamentales que nous avons traitées.

C'est précisément à cet égard qu'il nous faut ouvrir un débat avec l'empirisme; ce débat, nous pouvons fort bien le poursuivre dans le cadre de notre ἐποχή, puisqu'il porte sur des points justiciables d'une constatation immédiate. Si d'une façon ou d'une autre on peut trouver à la base de la philosophie un ensemble « de principes », au sens authentique du mot, qui par conséquent ne peuvent se fonder, conformément à leur essence, que sur une intuition qui donne son objet de façon immédiate, tout débat qui met en jeu cette intuition peut être tranché sans faire intervenir aucune *science* philosophique, sans que l'on soit en possession de son Idée ni de résultats doctrinaux que l'on puisse prétendre bien fondés. Si nous sommes contraints à ce débat, c'est parce que l'empirisme récuse les « idées », les « essences », la « connaissance éidétique ». Ce n'est pas ici le lieu d'expliquer longuement pour quelles raisons historiques ces mêmes sciences de la nature, qui par leur côté « mathématique » devaient pourtant leur haut niveau scientifique à leurs fondements éidétiques, ont précisément par leur expansion triomphale favorisé l'empirisme philosophique et en ont fait la conviction prédominante et

l'œuvre et le projet du tome III (Introduction, p. 5) indiquent assez que le terme de la recherche est l'élaboration d'une *philosophie* phénoménologique.

même, dans les milieux de la recherche expérimentale, la conviction seule dominante. En tout cas il règne dans ces milieux, et par suite aussi chez les psychologues, une hostilité aux Idées qui finira même nécessairement par compromettre les progrès des sciences de l'expérience ; la raison de ce péril est que cette hostilité fait échec aux efforts encore totalement inachevés pour donner un fondement éidétique à ces sciences, et à l'élaboration, qui peut s'avérer nécessaire, de nouvelles sciences éidétiques que leurs progrès rendraient indispensables. Comme il apparaîtra clairement par la suite, cette dernière remarque concerne précisément la phénoménologie qui constitue le fondement éidétique essentiel de la psychologie et des sciences de l'esprit[1]. Il faut donc introduire quelques développements pour appuyer notre position.

§ 19. — L'identification empiriste de l'Expérience et des Actes donateurs originaires[2].

Le naturalisme empiriste procède — nous devons le reconnaître — de motifs hautement estimables. C'est, du point de vue méthodologique, un radicalisme qui, à l'encontre de toutes les « idoles », des puissances de la tradition et de la superstition, des préjugés grossiers et raffinés de tout genre, fait valoir le droit de la raison autonome à s'imposer comme la seule autorité en ma-[35] tière de vérité. Porter sur les choses un jugement rationnel et scientifique, c'est se régler sur les *choses mêmes*[1], ou revenir des discours et des opinions aux choses mêmes, les interroger en tant qu'elles se donnent

[34] 1. Cf. p. 33, n. 2.

2. 1° *Le triple procès — empirisme, idéalisme, platonisme* § 19-23 — *a) est dominé par celui de l'empirisme* §§ 19-20 ; la vérité de l'empirisme est son respect « des choses mêmes » (cf. § 24 : *zu den Sachen selbst !*) ; son erreur est de restreindre l'intuition à l'expérience sensible, § 19 ; il ne peut échapper au scepticisme par lequel il se mine comme dogmatisme de l'expérience, § 20.

[35] 1. Le mot *Sache* est pris ici en un sens non-technique : c'est tout ce qui est saisi par une espèce de l'intuition (chose matérielle, valeur, vécu propre, vécu d'autrui, etc.). Au sens technique, le même mot oppose les choses matérielles pour la conscience *théorique* aux valeurs pour la conscience *affective* et *pratique*,

elles-mêmes et repousser tous les préjugés étrangers à la chose même. *On ne ferait qu'exprimer autrement* la même chose, — *estime l'empiriste* — en disant que toute science procède de *l'expérience,* que les connaissances médiates qu'elle comporte doivent se fonder dans l'expérience immédiate. Ainsi, pour l'empiriste, c'est tout un de parler de science authentique et de science fondée sur l'expérience. En face des faits, que pourraient être les « idées » et les « essences », sinon des entités scolastiques, des fantômes métaphysiques? C'est précisément le grand service que nous ont rendu les sciences modernes de la nature d'avoir délivré l'humanité de ces revenants philosophiques. La science ne connaît jamais que la réalité naturelle, celle qui tombe sous l'expérience. Ce qui n'est pas réalité est fiction, et une science composée de fictions est elle-même une science fictive. Les fictions, considérées comme faits psychiques, gardent naturellement une valeur : elles relèvent de la psychologie. Or voici que de ces fictions, — comme on a tenté de l'exposer dans le chapitre précédent — on veut faire jaillir, par le canal d'une prétendue intuition des essences fondée sur ces fictions, une nouvelle espèce de données, dites « éidétiques », des objets qui sont irréels. On ne peut voir là, conclut l'empiriste, qu'une « extravagance d'idéologue », une « régression à la scolastique » ou à ces sortes de « constructions spéculatives à priori » par lesquelles l'idéalisme de la première moitié du XIXe siècle, lui-même étranger aux sciences de la nature, a tellement entravé la science authentique.

Et pourtant tout ce que l'empiriste professe ici repose sur de fausses interprétations et des préjugés, même si le motif qui l'inspire à l'origine est bon et part d'une bonne intention. La faute cardinale de l'argumentation empiriste est d'identifier ou de confondre l'exigence fondamentale d'un retour « aux choses (Sachen) mêmes » [1],

---

§§ 27 et 37. *Ding,* la chose, est la « région » même des existences matérielles comme fondement des êtres animés et des hommes : §§ 149-152 et surtout IDEEN II.

1. Le mot *Sache* est pris ici en un sens non-technique : c'est tout ce qui est saisi par une espèce d'intuition. Cf. au contraire son opposition à *Wert* aux §§ 27 et 37.

avec l'exigence de fonder toute connaissance dans *l'expérience*. En limitant au nom de sa conception naturaliste le domaine des « choses » connaissables, il tient pour acquis sans autre examen que l'expérience est le seul acte qui donne les choses mêmes. Or les *choses* ne sont *pas* purement et simplement les *choses de la nature;* la réalité, au sens habituel du mot, ne s'identifie pas purement et simplement à la réalité en général; c'est seulement à la *réalité de la nature* que se rapporte cet acte donateur originaire [2] que nous nommons *l'expérience*. Quand on procède ici à des identifications et qu'on les traite comme allant prétendument de soi, on écarte à son insu des distinctions qui requièrent l'extrême clarté de l'évidence. On se demande [36] alors de *quel* côté sont les préjugés. L'absence véritable de préjugés ne requiert pas que l'on écarte purement et simplement les « jugements étrangers à l'expérience », sauf si le *sens propre* des jugements *exige* qu'on les fonde sur l'expérience. Quand on *affirme* sans nuances que *tous* les jugements admettent l'expérience pour fondement et même l'exigent, et qu'on n'a pas au préalable soumis à l'*examen* l'essence des jugements, en tenant compte de leur division en espèces fondamentalement différentes, ni considéré en même temps si cette affirmation n'est pas finalement une *absurdité*, c'est alors qu'on cède à une « construction spéculative à priori », qui ne devient pas meilleure parce qu'elle procède du côté empiriste. Pour être authentique et atteindre à cette véritable absence de préjugé qui lui est propre, la science exige que toutes les preuves qu'elle avance reposent sur des jugements qui comme tels aient une validité immédiate, qui tirent directement leur validité des *intuitions donatrices originaires*. Or ces intuitions sont divisées en espèces, comme le prescrit le *sens* de ces jugements ou *l'essence propre des objets et des états de chose impliqués dans le jugement* [1]. Cherche-t-on à déterminer les régions fondamentales entre lesquelles les objets se distribuent, et corrélativement les types régionaux d'intuitions donatrices, les types respectifs de

2. Cf. p. 7, n. 5 et 6.

[36] 1. Cf. p. 13, n. 1.

jugements et finalement les normes noétiques[2] qui *exigent* que tels types de jugements se fondent selon chaque cas sur tel mode d'intuition et non sur tel autre? On ne peut le décider de haut à coup de postulats et de décrets; on peut seulement l'établir par des constatations évidentes (einsichtig feststellen)[3], ce qui veut dire encore une fois le justifier par le moyen de l'intuition donatrice originaire et le fixer dans des jugements qui se conforment fidèlement à ce qui est donné dans cette intuition. Il nous apparaîtra que c'est à ces conditions et non à d'autres que répond une conduite vraiment libre de préjugés ou purement positive.

C'est la *« vision »* (Sehen) *immédiate,* non pas uniquement la vision sensible, empirique, mais la *vision en général, en tant que conscience donatrice originaire sous toutes ses formes,* qui est l'ultime source de droit pour toute affirmation rationnelle. Elle n'exerce cette fonction génératrice de droit que parce qu'elle est, et dans la mesure où elle est donatrice originaire[4]. Si nous avons d'un objet une vision parfaitement claire et qu'en nous fondant purement sur cette vision, sans sortir des limites de ce que nous pouvons saisir en voyant réellement, nous avons procédé à une explicitation et à une appréhension conceptuelle et qu'ensuite nous voyons (passant ainsi à un nouveau mode du « voir ») comment l'objet est fait (geschaffen), c'est alors que l'énoncé fidèle où s'exprime cette vue a une validité. Si l'on de-

2. On appelle normes noétiques les règles et structures qui lient les types de régions aux types d'intuitions capables de fonder les jugements usités dans la région considérée : Les PROLÉGOMÈNES A LA LOGIQUE PURE emploient cette expression en ce sens (qui est donc antérieure à celle de noème des IDEEN) : les conditions « noétiques » y sont distinguées des conditions purement logiques qui sont fondées dans le contenu (*Inhalt*) de la connaissance ; elles sont elles-mêmes « fondées dans l'idée de la connaissance en tant que telle et à priori, sans référence aux particularités empiriques de la connaissance humaine dans ses conditions psychiques » (*ibid.*, p. 238). Par la suite, la noèse désignera le côté de la conscience *constituante* par rapport au noème qui désignera le côté *constitué,* le côté-objet corrélatif de la noèse.

3. Nous traduisons toujours *Einsicht* par évidence comme l'autorise le § 137 des IDEEN (cf. également fin du § 20 et début du § 21 qui rapproche *Einsehen* et *Sehen*). La IVe section développe la théorie de l'évidence.

4. Cf. p. 33, n. 3.

mande pourquoi cet énoncé est valable, il serait absurde, comme nous le comprendrons par ailleurs, de n'accorder aucune valeur au. « je vois que ». Pour prévenir des incompréhensions possibles, j'ajoute ici que cela n'exclut d'ailleurs pas que dans certaines circonstances un [37] acte de voir puisse néanmoins entrer en conflit avec un autre acte de voir, et de même une affirmation *légitime* avec une autre[1]. Car cela n'implique pas que l'acte de voir ne soit pas un fondement de droit, pas plus que la mise en échec d'une force par une autre ne signifie qu'elle n'était pas une force. Ce conflit signifie plutôt que peut-être pour une certaine catégorie d'intuitions (c'est précisément le cas dans l'expérience sensible) l'acte de voir est « imparfait » en vertu de son essence même, que par principe il peut être confirmé ou infirmé, et par conséquent qu'une affirmation qui a dans l'expérience un fondement de droit immédiat et par suite authentique doit pourtant dans le cours de l'expérience être abandonnée, parce qu'un droit contraire vient la surmonter et l'abolir.

§ 20. — L'Empirisme interprété comme Scepticisme[2].

Nous substituons donc à l'expérience la notion plus générale « d'intuition », refusant ainsi d'identifier science

[37] 1. Allusion au processus indéfini de confirmation et d'infirmation de la conscience percevante, § 138.

2. Les textes des Prolégomènes à la Logique pure auxquels il est fait allusion dans ce paragraphe portent sur l'opposition des lois logiques rigoureuses et catégoriques et des lois psychologiques conjecturales. En particulier, l'explication du principe de contradiction par John Stuart Mill est vivement critiquée : si l'incompatibilité de deux contradictions n'est que l'incompatibilité psychologique des opérations subjectives, le scepticisme est inévitable, la connaissance est relative à la structure contingente de l'espèce humaine. Le scepticisme ainsi introduit n'est pas le scepticisme métaphysique qui nie la possibilité de connaître les choses en soi, mais le scepticisme qui porte « sur la possibilité d'une théorie en général » (*ibid.*, §§ 21-24, pp. 60-77 : Conséquences empiristes du psychologisme ; et §§ 25-9, pp. 78-101 : Interprétation psychologiste de la logique). Ces thèses sont résumées par Delbos, *Husserl, sa critique du psychologisme et sa conception d'une logique pure.* Rev. de Métaph. et de Morale, t. XIX (1911), n° 5, pp. 685-698.

en général et science empirique. Il est d'ailleurs aisé de reconnaître que, en soutenant cette identification et en contestant la validité de la pensée éidétique pure, on aboutit à un scepticisme qui, comme scepticisme authentique, se supprime en se contredisant (a). Il suffit de demander à l'empirisme à quelle source ses thèses générales puisent leur valeur (par exemple : « toute pensée valable se fonde dans l'expérience, unique intuition qui donne l'objet »), pour le voir s'embarrasser dans des contradictions faciles à démasquer. L'expérience directe ne fournit que des cas singuliers et rien de général : c'est pourquoi elle ne suffit pas. L'empiriste ne peut invoquer une évidence éidétique : il la nie; il lui reste donc l'induction, et d'une façon générale l'ensemble des modes médiats de raisonnement, par le moyen desquels les sciences basées sur l'expérience établissent leurs propositions générales. Mais alors, demanderons-nous, que penser de la vérité des conclusions médiates, qu'elles soient inductives ou déductives? *Cette vérité* est-elle en elle-même tributaire de l'expérience et en dernière analyse de la perception (nous pourrions poser la même question au sujet de la vérité contenue dans un jugement singulier) ? Que penser des *principes* qui commandent les modes du raisonnement et qu'on invoque en cas de conflit ou de doute, comme par exemple les principes du syllogisme ou le principe selon lequel « deux quantités égales à une troisième sont égales entre elles », etc. ? C'est à eux pourtant qu'on est renvoyé comme à l'ultime source de droit pour justifier tous les modes de raisonnement. Sont-ils à leur tour le produit d'une généralisation empirique ? Mais cette thèse n'enveloppe-t-elle pas la plus radicale des absurdités?

[38] Sans nous engager ici dans des explications plus développées qui nous conduiraient seulement à répéter ce qui a été dit ailleurs (a), nous voudrions cependant mettre en lumière ce fait élémentaire, que les thèses fondamentales de l'empirisme ont avant tout besoin

---

[37] (a) Sur le concept caractéristique de sceptiscisme, cf. les PROLÉGOMÈNES A LA LOGIQUE PURE, ETUDES LOGIQUES, I, § 32.

[38] (a) Cf. ETUDES LOGIQUES, I, en particulier chap. IV et V.

d'être expliquées, clarifiées, justifiées avec plus d'exactitude; et que cette justification elle-même doit se faire selon les normes que ces thèses énoncent. Or à ce moment il est également manifeste que l'on peut au moins sérieusement soupçonner ce raisonnement circulaire de recéler une contradiction. Cependant, c'est à peine si dans la littérature empiriste on peut trouver le début d'un effort sérieux pour introduire dans ces rapports une réelle clarté et une justification scientifique. Pour être scientifique, une justification empirique exigerait, ici comme ailleurs, qu'on parte de cas particuliers établis avec rigueur au point de vue théorique, et qu'on passe à des thèses générales selon des méthodes rigoureuses, éclairées elles-mêmes de bout en bout par l'évidence des principes. Les empiristes ne semblent pas avoir vu que les exigences scientifiques auxquelles ils soumettent toute connaissance à l'intérieur de leurs thèses, s'adressent en même temps à leurs propres thèses.

Tandis que les empiristes, en vrais philosophes champions d'un point de vue (Standpunktsphilosophen), et en contradiction ouverte avec leur principe de liberté à l'égard des préjugés, partent de préconceptions confuses et dénuées de fondement, notre point de départ c'est cela même qui est *antérieur* à tout point de vue, à savoir tout le champ du donné intuitif, antérieur même à toute pensée qui élabore théoriquement ce donné, tout ce qu'on peut voir et saisir immédiatement, à condition précisément qu'on ne se laisse pas aveugler par des préjugés et empêcher de prendre en considération des classes entières de données authentiques. Si par « *positivisme* » on entend l'effort, absolument libre de préjugé, pour fonder toutes les sciences sur ce qui est « positif », c'est-à-dire susceptible d'être saisi de façon originaire, c'est *nous* qui sommes les véritables positivistes. Nous ne laissons effectivement *aucune* autorité restreindre notre droit à reconnaître dans tous les types d'intuitions des sources de droit pour la connaissance dotées d'une égale dignité, — pas même l'autorité des « sciences modernes de la nature ». Quand c'est vraiment la science de la nature qui parle, nous prêtons volontiers l'oreille, avec l'obéissance d'un disciple. Mais ce n'est pas toujours la science de la nature qui parle, quand les savants parlent, et certainement pas quand ils prennent pour thème la « philosophie de la nature » et la « théorie de la connaissance tirée des sciences de la nature ». Et surtout elle ne parle pas quand ils veulent nous faire croire que les évidences générales, comme celles qu'expriment tous les axiomes, expriment [39] des faits d'expérience (si l'on entend par axiome des propositions comme : « a + 1 = 1 + a »; « un jugement ne peut être coloré »; « de deux sons qualitativement différents l'un est le plus bas et l'autre le plus élevé »; « une perception est *en soi* la perception de quelque chose », etc.); au contraire nous apercevons avec une *entière évidence* que les propositions de ce genre expriment en les explicitant des données de l'intuition éidétique. Par là précisément il nous apparaît clairement que les « positivistes », tantôt brouillent les distinctions cardinales entre les différents types d'intuitions, tantôt, après avoir vu le contraste, ne *veulent*, à cause des préjugés qui les lient, reconnaître la validité ou même la présence que d'un seul de ces types d'intuitions.

§ 21. — Obscurités du côté de l'Idéalisme [1].

L'obscurité, il est vrai, règne également dans le camp adverse. On admet bien une pensée pure, « à priori », et on écarte ainsi la thèse empiriste; mais on ne prend pas, par la réflexion, une conscience claire du fait qu'il existe quelque chose comme une intuition pure et que cette intuition est un genre de données où les essences sont originairement données en tant qu'objets, exactement comme les réalités individuelles le sont dans l'intuition empirique; on ne s'aperçoit pas que *toute évi-*

[39] 1. *b) Le refus idéaliste d'une intuition de l'à priori* n'est pas l'occasion d'une discussion en règle de la notion criticiste d'à priori, comme E. Fink l'a tenté au point de vue de la phénoménologie transcendantale ; au reste cette confrontation ne peut être sérieusemnt commencée avant la réduction phénoménologique. Husserl se défend seulement contre l'interprétation psychologiste de l'évidence qui est généralement à la base du refus de l'intuition de l'à priori par le criticisme.

dence dans le jugement, et en particulier celle des *vérités possédant une généralité* inconditionnée, *rentre sous le concept d'intuition donatrice, et que ce concept présente justement toutes sortes de différenciations, qui avant tout se développent parallèlement aux catégories logiques* ([a]) [2]. On parle bien d'évidence, mais au lieu de montrer *les relations éidétiques* qu'elle entretient en tant que vue intellectuelle (Einsicht) [3] avec la vision (Sehen) ordinaire, on parle d'un « *sentiment d'évidence* »; celui-ci, traité comme un « index veri » doté de propriétés mystiques, conférerait au jugement une sorte de coloration affective. De telles conceptions ne peuvent être soutenues qu'aussi longtemps qu'on n'a pas appris à analyser les types de conscience par intuition pure et conformément à leur essence, au lieu de se prononcer de haut en forgeant des théories. Ces prétendus sentiments d'évidence, de nécessité intellectuelle, ou de quelque autre nom qu'on les désigne, sont simplement *des sentiments* ([b]) *forgés à coup de théories*. Ce point sera admis par quiconque, placé devant un cas d'évidence, aura découvert une donnée vraiment intuitive, et l'aura comparée à un autre cas où le même contenu de jugement est dénué d'évidence. On remarque aussitôt que l'on fait entièrement fausse route, si l'on présuppose [40] tacitement la théorie affective de l'évidence et si l'on admet avec elle qu'un acte de jugement qui reste identique pour tout le reste de son essence psychologique peut tantôt posséder telle coloration affective, tantôt en être dépourvu; on remarque au contraire que le même revêtement, constitué par le même énoncé en tant qu'ex-

---

(*a*) Cf. ÉTUDES LOGIQUES, II, *VI*e *Étude*, §§ 45 sq. [3e édition, t. III, §§ 45 sq.] ; également plus haut § 3.

(*b*) Les interprétations comme celles que donne Elsenhans dans son récent MANUEL DE PSYCHOLOGIE, pp. 289 sq., sont à mon avis des fictions psychologiques qui n'ont pas le moindre fondement dans les phénomènes eux-mêmes.

---

2. La *VI*e *Étude Logique*, §§ 45 sq. établit l'extension la plus vaste du concept d'intuition et définit à côté de l'intuition sensible une intuition catégoriale qui remplit *in persona* les significations catégoriales vides de la proposition, de la même manière que l'intuition sensible en remplit les éléments matériels (*stoffliche*), cf. *supra*, p. 9, n. 5.

3. Cf. p. 36 n. 3.

pression purement *conforme à la signification*, la première fois s'ajuste point par point à une intuition donnant une « évidence claire » d'un état de chose, tandis que l'autre fois c'est un tout autre phénomène qui sert de soubassement à l'énoncé, à savoir une conscience non intuitive de l'état de chose, voire même une conscience tout à fait confuse et non articulée. C'est avec *le même* droit par conséquent qu'on pourrait soutenir, en se plaçant sur le plan de l'expérience, que le jugement de perception clair et fidèle ne diffère qu'en un point de quelque jugement vague portant sur le même état de chose : le premier serait doté d'un « *sentiment de clarté* » et le second ne le serait pas.

§ 22. — Le reproche de Réalisme platonicien. Essence et concept[1].

On s'est particulièrement scandalisé à maintes reprises de ce que, en « réalistes platonisants », nous érigions les idées ou les essences en objets et nous leur accordions comme aux autres objets un être réel (véritable), ainsi que l'aptitude corrélative à être saisies par intui-

[40] 1. c) *Le reproche de platonisme* conduit une nouvelle fois au procès du psychologisme : en effet, le reproche de platonisme est associé chez les critiques empiristes à une réduction des essences à des constructions mentales. La discussion résume l'argumentation des Etudes Logiques. Néanmoins quelques notations permettent de tracer la ligne de démarcation entre l'intuitionisme husserlien et celui de Platon. Le platonisme — peut-être lui-même légendaire — consisterait à traiter les essences comme des existences analogues à l'existence empirique, matérielle, mondaine. Or Husserl s'appuie uniquement sur la définition de l'objet par l'ontologie formelle : c'est le sujet d'un énoncé vrai. En ce sens Husserl professe l'inexistence des essences. Son originalité est de tenir à la fois le caractère *intuitif* de la connaissance éidétique (en entendant toujours par intuition le remplissement d'une signification vide) et le caractère *non mondain* de son objet. Ainsi les deux intuitions (sensible et éidétique) sont *analogues* comme mise en présence d'un plein d'objet, — mais le mode d'être de leurs objets n'est pas *analogue*. Le premier *motif* semble rapprocher du platonisme, le second en éloigne réellement. Au niveau des Etudes Logiques où se tient encore ce chapitre, il n'y a pas de réalisme éidétique qui serait ensuite à renier par l'idéalisme transcendantal issu de la réduction et mis en œuvre par la constitution.

tion, exactement comme dans le cas des réalités empiriques. Faisons abstraction ici de ces lecteurs superficiels, espèce malheureusement très fréquente, qui prêtent à l'auteur leurs propres concepts, même s'ils lui sont totalement étrangers, et qui ensuite n'ont pas de peine à faire surgir des absurdités de ses conceptions ([a]). Si les mots *objet* (Gegenstand) et objet *naturel* (Reales) désignent une seule et même chose, ainsi que les mots *réalité* (Wirklichkeit) et réalité *naturelle* (reale Wirklichkeit) [2], notre assimilation des idées à des objets et à des réalités est une « hypostase platonicienne » d'ailleurs absurde. Mais si on distingue soigneusement ces deux plans, comme on le fait dans les *Etudes Logiques*, et si on définit l'objet comme un quelque chose quelconque, par exemple comme sujet d'un énoncé vrai (catégorique, affirmatif), quel scandale peut encore subsister, sinon celui qui procéderait d'obscurs préjugés? Le concept universel d'objet, je ne l'ai pas inventé, je l'ai seulement restitué tel que l'exigent toutes les propositions de logique pure, et en même temps j'ai indiqué que c'est un concept indispensable pour des raisons de principe et par conséquent également déterminant pour le langage scientifique en général [3]. En ce sens la qualité [41] sonore « do », qui dans la série des sons est un terme numériquement unique, ou bien le nombre 2 dans la série des nombres, la figure du cercle dans le monde idéal des constructions géométriques, une proposition quelconque dans le « monde » des propositions, — bref toutes les formes de l'idéal, — *sont* des « objets » (Gegenstand). La cécité aux idées est une forme de cécité spirituelle; on est devenu incapable, par préjugé, de transférer dans le champ de l'intuition ce qu'on trouve dans le champ du jugement. En vérité tout le monde

---

a) La polémique dirigée contre les ETUDES LOGIQUES et contre mon article de la revue *Logos*, même quand elle est bien intentionnée, se situe malheureusement la plupart du temps à ce niveau.

---

2. Cf. p. 7, n. 4.
3. Ce texte est, avec celui du § 2 (cf. p. 9, n. 5 le commentaire à partir des ETUDES LOGIQUES), un des plus importants des IDEEN pour bien entendre la notion husserlienne d'essence.

voit pour ainsi dire constamment des « Idées », des « essences »; tout le monde en use dans les opérations de la pensée, et porte aussi des jugements sur des essences, quitte à en ruiner le sens au nom des « points de vue » professés en théorie de la connaissance. Les données évidentes sont patientes, les bavardages théoriques glissent sur elles; elles restent ce qu'elles sont. C'est l'affaire des théories de se guider sur les données et l'affaire des théories de la connaissance d'en distinguer les types fondamentaux et de les décrire selon leur essence propre.

Les idées préconçues donnent aux gens une étonnante suffisance en matière de théories. Il ne *peut* pas y avoir d'essence, et donc d'intuition des essences (ou idéation), donc il *doit* s'agir, toutes les fois que le langage commun y contraint, d' « *hypostases grammaticales* », et il n'est pas permis qu'on se laisse entraîner par elles à des « *hypostases métaphysiques* ». Ce qui existe en fait, ce ne peut être que le processus même de « *l'abstraction* » dont toute la réalité est psychique et qui se rattache à des expériences ou des représentations réelles (reale). Après quoi on construit avec zèle des « théories de l'abstraction » et la psychologie, férue d'expérience, procède ici *comme dans toutes les sphères intentionnelles* (qui pourtant constituent le thème fondamental de la psychologie) : elle s'enrichit de *phénomènes fictifs et d'analyses psychologiques qui ne sont pas des analyses*. Dès lors, déclare-t-on, les idées ou les essences sont des « *concepts* » et les concepts, des « *constructions psychiques* », des « produits de l'abstraction » et, à ce titre, il est bien vrai qu'ils jouent un grand rôle dans notre pensée. « Essence », « Idée », ou « Eidos », ne sont que des termes « philosophiques » nobles pour désigner des « faits psychiques prosaïques ». Mots combien dangereux par leurs résonances métaphysiques !

A quoi nous répondrons : il n'est pas douteux que les essences sont des « concepts », — si par concept on entend précisément l'essence, comme l'autorise la multiplicité des sens du mot. Seulement il faut que l'on comprenne clairement que dans ce cas l'expression de produits psychiques est un non-sens, également celle de *construction* de concepts, pour autant qu'on doive l'entendre en un sens rigoureux et authentique. Il n'est pas rare qu'on lise dans un traité que la suite des nombres est une suite de concepts, et, une ligne plus loin, que [42] les concepts sont des constructions de la pensée. On a d'abord considéré les nombres eux-mêmes, les essences, comme des concepts. Mais les nombres, demanderons-nous, ne sont-ils pas ce qu'ils sont, que nous les « construisions » ou que nous ne les construisions pas? Certes j'opère l'acte de compter, je construis mes représentations numériques en comptant « un plus un ». Ces représentations numériques sont maintenant telles, puis tout autres, même si une autre fois je procède à une construction identique. En ce sens, à tel moment il n'existe aucune représentation numérique d'un seul et même nombre, à tel autre il en existe plusieurs, en aussi grand nombre que l'on veut. Mais en disant cela nous avons déjà opéré la distinction (nous ne voyons pas comment nous pourrions nous y soustraire)[1]. La représentation du nombre n'est pas le nombre lui-même, n'est pas le deux, terme unique dans la suite des nombres, qui comme tous les autres termes est un être intemporel. C'est donc une absurdité de le considérer comme une construction psychique; c'est faire violence au sens même du vocabulaire arithmétique qui est parfaitement clair, justiciable à chaque instant d'une évidence qui en révèle la validité, et par conséquent *antérieur* à toute théorie. Si les concepts sont des constructions psychiques, les choses telles que les nombres purs ne sont pas des concepts. Mais si elles sont des concepts, les concepts ne sont pas des constructions psychiques. Il est donc *besoin* de recourir à de nouveaux termes, si l'on veut justement dissiper des équivoques aussi périlleuses.

§ 23. — Spontanéité de l'Idéation. Essence et Fiction.

N'est-il pas vrai et évident, objectera-t-on, que les concepts, ou si l'on veut les essences comme le rouge,

---

[42] 1. Une certaine *construction* préside à l'intuition des essences : mais nous construisons non l'essence, mais la conscience *de* l'essence : la critique du psychologisme exige donc qu'on anticipe l'analyse de l'intentionnalité, § 36.

la maison, etc., procèdent, par le canal de l'abstraction, d'intuitions individuelles ? et ne *construisons*-nous pas à volonté des concepts à partir des concepts déjà formés? Il s'agit donc bien de produits psychiques. Tout se passe, ajoutera-t-on peut-être, comme dans le cas des *fictions arbitraires :* le centaure joueur de flûte que nous imaginons librement est bien une construction de notre imagination. — A quoi nous répondons : il n'est pas douteux que la « construction des concepts » est au même titre que les libres fictions, une opération spontanée et que tout ce qui est produit spontanément est de toute évidence un produit de l'esprit. Quant au centaure joueur de flûte, il est bien une représentation au sens où on appelle représentation le représenté, mais non au sens où le mot représentation désigne un vécu psychique. Le centaure lui-même n'est naturellement pas quelque chose de psychique; il n'a d'existence ni dans l'âme, ni dans la conscience, ni nulle part; il n'est « rien » du tout; il est tout entier « fiction »; ou plus exactement, le vécu de la fiction est l'acte de feindre, la fiction *du* centaure. Dans cette mesure on peut bien dire que le « centaure-visé », le centaure-imaginé appartient au vécu lui-même. Mais qu'on n'aille pas en outre con-[43] fondre ce vécu même de la fiction avec l'objet qui y est feint en tant qu'objet feint (a) [1]. De même dans l'acte spontané d'abstraire, ce n'est pas l'*essence* mais la conscience *de* l'essence qui est un produit [2] de l'esprit; la situation est alors la suivante : il est manifeste au point de vue éidétique que la conscience *donatrice originaire* d'une essence (autrement dit l'idéation) est en

---

(*a*) Sur ce point : Cf. les analyses phénoménologiques de sections suivantes de cet ouvrage.

---

[43] 1. Pourquoi Husserl ne pose-t-il pas directement le principe de l'intentionnalité, à propos de l'idéation, mais par analogie avec la fiction ? Parce que le « néant » du centaure est une preuve éclatante de sa transcendance à l'égard du vécu, en même temps qu'il ne prête à aucune « hypostase platonisante ». D'autre part, l'activité de l'invention est semblable à celle de l'idéation. Enfin, le problème de la fiction permettra d'amorcer un problème plus radical concernant la nature de l'essence. V. *infra*, p. 43, n. 3.

2. Sur la notion de production, d'opération, cf. § 112 et § 122.

elle-même et nécessairement spontanée; au contraire la spontanéité est étrangère à l'essence de la conscience qui donne des objets sensibles, à l'essence de la conscience empirique : l'objet individuel peut « apparaître », on peut en avoir conscience en tant qu'appréhendé (auffassungsmässig), mais sans qu'une « activité » (Betätigung) spontanée soit dirigée « sur » lui. Il n'y a donc aucun motif, sinon la confusion des idées, qui puisse exiger qu'on identifie la conscience de l'essence et l'essence et qu'on donne de celle-ci une interprétation psychologiste.

Le parallélisme avec la conscience imageante pourrait nous laisser un scrupule touchant « l'existence » (Existenz) des essences[3]. L'essence n'est-elle pas une fiction, comme le veulent les sceptiques ? Cependant, autant la juxtaposition de la fiction et de la perception sous le concept plus général de « conscience intuitive » compromet l'existence des objets donnés dans la perception, autant le parallélisme opéré plus haut compromet « l'existence » des essences. D'une chose on peut avoir une perception, un souvenir, et ainsi on peut avoir conscience de cette chose comme « réelle » (wirklich), ou bien encore dans le cas des actes modifiés, on peut en avoir conscience comme douteuse, nulle (illusoire); enfin également, dans le cas d'une modification toute différente, on peut avoir une conscience en suspens

3. Voici la difficulté : si l'essence n'existe pas comme les choses, n'a-t-elle pas le « néant » de la fiction ? L'examen de la difficulté renvoie à l'*analogie* de l'idéation et de la perception, non plus au point de vue du mode d'être *mondain*, mais au point de vue du mode *intuitif* de la conscience qui vise l'essence ou la chose. — Le « néant » du centaure est une modification de la présence en personne de la chose perçue. La présence de l'essence à l'idéation est l'analogue de la présence de la chose à la perception et non l'analogue de la modification imageante. Objets mondains et objets idéaux peuvent être appréhendés selon les modes analogues : réel, douteux, illusoire, — imaginaire, etc. Le mot existence appliqué à l'essence n'a donc pas le sens restreint d'existence mondaine qu'il a p. 12 (fin du § 3), pp. 85-86 (*dingliche Existenz*) et p. 153. Il a le sens technique qu'il prendra à partir du § 135, qui parlera d'existence éidétique (p. 280) au sens où le noème se rapporte à un objet. On n'accédera à ce nouveau sens de l'*Existenz* que par la réduction de l'*Existenz* au sens mondain. (Cf. déjà p. 135, n. 1).

(vorschwebend bewusst) de cette chose, comme étant elle-même « purement en suspens » et *quasi* (gleichsam)-réelle, *quasi*-nulle, etc.[4]. Il en est tout à fait de même des essences; il en résulte qu'elles peuvent être elles aussi, comme les autres objets, visées (vermeint) tantôt correctement, tantôt faussement comme par exemple dans la pensée géométrique fausse. Mais la saisie et l'intuition des essences est un acte multiforme; en particulier *l'intuition des essences est un acte donateur originaire* et à ce titre elle est *l'analogue de la perception sensible et non de la fiction.*

§ 24. — Le Principe des Principes[5].

Mais finissons-en avec les théories absurdes ! Avec le *principe des principes* nulle théorie imaginable ne peut nous induire en erreur : à savoir que *toute intuition donatrice originaire est une source de droit pour la connaissance; tout* ce qui s'offre à nous *dans « l'intuition » de façon originaire* (dans sa réalité corporelle pour ainsi dire) *doit être simplement reçu pour ce qu'il se donne,*
[44] mais *sans non plus outrepasser les limites dans lesquelles il se donne alors*[1]. Il faut bien voir qu'une théo-

---

4. Sur ces modes dérivés du mode fondamental de réalité et sur le thème général des « modifications » qui affectent les « manières d'être donné » de l'objet en général, cf. § 99 et surtout §§ 104 sq. ; la première série de modifications (réel, douteux, illusoire) est à l'intérieur de la modalité positionnelle de la croyance; la modification en « quasi » *neutralise* toute position.

5. 2° *Le principe des principes* introduit au cœur de l'intuitionisme husserlien. Mais il ne faut jamais omettre d'interpréter ce texte à partir de la *VIe Etude Logique :* l'intuition se définit uniquement comme remplissement d'une signification vide. C'est pourquoi le respect du pur donné (tant éidétique que mondain) peut être confirmé à l'intérieur de la constitution transcendantale et sera repris dans la IVe Section dans le cadre de la constitution de la raison, §§ 136-145.

[44] 1. Le rapprochement des deux expressions: l'intuition *donatrice,* et : ce qui *se* donne, — est frappante. Il tient en raccourci toutes les difficultés d'une philosophie de la constitution qui doit rester en même temps à un autre point de vue un intuitionisme. Cf. p. 7, n. 6.

rie ne pourrait à son tour tirer sa vérité [2] que des données originaires. Tout énoncé qui se borne à conférer une expression à ces données par le moyen d'une simple explicitation et de significations qui leur soient exactement ajustées, est donc réellement, comme nous l'avons dit dans les lignes d'introduction de ce chapitre, un *commencement absolu* appelé au sens propre du mot à servir de fondement, bref un *principium*. Ceci est particulièrement vrai pour ce type de connaissances éidétiques générales auxquelles on limite d'ordinaire le terme de principe.

En ce sens, *le savant dans les sciences de la nature* a parfaitement le droit de suivre le « principe » qui veut qu'on examine toute affirmation portant sur des faits de la nature à la lumière des expériences qui fondent cette affirmation. Car *c'est* bien un principe, une affirmation issue immédiatement d'une évidence générale, comme nous pouvons à chaque instant nous en persuader; il suffit d'amener à une clarté parfaite le sens des expressions qui figurent dans le principe et de faire accéder les essences qui y sont impliquées au rang de données pures. Or dans le même sens, *le savant dans les sciences des essences* et quiconque emploie et énonce des propositions générales, doit suivre un principe parallèle; il doit en exister un, puisque déjà le principe admis à l'instant, selon lequel toute connaissance des faits se fonde sur l'expérience, n'est pas lui-même évident en vertu de l'expérience, — pas plus précisément que n'importe quel principe et que n'importe quelle connaissance en général portant sur les essences.

§ 25. — Le Positiviste considéré dans la pratique comme Savant, le Savant considéré au moment de la réflexion comme Positiviste [3].

En fait le positiviste ne rejette la connaissance des essences que lorsqu'il réfléchit « en philosophe » et

2. Sur la vérité, cf. IVe Section, chap. I.

3. *Dernière polémique avec le psychologisme*, §§ 25-6. Husserl tire argument de l'usage que le savant le plus positiviste en doc-

se laisse séduire par les sophismes des philosophes empiristes, mais non quand il pense et pose des fondements en tant que savant, placé dans l'attitude normale qui convient aux sciences de la nature. Car dans ce cas il se laisse manifestement conduire dans une très large mesure par les évidences éidétiques. Comme on le sait les disciplines purement mathématiques, qu'elles soient matérielles comme la géométrie ou la cinématique, ou formelles (purement logiques) comme l'arithmétique, l'analyse, etc., sont les instruments fondamentaux pour le passage des sciences de la nature au stade théorique. Or il est manifeste que ces disciplines ne procèdent pas empiriquement, ne sont pas fondées sur des observations et des expériences appliquées à des figures, des mouvements, etc. rencontrés dans l'expérience.

L'empirisme ne veut pas le reconnaître. Mais doit-on prendre au sérieux l'argument qu'il oppose, selon lequel loin d'être privés d'expériences capables de jouer le rôle [45] de fondement, nous disposerions plutôt d'une infinité d'expériences ? Tout au long de l'expérience acquise par toutes les générations humaines, voire même par les générations d'animaux qui nous ont précédés, un immense trésor d'impressions géométriques et arithmétiques se serait accumulé et aurait été assimilé sous forme d'habitudes d'appréhension; c'est à ce fonds que nous puiserions maintenant nos évidences géométriques. Mais quels renseignements avons-nous sur cette prétendue accumulation d'un trésor mental, si personne n'a recueilli à son sujet d'observations scientifiques et de documents fidèles ? Depuis quand des expériences oubliées depuis longtemps et au reste totalement hypothétiques tiennent-elles lieu d'expériences dont la fonction et la portée expérimentale ait subi l'épreuve critique la plus soigneuse, et servent-elles de fondement à une science, — et au surplus à la plus exacte des sciences ? Le physicien observe et expérimente, il ne se contente pas à juste titre d'expériences pré-scientifiques

trine fait en pratique de sciences authentiquement éidétiques comme les mathématiques. Le cours de la polémique amène à discuter de la possibilité d'une science éidétique en général par rapport aux sciences empiriques.

et encore moins de conceptions instinctives ou d'hypothèses portant sur des expériences soi-disant héréditaires.

Ou bien devons-nous dire, comme cela a été dit en fait par d'autres écoles, que nous devons les évidences géométriques à « *l'expérience imaginative* » et que nous les élaborons à titre *d'inductions tirées d'expérimentations imaginatives?* Pourquoi alors, demandons-nous en retour, le physicien ne fait-il aucun usage de cette merveilleuse expérience imaginative ? Pourquoi, sinon parce que les expériences forgées dans l'imagination seraient des expériences imaginaires, de même que les figures, les mouvements, les groupes formés dans l'imagination ne sont précisément pas réels mais imaginaires.

Renonçons à ces constructions de l'esprit et au lieu d'argumenter sur leur terrain reportons-nous aussi correctement que possible au *sens propre* contenu dans les affirmations mathématiques. Pour savoir, et savoir sans doute possible, ce qu'énonce un axiome mathématique, nous ne devons pas nous adresser aux philosophes empiristes, mais à la conscience où, en tant que mathématiciens, nous saisissons avec une pleine évidence « les états de chose » impliqués dans les axiomes. Si nous nous tenons simplement à cette intuition, il n'est plus possible de douter que dans les axiomes ce sont de pures connexions entre essences qui reçoivent une expression, sans qu'on pose en même temps le moindre fait emprunté à l'expérience. On ne doit pas se livrer à des spéculations philosophiques ou psychologiques qui restent à l'extérieur de la pensée et de l'intuition géométrique; on doit plutôt entrer vitalement dans cette activité et, se fondant sur l'analyse directe, en déterminer le sens immanent. Il est possible que des connaissances accumulées par les générations passées nous ayons hérité quelques dispositions pour connaître; mais quant au sens et à la valeur de nos connaissances, l'histoire de cet héritage est aussi indifférente que, pour la valeur de notre or, l'histoire de sa transmission.

[46] § 26. — Sciences relevant de l'Attitude dogmatique et Sciences relevant de l'Attitude philosophique[1].

Les savants *parlent* des mathématiques et de tout ce qui est éidétique en *sceptiques,* mais dans leur méthode éidétique se *conduisent* en *dogmatiques.* Heureusement pour eux : la grandeur des sciences de la nature vient de ce qu'elles ont écarté hardiment le scepticisme luxuriant et envahissant des Anciens et *renoncé* à le vaincre. Au lieu de s'épuiser dans des polémiques byzantines pour savoir comment la connaissance d'une nature « extérieure » est possible, comment il faudrait résoudre toutes les difficultés que les Anciens découvraient déjà dans ce problème de possibilité, elles préfèrent consacrer leurs efforts à la *droite méthode* qui convient à une connaissance de la nature susceptible d'être effectivement pratiquée et aussi parfaite que possible, à la connaissance sous la forme d'une science *exacte* de la nature. Or cette orientation qui a assuré un libre essor à la recherche *positive,* elles l'ont par la suite récusée à demi, *en donnant à nouveau asile à des réflexions sceptiques et en se laissant limiter dans leurs possibilités de travail par des tendances sceptiques.* Dès lors le scepticisme, une fois qu'on a sacrifié aux préjugés empiristes, ne reste hors de jeu qu'en ce qui concerne *le plan de l'expérience,* mais non plus en ce qui concerne *celui des essences.* Car il ne lui suffit pas d'entraîner tout ce qui est éidétique dans le cycle de leurs recherches en lui imposant le faux pavillon de l'empirisme.

---

[46] 1. *La conclusion* apporte une affirmation étonnante : le respect de l'intuition définit une attitude *dogmatique* et non *philosophique,* pour autant que la philosophie c'est l'interrogation sans fin sur la *possibilité* de connaître, bref le scepticisme. Cet usage *non-critique* de l'intuition, c'est-à-dire antérieur à toute question d'origine sceptique sur la possibilité de la connaissance, confirme ce qui a été dit au § 18 de l'ἐποχή de la philosophie. La question centrale des Ideen en est rendue plus aiguë : comment la réduction et la constitution transcendantales retiennent-elles et confirment-elles à un autre niveau de la réflexion ce dogmatisme de l'intuition ? (cf. en particulier p. 55, n. 3). Mais ce dogmatisme n'est que la priorité de l'originaire sur le simplement visé (cf. p. 9, n. 5).

Seules des disciplines éidétiques de création ancienne et placées par les droits de l'habitude au-dessus de toute contestation, comme le sont les disciplines mathématiques, tolèrent une pareille subversion des valeurs ; par contre (comme nous l'avons déjà indiqué) l'effort pour fonder de nouvelles disciplines trouve fatalement dans les préjugés empiristes un obstacle puissant. On adoptera *la bonne attitude* en abordant le *cycle de recherches* qu'on peut appeler en un bon sens du mot *dogmatiques,* c'est-à-dire *pré-philosophiques,* et dont relèvent entre autres sciences toutes les sciences de la nature, *si, en pleine connaissance de cause, on rejette tout scepticisme en même temps que toute « philosophie de la nature » et que toute « théorie de la connaissance »*, et si on accueille les objets de la connaissance là où on les rencontre effectivement, — quelles que soient les difficultés que pourra *ultérieurement* soulever une réflexion épistémologique touchant la possibilité de ces objets.

Il faut précisément opérer une séparation inévitable et importante dans le domaine de la recherche scientifique. D'un côté on a *les sciences qui relèvent de l'attitude dogmatique* et sont tournées vers les choses (Sachen) [2], sans se laisser troubler par les problèmes [47] de nature épistémologique ou sceptique. Elles partent des données originaires où se révèlent ces choses et y retournent toujours pour soumettre leurs connaissances à une épreuve critique ; elles se posent des questions comme celles-ci : en tant que quoi les choses se donnent-elles immédiatement ? Qu'est-ce qui peut être conclu médiatement sur ce fondement concernant ces choses et les autres choses du même domaine considéré en général ? De l'autre côté on a les recherches scientifiques qui relèvent de l'attitude épistémologique, *de l'attitude spécifiquement philosophique :* elles s'attachent aux problèmes sceptiques concernant la possibilité de la connaissance, les résolvent d'abord sur le plan général des principes et ensuite, à titre d'application des solutions acquises, tirent les conséquences qui permettent d'apprécier le sens et la valeur cognitive défini-

2. *Sachen,* v. *supra,* p. 35, n. 1.

tifs des résultats obtenus par les sciences dogmatiques. Il est *juste,* au moins *dans la situation actuelle* et aussi longtemps qu'on n'aura pas une critique de la connaissance hautement développée et dotée d'une force et d'une clarté parfaite, *de soustraire les frontières de la recherche dogmatique à l'assaut des questions « criticistes »*. En d'autres termes, il nous paraît juste pour le moment de veiller soigneusement à ce que des préjugés épistémologiques (et en règle générale sceptiques), sur la validité et la fausseté desquels la science philosophique doit se prononcer et qui n'ont pas besoin de troubler le savant dogmatique, ne viennent pas entraver le cours de ses recherches. C'est précisément dans la manière des scepticismes de faire le jeu de ces obstacles funestes.

Du même coup est caractérisée la situation originale en vertu de laquelle il est nécessaire d'élaborer une théorie de la connaissance qui soit une science possédant une dimension propre. La connaissance orientée purement sur les choses (sachlich) et soutenue par l'évidence a beau être satisfaite, dès que la connaissance fait un retour sur soi par la réflexion, la possibilité d'éprouver la validité de tous les modes de la connaissance, entre autres celle des intuitions et des évidences, apparaît affectée d'obscurités déconcertantes et de difficultés presque insolubles ; c'est le cas tout particulièrement quand on considère la transcendance que les *objets* (Objekte) de la connaissance revendiquent en face de la connaissance. C'est pour cette raison précise qu'il y a des *scepticismes* qui se font valoir, au défi de toute intuition, de toute expérience et de toute évidence, et qui par la suite peuvent réussir à devenir des *obstacles dans la pratique de la science.* Nous excluons ces obstacles concernant la forme des *sciences « dogmatiques »* de la nature (ce terme ne devant exprimer ici par conséquent aucun sens péjoratif), [48] *en saisissant simplement avec clarté le principe le plus général de toute méthode, selon lequel tout donné a un droit originel,* et en le gardant vivant à l'esprit ; par contre nous ignorons les problèmes abondants et multiformes concernant la possibilité des différents modes de connaissance et celle de leurs corrélations.

[48] *DEUXIÈME SECTION*

CONSIDÉRATIONS PHÉNOMÉNOLOGIQUES FONDAMENTALES[1]

[48] 1. CETTE SECONDE SECTION a encore un caractère préparatoire : elle définit la réduction phénoménologique §§ 31-32, mais ne l'applique pas encore (comme il est dit au début du § 33).

Le chapitre I introduit la *réduction phénoménologique* par rapport à l'attitude naturelle qu'elle « suspend ».

Le chapitre II et le chapitre III — la plus grande partie de cette section — *décrivent la conscience;* ils préparent à la réduction phénoménologique, mais ne la supposent pas. Le chapitre II analyse plus particulièrement la perception dans le but de libérer des préjugés naturalistes et de faire apparaître l'*opposition* de deux modes d'être : l'être comme objet et l'être comme conscience. Cette opposition *sépare* la « région » conscience. Le chapitre II dépasse cette opposition et montre la *relativité* de l'être du monde à l'être de la conscience : l'attitude naturelle est ainsi « renversée », « convertie ». L'analyse partie de l'attitude naturelle se met par degré au ton de la réduction proposée de façon abrupte au chapitre I. Celle-ci au reste n'est pas présentée de façon radicale dans les IDEEN, ce qui explique qu'on puisse la rejoindre insensiblement.

Le chapitre IV précise la technique des réductions phénoménologiques. — Dans les MÉDITATIONS CARTÉSIENNES au contraire, il n'y a pas de « psychologie intentionnelle » préalable : on passe tout de suite au monde comme « phénomène ». L'intentionnalité elle-même n'est décrite qu'après la réduction.

CHAPITRE PREMIER

LA THÈSE DE L'ATTITUDE NATURELLE ET SA MISE HORS CIRCUIT [2]

§ 27. — LE MONDE SELON L'ATTITUDE NATURELLE : MOI ET MON ENVIRONNEMENT.

Au début de nos analyses nous nous placerons au point de vue de l'homme tel qu'il vit naturellement, formant des représentations, jugeant, sentant, voulant « *selon l'attitude naturelle* » [3]; nous éluciderons le sens de cette dernière expression au cours de simples méditations que nous poursuivrons à la première personne.

J'ai conscience d'un monde qui s'étend sans fin dans l'espace, qui a et a eu un développement sans fin dans le temps. Que veut dire : j'en ai conscience ? D'abord ceci : je le découvre par une intuition immédiate, j'en ai l'expérience. Par la vue, le toucher, l'ouïe, etc., selon les différents modes de la perception sensible, les choses corporelles sont *simplement là pour moi,* avec une distribution spatiale quelconque ; elles sont « *présentes* » au sens littéral ou figuré, que je leur accorde ou non une attention particulière, que je m'en occupe

2. *Le chapitre I :* 1° *part de l'attitude naturelle ;* il décrit les diverses présences offertes à la conscience dans cette attitude, §§ 27-29 et en énonce le principe fondamental, § 30.

2° *Définit* l'ἐποχή, d'abord par rapport au doute méthodique de Descartes § 31, puis en elle-même.

3. 1° *Le sens radical de l'attitude naturelle* ne saurait apparaître en dehors de la réduction qui le révèle au moment où elle le sus-

ou non en les considérant, en pensant, sentant ou voulant. Les êtres animés également, tels les hommes, sont là pour moi de façon immédiate ; je les regarde, je les vois, je les entends approcher, je leur prends la main et parle avec eux ; je comprends immédiatement ce qu'ils se représentent et pensent, quels sentiments ils ressentent, ce qu'ils souhaitent ou veulent. De plus ils sont présents dans mon champ d'intuition, en tant que réalités, alors même que je ne leur prête pas attention. Mais il n'est pas nécessaire qu'ils se trouvent justement dans *mon champ de perception*, ni eux ni non plus les autres objets. Pour moi des objets réels sont là, porteurs de déterminations, plus ou moins connus, faisant corps avec les objets perçus effectivement, sans être eux-mêmes perçus, ni même présents de façon in- [49] tuitive. Je puis déplacer mon attention, la détacher de ce bureau que je viens de voir et d'observer attentivement, la porter, à travers la partie de la pièce que je ne voyais pas, derrière mon dos, vers la véranda, dans le jardin, vers les enfants sous la tonnelle, etc., vers tous les objets dont je « sais » justement qu'ils sont à telle ou telle place dans l'environnement immédiatement co-présent à ma conscience (mitbewusst) ; ce savoir d'ailleurs n'a rien de la pensée conceptuelle et il suffit de tourner l'attention vers ces objets, ne serait-ce que d'une façon partielle et le plus souvent très im-

---

pend. Comme l'a montré E. Fink dans son article des *Kantstudien*, tout exposé qui débute est condamné à rester au plan qu'il s'agit précisément de transcender ; prise dans le monde, l'attitude naturelle ne peut s'apparaître à elle-même dans sa signification totale. Aussi ne trouverons-nous ici qu'un exposé « faux », qui « fait appel à une opération qui le surmonte » : Fink, art. cit., pp. 346-7. — L'analyse qui suit indique déjà que l'attitude naturelle est plus vaste que le psychologisme et le naturalisme, puisqu'une bonne partie des analyses intentionnelles, — c'est-à-dire tout ce que les MÉDITATIONS CARTÉSIENNES appellent psychologie phénoménologique (théorie du Cogito, de l'intentionalité, de la réflexion, de l'attention, etc.) — se développe encore à l'intérieur de l'attitude naturelle. L'attitude naturelle est une limitation fondamentale, mais dont l'ampleur est immense comme l'horizon du monde. Ce paragraphe montre déjà le monde comme corrélat de la conscience attentive ou inattentive, perceptive ou pensante, théorique, affective, axiologique ou pratique. Le § 28 rapprochera cette conscience du cogito cartésien.

parfaite, pour convertir ce savoir en une intuition claire[1].

Mais l'ensemble de ces objets *co-présents* (Mitgegenwärtigen) à l'intuition de façon claire ou obscure, distincte ou confuse, et cernant constamment le champ actuel de la perception, n'épuise même pas le monde qui pour moi est « là » de façon consciente à chaque instant où je suis vigilant. Au contraire il s'étend sans limite selon un ordre fixe d'êtres. Ce qui est actuellement perçu et plus ou moins clairement co-présent et déterminé (ou du moins déterminé par quelque côté) est pour une part traversé, pour une part environné par un *horizon obscurément conscient de réalité indéterminée.* Je peux, avec un succès variable, projeter sur lui, comme un rayon, le regard de l'attention qui soudain l'éclaire : toute une suite de présentifications (Vergegenwärtigungen)[2] chargées de déterminations, d'abord obscures, puis prenant progressivement vie, m'aident à faire surgir quelque chose ; ces souvenirs forment une chaîne, le cercle du déterminé ne cesse de s'élargir, au point que parfois la liaison s'établit avec le champ actuel de perceptions, c'est-à-dire avec l'environnement *central.* En général le résultat est tout autre : c'est d'abord une brume stérile où tout est obscur et indéterminé ; puis elle se peuple de possibilités ou de conjectures intuitives, et seule est tracée la « forme » du monde précisément en tant que « monde ». L'environnement indéterminé s'étend d'ailleurs à l'infini. Cet horizon brumeux, incapable à jamais d'une totale détermination, est nécessairement là.

Ce qui vient d'être dit du monde, considéré comme l'ordre des êtres dans leur présence spatiale, s'applique au monde considéré comme *l'ordre des êtres dans la succession temporelle.* Ce monde qui est présent pour moi maintenant — et de même évidemment pour tout maintenant dans l'état de vigilance — a son horizon temporel infini dans les deux sens, son passé et son futur, connus et inconnus, immédiatement vivants ou

[49] 1. Sur l'attention et le champ d'inattention, cf. § 35.

2. Présentification, cf. *supra,* p. 11, n. 1. Sur l'ensemble des rapports entre perception, image, souvenir, signe, cf. §§ 43-4 et § 99

privés de vie [3]. Dans l'activité libre mise en jeu par l'expérience et qui fait accéder à l'intuition ce qui m'est présent, je peux poursuivre ces rapports au sein de la réalité qui m'environne immédiatement. Je peux changer de point de vue dans l'espace et dans le temps, [50] porter le regard ici ou là, en avant et en arrière dans le temps ; je peux faire naître en moi des perceptions et des présentifications toujours neuves et plus ou moins claires ou riches de contenu, ou bien encore des images plus ou moins claires, par lesquelles je donne la richesse de l'intuition (veranschauliche) à tout ce qui est possible et peut être conjecturé dans les formes stables du monde spatial et temporel.

Ainsi quand la conscience est vigilante [1], je me trouve à tout instant — et sans pouvoir changer cette situation — en relation avec un seul et même monde, quoique variable quant au contenu. Il ne cesse d'être « présent » pour moi ; et j'y suis moi-même incorporé. Par là ce monde n'est pas là pour moi comme un simple *monde de choses* (Sachen) [2] mais, selon la même immédiateté, comme *monde des valeurs*, comme *monde de biens*, comme *monde pratique*. D'emblée je découvre les choses devant moi pourvues de propriétés matérielles, mais aussi de caractères de valeurs : elles sont belles et laides, plaisantes et déplaisantes, agréables et désagréables, etc. Les choses se présentent immédiatement comme des objets usuels : la « table » avec ses « livres », le « verre », le « vase », le « piano », etc. Ces valeurs et ces aspects pratiques appartiennent eux aussi à *titre constitutif aux objets « présents » en tant que tels*, que je m'occupe ou non d'eux — ou des objets en général. Ce qui est vrai « des simples choses » (Dinge) [2] vaut naturellement aussi pour les hommes et les animaux de mon entourage. Ce sont mes « amis » ou mes « ennemis », mes « subordonnés » ou mes « supérieurs », des « étrangers » ou des « parents », etc.

3. Sur les horizons temporels du présent, cf. § 82 et ZEITBEWUSSTSEIN.

[50] 1. Sur la notion de vigilance, cf. pp. 53 et 63. La vigilance est la *vie* même de la conscience, mais prise dans le monde. Vigilance et actualité sont synonymes (début du § 28).

2. *Sache* s'oppose à *Wert*, comme *Ding* à *Animalien* et *Menschen;* cf. p. 20, n. 4 et pp. 66-7.

§ 28. — Le Cogito. Mon Environnement naturel et les Environnements idéaux [3].

C'est à ce monde, *à ce monde dans lequel je me trouve et qui en même temps m'environne,* que se rapporte le faisceau des activités *spontanées* [4] de la conscience avec leurs multiples variations : l'observation dans le but de la recherche scientifique, l'explicitation et l'élaboration des concepts mis en jeu dans la description, la comparaison et la distinction, la colligation et la numération, les hypothèses et les conclusions, bref la conscience au stade théorique, sous ses formes et à ses degrés les plus différents. Ajoutons les actes et les états multiformes de l'affectivité et de la volonté : plaisir et désagrément, joie et tristesse, désir et aversion, espoir et crainte, décision et action. Si l'on y joint encore les actes simples du moi par lesquels j'ai conscience du monde comme immédiatement là, lorsque je me tourne spontanément vers lui pour le saisir, tous ces actes et états sont englobés dans l'unique expression de Descartes : *Cogito.* Tant que je suis engagé dans la vie naturelle (im natürlichen Dahinleben), ma vie prend [51] sans cesse *cette forme fondamentale de toute vie « actuelle »*, même si je ne peux énoncer le Cogito à cette occasion et même si je ne peux pas me diriger « réflexivement » vers le « moi » et le « cogitare » [1]. Si telle est ma conscience, nous sommes en face d'un nouveau « Cogito » de nature vivante, qui de son côté est irréfléchi et pour moi par conséquent n'a pas qualité d'objet.

---

3. Elargissement de la notion de monde et d'attitude naturelle aux « environnements idéaux ». C'est en ce sens que E. Fink a pu soutenir que la recherche de l'à priori, au sens des Etudes Logiques et au sens kantien et néo-criticiste de condition de possibilité de l'objectivité en général, reste encore intra-mondaine et prise dans l'attitude naturelle ; *loc. cit.*, pp. 338, 377 et *passim.* Ainsi la découverte du Cogito appartient encore à l'attitude naturelle, mais en voie de dépassement.

4. Sur la spontanéité, cf. p. 42, n. 1 et p. 43, n. 2.

[51] 1. Le Cogito pré-réflexif c'est l'intentionnalité qui s'ignore encore. La réflexion ne sera pas encore la réduction et séparera seulement la « région » conscience, cf. p. 48, n. 1.

A chaque instant je me trouve être quelqu'un qui perçoit, se représente, pense, sent, désire, etc. ; et par là je me découvre avoir *la plupart du temps* un rapport *actuel* à la réalité qui m'environne constamment. Je dis la plupart du temps, car ce rapport n'est pas toujours actuel ; chaque Cogito, au sein duquel je vis, n'a pas pour Cogitatum des choses, des hommes, des objets quelconques ou des états de chose appartenant à mon environnement. Je puis par exemple m'occuper des nombres purs et des lois des nombres ; rien de tel n'est présent dans mon environnement, entendons dans ce monde de « réalité naturelle ». Le monde des nombres, lui aussi, est là pour moi ; il constitue précisément le champ des objets où s'exerce l'activité de l'arithméticien ; pendant cette activité, quelques nombres ou constructions numériques seront au foyer de mon regard, environnés par un horizon arithmétique partiellement déterminé, partiellement indéterminé ; mais il est clair que *le fait* même d'être-là-pour-moi, ainsi que *ce qui* est là sont d'un autre type. *Le monde arithmétique n'est là pour moi que quand je prends et aussi longtemps que je garde l'attitude de l'arithméticien*[2] · tandis que *le monde naturel,* le monde au sens ordinaire du mot, est constamment là pour moi, aussi longtemps que je suis engagé dans la vie naturelle. Aussi longtemps qu'il en est ainsi, je suis « dans *l'attitude naturelle* » (natürlich eingestellt) ; et même les deux expressions ont exactement le même sens. Il n'est nullement besoin que cette présence naturelle du monde soit changée lorsque je fais mien le monde arithmétique ou d'autres « mondes », en adoptant les attitudes correspondantes. Le monde actuel *demeure encore*

2. L'expression « le monde des nombres » ne réintroduit aucun platonisme (cf. p. 40 n. 1). Elle vise à élargir la notion de monde au sens de l'attitude naturelle et à inclure dans l'attitude naturelle tout ce qui, en quelque manière, *est là pour moi* et par sa présence intuitive me *cache* en même temps ma subjectivité transcendantale et constituante qui pourtant s'exerce dans cette présence même. Je suis pris dans les nombres comme dans les choses. Cet article explique en partie l'inclusion de l'attitude arithmétique dans l'attitude naturelle, en rappelant que le monde des choses, qui est permanent, sert de toile de fond au monde des nombres qui est intermittent.

« *présent* » (vorhandene); je reste après comme avant engagé dans l'attitude naturelle, *sans en être dérangé par les nouvelles attitudes.* Si mon Cogito se meut *uniquement* dans les divers mondes correspondant à ces nouvelles attitudes, le monde naturel n'entre pas en considération, il reste à l'arrière-plan de mon acte de conscience, mais il ne forme pas *un horizon au centre duquel viendrait s'inclure un monde arithmétique.* Les deux mondes simultanément présents n'entretiennent *aucune relation,* si l'on fait abstraction de leur rapport au moi, en vertu duquel je peux librement porter mon regard et mes actes au cœur de l'un ou de l'autre.

§ 29 — Les « Autres » sujets personnels et l'Environnement naturel de Type intersubjectif [3].

Ce qui est vrai de moi vaut aussi, je le sais bien, pour tous les autres hommes que je trouve présents dans [52] mon environnement. Par l'expérience que j'ai d'eux en tant qu'hommes, je les comprends et je les accueille comme des sujets personnels au même titre que moi-même, et rapportés à leur environnement naturel. En ce sens toutefois que je conçois leur environnement et le mien comme formant objectivement (objektiv) un seul et même monde qui accède seulement de façon différente à toutes nos consciences. Chacun a son poste d'où il voit les choses présentes, et en fonction duquel chacun reçoit des choses des apparences différentes. De même le champ actuel de la perception et du souvenir différencie chaque sujet, sans compter que même ce qui en est connu en commun, à titre intersubjectif, accède à la conscience de façon différente, sous des modes différents d'appréhension (Auffassungsweisen), à des degrés différents de clarté, etc. En dépit de tout cela nous arrivons à nous comprendre avec nos voisins

3. Ce nouvel élargissement de l'attitude naturelle à la position inter-subjective du monde est ici à peine esquissé. La réalité inter-subjective du monde ne sera guère analysée dans Ideen I (§ 151). Ideen II et surtout la Vᵉ *Méditation cartésienne* traitent de la constitution de l'autre dans mon environnement et du monde dans l'inter-subjectivité du moi et de l'autre.

et posons en commun une réalité objective (objektive Wirklichkeit) d'ordre spatio-temporel qui forme ainsi *pour nous tous l'environnement des existants, bien qu'en même temps nous en fassions nous-mêmes partie.*

§ 30. — La Position (ou « Thèse ») générale de l'Attitude naturelle.

Nous venons d'établir les caractères du donné dans l'attitude naturelle et par là ceux de cette attitude elle-même. Cette analyse est un échantillon de ce que peut être une description pure *antérieure à toute « théorie »*; si l'on entend ici par théories les préconceptions de tout genre, nous en évitons soigneusement le contact au cours de ces études. Elles ne pénètrent dans le cycle de nos analyses qu'à titre de faits appartenant à notre environnement, mais non sous forme de principes unificateurs ayant une validité réelle ou présumée. Toutefois nous ne nous proposons pas maintenant pour tâche de poursuivre cette description pure et de la hausser au niveau d'une caractéristique qui embrasserait de façon systématique et exhaustive, tant en extension qu'en profondeur, la totalité de ce qui se présente à nous dans l'attitude naturelle (et de toutes les attitudes qu'il faut composer harmonieusement avec elles). On peut et on doit se fixer cette tâche et lui donner un caractère scientifique ; elle est d'une importance extraordinaire, qui n'a pourtant guère été entrevue jusqu'à présent. Mais ce n'est pas ici la nôtre [1]. Pour nous qui nous efforçons d'accéder au seuil de la phénoménologie, nous avons désormais réalisé tout ce qui nous est nécessaire dans cette direction ; il nous reste seulement à dégager quelques caractères généraux de l'attitude naturelle, qui déjà se sont présentés avec une *plénitude suffisante de clarté* au cours de nos descriptions ; c'est même cette plénitude de clarté qui importe à nos yeux.

---

[52] 1. Ce qui est visé ici, c'est la psychologie intentionnelle dont la tâche est plus amplement précisée dans les Méditations cartésiennes, pp. 28-33, 40-2, 125-126.

Nous soulignerons encore une fois un point essentiel dans les propositions suivantes : je trouve sans cesse présente, comme me faisant vis-à-vis, une unique réalité spatio-temporelle dont je fais moi-même partie, ainsi que tous les autres hommes qui s'y rencontrent et se rapportent à elle de la même façon. La « réalité » (Wirklichkeit), ce mot le dit déjà assez, je la découvre [53] *comme existant* et *je l'accueille, comme elle se donne à moi, également comme existant.* Je peux mettre en doute et récuser les données du monde naturel : cela ne change rien *à la position (à la « thèse ») générale de l'attitude naturelle.* « Le monde » est toujours là comme réalité ; tout au plus est-il, ici ou là, « autrement » que je ne le présumais, et faut-il en *exclure* ceci ou cela sous le titre de « simulacre », « d'hallucination », etc., et pour ainsi dire le biffer ; je l'exclus de ce monde qui, dans l'esprit de la « thèse » générale, est toujours le monde existant. C'est le but des *sciences issues de l'attitude naturelle* de prendre de ce monde une connaissance plus vaste, plus digne de confiance, plus parfaite à tous égards que ne le permet l'information naïve de l'expérience, et de résoudre toutes les tâches de la connaissance scientifique qui s'offrent sur son terrain[1].

---

[53] 1. Ce paragraphe est assez décevant si l'on en attend une définition radicale de l'attitude naturelle. Il ne permet pas de répondre aux questions les plus élémentaires : 1° Pourquoi appeler *thèse* ou *position* (Thesis = Setzung = Position), cette attitude qui consiste à *trouver là un monde existant et à l'accepter comme il se donne : comme existant ?* Bref, en quoi *trouver-là* est-il équivalent à *poser ?* Mais précisément, la croyance qui se dissimule dans l'attitude naturelle et que la réduction dénoncera comme une limitation du pouvoir constituant du moi transcendantal ne sera reconnue que par la réduction. Et ainsi c'est la réduction appliquée à cette limitation qui révélera comme position cette croyance qui, sur le plan de l'attitude naturelle, se donne comme découverte, comme réceptivité pure. 2° Au stade du § 30, il peut paraître que la « naïveté » de l'attitude naturelle est seule conforme au « principe des principes » du § 26 et à l'ἐποχή de toute philosophie et de toute critique qu'il implique ; la philosophie phénoménologique ne sera-t-elle pas une théorie critique ou même sceptique ? Il ne pourra être répondu à cette question que quand l'intuition aura été retrouvée sans la limitation de la « thèse générale de l'attitude naturelle », c'est-à-dire retrouvée comme elle-même constituée en tant qu'intuition.

§ 31. — Altération radicale de la Thèse naturelle. « Mise hors circuit », « entre parenthèses ». (Die « Ausschaltung », « Einklammerung ») [2].

Au lieu de demeurer dans cette attitude, nous allons lui faire subir une altération radicale. Il importe pour l'instant de nous persuader que cette altération est possible par principe.

En vertu de la « thèse » générale, nous prenons conscience constamment de notre environnement naturel, non point simplement par quelque appréhension générale, mais nous en prenons conscience comme d'une « réalité » *existante* (daseiende); or cette « thèse » ne consiste naturellement *pas dans un acte original*, dans un jugement articulé portant *sur* l'existence (Existenz). C'est quelque chose qui persiste tant que dure l'attitude, c'est-à-dire tant que la vie de la conscience vigilante suit son cours naturel. Tout ce qu'à chaque instant je perçois ou présentifie de façon claire ou obscure, bref tout ce qui, venant du monde naturel, accède à la conscience par le canal de l'expérience et antérieurement à toute pensée, est affecté globalement et dans toutes ses ramifications de l'indice « là », « présent » ; c'est sur ce caractère que peut par essence se fonder un jugement d'existence explicite (prédicatif) qui ne fasse qu'un avec lui. Quand nous exprimons ce jugement, nous savons bien que nous avons transformé en un « thème » et saisi sous forme prédicative ce qui était déjà impliqué dans l'expérience primitive, mais sous forme non-thématique, comme non-pensé, en deçà de toute opération prédicative, ou ce qui était impliqué dans l'objet de l'expérience comme caractère de « présence » [litt. : sous la main, vorhanden] [3].

---

2. 2° *La possibilité de principe de l'ἐποχή phénoménologique* est seule traitée dans ce chapitre : indirectement et par rapport au doute cartésien § 31, directement et en elle-même § 32.

3. Ce caractère de présence est la thèse générale du monde ou plus exactement son corrélat : c'est une croyance implicite qui, « thématisée », prend la forme du jugement d'existence et de la croyance proprement dite.

Or nous pouvons faire subir à la thèse potentielle et implicite la même épreuve qu'à la thèse du jugement explicite. Un procédé de ce genre, *possible à chaque instant,* est par exemple *la tentative de doute universel* que *Descartes* a entrepris de mener à bien, mais dans un dessein tout différent, dans l'intention de faire apparaître un plan ontologique absolument soustrait au doute. Nous adoptons ce point de départ, mais pour [54] souligner en même temps que pour nous la tentative universelle du doute ne doit servir que de *procédé subsidiaire* (methodischer Behelf) destiné à faire ressortir certains points qui grâce à lui peuvent être dégagés avec évidence comme étant enveloppés dans son essence [1].

La tentative universelle de doute tombe sous le pouvoir de notre *entière liberté;* tout et n'importe quoi, aussi fermement convaincus que nous en soyons, et même si l'évidence adéquate accompagne notre assurance, peut être *soumis à la tentative du doute.*

Réfléchissons sur ce qu'un tel acte enveloppe dans son essence [2]. Qui tente de douter, tente de soumettre au doute n'importe quel « être », tel qu'il est explicité sous la forme prédicative : « cela est », « il en est ainsi », etc. L'espèce de l'être n'est pas ici en question. Si par exemple le doute porte sur le point de savoir si un objet, dont l'être n'est pas mis en doute,

[54] 1. Cette approche cartésienne de l'ἐποχή dans les *Ideen* est une grave source de méprise. Cet article prend certes bien soin de distinguer l'ἐποχή du doute méthodique et de la caractériser comme une suspension compatible avec la certitude. Et pourtant, le chapitre II et le chapitre III, qui retombent au-dessous du niveau de l'ἐποχή entrevue (comme il est dit au début du § 34), sont de style cartésien : pour séparer la « région » conscience, on la caractérise comme non douteuse (cf. le titre du § 46 : « Que la perception immanente est indubitable et la perception transcendante douteuse ») ; la « destruction du monde » qui fait apparaître la conscience comme « résidu » est une démarche éminemment cartésienne. Ainsi, les préparatifs cartésiens de l'ἐποχή tiennent plus de place que l'ἐποχή elle-même dans les IDEEN. — Cf. la définition de l'ἐποχή dans les MÉDITATIONS CARTÉSIENNES, pp. 16-18, 31-32, 70-71.

2. L'analyse du doute relève de la psychologie éidétique : c'est une essence de la « région » conscience. Cette analyse sera refaite dans le cadre de la phénoménologie proprement dite § 103.

a bien telle ou telle propriété, le doute atteint le fait même « *d'avoir telle propriété* ». Ce qui est dit du doute peut être transposé à la *tentative* de douter. En outre il est clair que nous ne pouvons mettre en doute un être, et dans la même conscience (entendons : sous la forme unitive du « en même temps ») appliquer la « thèse » au substrat de cet être, et donc en avoir conscience avec le caractère de « présent ». Autrement dit : nous ne pouvons en même temps mettre en doute une même matière (Materie)[3] d'être et la tenir pour certaine. Il est également clair que la *tentative* de douter de quelque objet de conscience *en tant que présent a nécessairement pour effet de suspendre* (Aufhebung) *la « thèse »*; c'est précisément cela qui nous intéresse[4]. Non point que la thèse se convertisse en antithèse, la position en négation ; ou qu'elle se change en conjecture, supputation, indécision, doute (quel que soit le sens du mot) ; rien de tout cela n'est au pouvoir de notre libre arbitre. *C'est plutôt quelque chose d'absolument original. Nous n'abandonnons pas la thèse que nous avons opérée ; nous ne changeons rien à notre conviction* qui en soi-même demeure ce qu'elle est, tant que nous ne faisons pas intervenir de nouveaux motifs de jugement : ce que précisément nous ne faisons pas. Et pourtant la thèse subit une modification :

---

3. *Materie*, au sens des ETUDES LOGIQUES, désigne le *quid* du jugement, la même chose (ou le même état de chose) pouvant être constatée, désirée, ordonnée, etc. : par contre la qualité (*Qualität*) du jugement concerne le fait que cette chose, cette « matière », soit précisément constatée, désirée, ordonnée, etc. Ve *Etude* § 20, pp. 411-2. La question est reprise dans les IDEEN § 133.

4. La méthode d'approche de Husserl est celle-ci : extraire du doute méthodique, mieux connu que l'ἐποχή, la composante qui est précisément l'ἐποχή ; cette composante est plus primitive que le doute, puisque celui-ci y ajoute l'exclusion de la certitude ; elle consiste en un acte de suspension et non de négation, de conjecture, de supputation, de doute. Ces modalités de la croyance sont en effet des modifications de la croyance de base ou certitude (§§ 103-107) ; elles sont donc destructrices de la croyance certaine et, en outre, hors de notre liberté. Il s'agit donc d'une altération de la croyance qui n'est pas une modalité de la croyance, mais une tout autre dimension. Elle consiste à *ne pas user* de la certitude qui reste ce qu'elle est. Il est évident que ce signalement est encore très peu éclairant, parce qu'il est encore mêlé à la croyance même qu'il s'agit de transcender. Cf. §§ 112-117.

tandis qu'elle demeure en elle-même ce qu'elle est, *nous la mettons pour ainsi dire « hors de jeu »* (ausser Aktion), « *hors circuit* », « *entre parenthèses* ».[5]. Elle est encore là, comme est encore là dans la parenthèse ce que nous y enfermons, et comme est là, hors des connexions du circuit, ce que nous en excluons. La thèse, peut-on même dire, est encore un vécu, *mais nous n'en faisons « aucun usage »*; non point naturellement en ce sens que nous en serions privé (comme quand on dit de l'être sans conscience qu'il ne fait [55] aucun usage d'une thèse); il s'agit plutôt, par le moyen de cette expression, comme de toutes les expressions parallèles, de caractériser par cette notation un *mode* déterminé et *spécifique de la conscience,* qui se joint à la simple thèse primitive (que celle-ci soit ou non une *position* d'existence actuelle et même de type prédicatif) et lui fait subir une conversion de valeur (umwertet) elle-même originale. *Cette conversion de valeur dépend de notre entière liberté*[1] *et s'oppose à toutes les prises de positions adoptées par la pensée* (Denkstel-

5. Ces deux images — la parenthèse, la rupture de circuit — sont encore mondaines et donc trompeuses. 1° Ce n'est pas une *partie* de l'être qui est *exclue,* ni même l'être du monde dans son ensemble, mais sa « position », c'est-à-dire un comportement (Verfahren) en face du monde (plus loin : *die Thesis ist Erlebnis*); c'est seulement à titre corrélatif qu'on peut dire que l'indice de présence qui répond à cette croyance est suspendu ; c'est en langage abrégé qu'on parlera plus loin de l'exclusion de ceci ou de cela (du monde naturel, des essences, de la logique, etc.) §§ 56-61. 2° Plus radicalement, cette « abstention » n'a qu'en apparence un caractère privatif ; s'il est vrai que l'attitude naturelle est une limitation par laquelle le moi transcendantal se cache à lui-même son pouvoir constituant, l'aspect privatif de l'ἐποχή est un signalement provisoire ; mais seule la mise en œuvre de la constitution transcendantale peut dévoiler le sens de l'attitude naturelle et de sa suspension. C'est pourquoi Husserl dit que l'ἐποχή retient ce qu'elle exclut (p. 142 n. 2). Ceci reste obscur tant qu'il n'apparaît pas que retenir c'est constituer, et qu'exclure c'est libérer la générosité radicale de ce sujet donateur de sens. Malheureusement, les analyses préparatoires des chap. II et III, en présentant la « région » conscience comme le « résidu » d'une élimination, inclinent à interpréter l'ἐποχή en un sens privatif.

[55] 1. La liberté dont il est question ne peut être encore comprise : il s'agit d'une liberté théorétique du moi transcendantal qui s'exerce dans la rupture même de l'attitude naturelle et réalise en même temps le pouvoir constituant de ce moi transcendantal.

lungnahmen)[2] qui sont susceptibles de se coordonner avec la « thèse » considérée, mais non de se composer avec elle dans l'unité du « en même temps » : d'une façon générale elle s'oppose à toutes les prises de position au sens propre du mot.

Dans la *tentative du doute* qui s'adjoint à une thèse et, comme nous le supposons, à une thèse certaine et inébranlée, la mise « hors circuit » s'opère dans et avec une modification du type antithèse, à savoir avec la « *supposition* » (Ansetzung) *du non-être* qui forme ainsi le soubassement complémentaire de la tentative de douter[3]. Chez Descartes l'accent est mis avec une telle force sur cette supposition qu'on peut dire que sa tentative de doute universel est proprement une tentative d'universelle négation. Nous en faisons abstraction ici ; nous ne nous intéressons pas à chaque composante que l'analyse pourrait apercevoir dans la tentative du doute, ni non plus par conséquent à une analyse exacte et intégrale de ce doute. *Nous en extrayons seulement le phénomène de mise « entre parenthèses » ou « hors circuit »*, qui manifestement n'est pas lié exclusivement à celui de la tentative du doute, quoiqu'il soit particulièrement aisé de l'en dissocier, mais peut entrer encore dans *d'autres combinaisons* et aussi bien se produire *isolément en soi-même*. Par rapport à *chaque* thèse nous pouvons, avec une entière liberté, opérer cette ἐποχή originale, c'est-à-dire *une certaine suspension du jugement qui se compose avec une persuasion de la vérité qui demeure inébranlée,*

---

2. L'expression « prises de position » désigne des actes de degré supérieur, comme décider, affirmer, nier, apprécier, haïr. Cf. § 115.

3. Cette supposition du non-être qui s'ajoute à l'ἐποχή dans le doute cartésien reste sur le plan des modalités de la croyance dont la filiation sera étudiée plus tard : être certain, douter, supputer, etc. § 103 sq. La supposition est une croyance « neutralisée » telle que : figurons-nous que... Elle ne « prétend » rien. § 110. L'ἐποχή peut paraître indiscernable de cette « neutralisation » de la certitude. Elle est précisément une dimension absolument nouvelle par rapport à toutes les modalités de la croyance qui sont toutes à l'*intérieur* de la thèse du monde. Si je doute ou fais une supposition, c'est sur fond de monde et, là où je suppose, je ne crois pas. L'ἐποχή suspend la thèse d'une manière spécifique qui, à la différence de la « neutralisation » de la croyance, est compatible avec la certitude de l'intuition.

voire même inébranlable si elle est évidente[4]. La « thèse » est « mise hors de jeu », entre parenthèses : elle se convertit dans la forme modifiée : « thèse entre parenthèses », le jugement pur et simple en : « *jugement entre parenthèses* ».

Naturellement on ne doit pas simplement identifier cette conscience avec celle qui consiste à « se figurer seulement quelque chose par la pensée » (des sich bloss denkens), comme par exemple que des fées exécutent une ronde ; dans ce cas, nous *ne mettons pas hors circuit* une conviction vivante et demeurant vivante, quoique par ailleurs l'étroite parenté de l'une et de l'autre conscience soit patente. A plus forte raison il ne s'agit pas de l'acte de se figurer par la pensée, au sens d' « admettre » (Annehmen) ou de *présupposer*, bien que cet acte puisse s'exprimer dans le langage équivoque de tous les jours par des mots tels que « je me figure (j'admets) que les choses sont telles ou telles »[5].

[56] Il n'est pas interdit, notons-le en outre, *de parler corrélativement de mise entre parenthèses* également à propos des *objets susceptibles d'être posés*, à quelque région ou catégorie qu'ils appartiennent. Dans ce cas on signifie que *toute thèse relative à ces objets doit être mise hors circuit* et convertie en sa forme modifiée par les parenthèses. A y regarder de plus près, l'image des parenthèses convient d'ailleurs mieux dès l'abord au plan des objets, et l'expression « mettre hors de jeu » au plan des actes ou de la conscience.

§ 32. — L'ἐποχή PHÉNOMÉNOLOGIQUE.

A la place de la tentative cartésienne de doute universel, nous pourrions introduire l'universelle « ἐποχή », au sens nouveau et rigoureusement déterminé que nous lui avons donné. Mais pour des raisons sérieuses nous

4. Husserl fait entrevoir ici la liaison vitale de l' « intuitionisme » pré-phénoménologique et de l' « idéalisme » très particulier mis en œuvre par la réduction et la constitution. En ce sens, l'ἐποχή ne suspend pas l'intuition mais une croyance spécifique qui s'y mêle et fait que la conscience est *prise dans* l'intuition.

5. Cf. p. 55 n. 2-3 et § 110.

limitons l'universalité de cette ἐποχή. Supposons en effet qu'elle ait toute l'extension dont elle est susceptible : étant donné que toute thèse ou tout jugement peut être modifié avec une pleine liberté, et que tout objet sur lequel peut porter le jugement peut être mis entre parenthèses, il ne resterait plus de marge pour des jugements non modifiés, encore moins pour une science. Notre ambition est précisément de découvrir un nouveau domaine scientifique, dont l'accès nous soit acquis *par la méthode même de mise entre parenthèses,* mais une fois celle-ci soumise à une limitation déterminée.

Caractérisons d'un mot cette limitation.

Ce que nous mettons hors de jeu, c'est la thèse générale qui tient à l'essence de l'attitude naturelle; nous mettons entre parenthèses absolument tout ce qu'elle embrasse dans l'ordre ontique : *par conséquent tout ce monde naturel* qui est constamment « là pour nous », « *présent* », et ne cesse de rester là à titre de « réalité » pour la conscience, lors même qu'il nous plaît de le mettre entre parenthèses [1].

Quand je procède ainsi, comme il est pleinement au pouvoir de ma liberté, je ne *nie* donc *pas* ce « monde », comme si j'étais sophiste; *je ne mets pas son existence en doute,* comme si j'étais sceptique ; mais j'opère l'ἐποχή « phénoménologique » *qui m'interdit absolument tout jugement portant sur l'existence spatio-temporelle.*

Par conséquent toutes les sciences qui se rapportent

---

[56] 1. En quel sens la réduction est-elle *limitée* dans son universalité ? Comme on le verra dans le IIe et le IIIe chapitre, la réduction sera une réduction de la transcendance, c'est-à-dire de tout ce qui étant autre que la conscience est là pour elle. La réduction est limitée au monde comme vis-à-vis de la conscience. Du même coup, son sens en est dangereusement altéré; elle n'est qu'une exclusion destinée à révéler la conscience comme « résidu » (§ 33, début), c'est-à-dire comme « région » ontologique (§ 33). Cette séparation de l'*immanence* n'est qu'un moyen en quelque sorte pédagogique, de tour cartésien, pour familiariser le lecteur avec cette idée que la conscience n'est pas *dans* le monde, mais que le monde est *pour* la conscience. Ce renversement est le fruit de cette réduction limitée, mais il est seulement une préparation à la réduction radicale qui n'est encore que suggérée dans les IDEEN. On propose seulement une extension de l'ἐποχή à l'éidétique au chap. IV.

à ce monde naturel, — quelle que soit à mes yeux leur solidité, quelque admiration que je leur porte, aussi peu enclin que je sois à leur opposer la moindre objec-[57] tion, — *je les mets hors circuit,* je ne fais *absolument aucun usage de leur validité; je ne fais mienne aucune des propositions qui y ressortissent, fussent-elles d'une évidence parfaite; je n'en accueille aucune, aucune ne me donne un fondement,* — aussi longtemps, notons le bien, qu'une telle proposition est entendue au sens où elle se donne dans ces sciences, c'est-à-dire comme une vérité portant *sur la réalité* de ce monde. *Je n'ai le droit de l'admettre qu'après l'avoir affectée des parenthèses,* autrement dit, uniquement dans la conscience qui la modifie en mettant le jugement hors circuit; par conséquent je ne peux la recevoir *comme si elle était encore une proposition insérée dans la science, une proposition qui revendique une validité et dont je reconnais et utilise la validité* [1].

On ne confondra pas l'ἐποχή envisagée ici avec celle que réclame le positivisme et contre laquelle d'ailleurs il pèche lui-même, comme il a fallu nous en convaincre [2]. Il ne s'agit pas pour l'instant d'exclure tous les préjugés qui altèrent le caractère purement positif de la recherche scientifique, ni de constituer une science « affranchie de théories », « affranchie de la métaphysique » en ramenant tout effort de justification à la découverte de l'immédiat; il ne s'agit même pas de procurer les moyens d'atteindre de tels buts dont la valeur ne soulève même aucune question. Pour nous, ce que nous réclamons est d'un tout autre ordre. Voici le monde, pris dans sa totalité, posé selon l'attitude naturelle, réellement découvert par le moyen de l'expérience: nous l'avons accueilli « en nous affranchissant totalement de toute théorie », tel qu'il se donne réellement dans l'expérience et reçoit légitimation de l'enchaîne-

[57] 1. Cette non-participation à la croyance prend tout son sens, s'il est vrai que cette « position » du monde comporte une espèce d'aliénation et que l'intuition du monde est en outre une cécité à l'origine, comme dit Fink, — une cécité que nous appelons vivre, être homme, être au monde.

2. Il s'agit de cette autre ἐποχή, l'ἐποχή du préjugé énoncé au § 26, à l'intérieur de l'attitude naturelle.

ment des expériences; ce monde maintenant n'a plus pour nous de valeur; il nous faut le mettre entre parenthèses sans l'attester, mais aussi sans le contester. De la même façon, toutes les théories, aussi bonnes soient-elles et fondées à la façon positiviste ou de toute autre manière, et toutes les sciences qui se rapportent à ce monde doivent subir le même sort.

CHAPITRE II

LA CONSCIENCE ET LA RÉALITÉ NATURELLE [3]

§ 33. — PREMIER APERÇU DE LA « CONSCIENCE PURE » OU « TRANSCENDANTALE » ENTENDUE COMME RÉSIDU PHÉNOMÉNOLOGIQUE.

Nous avons appris à entendre ce que signifie l'ἐποχή phénoménologique, mais non les services qu'elle peut rendre. D'abord on ne voit pas clairement jusqu'à quel point, en limitant comme on l'a fait plus haut le champ total où s'exerce l'ἐποχή, on restreint effectivement son

3. Le CHAPITRE II ne met pas en œuvre l'ἐποχή, mais décrit la conscience de telle façon que le lecteur soit préparé à opérer à partir de cette description la réduction décisive. Mais si cette analyse est antérieure à la réduction (§ 33, pp. 57 n. 4 et 59 n. 1, début § 39), elle est en réalité aimantée par un « premier aperçu » de la conscience transcendantale (§ 33) et ainsi peu à peu élevée au niveau de la réduction. Les plus importantes analyses des IDEEN sont d'ailleurs à mi-chemin d'une psychologie phénoménologique et de l'idéalisme transcendantal. C'est le sens de cette réduction restreinte annoncée au § 32. Ce rapport *ambigu* de la psychologie intentionnelle et de la phénoménologie transcendantale explique le mouvement du chapitre :

1° Premier aperçu sur la conscience transcendantale dégagée par la réduction, § 33.

2° Description intentionnelle, pré-phénoménologique de la conscience, §§ 34-8.

3° Position du problème central d'une éidétique de la « région » conscience : en quel sens la conscience est-elle un être *autre* que la réalité mondaine ? § 39.

La distinction des deux types d'être appelle l'opposition de la perception transcendante et de la perception immanente, §§ 40-3.

4° Les conclusions complètes du chapitre sont tirées : la conscience est l'être absolu, indubitable ; l'être transcendant est l'être relatif, douteux, §§ 44-46.

universalité. *Que peut-il donc subsister quand on met hors circuit le monde entier, y compris nous-mêmes ainsi que toute espèce de « cogitare » ?* [4].

[58] Le lecteur qui sait déjà que l'intérêt dominant de ces méditations est de constituer une nouvelle éidétique, s'attendra d'abord à voir la mise hors circuit atteindre le monde en tant que fait, mais non le monde *en tant que Eidos,* ni non plus aucune autre sphère d'essences. En réalité mettre le monde hors circuit ne signifie pas qu'on mette par exemple hors circuit la série des nombres et l'arithmétique qui s'y rapporte.

Ce n'est pourtant pas cette voie que nous suivrons; notre but n'est même pas dans cette direction; on pourrait même le caractériser comme la volonté *d'atteindre une nouvelle région de l'être qui jusqu'à présent n'a pas été délimitée selon sa spécificité,* et où, comme dans toute région authentique, l'être est *individuel.* Les analyses ultérieures nous apprendront à préciser cette remarque [1].

Poursuivons droit devant nous nos découvertes ; et puisque l'être que nous voulons révéler est ce que nous serons amenés, pour des raisons essentielles, à caractériser comme « purs vécus », comme « conscience pure », en y joignant d'une part les purs « corrélats de cette conscience », et d'autre part le « moi pur » de cette conscience, nous ferons partir notre analyse *du* moi, de *la* conscience, *des* vécus qui nous sont donnés dans l'attitude naturelle [2].

Je suis, moi, homme réel, un objet naturel (reales) comme les autres objets inclus dans le monde naturel. J'exécute des « cogitationes », des « actes de conscience »

---

4. 1° *La recherche d'un « reste »* est une expression provisoire et pleine de méprises de la méthode phénoménologique ; elle souligne exclusivement le caractère de soustraction de la réduction ; à ce stade, la phénoménologie est une éidétique régionale qui se délimite par l'exclusion de la région nature, et la conscience est la région non touchée par cette exclusion.

[58] 1. Sur l'individu comme singularité éidétique et sur la région, cf. §§ 15-16.

2. La psychologie intentionnelle prépare la phénoménologie fondamentale en montrant qu'il existe quelque chose comme une conscience. — Sur le pôle sujet du vécu et ses objets comme corrélats, cf. § 80 et § 84.

au sens large et au sens étroit, et ces actes, puisqu'ils sont le fait de tel sujet humain, sont des événements qui se situent dans cette même réalité naturelle. Il en est de même de tous mes autres vécus : de leur flux mouvant les actes spécifiques du moi rayonnent d'une manière fort originale, se changent les uns dans les autres, s'unissent en synthèses nouvelles, se modifient sans arrêt. En un *sens très large* l'expression de *conscience* (moins appropriée, il est vrai, dans ce cas) englobe tous les vécus. « Dans l'attitude naturelle », que nous gardons aussi dans la pensée scientifique sous la pression d'habitudes que l'absence de déceptions a rendues fort tenaces, nous voyons dans tous ces faits découverts par la réflexion psychologique des événements naturels du monde, précisément des vécus d'êtres animés [3]. Il nous est si naturel de les considérer uniquement sous cet aspect, que nous avons beau nous être familiarisés avec la possibilité de prendre une autre attitude et être en quête d'un nouveau domaine d'objets, nous ne remarquons même pas que c'est de la sphère même du vécu que procède ce nouveau domaine d'étude. Il s'ensuit que, au lieu de continuer à diriger notre regard sur cette sphère, nous voudrions le détourner et chercher les nouveaux objets dans les empires ontologiques de l'arithmétique, de la géométrie, etc., — où nous n'aurions en réalité rien de spécifiquement nouveau à conquérir.

[59] Gardons par conséquent le regard fixé sur le plan de la conscience et étudions ce qui se trouve contenu *dans* ce plan à titre immanent. Pour commencer, et sans encore opérer les exclusions phénoménologiques du jugement [1], soumettons la conscience à une analyse *éidétique* systématique quoique nullement exhaustive. Ce qu'il nous faut absolument acquérir, c'est une certaine évidence universelle appliquée à *l'essence de la conscience en général*, cette conscience nous intéressant tout particulièrement dans la mesure où c'est en elle,

3. L'attitude naturelle n'est pas le naturalisme, mais de toute sa pesanteur se rabat sur le naturalisme. C'est précisément l'anticipation de la phénoménologie pure qui redresse la description et en fait une propédeutique à cette nouvelle science.

[59] 1. Confirmation de 57 n. 3 et de 58 n. 1.

et en vertu de son essence, que la réalité « naturelle » accède à la conscience. Nous poursuivrons cette étude aussi loin qu'il est nécessaire pour obtenir l'évidence à laquelle nous avons visé, à savoir *que la conscience a en elle-même un être propre* (Eigensein) *qui, dans son absolue spécificité éidétique, n'est pas affecté par l'exclusion phénoménologique.* Ainsi elle subsiste comme « *résidu phénoménologique* » et constitue une région de l'être originale par principe, et qui peut devenir en fait le champ d'application d'une nouvelle science, — bref de la phénoménologie.

C'est seulement grâce à cette évidence que l'ἐποχή « phénoménologique » méritera son nom, et que la réalisation pleinement consciente de l'ἐποχή s'avérera être l'opération nécessaire *qui nous donnera l'accès de la conscience « pure » et ultérieurement de toute la région phénoménologique*[2]. On comprendra du même coup pourquoi cette région, et la nouvelle science qui lui est ordonnée, devait rester inconnue. Dans l'attitude naturelle seul précisément le monde naturel peut être vu. Tant qu'on n'avait pas reconnu la possibilité de l'attitude phénoménologique et élaboré la méthode qui permet aux objets engendrés avec elle d'être saisis de façon originaire, le monde phénoménologique devait rester un monde inconnu, voire même à peine soupçonné.

J'ajouterai encore une remarque pour compléter notre terminologie. Des raisons qui prennent leur source dans la problématique de la théorie de la connaissance, nous autorisent, si nous caractérisons la « conscience pure », dont il sera tellement question, comme *conscience transcendantale,* à désigner aussi l'opération qui en donne la clef comme ἐποχή *transcendantale*[3]. Du

---

2. Cf. 57 n. 4. La continuité entre l'éidétique régionale de la conscience et la phénoménologie transcendantale, du moins au stade des IDEEN, fait toute l'équivoque de ce texte difficile. Mais si la conscience doit être constituante, elle doit aussi être plus qu'une région de l'être parmi d'autres ; cf. p. 141 n. 2.

3. Le sens du mot transcendantal sera expliqué au § 86 et au § 97 *ad finem ;* la phénoménologie — et donc aussi la réduction — est transcendantale parce qu'elle *constitue* toute transcendance dans la subjectivité pure. Le sens privatif de la réduction s'efface complètement devant le sens positif de la constitution Ce projet et cette expression d'origine kantienne appellent une

point de vue de la méthode cette opération se décomposera en différents stades de mise « hors circuit » ou « entre parenthèses », et ainsi notre méthode prendra le caractère d'une réduction progressive. C'est pourquoi nous parlerons parfois, et même de préférence, de *réductions phénoménologiques*[4] (bien que, pour indiquer l'unité d'ensemble de ces stades, nous usions aussi du [60] terme unificateur de *la* réduction phénoménologique); si donc nous prenons le point de vue épistémologique nous parlerons encore de réductions transcendantales. D'ailleurs ces expressions et *tous* les termes que nous emploierons doivent être entendus exclusivement selon le sens que *nos* analyses leur prescrit, non selon quelque autre sens auquel inclinent l'histoire ou les habitudes terminologiques du lecteur.

§ 34. — L'Essence de la Conscience prise comme thème de recherche[1].

Nous commençons par une série d'analyses à l'intérieur desquelles nous ne nous plierons à aucune ἐποχή phénoménologique. Nous sommes de façon naturelle tournés vers le « monde extérieur » et, sans quitter l'attitude naturelle, nous nous livrons à une réflexion psychologique portant sur notre moi et son vécu. Absorbons-nous, exactement comme nous le ferions si nous ne savions rien du nouveau type d'attitude, dans *l'essence de la « conscience de quelque chose »;* c'est en elle que nous prenons conscience, par exemple, de l'existence des choses matérielles, des corps, des hommes,

confrontation entre Husserl et le criticisme ; mais il n'est pas encore possible de confronter les deux conceptions du transcendantal.

4. Sur les réductions, cf. chap. IV.

[60] 1. 2°) *Les notions fondamentales de la description phénoménologique de la conscience,* §§ 34-8 : attention, intentionnalité, actualité et inactualité du « *Je* », réflexion. — a) *Au point de vue de la méthode,* § 34, il s'agit d'une description de l'intentionnalité, dans le cadre de l'attitude naturelle et sur le plan éidétique (sur ce dernier point, cf. le scrupule, p. 119 n. 3). L'intentionnalité est d'abord une relation intra-mondaine, prétranscendantale, un « fait naturel » : le § 39 précisera en quel sens la conscience existante est mêlée au monde existant, prise en lui.

de l'existence d'œuvres techniques et littéraires, etc. Suivons notre principe général selon lequel chaque événement individuel a son essence qui est susceptible d'être saisie dans sa pureté éidétique et qui, sous cette forme pure, doit faire partie du champ d'application d'une science éidétique possible [2]. Dans ces conditions le fait naturel de caractère universel que j'énonce en disant « je suis », « je pense », « j'ai un monde en face de moi », etc., comporte lui aussi son statut éidétique; c'est de lui exclusivement que nous allons maintenant nous occuper. Réalisons par conséquent à titre d'exemple quelques vécus de conscience singuliers, pris en tant que faits humains naturels, comme ils se donnent dans l'attitude naturelle; ou bien évoquons-les par la mémoire ou le libre jeu de l'imagination [3]. Prenons ces exemples pour base, les supposant parfaitement clairs; puis saisissons et fixons par le moyen d'une idéation adéquate les essences pures qui nous intéressent. Le fait singulier, la facticité du monde naturel en général se soustrait alors à notre regard théorique, comme partout où nous nous livrons à une étude purement éidétique.

Précisons encore les limites de notre thème de recherche. Il avait pour titre : la conscience ou, pour user d'une expression plus distincte, *le vécu de conscience en général,* ce mot étant pris en un sens extraordinairement large, que par bonheur il n'est pas nécessaire de délimiter exactement. Cette délimitation ne se propose pas au début d'une analyse comme celle que nous poursuivons ici : elle sera plus tard le fruit de [61] difficiles efforts. Prenons pour point de départ la conscience, entendue en son sens fort, celui qui se présente d'emblée, et que nous désignerons de la façon la plus simple par le *cogito* cartésien, par le « je pense ». On sait que Descartes l'entendait en un sens si large qu'il y incluait tout ce qui s'énonce par les formules : « Je perçois, je me souviens, j'imagine, je juge, sens, désire, veux », et de même tous les autres vécus subjectifs semblables, avec leurs ramifications innombrables et fluan-

2. Cf. §§ 2-3.

3. Sur le rôle exemplaire de l'image par rapport à l'essence, cf. § 4.

tes. Quant au moi lui-même auquel tous ces vécus se rapportent, ou qui « vit » « en » eux de façon très différente, qui est actif, passif, spontané, qui se « comporte » de façon réceptive ou de toute autre façon, en somme le moi en tous les sens du mot, nous n'en tiendrons pas compte pour commencer [1]. Nous reprendrons plus loin ce problème pour le traiter à fond. Nous pouvons nous contenter pour l'instant de ce qui donne prise à l'analyse et à un traitement éidétique. Celui-ci nous amènera tout de suite à découvrir l'enchaînement des vécus (Erlebniszusammenhânge), qui nous force à étendre le concept de « vécu de conscience » bien au delà du cercle formé par les cogitationes au sens spécifique.

Considérons les vécus de conscience, *avec toute la plénitude concrète* selon laquelle ils s'insèrent dans leur contexte concret — *le flux du vécu* — et s'y adjoignent en vertu de leur propre essence [2]. Il devient alors évident que dans ce flux chaque vécu que le regard de la réflexion peut atteindre a *une essence propre que l'intuition a pour tâche de saisir,* un « contenu » qui peut être considéré *en soi-même* et selon sa *spécificité.* Il nous faut saisir et caractériser en traits généraux ce statut propre de la cogitatio selon sa spécificité *pure,* en excluant par conséquent tout ce qui n'est pas contenu dans la cogitatio en fonction de ce qu'elle est en elle-même. Il faut de même caractériser *l'unité de la conscience,* qui est exigée *purement par le caractère propre des cogitationes et exigée de façon si nécessaire que les cogitationes* ne peuvent exister sans cette unité.

§ 35. — Le Cogito comme « Acte » La Modification d'inactualité.

Partons de quelques exemples. Voici, devant moi, dans la demi-obscurité, ce papier blanc. Je le vois, le

---

[61] 1. Sur le « Je » du cogito, cf. § 80.

2. Concret ne signifie pas empirique (§ 15) ; une essence concrète est celle qui est indépendante et de laquelle dépendent les moments abstraits ; chaque vécu est concret, de même le flux temporel des vécus ; sur ce mot flux, cf. § 81.

touche. Cette perception visuelle et tactile du papier, qui constitue le vécu pleinement concret *du* papier que voici, du papier donné exactement avec ces qualités, m'apparaissant exactement dans cette obscurité relative, dans cette détermination imparfaite, selon cette orientation — est une cogitatio, un vécu de conscience. Le papier lui-même avec ses qualités objectives (objektiven) [3], son extension dans l'espace, sa situation objec-
[62] tive par rapport à cette chose spatiale qui s'appelle mon corps, n'est pas une cogitatio mais un cogitatum, n'est pas un vécu de perception mais un perçu. Maintenant un perçu peut très bien être lui-même un vécu de conscience; mais il est évident qu'un objet tel qu'une chose matérielle, par exemple ce papier donné dans le vécu de perception, par principe n'est pas un vécu, mais un être d'un type totalement différent [1].

Avant de poursuivre plus loin, multiplions les exemples. Quand je perçois au sens propre du mot, c'est-à-dire quand je m'aperçois, quand je suis tourné vers l'objet, par exemple vers le papier, je le saisis comme étant ceci ici et maintenant. Saisir c'est extraire [ception est ex-ception] (Das Erfassen ist ein Herausfassen); tout ce qui est perçu se détache sur un arrière-plan d'expérience. Tout autour du papier sont des livres, des crayons, un encrier, etc. ; eux aussi sont « perçus » d'une certaine façon, offerts là à la perception, situés dans le « champ d'intuition »; mais tout le temps que je suis tourné vers le papier je ne suis nullement tourné dans leur direction pour les saisir; pas même à titre secondaire. Ils apparaissaient sans être extraits, posés pour eux-mêmes. Toute perception de chose possède ainsi une aire d'*intuitions formant arrière-plan* [2] (ou de

3. « *Objektiv* », « *Objekt* », (entre guillemets) est pris au sens non phénoménologique en usage dans les sciences et dans la philosophie des sciences : c'est l'objet élaboré par la connaissance mathématico-expérimentale, par opposé à subjectif ; cf. p. 62. *Gegenstand* est l'objet de perception ou de représentation, tel qu'il se donne, avec ses qualités. *Objekt* est pris souvent en un sens phénoménologique (sans guillemets) ; il désigne le corrélat de conscience plus large que l'objet de représentation et inclut l'objet du sentir et du vouloir ; cf. p. 62 et surtout p. 66 n. 1.

[62] 1. Cf. §§ 39 et 43-6.

2. Husserl intègre à la psychologie intentionnelle une distinction familière en psychologie (Wundt : *Blickfeld* et *Blickpunkt*) ;

visions (Schauungen) formant arrière-plan, au cas où on inclut déjà dans le mot intuition le fait d'être tourné vers); cela aussi est un « *vécu de conscience* », ou plus brièvement, une « conscience » : entendons la conscience « *de* » tout ce qui en fait réside dans « l'arrière-plan » objectif co-perçu (mitgeschauten). Ce qui est en question ici, cela va de soi, ce n'est pas ce qu'on pourrait trouver à titre « objectif » (« objektiv ») [3] dans l'espace objectif qui peut appartenir à l'arrière-plan perçu, ni non plus toutes les choses et tous les événements arrivant à ces choses que l'expérience rigoureuse et progressive pourrait y découvrir. Ce que nous disons s'applique exclusivement à l'aire de conscience impliquée dans l'essence d'une perception opérée sous le mode particulier d'une conscience « tournée vers l'objet » (Objekt) ; nous parlons en outre de ce qui réside dans l'essence propre de cette aire même. Or elle implique que le vécu primitif puisse subir certaines modifications que nous caractérisons comme une libre conversion du « regard », — non pas purement et simplement du regard physique, « mais du *regard mental* » — qui se détache du papier d'abord regardé pour se porter sur les objets qui apparaissaient déjà auparavant et dont on avait par conséquent une conscience « implicite »; *après* la conversion du regard, ces objets accèdent à la conscience explicite, ils sont perçus « attentivement » ou « notés accessoirement ».

On n'a pas seulement conscience des choses dans la perception mais aussi dans des souvenirs et des présentifications semblables au souvenir et également dans des images libres [4]. Les unes et les autres se produisent tantôt sous forme « d'intuition claire », tantôt, à défaut d'intuitivité notable, à la manière de représentations « obscures »; dans ce cas elles flottent devant nous sous

a) l'attention est le mode *actuel* de l'intentionnalité. La distinction de *Wundt* concerne la modification du côté de l'objet ; elle correspond polairement à l'opération du « Je » qui se tourne ou se détourne. *b*) De plus, Husserl généralise la notion d'attention au Cogito tout entier.

3. Cf. 61, n. 3.

4. Cf. pp. 11, 49 et 50. L'image ne rend pas présent comme le souvenir ; elle est une modification « neutralisante », § 111.

différentes « caractérisations »[5] : elles sont par exem-
[63] ple réelles, possibles, fictives, etc. Il est clair qu'on peut appliquer valablement à ces vécus d'essences différentes tous les développements consacrés aux vécus de perception. Il ne nous viendra pas à la pensée de confondre les *objets dont nous prenons conscience* dans ces divers types de conscience (par exemple les fées imaginaires) avec les vécus de conscience eux-mêmes qui sont la conscience *de* ces objets. Nous reconnaissons en outre que l'essence de ces vécus — à condition que nous les prenions toujours dans leur plénitude concrète — implique cette modification remarquable qui fait passer la conscience *du premier mode, où elle est tournée de façon actuelle,* au second *mode de l'inactualité* et réciproquement. Dans le premier cas le vécu est une conscience pour ainsi dire « *explicite* » de son objet, dans l'autre, une conscience implicite, purement *potentielle.* L'objet peut nous apparaître déjà, soit dans la perception, soit dans le souvenir ou l'imagination, mais nous ne sommes *pas encore « dirigés » sur lui par le regard mental,* même pas à titre secondaire; encore moins nous en « occupons-nous » en un sens particulier.

Les mêmes constatations valent également pour n'importe quelles cogitationes au sens de l'énumération cartésienne, pour tous les vécus de la pensée, du sentiment et du vouloir, avec cette réserve, comme cela ressortira du paragraphe suivant, qu'il n'y a plus coïncidence, comme dans les exemples que nous avons de préférence empruntés, en raison de leur extrême simplicité, à la représentation sensible, entre le fait « d'être dirigé sur », « tourné vers », qui caractérise l'actualité, et l'attention qui *détache* de leur fond les objets de conscience sur lesquels elle se porte. De tous ces vécus on a encore manifestement le droit de dire que ceux qui sont actuels sont cernés par une « aire » de vécus inactuels; *le flux du vécu ne peut jamais être constitué de pures actualités*[1]. Une fois le concept de

5. Cette notion de « caractérisation » (on parlera des « caractères » de présentation et de présentification, mais aussi de caractères de croyance (réel, possible, douteux, etc.), d'actualité et

[63] 1. Cf. §§ 37, 84 *ad finem* et 115.

cogito élargi à l'extrême au delà du cercle dessiné par nos exemples, et une fois le contraste opéré avec les inactualités, les vécus purement actuels déterminent le sens fort des expressions telles que « *cogito* », « j'ai *conscience* de quelque chose », « j'opère un *acte* de conscience ». Pour maintenir rigoureusement distinct ce concept solidement établi, nous lui réserverons exclusivement l'expression cartésienne de cogito et de cogitationes, au besoin en indiquant la modification par quelque complément, tel que « inactuel » ou d'autres semblables.

Nous pouvons définir *moi « vigilant »* (waches) le moi qui réalise continuellement la conscience à l'intérieur de son flux de vécu sous la forme spécifique du cogito; cela ne veut pas dire naturellement qu'il est capable constamment, ou même du tout, de faire accéder ces vécus au plan de l'expression prédicative : les sujets [64] personnels incluent aussi les animaux. Mais l'essence du flux du vécu chez un moi vigilant implique, d'après ce qui précède, que la chaîne ininterrompue des cogitationes soit constamment cernée par une zone d'inactualité, toujours prête elle-même à se convertir dans le mode de l'actualité, comme réciproquement l'actualité en inactualité.

§ 36. — Le Vécu intentionnel. Le Vécu en général [1].

L'altération que subissent les vécus de la conscience actuelle en se transformant en inactualité peut être aussi profonde que l'on veut : les vécus modifiés gardent pourtant une communauté d'essence fort importante avec les vécus primitifs. D'une façon générale l'essence de tout cogito actuel implique qu'il soit la conscience *de* quelque chose. *La cogitatio modifiée est elle aussi,* mais à sa façon, comme il ressort de l'analyse précédente, une *conscience,* et *de la même chose* que la conscience non modifiée correspondante. Ainsi la propriété

d'inactualité, etc. §§ 99 sq.) prendra tout son sens par rapport à celle de « noyau noématique », § 99.

[64] 1. L'intentionnalité est exposée après l'attention afin d'envelopper d'emblée le cogito inactuel.

éidétique générale de la conscience demeure conservée dans la modification. Tous les vécus qui ont en commun ces propriétés éidétiques sont appelés également des *« vécus intentionnels »* (des actes au sens *très large* des ETUDES LOGIQUES)[2]; dans la mesure où ils sont la conscience de quelque chose, on dit qu'ils sont ce quelque chose.

Il faut bien faire attention qu'*il n'est pas question ici d'une relation entre quelque événement psychologique, qu'on appellerait le vécu, et un autre existant réel de la nature* (realen Dasein) *du nom d'objet,* — ou d'une *liaison psychologique* qui se produirait entre l'un et l'autre *dans la réalité objective* (objektiver). Ce qui est en jeu, ce sont au contraire des vécus considérés purement en fonction de leur essence, *des essences pures,* ainsi que ce qui est *inclus* « à priori » *dans* l'essence, selon un rapport de *nécessité inconditionnée.*

Quand on dit qu'un vécu est la conscience de quelque chose, par exemple qu'une fiction est la fiction d'un centaure déterminé, mais qu'également une perception est la perception de son objet « réel » (wirklichen), et un jugement, le jugement de l'état de chose correspondant, etc., on ne considère pas le fait brut du vécu situé dans le monde, engagé spécialement dans un contexte psychologique de fait, mais l'essence pure, l'essence saisie en tant que pure Idée par l'idéation (Idea-

2. L'intentionnalité est connue avant l'expérience inductive par inspection de l'essence de « vécu » ; elle ne désigne pas un lien fortuit entre *cogitatio* et *cogitatum* ; la pensée est pensée *de...* et l'objet est *ce que* je pense. La *Ve Etude Logique,* intitulée *Ueber intentionale Erlebnisse und ihre « Inhalte »*, pp. 343-508, appelle la *cogitatio Aktcharakter* et le *cogitatum Aktinhalt.* Les IDEEN tiennent également pour acquis la définition de la conscience comme vécu intentionnel. C'est le troisième sens que peut prendre le mot : en un premier sens, la conscience est l'unité d'un même flux du vécu ; en un second sens, elle est l'aperception interne des propres vécus saisis dans leur « ipséité vivante ». Ces deux premiers sens sont liés par la continuité du temps, l'évidence de la perception interne reposant sur la rétention du passé immédiat dans le présent de réflexion. En un troisième sens, la conscience c'est tout vécu en tant qu'intentionnel. On passe des deux précédents au troisième par cette intuition que le caractère fondamental que décèle la conscience en elle-même est précisément l'intentionnalité (*Ve Etude Logique,* §§ 1-8). — Cf. la définition de l'intentionnalité dans les MÉDITATIONS CARTÉSIENNES, p. 28.

tion). L'essence du vécu lui-même n'implique pas uniquement que le vécu soit une conscience, mais aussi de quoi il est une conscience et en quel sens déterminé ou indéterminé il est tel[3]. Ainsi l'essence de la conscience inactuelle prescrit également en quelle variété de cogitationes actuelles le vécu doit être transposé [65] quand il subit la modification énoncée plus haut que nous avons caractérisée comme « une orientation du regard de l'attention vers ce qui n'était pas remarqué auparavant ».

Au nombre des *vécus*, au *sens le plus large* du mot, nous comprenons tout ce qui se trouve dans le flux du vécu : non seulement par conséquent les vécus intentionnels, les cogitationes actuelles et potentielles prises dans leur plénitude concrète, mais tous les moments réels (reellen) susceptibles d'être découverts dans ce flux et dans ses parties concrètes[1].

On voit aisément en effet que *tout moment réel* (reelle) inclus dans l'unité concrète d'un vécu intentionnel ne possède *pas* lui-même le caractère fondamental de l'intentionalité, par conséquent la propriété d'être une « conscience de quelque chose ». Cette restriction concerne par exemple tous les *data de sensation* (Empfindungsdaten) qui jouent un si grand rôle dans l'intuition perceptive des choses. Dans le vécu que constitue la perception de ce papier blanc, ou plus exactement dans la composante rapportée à la qualité de blancheur du papier, nous découvrons par un déplacement convenable du regard le datum de sensation « blanc ». Ce

3. Cette formule annonce déjà la phénoménologie transcendantale : du moment où l'intentionnalité n'est plus une liaison externe entre un fait physique et un fait psychique, mais l'implication d'un objet par une conscience, il est possible de fonder le transcendant *dans* l'immanent.

[65] 1. Allusion à la matière non-intentionnelle ou ὑλή que révèle la décomposition de la *cogitatio* elle-même en matière et en forme, §§ 41, 85, 97. Seule la forme porte le caractère de l'intentionnalité. Husserl donne deux exemples : l'un tiré de la perception (avec sa matière *Empfindungsdaten*), l'autre de l'affectivité (avec sa matière ou *Sinnlichendaten*). — Le mot allemand *reel* est toujours réservé à cette composition de la cogitatio et le mot *data* à cette matière « animée » par l'intentionnalité. On reviendra sur cette difficile question, pp. 73 sq.

blanc est indissociablement attaché à l'essence de la perception concrète; il lui est attaché en tant que composante (Bestandstück) concrète réelle (reelles). En tant que contenu qui figure (darstellender) le blanc du papier tel qu'il nous apparaît, il est *porteur* d'une intentionalité, mais il n'est pas lui-même la conscience de quelque chose. Il faut en dire autant d'autres data du vécu, par exemple de ce qu'on appelle les *sentiments sensibles* (sinnlichen Gefühlen). Nous en reparlerons plus amplement plus tard.

§ 37. — Le Moi pur du Cogito considéré comme « être-dirigé-sur... » : la saisie attentive de l'objet [2].

Sans pouvoir ici entrer plus avant dans une analyse descriptive d'ordre éidétique des vécus intentionnels, soulignons quelques aspects dont il faudra tenir compte dans les développements ultérieurs. Quand un vécu intentionnel est actuel et par conséquent opéré selon le mode du cogito, en lui le sujet se « dirige » sur l'objet intentionnel. Au cogito lui-même appartient un « regard sur » l'objet qui lui est immanent et qui d'autre part jaillit du « moi », ce moi ne pouvant par conséquent jamais faire défaut. Ce regard du moi en direction de quelque chose diffère selon le type de l'acte : dans la perception il perçoit, dans la fiction il feint, dans le plaisir il prend plaisir, dans le vouloir il veut. Cela signifie par conséquent que ce pouvoir, inhérent à l'*essence* du cogito, de l'acte en tant que tel, ce pouvoir de tenir quelque chose sous le regard de l'esprit, ne constitue pas à son tour un acte distinct et ne doit pas être en particulier confondu avec une perception (en un sens aussi large du mot que l'on voudra), ni avec les

2. Cette étude du « regard », au sens le plus large, sert de transition entre l'analyse de l'intentionnalité et celle de la réflexion. En effet, le regard comporte un pôle-sujet d'où il procède. C'est en ce sens que tout Cogito est prêt pour la réflexion. — Le thème du § est l'extension de l'actualité de la conscience à des actes non perceptifs — donc non attentifs au sens étroit du mot — tels que apprécier, évaluer, etc. ; ce sont des actes de la sphère affective et volitive.

[66] autres types d'actes apparentés aux perceptions. Il faut observer qu'il n'est pas équivalent de parler d'un objet *saisi* (erfasstes). D'ordinaire nous ramenons sans autre examen le fait d'être saisi au concept d'objet (Objektes) [1], de vis-à-vis du sujet en général (Gegenstandes) ; en effet dès que nous pensons *à* un objet et disons quelque chose *sur* lui, nous en avons fait un objet au sens d'une chose saisie. Au sens le plus large, saisir un objet coïncide avec l'observer (achten), le remarquer (bemerken), soit que l'on soit spécialement attentif (aufmerksam), ou qu'on le note accessoirement (nebenbei beachten), — si du moins on prend ces expressions en leur sens ordinaire. Quand on dit : *observer* ou *saisir*, il ne s'agit pas *du mode du cogito en général*, du mode de l'actualité, mais, si on y regarde de plus près, d'un *mode d'acte particulier* que peut adopter toute conscience ou tout acte qui ne le possède pas encore. S'il le fait, son objet intentionnel n'est pas seulement un objet atteint en général par la conscience et placé sous le regard que l'esprit dirige sur lui, c'est un objet saisi, remarqué. Il est vrai que dans le cas des choses nous n'avons qu'une façon de nous tourner vers elles : c'est en les saisissant; il en est de même *de toutes les objectivités justiciables d'une « représentation simple »* (schlicht vorstellbaren) [2] : se tourner vers elles (serait-ce même en imagination), c'est *ipso facto* les « saisir », les « observer ». Mais dans l'acte d'évaluer (Wertens) nous sommes tournés vers la valeur, dans l'acte de la joie vers ce qui réjouit, dans l'acte d'aimer vers ce qui est aimé, dans l'agir vers l'action, *sans* pourtant saisir tout cela. L'objet (Objekt) [1] intentionnel, ce qui est évalué, réjouissant, aimé, espéré en tant que tel, l'action en tant qu'action devient un objet (Gegenstand) [1] que l'on saisit à la faveur d'une conversion originale qui « *l'objective* »

[66] 1. Sur *Objekt*, cf. p. 61, n. 3. Le *Gegenstand* est le vis-à-vis de la perception et des actes apparentés, donc de l'attention au sens strict (*erfassen, auf-etwas-achten*) ; l'*Objekt* est le vis-à-vis de la conscience sous toutes ses formes (chose et valeur), donc de l'actualité au sens large. Mais tout acte peut être transformé de telle manière que le *Gegenstand* de la perception qui porte l'agréable, le valable, etc., passe au premier plan.

2. Sur les actes simples de représentation, cf. p. 213.

(vergegenständlichenden). Quand je suis tourné vers une chose pour l'évaluer, il est sans doute impliqué que je saisisse la chose; mais ce n'est pas la chose *simple*, mais la chose *évaluée* ou la *valeur* (dont nous reparlerons plus tard en détail) qui est le *corrélat intentionnel complet de l'acte d'évaluation.* Ainsi « être *tourné* vers une chose pour *l'évaluer* » n'implique pas déjà que l'on « *ait pour objet* » la valeur, au sens particulier où l'on dit que l'on saisit un objet, comme nous devons l'avoir pour objet pour porter sur elle un jugement prédicatif; il en est de même dans tous les actes logiques qui se rapportent à la valeur.

Dans les actes du même type que l'évaluation, nous avons donc un objet intentionnel en un double sens du mot : il nous faut distinguer entre la « *chose* » (Sache) *pure et simple* et *l'objet* (Objekt) *intentionnel complet :* à quoi correspond une *double intentio,* une double fa-[67] çon d'être dirigé vers. Quand nous sommes dirigés vers une chose dans un acte d'évaluation, nous diriger vers la chose c'est l'observer, la saisir; mais nous sommes également « dirigés » vers la valeur, mais ce n'est plus de façon à la saisir. Le mode d'*actualité* ne porte plus sur la *représentation de la chose* (das Sachvorstellen), mais aussi sur l'*évaluation de la chose* qui enveloppe cette représentation.

Mais il nous faut en même temps ajouter que la situation n'a cette simplicité que dans les actes eux-mêmes simples d'évaluation. En général les actes affectifs sont fondés à un niveau supérieur, ce qui complique également beaucoup l'objectivité intentionnelle ainsi que les modes selon lesquels les objets inclus dans l'unité de l'objectivité totale tombent sous le regard dirigé sur eux. Dans tous les cas on peut prendre pour règle la proposition fondamentale suivante :

En tout acte domine un mode d'observation (Achtsamkeit). *Mais toutes les fois qu'un acte n'est pas une conscience simple de chose,* toutes les fois qu'une nouvelle conscience qui « prend position » (stellungnehmendes) [1] à l'égard de la chose se fonde sur la première, *il se produit une séparation entre la chose et l'objet*

[67] 1. Sur les « prises de position », cf. p. 55 n. 1 et § 115.

intentionnel complet (par exemple entre « chose » et « valeur »), de même entre *observer* et *avoir-sous-le-regard-de-l'esprit*. Mais en même temps ces actes fondés impliquent dans leur essence la possibilité d'une modification qui fait de leurs objets (Objekte) intentionnels complets des objets (Gegenständen) observés et, en ce sens, des objets « *représentés* », lesquels à leur tour sont susceptibles de servir de substrats à des explicitations, des relations, des appréhensions conceptuelles et des prédications [2]. Grâce à cette objectivation nous faisons face, dans l'attitude naturelle et donc *en tant que membres du monde naturel*, non à de simples choses naturelles, mais à des valeurs et à des objets pratiques de toute espèce, villes, routes avec leurs installations d'éclairage, habitations, meubles, œuvres d'art, livres, outils, etc. [3].

§ 38. — RÉFLEXIONS SUR LES ACTES. PERCEPTIONS IMMANENTES ET TRANSCENDANTES [4].

Notons encore le point suivant : tant que nous vivons dans le cogito, nous n'avons pas pris conscience de la cogitatio elle-même comme d'un objet intentionnel; mais elle peut le devenir à tout instant ; son essence comporte la possibilité de principe *que le regard se tourne « réflexivement »* sur elle et prenne naturellement la forme d'une nouvelle cogitatio qui se dirige sur elle de façon à simplement la saisir. En d'autres termes

2. Sur les actes « simples » et les actes « fondés », cf. § 193.

3. Valeurs, aspects affectifs, outils, etc., sont « fondés » sur les choses, §§ 116-117; par là ils sont sur fond de monde; la possibilité de revenir sans cesse des valeurs aux choses, d' « objectiver » les visées affectives et volitives, nous confirme dans l'attitude naturelle.

4. La *réflexion* introduit pour la première fois la distinction de la transcendance et de l'immanence comme de deux directions du regard, vers l'autre et vers soi. C'est ici que l'attitude naturelle commence de se dépasser : « la méthode phénoménologique se meut exclusivement dans des actes de réflexion », p. 149. Et pourtant, la réflexion *phénoménologique* n'est pas n'importe quelle réflexion (§ 51) : la réflexion dont il est question ici est encore une manière d' « abstraire » une partie de notre champ de regard de la totalité de la réalité.

toute cogitatio peut devenir l'objet de ce qu'on appelle une « perception interne » et ultérieurement l'objet d'une évaluation *réflexive*, d'une approbation ou d'une désapprobation, etc. On peut en dire autant, sous réserve d'une modification correspondante, non seulement des actes réels au sens d'impressions d'actes (Aktim-[68] pressionen), mais aussi d'actes dont nous prenons conscience « dans » l'imagination, « dans » le souvenir, « dans » l'intropathie où nous comprenons et revivons les actes d'autrui. Nous pouvons réfléchir *« dans » le souvenir, l'intropathie*, etc. et transformer les actes dont nous prenons conscience « en » eux en objets que l'on saisit et en objets d'actes de prise de position fondés sur ces derniers, en tenant compte des différentes modifications possibles [1]. Nous prenons ici pour point de départ la distinction entre perceptions (et actes en général) *transcendants* et *immanents*. Nous éviterons les expressions de perception externe et interne qui appellent de sérieuses réserves. Donnons quelques explications sur ce point.

Par *actes dirigés de façon immanente* (immanent gerichteten), ou plus généralement par *vécus intentionnels rapportés de façon immanente* à leurs objets, nous entendons des vécus dont *l'essence* comporte *que leurs objets intentionnels, s'ils existent du tout, appartiennent au même flux du vécu qu'eux-mêmes*. C'est ce qui arrive par exemple partout où un acte se rapporte à un acte (une cogitatio à une cogitatio) appartenant au même moi, ou encore un acte à un datum affectif sensible appartenant au même moi, etc. La conscience et son objet forment une unité individuelle uniquement constituée par des vécus [2].

---

[68] 1. L'impression est l'acte absolument originaire, *l'Urerlebnis*, par opposé au souvenir, à l'image, à l'intropathie, § 78, p. 149. Sur l'intropathie, cf. p. 8, n. 1.

2. Ce critère de la perception immanente sera complété par un autre trait : la perception transcendante procède par « esquisses », la réflexion non, §§ 44-6. L'unité concrète de la réflexion et de son objet dans le même flux sera capitale pour définir le caractère absolu et indubitable de la réflexion. — L'unité de la réflexion et de son objet est concrète au sens du § 15 : l'acte et l'objet sont abstraits, c'est-à-dire dépendants; cf. p. 28, n. 3. Elle est dite aussi « non médiatisée » par opposé à la perception transcendante que médiatise la « matière figurative », pp. 77-8.

Sont dirigés de façon transcendante les vécus intentionnels qui ne répondent *pas* à ce type, comme par exemple tous les actes dirigés sur des essences ou sur les vécus intentionnels d'autres moi, liés à d'autres flux de vécus, de même tous les actes dirigés sur les choses, sur des réalités en général, comme on le verra par la suite.

Dans le cas d'une perception dirigée d'une façon immanente ou plus brièvement d'une *perception immanente* (dite « interne »), *la perception et le perçu* forment *par essence une unité sans médiation, l'unité d'une cogitatio concrète unique.* Ici le percevoir englobe son objet de telle façon qu'on ne peut l'en dissocier que par abstraction et comme quelque chose d'*essentiellement dépendant.* Si le perçu est un vécu intentionnel, comme quand nous réfléchissons sur une conviction encore vivante (énoncée sous la forme : je suis convaincu que...), nous avons un complexe de deux vécus intentionnels dont au moins le plus élevé est dépendant et de plus non pas purement fondé sur le plus profond, mais en même temps tourné intentionnellement vers lui.

[69] Ce type « *d'inclusion* » *réelle* (reellen) [1] (ce n'est ici proprement qu'une image) est un *caractère distinctif de la perception immanente et des prises de position qui se fondent sur elle;* il manque dans la plupart des autres cas où des vécus intentionnels entretiennent entre eux une relation immanente, comme déjà dans le cas des souvenirs de souvenirs. Le souvenir d'hier que j'évoque en ce moment n'appartient pas au souvenir d'aujourd'hui en tant que composante réelle (reelle) de son unité concrète. En vertu de sa *propre* essence complète, le souvenir d'aujourd'hui pourrait exister, même si celui d'hier n'avait pas existé; il appartient nécessairement, en même temps que le souvenir d'aujourd'hui, au seul

[69] 1. *Reel* (et non *real :* sur *real,* cf. p. 7, n. 4) désigne toujours la composition immanente du Cogito, c'est-à-dire soit l'inclusion de la matière dans la cogitatio (p. 65, n. 1), soit l'inclusion de la cogitatio dans le flux du vécu. Si après l'ἐποχή le transcendant est « inclus » dans l'immanence, il y est inclus comme autre, comme *nicht reelles Erlebnismoment,* § 97. *Reel* est donc toujours opposé à intentionnel.

et même flux ininterrompu du vécu, qui médiatise (vermittelt) continûment les deux vécus par l'entremise d'une multitude de vécus concrets [2]. Il est clair qu'il en est tout autrement à cet égard dans le cas des perceptions transcendantes et pour tous les autres vécus intentionnels rapportés de façon transcendante à leur objet. Non seulement la perception de la chose ne contient pas en soi dans sa composition réelle (reellen) la chose elle-même, mais il est même *exclu qu'elle forme avec la chose une unité essentielle,* l'existence de cette chose étant naturellement présupposée. *La seule unité qui soit déterminée purement par la propre essence des vécus eux-mêmes est exclusivement l'unité du flux du vécu;* ou, ce qui revient au même, un vécu ne peut être lié qu'à des vécus pour former un tout dont l'essence totale enveloppe les essences propres de ces vécus et se fonde en eux. Par la suite cette proposition gagnera en clarté et prendra toute l'importance qu'elle mérite [3].

§ 39. — LA CONSCIENCE ET LA RÉALITÉ NATURELLE. LA CONCEPTION DE L'HOMME « NAÏF » [4].

Tous les caractères éidétiques du vécu et de la conscience que nous avons obtenus sont pour nous les préliminaires nécessaires pour atteindre le but qui ne cesse de nous orienter, je veux dire pour découvrir l'essence de cette *conscience « pure »* qui doit permettre de déter-

---

2. L'unité du vécu réalise donc une inclusion réelle, non médiatisée, dans le cas de la perception et une relation immanente médiatisée dans le cas du souvenir de souvenir.

3. Allusion au lien de ce problème de la réflexion avec celui du temps et plus radicalement de la constitution du « je » : § 81 sq.

4. 3°) *La question fondamentale de cette éidétique préparatoire peut être posée : quel est le* rapport *de la conscience et du monde naturel ?* § 39. Cette question est encore à l'intérieur de l'attitude naturelle, les exemples de vécus sont des événements mondains (*reale*), mêlés au monde. C'est ce qui rend difficile la séparation de l'essence conscience. Comment séparer une conscience entrelacée au monde ? — Les §§ 40 sq. prépareront la réponse à cette question par une étude de la perception, source ultime de l'attitude naturelle.

miner le champ de la phénoménologie. Nos considérations étaient d'ordre éidétique ; mais les exemples singuliers qui répondent aux essences de vécu, de flux de conscience, bref de « conscience » dans tous les sens du mot, appartenaient au monde naturel en tant qu'événements réels (reale). Nous n'avons point abandonné le terrain de l'attitude naturelle. La conscience individuelle est entrelacée (verflochten) avec le *monde naturel* d'une *double* manière : elle est la conscience d'un *homme* ou d'un *animal,* et elle est, au moins dans [70] un grand nombre de ses formes particulières, conscience de ce monde[1]. *Si l'on considère cet entrelacement avec le monde réel* (real), *que signifient les expressions : la conscience a une essence « propre »*, elle constitue avec une autre conscience un *enchaînement* fermé sur lui-même et *purement déterminé par les essences propres de toutes ces consciences,* à savoir le flux de la conscience ? Comme nous pouvons prendre ici le mot conscience en un sens aussi large que nous voulons, qui finalement coïncide avec le concept de vécu, ce qui est en question c'est le statut éidétique propre du flux du vécu avec toutes ses composantes. Et d'abord jusqu'à quel point le *monde matériel* doit-il être par principe d'un autre type et doit-il être *exclu de la propre nature éidétique des vécus?* Et s'il en est exclu, s'il est en face de toute conscience et de sa nature éidétique propre « *l'étranger* », « *l'être autre* », comment la conscience *peut*-elle *s'entrelacer* avec lui, avec lui et par suite avec tout cet univers étranger à la conscience ? En effet, il est aisé de se persuader que le monde matériel n'est pas une pièce quelconque mais l'assise fondamentale du monde naturel à laquelle tout autre être réel (real) est *essentiellement* rapporté. Ce qui lui fait encore défaut, ce sont les âmes des hommes et des animaux ; et la nouveauté qu'elles introduisent c'est en première ligne leur « vécu » et le fait qu'elles sont reliées par la

[70] 1. De ces deux aspects de l'union de la conscience au monde — par incarnation et par perception — la seconde est pour Husserl la clef de la première. Si la suite du § insiste sur l'unité du composé humain, c'est que cette composition avec le monde est la plus visible. La Vᵉ *Méditation cartésienne* reprendra le problème du corps propre ; allusions, *infra,* §§ 53-4.

conscience à leur environnement. *La conscience et le monde des choses forment alors un tout lié,* résumé dans ces unités psycho-physiques individuelles que nous nommons êtres animés (animalia), pour former au sommet *l'unité réelle* (realen) *du monde total*[2]. L'unité d'un tout peut-elle être unifiée autrement que par l'essence propre de ses parties, lesquelles ont alors nécessairement quelque *communauté d'essence* et non une hétérogénéité de principe ?[3].

Pour plus de clarté cherchons à quelle source ultime s'alimente la thèse générale du monde que j'adopte dans l'attitude naturelle et qui par conséquent me permet de découvrir un monde de choses existantes comme faisant face à la conscience, de m'attribuer un corps situé dans ce monde et de m'inclure moi-même dans ce monde. Visiblement cette source ultime est *l'expérience sensible.* Il suffit, pour le but que nous poursuivons, de considérer la *perception sensible* qui parmi les actes empiriques joue, en un certain sens propre, le rôle d'une proto-expérience (Urerfahrung) d'où tous les autres actes empiriques tirent une grande part de leur puissance fondatrice. Le propre de toute conscience percevante est d'être la conscience de la *présence corporelle* [71]*en personne d'un objet individuel,* qui de son côté est au sens purement logique du mot un individu ou un

2. Cette constitution des *animalia* et de l'homme empirique « sur » l'assise du monde matériel est étudiée dans IDEEN II. — Sur *rela*, cf. p. 7 n. 4.

3. Ce problème de l'*altérité,* de l'*exclusion* mutuelle de la réalité et de la conscience, n'est pas incompatible avec l'implication spécifique de l'objet dans la vie intentionnelle de la conscience. La question ne se pose que par rapport à la réflexion qui a fait apparaître la conscience comme un rapport du même avec le même, comme une inclusion des cogitationes dans « l'enchaînement fermé » d'un flux unique ; c'est la réflexion qui par contraste constitue le monde comme « autre », « étranger », comme « exclu » de l'être propre de la conscience. — De plus, cette exclusion est d'ordre éidétique : je pense sous deux « régions » d'être différentes le sens du monde et le sens de la conscience. Ainsi la réflexion sépare une « région » et introduit le problème nouveau d'un rapport entre deux « régions » d'être. C'est désormais l'analyse de la perception qui porte le principe d'une réponse à ce problème.

de ses dérivés au point de vue des catégories logiques ([a]). Dans le cas que nous considérons de la perception sensible, ou plus distinctement de la perception des choses, l'individu logique c'est la chose ; et il suffit de considérer que la perception des choses représente toutes les autres perceptions (perception de propriétés, de processus, etc.).

La vie naturelle de notre moi vigilant est une perception constante, actuelle ou inactuelle. Le monde des choses, y compris notre corps, ne cesse point d'être là pour la perception. Comment dès lors se dissocient et peuvent se dissocier la *conscience même*, en tant qu'elle est *en soi un être concret*, et *l'être perçu* qui par elle accède à la conscience, en tant qu'être « *opposé* » (gegenüber) à la conscience, en tant qu'être « *en soi et pour soi* » ?[1]

Ma méditation sera d'abord celle d'un homme « naïf »[2]. Je vois et je saisis la chose elle-même dans sa réalité corporelle. Il est vrai qu'il m'arrive de me tromper, non seulement sur les propriétés perçues, mais sur l'existence même. Je suis victime d'une illusion ou d'une hallucination. La perception n'est pas alors une perception « authentique ». Supposons qu'elle le soit, c'est-à-dire qu'elle se laisse « confirmer » par le contexte des expériences actuelles, au besoin avec l'aide de la pensée empirique correcte : la chose perçue *est* alors *réelle* (wirklich), elle est elle-même réellement, corporellement donnée dans la perception. Le percevoir, considéré purement en tant que conscience, et abstraction faite du corps et des organes corporels, apparaît à ce stade comme chose en elle-même inessentielle (Wesenloses), tel le regard vide que tourne un « moi » vide en direction de l'objet même, tandis que celui-ci vient, de manière curieuse, toucher le moi.

(*a*) Cf. ci-dessus, § 15, p. 29.

---

[71] 1. Cf. p. 70 n. 3.

2. Naïveté par opposé à la connaissance scientifique. Cf. § 40 (début).

§ 40. — Qualités « premières » et « secondes ». La chose corporellement donnée comme « pure apparence » de la « vérité physique » [3].

Si, en tant qu'« homme naïf », « trompé par la sensibilité », j'ai cédé à l'envie de poursuivre ces réflexions, je n'oublie pas maintenant en tant qu' « homme de science » la distinction bien connue entre qualités *secondes* et qualités *premières*, selon laquelle les qualités sensibles spécifiques doivent être « purement subjectives » et seules les qualités géométrico-physiques « objectives » (Objektiv) [4]. La couleur de la chose, le son de la chose, l'odeur et le goût de la chose, etc., [72] toutes ces qualités auraient beau apparaître « corporellement » adhérentes à la chose et comme appartenant à son essence, elles ne seraient pas la chose elle-même et, sous la forme où elles apparaissent alors, elles ne seraient pas réelles, mais de simples « signes » à l'égard de certaines qualités premières [1]. Or si j'évoque des théories familières de la physique, je vois en même temps que le sens de toutes ces formules qu'on affectionne tant ne peut être pris au pied de la lettre : comme si réellement seules les qualités « spécifiquement » sensibles de la chose perçue étaient de pures apparences; cela voudrait dire que les qualités « premières », qui restent quand on *retranche* les précédentes, appartiendraient à la chose telle qu'elle est objectivement et véritablement, à côté d'autres qualités de ce genre qui, elles, n'apparaîtraient pas. Entendue en ce sens, l'objection ancienne de Berkeley se trouverait

3. Question critique préalable : la perception ne nous révèle la présence du monde que si on écarte l'interprétation subjectiviste des qualités sensibles et si on maintient leur transcendance; le primat de la perception « naïve » sur la connaissance scientifique est un des aspects du respect des faits, § 24.

4. Sens allégué du mot « objectif ». Cf. p. 61, n. 3.

[72] 1. La théorie du signe sera reprise aux §§ 43 et 52. La transcendance des qualités est la réalité même. Le perçu est l'en soi, § 47. L'idéalisme transcendantal ne sera jamais un idéalisme subjectiviste.

vraie : l'extension, qui est le noyau éidétique de la nature corporelle et de toutes les qualités premières, est impensable sans les qualités secondes. Il faut plutôt dire que *tout le statut éidétique de la chose perçue,* par conséquent tout ce qui est là corporellement avec toutes ses qualités, et tout ce qui peut être perçu, est « *pure apparence* » et que la « *chose vraie* » *est celle que détermine la science physique.* S'il est vrai que cette science détermine la chose donnée exclusivement au moyen de concepts tels que atomes, ions, énergies, etc. et, en tout cas, en tant que processus remplissant un espace dont les seules caractéristiques sont des expressions mathématiques, il faut donc dire qu'elle désigne *un être transcendant à tout le contenu de la chose tel qu'il s'offre à nous dans sa présence corporelle.* Elle ne peut donc même pas signifier la chose comme située dans l'espace sensible naturel ; en d'autres termes, l'espace physique qu'elle invoque ne peut être l'espace du monde selon la perception corporelle, sinon elle tomberait elle aussi sous le coup de l'objection de Berkeley.

« *L'être vrai* » aurait par conséquent des *déterminations totalement différentes par principe de ce qui est donné dans la perception à titre de réalité corporelle,* celle-ci étant exclusivement donnée par des déterminations sensibles, au nombre desquelles appartiennent celles de l'espace sensible. *La chose proprement expérimentée fournit le pur « ceci », c'est-à-dire un X par lui-même vide, qui devient le porteur de déterminations mathématiques ainsi que de formules mathématiques correspondantes;* et cet X n'existe pas dans l'espace de la perception, mais dans un « *espace objectif* » dont le premier est simplement le « signe », à savoir *une multiplicité euclidienne à trois dimensions dont on ne peut avoir qu'une représentation purement symbolique* [2].

Admettons donc cette interprétation : en toute perception le donné corporel serait, selon cette doctrine, « pure apparence » et par principe « purement sub-

2. Sur le symbole, cf. § 43. — Sur la notion de multiplicité, PROLÉGOMÈNES A LA LOGIQUE PURE, §§ 69-70. Cf. *supra*, pp. 17, n. 1, 18, n. 2.

jectif » sans être pourtant un simulacre vide. Cependant le rôle assumé par le donné de la perception dans le [73] cadre des méthodes rigoureuses des sciences de la nature, est de fournir à cet être transcendant dont il est le « signe », une détermination valable, que chacun peut opérer et vérifier avec évidence. Il est vrai que le statut sensible des données mêmes de la perception est toujours reconnu comme différent de la chose vraie telle qu'elle existe en soi ; néanmoins le *substrat*, le X vide qui supporte les déterminations perçues, continue d'être tenu pour la chose même que les méthodes exactes tentent de déterminer sous forme de prédicats physiques. Il en résulte en retour que *toute connaissance de type physique désigne, à la façon d'un index, le cours des expériences possibles ainsi que les choses sensibles qui s'y découvrent et les événements qui affectent ces choses sensibles.* Elle est donc un guide pour nous orienter dans le monde de l'expérience actuelle au sein duquel tous nous vivons et agissons[1].

§ 41. — La Composition réelle (der reelle Bestand) de la Perception et son Objet (Objekt) transcendant[2]

Quels sont, si l'on adopte tous ces présupposés, *les éléments qui forment la composition concrète et réelle de la perception elle-même, prise au sens de cogitatio ?* La chose physique, comme il va de soi, n'en fait pas partie : elle est totalement transcendante, transcendante à l'ensemble du « monde des apparences ». Quant à ce dernier, aussi « purement subjectif » qu'on le déclare, il n'entre pas *non plus,* lui et toutes les choses sin-

[73] 1. Sur tout ceci, cf. §§ 43 et 52.

2. La *transcendance* du perçu est décrite ici par contraste avec l'*inclusion* de la matière (ὕλη) dans la cogitatio, comme plus haut (§ 38) elle avait été opposée à l'inclusion de la cogitatio elle-même dans le flux du vécu. — Ce divers d'esquisses, qui est la matière non-intentionnelle de la cogitatio (§ 36, p. 65, n. 1, a donc une signification capitale pour « exclure » la chose de la conscience (cf. p. 70, n. 2). Sur l'opposition *reel-transzendent,* cf. pp. 65, n. 1, 69, n. 1.

gulières et tous les événements qui le forment, dans la composition réelle de la perception ; il lui est opposé comme « transcendant ». Réfléchissons de plus près sur ce point. Nous avons déjà parlé, mais en passant, de la transcendance de la chose. Il nous faut maintenant examiner avec plus de soin de quelle façon *le transcendant se comporte à l'égard de la conscience* qui le connaît, et comment il faut entendre cette relation mutuelle qui n'est pas sans énigme.

Eliminons donc toute la physique et tout l'empire de la pensée théorique. Ne sortons pas du cadre de l'intuition simple et des synthèses qui s'y rattachent et où la perception s'incorpore. Il est alors évident que l'intuition et la chose dont elle est l'intuition, la perception et la chose perçue, bien que rapportées l'une à l'autre dans leur essence, ne forment pas, par une nécessité de principe, *une unité et une liaison réelle* (reell) *et d'ordre éidétique.*

Partons d'un exemple. Je vois continuellement cette table; j'en fais le tour et change comme toujours ma position dans l'espace ; j'ai sans cesse conscience de l'existence corporelle d'une seule et même table, de la [74] même table qui en soi demeure inchangée. Or la perception de la table ne cesse de varier ; c'est une série continue de perceptions changeantes. Je ferme les yeux. Par mes autres sens je n'ai pas de rapport à la table. Je n'ai plus d'elle aucune perception. J'ouvre les yeux et la perception reparaît de nouveau. *La* perception ? Soyons plus exacts. En reparaissant elle n'est à aucun égard individuellement identique. Seule la table est la même : je prends conscience de son identité dans la conscience synthétique qui rattache la nouvelle perception au souvenir. La chose perçue peut être sans être perçue, sans même que j'en aie cette conscience simplement potentielle (sous le mode de l'inactualité décrit précédemment) (a); elle peut être sans changer. Quant à la perception elle-même, elle est ce qu'elle est, entraînée dans le flux incessant de la conscience et elle-même sans cesse fluante : le maintenant de la perception ne

(a) Cf. ci-dessus, § 35, en particulier p. 63.

cesse de se convertir en une nouvelle conscience qui s'enchaîne à la précédente, la conscience du vient-*juste-ment*-de-passer (Soeben-Vergangenen); en même temps s'allume un nouveau maintenant. Non seulement la chose perçue en général, mais toute partie, toute phase, tout moment survenant à la chose, sont, pour des raisons chaque fois identiques, nécessairement transcendants à la perception, qu'il s'agisse de qualité première ou seconde. La couleur de la chose vue ne peut par principe être un moment réel (reelles) de la conscience de couleur ; elle apparaît ; mais tandis qu'elle apparaît, il est possible et *nécessaire* qu'au long de l'expérience qui la légitime l'apparence ne cesse de changer. La *même* couleur apparaît « dans » un divers ininterrompu *d'esquisses* de couleur (Abschattungen)[1]. La même analyse vaut pour chaque qualité sensible et pour chaque forme spatiale. Une seule et même forme (donnée corporellement *comme* identique) m'apparaît sans cesse à nouveau « d'une autre manière », dans des esquisses de formes toujours autres. Cette situation porte la marque de la nécessité ; de plus elle a manifestement une portée plus générale. Car c'est uniquement pour une raison de simplicité que nous avons pris pour exemple le cas d'une chose qui apparaît sans changement dans la perception. Il est aisé d'étendre la description à toute espèce de changements.

En vertu d'une nécessité éidétique, une conscience empirique de la même chose perçue sous « toutes ses faces », et qui se confirme continuellement en elle-même de manière à ne former qu'une unique perception, comporte un système complexe formé par un divers ininterrompu d'apparences et d'esquisses; dans ces divers viennent s'esquisser eux-mêmes (sich abschatten), *à travers une continuité déterminée, tous les moments de*

[74] 1. Nous avons traduit *Abschattung* par « esquisse », qui rend grossièrement l'idée d'une révélation fragmentaire et progressive de la chose. Profil, aspect, perspective, touche, etc., conviendraient également mais ne donnent pas de verbe pour traduire *sich abschatten*, s'esquisser. — ὕλη, *data* sensuels et affectifs, divers de perception, fonction figurative sont strictement synonymes chez Husserl, p. 65, n. 1. Une discipline phénoménologique propre, la hylétique, se rapporte à cette question, §§ 85, 86, 97.

l'objet qui s'offrent dans la perception avec le caractère de se donner soi-même corporellement. Toute détermination comporte *son* système d'esquisses ; et ce qui est vrai de la chose totale, l'est de chacune d'elles : au regard de la conscience qui la saisit et qui unit synthétiquement le souvenir et la nouvelle perception, chaque détermination s'offre comme identique, même si le cours continu de la perception actuelle vient à être interrompu.

[75]

Du même coup nous voyons quels éléments rentrent vraiment et indubitablement dans la composition réelle (reellem) de ces vécus concrets de caractère intentionnel qui prennent alors le nom de perceptions de chose. Tandis que la chose est l'unité intentionnelle, c'est-à-dire le terme identique et unique que la conscience atteint à travers le flux constamment ordonné que forme le divers de la perception à mesure qu'il passe d'une forme à l'autre, — ce divers ne laisse pas d'avoir une *composition descriptive* (deskriptiven Bestand) *déterminée* et par *essence* ordonnée à cette unité intentionnelle. Chaque phase de la perception comporte, par exemple, nécessairement un statut déterminé d'esquisses de formes, etc. Ces esquisses sont à mettre au nombre des « *data de sensation* », des data d'une région originale avec leurs genres déterminés, qui fusionnent à l'intérieur d'un de ces genres pour constituer des unités concrètes et *sui generis* du vécu ou « *champs de sensation* » (Empfindungs-« Feldern »); en outre, au sein de l'unité concrète de la perception, ces data sont animés (beseelt) par des « *appréhensions* » (Auffassungen), d'une manière qui ne peut ici être décrite plus exactement ; dans cette animation les « data » exercent la « *fonction figurative* » (darstellende)[1], ou bien, en s'unissant à elle, opèrent ce que nous nommons « *l'ap-*

---

[75] 1. La fonction d'appréhension est la forme (μορφή), le moment intentionnel qui « anime » la matière, §§ 85 et 97 : « en » elle, « à travers » elle la conscience vise la chose. La matière « figure » (*darstellt*) le moment de même nom de la chose : le blanc, l'aigu, etc. On aurait pu traduire *Darstellung* par analogon, mais ce substantif ne donne pas de verbe ; d'autre part, il faut réserver représentation pour traduire *Vorstellung*.

paraître de » la couleur, « *de* » la forme, etc. Ainsi s'élabore, en y combinant encore d'autres caractères, la composition réelle de la perception, qui est la conscience d'une seule et même chose : il suffit que les diverses appréhensions fusionnent en une *unité d'appréhension* — cette fusion étant elle-même fondée dans *l'essence* de ces appréhensions; il faut en outre que ces diverses unités aboutissent à des *synthèses d'identification* : or cette possibilité est aussi inscrite dans leur essence.

Il ne faut aucunement perdre de vue que les data de sensation qui exercent la fonction d'esquisse — esquisse de la couleur, esquisse du lisse, esquisse de la forme, etc., — autrement dit la fonction de « figuration » — sont par principe complètement différents de la couleur prise absolument, du lisse pris absolument, de la forme prise absolument, bref de tous ces divers moments qui sont des *moments de la chose. Bien qu'elle porte le même nom, il est exclu par principe que l'esquisse soit de même genre que ce qui est esquissé.* L'esquisse est du vécu. Or le vécu n'est possible que comme vécu et non comme spatial. Ce qui est esquissé n'est possible par principe que comme spatial (il est [76] précisément par essence spatial) et n'est pas possible comme vécu. Il est même particulièrement absurde de prendre l'esquisse de forme (celle par exemple d'un triangle) pour quelque chose de spatial, de possible dans l'espace; ce faisant, on la confond avec la forme esquissée, c'est-à-dire avec la forme qui apparaît. Ce sera le thème de recherches importantes d'établir une distinction complète et systématique entre les divers moments réels de la perception en tant que cogitatio, et d'autre part les moments qui appartiennent au cogitatum transcendant à la perception, et de caractériser les premiers en tenant compte de leurs subdivisions dont certaines sont difficiles à reconnaître[1].

1. La dualité du moment hylétique du vécu et du moment transcendant de la chose est finalement la base de l'exclusion mutuelle de l'être comme conscience et de l'être comme chose réelle.

§ 42. — L'ETRE EN TANT QUE CONSCIENCE ET L'ETRE EN TANT QUE RÉALITÉ. LA DISTINCTION DE PRINCIPE ENTRE LES MODES DE L'INTUITION.

Les réflexions que nous venons de faire établissent la transcendance de la chose à l'égard de la perception qu'on en a et, par suite, à l'égard de toute conscience en général qui s'y rapporte; non pas seulement en ce sens que la chose ne peut être découverte en fait parmi les composantes réelles (reelles) de la conscience; tout se passe ici au niveau de l'évidence éidétique : en vertu d'une généralité ou d'une nécessité *absolument inconditionnée,* une chose ne peut être donnée comme réellement (reel) immanente dans aucune perception possible, et en général dans aucune conscience possible. Nous voyons donc apparaître une distinction fondamentale : celle de *l'être comme vécu* et de *l'être comme chose.* Par principe l'essence régionale du vécu (et plus particulièrement la subdivision régionale constituée par la cogitatio) implique que le vécu puisse être perçu dans une perception immanente; l'essence d'une chose spatiale implique que celle-ci ne le soit pas [2]. Or, comme nous l'apprend une analyse plus approfondie, l'essence de toute intuition qui donne une chose implique qu'on puisse saisir, par une conversion convenable du regard, d'autres données jointes aux données de choses et analogues à celles-ci qui, à la façon de couches et de soubassements parfois susceptibles d'être isolés, s'intègrent à la constitution de ce qui apparaît comme chose — comme par exemple les « *choses visuelles* » (Sehdinge) avec leurs différentes subdivisions —; dès lors, tout ce qui a été dit des données de chose vaut également pour elles : ce sont par principe des transcendances [3].

---

2. La *distinction* de l'être comme vécu et de l'être comme chose — qui permettra au chap. III de poser la *relativité* du second à l'égard du premier — n'a ici aucun sens cosmologique : ce serait un contre-sens d'interpréter cette distinction dans le sens de l'ontologie aristotélicienne et médiévale où le connaître est une relation à l'intérieur de l'être. Ce sont deux *modes d'intuitions,* l'une immanente et l'autre transcendante, qui en s'opposant distinguent les deux régions auxquelles elles se rapportent. Cf. § 38.

3. L'étagement de ces transcendances est étudié sommairement au § 151 où le mot *Sehding* est expliqué. Cf. surtout IDEEN II.

Avant de développer quelque peu cette opposition de l'immanence et de la transcendance, nous ferons encore une remarque. Si nous mettons de côté la perception, nous rencontrons diverses sortes de vécus intentionnels qui excluent par principe que leurs objets intentionnels soient réellement immanents, quels que soient d'ailleurs ces objets. C'est le cas par exemple de toutes les espèces de présentifications : le souvenir, la saisie par intropathie de la conscience d'autrui, etc. Nous n'avons pas le droit naturellement de confondre cette [77] transcendance avec celle qui nous occupe ici. La chose comme telle et toute réalité au sens authentique du mot (ce sens restant d'ailleurs à élucider et à fixer) impliquent par essence et tout à fait « par principe » [a] qu'on ne puisse en avoir une perception immanente et de façon générale la rencontrer dans l'enchaînement du vécu. C'est en ce sens qu'on appelle transcendance la chose prise en elle-même et absolument parlant (schlechthin). Du même coup se déclare la distinction de principe la plus radicale qui soit en général entre les modes de l'être, la distinction entre *conscience* et *réalité naturelle* (Realität).

Cette opposition entre immanence et transcendance enveloppe (comme il ressort en outre de notre analyse) *une distinction de principe dans la façon dont l'une et l'autre se donnent.* Perception immanente et transcendante ne se distinguent pas seulement en ce que l'objet intentionnel, offert dans son ipséité corporelle, est tantôt réellement (reell) immanent au percevoir, tantôt non; la distinction tient plutôt à la façon dont l'objet est donné; or dans toutes les modifications de la perception sous forme de présentification, dans les intuitions parallèles du souvenir et de l'imagination, on retrouve *mutatis mutandis* ces modes différents avec leurs caractères distinctifs essentiels. La chose est l'objet de notre perception en tant qu'elle « s'esquisse », ce caractère s'appliquant à toutes les déterminations qui « tombent » en chaque cas dans la perception de façon « véri-

(*a*) Nous employons ici, comme en général dans tout cet ouvrage, l'expression « par principe » (*prinzipiell*) en un sens rigoureux, par référence aux généralités et aux nécessités éidétiques *suprêmes* et par conséquent les plus radicales.

table » et authentique. *Un vécu ne se donne pas par esquisses*[1]. Ce n'est pas une propriété fortuite de la chose ou un hasard de « notre constitution humaine » que « notre » perception ne puisse atteindre les choses elles-mêmes que par l'intermédiaire de simples esquisses. Nous sommes au contraire sur le plan de l'évidence : l'essence même de chose spatiale (même prise au sens le plus large, qui inclut les « choses visuelles ») nous enseigne que ce type ne peut par principe être donné à la perception que par esquisses [2]; de même l'essence de la cogitatio, du vécu en général, nous enseigne que le vécu exclut cette façon d'être donné. En d'autres termes, dès qu'il s'agit d'existants appartenant à cette région, on ne peut conférer le moindre sens à des expressions telles que « apparaître », « être figuré par esquisses ». Là où l'être n'est plus d'ordre spatial, il est dénué de sens de dire qu'on le voit de différents points de vue, en changeant d'orientation, en considérant les différentes faces qui s'offrent à l'occasion de ces mouvements, et en tenant compte des différentes perspectives, apparences et esquisses. D'autre part, c'est une nécessité d'essence, qui demande à être saisie comme telle sous le signe de l'évidence apodictique, que l'être spatial en [78] général ne puisse être perçu par un moi (par tout moi possible) que selon la façon d'être donnée caractérisée plus haut. Il peut seulement « apparaître » sous la condition d'une certaine « orientation », chacune enveloppant nécessairement de nouvelles orientations dont la possibilité est systématiquement préfigurée dans la précédente; à chacune correspond à nouveau une certaine « manière d'apparaître » de la chose que nous exprimons en disant que tel ou tel « côté » se donne, etc., etc. Si nous prenons l'expression « manière d'apparaître » au sens de mode du *vécu* (cette expression pouvant aussi, comme cela ressort avec évidence de la

[77] 1. Ce critère de l'immanence est négatif ; mais plus haut c'est le critère de la transcendance qui était négatif : le transcendant n'est pas réellement inclus dans la cogitatio ou dans le flux du vécu. Ces deux critères sont strictement corrélatifs : ils serviront à révéler la perception comme « douteuse » et la réflexion comme « indubitable », §§ 43-6.

2. Dieu lui-même percevrait « par esquisses » : pp. 78, 81, 157.

description précédente, avoir un sens ontique corrélatif), cela revient à dire : certains types du *vécu* présentant une structure particulière, ou plus exactement certaines perceptions concrètes présentant une structure particulière, impliquent dans leur essence que l'objet intentionnel enveloppé par elles accède à la conscience à titre de chose spatiale; par essence elles comportent la possibilité idéale de se déployer dans un divers ininterrompu de perceptions soumises à un ordre déterminé et susceptibles de se poursuivre indéfiniment, sans jamais par conséquent présenter une conclusion. De ce divers procède, en vertu de sa structure éidétique, l'unité d'une conscience qui *donne son objet de façon concordante* (einstimmig)[1] ; cette conscience est conscience *d'une* unique chose perçue qui apparaît avec une perfection croissante, en présentant des faces toujours nouvelles et selon des déterminations toujours plus riches. D'autre part la chose spatiale se réduit à une unité intentionnelle qui par principe ne peut être donnée que comme l'unité qui lie ces multiples manières d'apparaître.

§ 43. — Elucidation d'une erreur de principe.

C'est donc une erreur de principe de croire que la perception (et à sa façon toute intuition de type différent portant sur la chose) n'atteindrait pas la chose même. Celle-ci ne serait pas donnée en soi et dans son être-en-soi. Toute existence comporterait la possibilité de principe d'être saisie telle qu'elle est dans une intuition simple, et plus spécialement d'être perçue dans une perception adéquate qui en livrerait l'ipséité corporelle *sans passer par l'intermédiaire de ces « apparences »*. Dieu, sujet de la connaissance absolument parfaite et donc aussi de toute perception adéquate possible, pos-

[78] 1. Cette concordance des esquisses est la base de la synthèse d'identification par laquelle la chose apparaît comme une et la même, § 41. C'est elle qui trahira la précarité de la perception : il est possible qu'elle cesse et que par là il n'y ait plus de monde, §§ 46 et 49.

séderait naturellement la perception de la chose en soi qui nous est refusée à nous, êtres finis.

Cette conception est absurde. Elle implique qu'il n'y aurait pas de *différence d'essence* entre ce qui est transcendant et ce qui est immanent et que la chose spatiale serait une composante réelle (reelles) incluse dans l'intuition que l'on prête à Dieu, et donc elle-même un vécu, solidaire du flux de conscience et de vécu attribué à Dieu. On se laisse abuser par cette idée que la transcendance de la chose serait celle d'une *image-portrait* (Bildes) ou d'un *signe*. Fréquemment on combat avec [79] ardeur la théorie basée sur l'image mais pour lui substituer une théorie basée sur le signe. Elles sont l'une comme l'autre non seulement inexactes mais absurdes. La chose étendue que nous voyons est perçue dans toute sa transcendance; elle est donnée à la conscience dans sa *corporéité*. Ce n'est ni une image ni un signe qui est donné à sa place. On n'a pas le droit de substituer à la perception une conscience de signe ou d'image.

Entre la *perception* d'un côté et la *représentation symbolique par image ou par signe* de l'autre, il existe une différence éidétique infranchissable. Dans ces types de représentation nous avons l'intuition d'une chose avec la conscience qu'elle dépeint (abbilde) ou indique par signe une autre chose; quand nous tenons la première dans le champ de l'intuition, ce n'est pas sur elle que nous sommes dirigés, mais, par l'intermédiaire d'une appréhension fondée sur elle, nous sommes dirigés sur la seconde, celle qui est copiée ou désignée. On ne voit rien de tel dans la perception, pas plus que dans le simple souvenir ou dans la simple image (Phantasie).

Dans les actes d'intuition immédiate nous avons l'intuition de « la chose elle-même »; sur les appréhensions qui l'animent ne s'édifient pas d'appréhensions de degré supérieur; on ne prend donc conscience d'aucune chose *à l'égard de laquelle* ce qui est perçu servirait de « signe » ou d'« image-portrait ». C'est pour cette raison précise qu'on le dit immédiatement perçu en « lui-même ». Dans la perception le même objet est encore décrit de façon spécifique comme « corporel » par opposé au caractère modifié de : « en suspens » (vorschwebendes), ou « présentifié » (vergegenwärtiges), qu'on trouve dans le souvenir ou dans l'image libre ([a]). On verse dans l'absurdité quand on brouille, comme on le fait d'ordinaire, ces modes de représentations dont la structure diffère essentiellement et, parallèlement, les données correspondant à ces modes : ainsi la simple présentification avec la symbolisation (que celle-ci procède par image ou par signe), et à plus forte raison la perception simple avec l'une et l'autre. La perception d'une chose ne présentifie pas (vergegenwärtigt) ce qui n'est pas présent, comme si la perception était un souvenir ou une image; elle présente (gegenwärtigt), elle saisit la chose même dans sa présence corporelle, et cela en [80] vertu de *son sens propre :* on ferait violence à son sens si on supposait d'elle autre chose. Si, comme on le fait ici, on envisage surtout la perception des choses, son essence implique qu'elle soit une perception qui procède par esquisses; corrélativement, le sens de son objet intentionnel, c'est-à-dire de la chose *en tant que* donnée dans la perception, implique qu'il ne soit par principe perceptible qu'au moyen de perceptions de cette sorte, c'est-à-dire procédant par esquisses.

§ 44. — L'Etre purement phénoménal du Transcendant, l'Etre absolu de l'Immanent [1].

La perception de la chose implique en outre — c'est encore là une nécessité d'essence — une certaine *inadéquation.* Par principe une chose ne peut être donnée

---

a) Dans mes *leçons* à *l'Université de Göttingen* (depuis le semestre d'été 1904), j'ai remplacé par une meilleure interprétation l'analyse insuffisante que, à une époque où j'étais encore trop marqué par les conceptions de la psychologie régnante, j'avais faite dans les Etudes Logiques des rapports entre ces intuitions simples et ces intuitions fondées ; j'y donnais un aperçu détaillé des recherches qui m'ont conduit plus loin; elles ont d'ailleurs dans l'intervalle exercé une influence littéraire dans l'ordre de la terminologie et aussi pour le fond. Dans les prochains volumes du *Jahrbuch,* j'espère pouvoir publier ces recherches ainsi que d'autres dont j'ai depuis longtemps tiré parti dans mes cours.

---

[80] 1. 4°) *Conséquences provisoires du chapitre* II : §§ 44-6. *a*) La

que « sous une face », ce qui signifie non seulement incomplètement, imparfaitement en tous les sens du mot; le mot désigne une forme d'inadéquation requise par la figuration au moyen d'esquisses [2]. Une chose est nécessairement donnée sous de simples *« modes d'apparaître »* [3], on y trouve donc nécessairement un *noyau* (Kern) constitué par ce qui est « réellement figuré » (wirklich dargestelltem) et, autour de ce noyau, au point de vue de l'appréhension, tout un horizon de *« co-données »* (Mitgegebenheit) dénuées du caractère authentique de données (uneigentlicher) et toute une zone plus ou moins vague d'*indétermination.* Le sens de cette indétermination est à son tour indiqué par le sens général de la chose perçue, considérée absolument et en tant que perçue : bref par l'essence générale de ce type précis de perception que nous nommons perception de chose. Par indétermination il faut donc entendre nécessairement *la possibilité de déterminer un style* (Stil) *impérieusement tracé. Elle indique à l'avance* un divers possible de perceptions dont les phases, en passant continuellement l'une dans l'autre, se fondent dans l'unité d'une perception; au sein de cette unité, la chose qui dure continuellement s'offre dans une série sans cesse renouvelée d'esquisses et y révèle toujours de nouvelles « faces » (ou bien répète les anciennes). Et ainsi des moments de la chose, associés de façon impro-

---

perception par esquisses est inadéquate ; la perception immanente est adéquate, § 44. *b*) C'est en des sens incomparables que la chose et le vécu sont prêts pour être perçus, § 45. *c*) Enfin et surtout l'inadéquation de la perception transcendante la rend *douteuse ;* la perception immanente est *indubitable,* § 46. L'accent cartésien de ces conclusions est frappant (fin du § 46) ; c'est en ce sens que le doute cartésien a pu être appelé une méthode subsidiaire (p. 54, n. 1) de l'ἐποχή.

2. *a*) L'inadéquation de la perception tient exclusivement au rôle figuratif du divers d'esquisses ; Descartes fondait son doute sur une confusion possible du rêve et de la réalité ; la distinction de l'image et de la perception établie au § précédent l'exclut absolument ; Husserl établit une *inadéquation de l'intuition certaine, évidente.* Cette analyse oriente ainsi vers une nouvelle motivation de la « suspension » du jugement qui ne ruine pas la coupure entre intuition et imagination.

3. Ce terme nouveau pour désigner les esquisses prépare l'opposition avec l'*absolu* du vécu, p. 81.

pre à d'autres aspects saisis, accèdent peu à peu à une figuration réelle et sont donc réellement donnés ; les indéterminations reçoivent une détermination plus précise, pour se muer même ensuite en données claires; en sens inverse, le clair retourne à l'obscur, le figuré au non-figuré, etc. *C'est de cette façon qu'une imperfection indéfinie tient à l'essence insuppressible de la corrélation entre chose et perception de chose.* Si le sens de la chose tire ses déterminations des données issues de la perception de la chose (et d'où pourrait-il les tirer autrement ?), ce sens implique une imperfection de ce [81] genre ; il nous renvoie à un enchaînement de perceptions possibles, tendant continûment à l'unité; ces perceptions se déploient à partir d'une direction choisie dans des directions en nombre infini *selon un ordre systématique et impérieux ;* ce déploiement peut dans chaque direction se poursuivre sans fin, une unité de sens ne cessant d'y présider. Par principe, il subsiste toujours un horizon d'indétermination susceptible d'être déterminé, aussi loin que nous avancions dans le cours de l'expérience, et aussi importantes que soient déjà les séries continues de perceptions actuelles auxquelles nous avons soumis la même chose [1]. Nul Dieu ne peut y changer quoi que ce soit; pas plus qu'il ne peut empêcher que 1 + 2 ne fasse 3, ou que toute autre vérité d'essence ne subsiste [2].

D'une façon générale on peut déjà voir que l'être transcendant, à quelque genre qu'il appartienne, si on entend par là tout être *pour* un moi, ne peut se donner que d'une façon analogue à la chose, donc par le moyen d'apparences. Sinon ce serait précisément un être qui pourrait devenir également immanent. Il faut s'être laissé abuser par les confusions indiquées plus haut et désormais élucidées, pour croire que le même être puisse tantôt être donné par le moyen de l'apparence et sous la forme d'une perception transcendante, tantôt être donné dans une perception immanente.

Commençons néanmoins par bien établir le contraste

---

[81] 1. Ici se nouent la théorie de l'attention, la théorie du divers hylétique et celle du temps phénoménologique, cf. § 81.

2. Cf. p. 157 (*a*) : L'idée de Dieu n'a en épistémologie qu'un rôle d'index pour construire des concepts-limites.

qui existe spécialement entre chose et vécu, en le prenant encore par l'autre côté. Le vécu, disions-nous, ne se donne pas par figuration. Cela implique que la perception du vécu est la vision simple de quelque chose qui *dans la perception est donné* (ou peut se donner) *en tant qu'« absolu »* [3] et non en tant que l'aspect identique qui se dégage des modes d'apparaître par esquisses. Tout ce que nous avons établi concernant la manière dont une chose se donne perd ici son sens; ce point exige que chacun s'en fasse pour soi-même en particulier une idée parfaitement claire. Un vécu affectif ne se donne pas par esquisses. Si je le considère, je tiens un absolu, il n'a pas de faces qui pourraient se figurer tantôt d'une façon, tantôt de l'autre. Par la pensée je puis former à son propos une pensée vraie ou fausse, mais ce qui s'offre au regard de l'intuition est là absolument avec ses qualités, son intensité, etc. Le son d'un violon au contraire est donné, avec son identité objective, par esquisses; il comporte un cours de modes changeants où il apparaît. Ces modes sont différents selon que je suis dans la salle même du concert ou que j'écoute à travers les portes closes, etc. Aucune manière d'apparaître ne peut prétendre être tenue pour celle qui donne la chose de façon absolue, encore qu'une certaine manière détienne, dans le cadre de mes intérêts pratiques, un certain privilège, à titre de mode normal : dans la salle du concert, à la « bonne place », [82] j'entends le son « lui-même », avec sa résonance « réelle ». Nous disons de même de chaque chose qui a rapport à la vue, qu'elle a un aspect normal ; de la couleur, de la forme, de l'ensemble de la chose, quand nous la voyons à la lumière normale du jour et selon son orientation normale par rapport à nous, nous di-

3. Cf. p. 80, n. 3. Le § 46 précisera l'absolu comme cela dont l'existence est nécessaire, le contraire étant impossible. Le § 49 ajoute : ce qui n'a besoin d'aucune chose pour exister. Après la réduction transcendantale, il deviendra « l'absolu transcendantal », § 81, dont il est dit pourtant qu'il n'est pas encore l'ultime absolu, mais « qu'il se constitue soi-même et prend sa source radicale dans un absolu définitif et véritable », p. 163. (Le transcendant « absolu », Dieu, sera réduit comme toute transcendance, § 58).

sons qu'elle a tel ou tel aspect, que telle couleur est la couleur véritable, etc. Mais ces expressions désignent seulement *une sorte d'objectivation* (Objektivierung) *secondaire* située dans le cadre de l'objectivation d'ensemble de la chose, comme on peut s'en persuader aisément. Il est même clair que, si nous retenons exclusivement les modes « normaux » et que nous supprimons tout le reste du divers des apparences et la relation essentielle des modes normaux à ce divers, il ne reste plus rien du sens de la donnée où se révèle la chose[1].

Nous tenons donc pour assuré le principe suivant : l'essence de tout ce qui se donne par le moyen d'apparences, implique qu'aucune de celles-ci ne donne la chose comme un « absolu »; elle la donne dans une figuration unilatérale ; par contre l'essence des données immanentes implique qu'elles donnent un absolu qui ne peut nullement se figurer et s'esquisser par faces successives. Il est également évident que les contenus même de sensation qui esquissent la chose et qui eux appartiennent réellement (reell) au vécu constitué par la perception de la chose servent bien à esquisser autre chose qu'eux, mais ne sont pas eux-mêmes à leur tour donnés par esquisses.

Qu'on veuille bien noter encore la distinction suivante. Un vécu n'est jamais non plus complètement perçu; il ne se laisse pas saisir adéquatement dans sa pleine unité. Par essence c'est un flux ; si nous dirigeons sur lui le regard de la réflexion nous pouvons le remonter en partant de l'instant présent ; les portions laissées en arrière sont alors perdues pour la perception. C'est uniquement sous la forme de rétention (Retention) que nous avons conscience de ce qui vient immédiatement de s'écouler, ou sous forme de ressouvenir. Finalement le flux total de mon vécu est une unité de vécu qu'il est impossible par principe de saisir par la perception en nous laissant complètement « couler avec » (mitchwimmende) lui. Mais *cette* incomplétude, cette « imperfection » que comporte l'essence de la perception du vécu est par principe différente de celle que recèle l'essence de la perception « transcendante »

[82] 1. Sur tout ceci cf. IDEEN II.

qui se fait par le moyen d'une figuration par esquisses, bref au moyen de quelque chose comme l'apparence [2].

Toutes les façons de se donner, avec les différences qui les opposent, que nous découvrons sur le plan de la perception, se retrouvent dans les *modifications reproductives* (reproduktiven), mais elles sont elles-mêmes modifiées. Quand nous nous présentifions une chose, nous nous la rendons présente par le moyen [83] d'une figuration ; mais les esquisses elles-mêmes, les appréhensions qui les animent et de même tous les phénomènes de la perception sont alors modifiés *de part en part sur le mode de la reproduction*. Le vécu se prête également à des reproductions et à des actes d'intuition reproductive, à la façon d'une présentification (Vergegenwärtigung) et d'une réflexion dans le cadre de cette présentification. Naturellement nous ne rencontrons pas ici d'esquisses reproductives [1].

Nous introduisons dès lors un nouveau contraste ; l'essence de ces présentifications implique des différences graduelles dans la clarté ou l'obscurité relatives. Manifestement cette différence de perfection n'a rien à voir non plus avec celle qui concerne la manière de se donner par le moyen d'apparences esquissant la chose. Une représentation plus ou moins claire ne s'esquisse pas par le moyen des degrés de clarté, si du moins nous nous tenons au sens — déterminant pour notre terminologie — du mot esquisse, selon lequel une forme spatiale et chacune des qualités qui la recouvrent, bref l'ensemble de « la chose apparaissant comme telle », s'esquissent dans un divers, sans qu'il importe que la représentation soit claire ou obscure. Une représen-

---

2. Cette imperfection de la succession conduira au problème plus radical de la constitution du temps, § 81. Sur la rétention comme mémoire primaire, et le ressouvenir comme mémoire secondaire, cf. ZEITBEWUSSTSEIN. — Sur la différence entre souvenir et ressouvenir (*Wiedererinnerung*), §§ 77-8.

[83] 1. Cette allusion aux présentifications n'est faite que pour écarter la confusion entre les différences de clarté des présentifications (entre elles et avec la perception originaire) et la différence radicale qui sépare l'adéquation de la perception immanente et l'inadéquation de la perception transcendante ; cette notion de clarté sera étudiée plus loin, §§ 66-70.

tation qui reproduit une chose présente toute la gamme possible des degrés de clarté, et cela pour chaque mode d'esquisse. On le voit, il s'agit de différences situées dans des dimensions différentes. Il est également manifeste que les différences que nous instituons sur le plan de la perception sous le nom de vision claire et obscure, distincte et confuse, présentent bien une certaine analogie avec les différences de clarté dont nous venons de parler, dans la mesure où de part et d'autre il s'agit d'un accroissement et d'une diminution graduels dans la plénitude avec laquelle est donnée la chose que nous nous représentons ; mais ces différences se réfèrent elles aussi à des dimensions différentes.

§ 45. — Vécu non perçu, Réalité non perçue[2].

Si on pousse l'analyse plus avant, on saisit également la différence d'essence qui sépare vécus et choses relativement à la perceptibilité (Wahrnehmbarkeit).

Le type d'être propre au vécu implique que le regard d'une perception intuitive peut se diriger sur tout vécu réel (wirkliche) et vivant en tant que présence originaire. Ce regard a lieu sous la forme de la « *réflexion* » dont voici la propriété remarquable : ce qui dans la réflexion est saisi de façon perceptive se caractérise par principe comme quelque chose qui non seulement est là et dure au sein du regard de la perception, mais *était déjà là avant* que ce regard ne se tourne dans sa direction. Quand on dit : « tous les vécus sont de la conscience », on veut dire spécialement, si on considère les vécus intentionnels, que non seulement ils sont [84] conscience de quelque chose et en tant que tels pré-

2. *La perceptibilité différente de la chose et du vécu est un corollaire de la différence de perception :* le vécu est *prêt* pour la réflexion et en retour la réflexion le découvre tel qu'il était *déjà* de manière irréfléchie (cette propriété permettra de répondre aux objections classiques contre l'introspection, §§ 77-9). — Pour la chose, être perceptible, c'est pour une part être dans le champ d'inattention, pour une part sur une ligne possible d'expérience qui prolonge un cours d'esquisses encore inachevé. Ainsi la chose échappe à la perception d'une manière spécifique qui aggrave son inadéquation.

sents, si eux-mêmes sont l'objet d'une conscience réflexive, mais qu'ils sont déjà là à l'état non réfléchi sous forme d' « arrière-plan » et *prêts* aussi par principe *à être perçus,* en un sens d'abord analogue aux choses que nous ne remarquons pas dans le champ de notre regard externe. Celles-ci ne peuvent être prêtes que dans la mesure où on en a conscience en quelque façon comme de choses non-remarquées ; ce qui pour des choses signifie : si elles apparaissent. Or *toutes* choses ne remplissent *pas* cette condition : le champ de mon attention qui embrasse tout ce qui apparaît n'est pas infini. De son côté, le vécu non-réfléchi doit remplir lui aussi certaines conditions pour être prêt, quoique d'une manière toute différente et conforme à son essence. Il ne peut « apparaître ». En tout cas il les remplit toujours, par sa simple manière d'exister ; cela n'est vrai que pour ce moi précis auquel ce vécu appartient et dont le pur regard personnel vit « en » lui éventuellement. C'est seulement parce que la réflexion et le vécu ont ces propriétés *d'essence* que nous pouvons savoir quelque chose des vécus non-réfléchis et donc aussi des actes même de réflexion. Il va de soi que les modifications reproductives (et rétentionnelles) qui affectent les vécus ont des propriétés parallèles, modifiées seulement comme il convient.

Achevons de préciser le contraste. Que voyons-nous ? Le *type d'être du vécu veut qu'il soit perceptible par principe sous le mode de la réflexion.* La chose également est *perceptible* par principe et elle est saisie dans la perception en tant que chose de mon environnement. Elle appartient aussi à ce monde sans être perçue; donc *même alors elle est encore là pour le moi.* Pourtant en général elle n'est pas là en ce sens qu'on pourrait diriger sur elle un regard qui simplement l'observe. L'arrière-plan, entendu comme champ susceptible d'être simplement considéré, n'englobe qu'une faible partie de mon environnement. « La chose est là » signifie plutôt : on peut à partir des perceptions actuelles, prises avec l'arrière-plan qui apparaît effectivement, former des séries de perceptions *possibles* et, il est vrai, *motivées* d'une façon continuellement convergente, avec des champs toujours nouveaux de choses qui leur servent

d'arrière-plan non-remarqués; ces séries de perceptions possibles conduisent à cet enchaînement de perceptions dans lequel précisément la chose considérée viendrait à apparaître et à être saisie. Par principe aucune modification essentielle n'est introduite dans l'analyse si au lieu d'un moi unique on envisage une pluralité de moi. C'est seulement par un rapport de compréhension mutuelle possible que l'univers de mon expérience peut s'identifier avec celui des autres et s'enrichir en même temps du surplus de leur expérience[1]. Une transcen-
[85] dance qui ne serait pas reliée, comme il a été décrit, à ma sphère effective de perception actuelle par un enchaînement concordant de motivation, constituerait une hypothèse totalement dénuée de fondement ; une transcendance qui *par principe* ne comporterait pas cette relation serait un *non-sens*. C'est donc de cette façon qu'est présente (Vorhandensein) la partie non-perçue actuellement du monde des choses ; elle diffère essentiellement de l'être du vécu dont par principe nous avons conscience[1].

§ 46. — Que la Perception immanente est indubitable et la Perception transcendante sujette au doute[2].

De toute cette analyse se dégagent d'importantes conséquences. Toute perception immanente garantit nécessairement l'existence (Existenz) de son objet. Quand

---

[84] 1. Sur la constitution de la chose dans l'intersubjectivité, cf. Ve *Méditation cartésienne* et Ideen II.

[85] 1. Cette motivation de la perception possible par le champ de perception actuelle et inactuelle permet de donner un sens à l'idée de perception *possible* ; cette possibilité « réelle » ne postule pas la chose en soi (cf. § 48) et pourtant distingue la perceptibilité de la chose de celle du vécu qui seul est toujours *prêt* pour la perception.

2. c) *L'existence indubitable du vécu est la conclusion de cette psychologie éidétique.* Malgré la différence de démonstration qui sépare Husserl de Descartes (p. 80, n. 2), cette affirmation est cartésienne. En effet, elle reste à l'intérieur de l'attitude naturelle, c'est-à-dire sur le plan de la position d'existence (*Existenz* ou *Dasein*) : *la conscience est un existant* indubitable.

la réflexion s'applique sur mon vécu pour le saisir, j'ai saisi un absolu en lui-même, dont l'existence (Dasein) ne peut par principe être niée ; autrement dit, l'idée que son existence ne soit pas, est par principe impossible ; ce serait une absurdité de croire possible qu'un vécu *donné de cette façon* n'existe *pas* véritablement. Le flux du vécu, qui est mon flux, celui du sujet pensant, peut être aussi largement qu'on veut non-appréhendé, inconnu quant aux parties déjà écoulées et restant à venir ; il suffit que je porte le regard sur la vie qui s'écoule dans sa présence réelle et que dans cet acte je me saisisse moi-même comme le sujet pur de cette vie (ce que cette expression signifie nous occupera expressément un peu plus tard), pour que je puisse dire sans restriction et nécessairement : *Je suis*, cette vie est, je vis : cogito.

Tout flux vécu, tout moi en tant que tel, implique la possibilité de principe d'atteindre à cette évidence ; chacun porte en soi-même la garantie de son existence (Daseins) absolue, à titre de possibilité de principe. On demandera : ne peut-on former l'idée d'un moi qui n'aurait que des images dans le flux de son vécu, d'un flux vécu qui ne consisterait qu'en intuitions du type de la fiction ? Ce moi ne découvrirait donc que des fictions de cogitationes ; ses actes de réflexion, étant donnée la nature du milieu (Medium) constitué par ce vécu, seraient uniquement des réflexions en imagination. C'est là une absurdité manifeste. Ce qui flotte en suspens devant l'esprit peut être un pur fictum ; l'acte même de l'évocation flottante, la conscience qui forme la fiction n'est pas elle-même fictive et son essence, comme tout vécu, implique la possibilité d'une réflexion qui perçoive et qui saisisse l'existence absolue. Il n'y a pas d'absurdité à ce que toutes les consciences étrangères que je pose dans l'expérience par intropathie puissent ne pas être. Mais *mon* intropathie, et *ma* conscience en général sont données de façon originaire et absolue, non seulement quant à l'essence (Essenz), mais quant à l'existence (nach Existenz). Cette propriété remarquable ne vaut que pour le moi et pour le flux [86] du vécu dans sa relation avec soi-même ; là seulement existe et doit exister quelque chose comme une perception immanente[1].

Au contraire il est de l'essence du monde des choses, comme nous le savons, que nulle perception aussi parfaite soit-elle ne donne dans son domaine un absolu ; de quoi résulte essentiellement que toute expérience aussi vaste soit-elle laisse subsister la possibilité que le donné n'existe *pas*, en dépit de la conscience persistante de sa présence corporelle et en personne. On peut énoncer cette loi d'essence : *l'existence* (Existenz) *des choses n'est jamais requise comme nécessaire par sa propre donnée* (durch die Gegebenheit); elle est d'une certaine façon toujours *contingente*. Ce qui signifie : il est toujours possible que le cours ultérieur de l'expérience contraigne d'abandonner ce qui antérieurement a été posé *sous l'autorité de l'expérience*. C'était, dit-on par la suite, une pure illusion, une hallucination, un simple rêve cohérent, etc. Il arrive de plus — et cela reste une possibilité permanente — qu'il se produit dans ce cercle de données quelque chose comme une altération des appréhensions, un brusque changement d'une apparence en une nouvelle qui ne peut s'unir à elle de façon convergente, et qu'ainsi la position de l'expérience ultérieure réagisse sur l'expérience antérieure, de sorte que les objets intentionnels de cette expérience antérieure soient pour ainsi dire remaniés par choc en retour ; de tels processus sont par essence exclus de la sphère du vécu. Il n'y a plus place dans la sphère absolue pour le conflit, le simulacre, l'altérité. C'est une sphère de position absolue[2].

---

[86] 1. Cette indubitabilité « quant à l'existence » signifie que cette certitude peut être retrouvée par chaque moi réel, à propos d'un vécu réel, dans le monde réel. L'évidence éidétique est donc ici, à la différence des mathématiques, illustrée par une évidence existentielle ; au sens des §§ 2-3, le cogito autorise à la fois une intuition *éidétique* (qui s'énonce par exemple : l'essence du Cogito implique une perception immanente indubitable) et une intuition *individuelle* (tel Cogito de fait, *hic* et *nunc*, est indubitable) ; l'intuition éidétique est vraie pour tous, l'intuition existentielle n'est vraie que pour moi.

2. La possibilité que le monde n'existe pas, n'est pas la possibilité que la perception soit un rêve, une image, mais que le divers des esquisses ne s'unifie pas du tout et soit radicalement discordant. C'est la concordance des esquisses de chose qui est

Il est donc clair de toute façon que tout ce qui dans le monde des choses est là pour moi, n'est par principe qu'une *réalité présumée* (präsumptive); au contraire *moi-même* pour qui le monde est là (à l'exclusion de ce qui est mis « par moi » au compte du monde des choses) ou, si on veut, l'actualité de mon vécu est une réalité (Wirklichkeit) *absolue;* elle est donnée au moyen d'une position inconditionnée et absolument irrécusable [3].

La « thèse » du monde qui est une thèse « contingente » s'oppose à la thèse de mon moi pur et de mon vécu personnel, qui est « nécessaire » et absolument indubitable. *Toute chose donnée corporellement peut également ne pas être; nul vécu donné corporellement n'a la possibilité de ne pas être également :* telle est la loi d'essence qui définit et cette nécessité et cette contingence.

Il est manifeste que la nécessité d'être que possède à chaque moment le vécu actuel n'a pourtant par là même aucune nécessité éidétique pure, c'est-à-dire ne constitue pas la particularisation purement éidétique d'une loi d'essence [4]; c'est la nécessité d'un fait (Faktum) : elle porte ce nom parce qu'une loi d'essence est incorporée au fait, et même ici à son existence (Dasein) [87] comme telle. Dans l'essence d'un moi pur *en général* et d'un vécu *en général* est inscrite la possibilité idéale d'une réflexion qui a pour caractère éidétique d'être

---

contingente. Ceci est absolument nouveau par rapport à Descartes et ne contredit pas le principe d'intentionnalité, puisque ce sont des intentionnalités qui seraient discordantes, ni le principe de l'intuition originaire, puisque c'est une présence corporelle qui faute de concordance apparaîtrait comme un néant de sens. Cf. § 49.

3. Cette réalité du moi est « posée » au sens de l'attitude naturelle. L'analyse du chapitre II conduit ainsi à l'ἐποχή *restreinte* annoncée aux §§ 32 et 33 : la « thèse » du monde où nous vivions confiants est discréditée par la possibilité de la discordance des intentions de la conscience ; mais la « thèse » du moi est confirmée comme « thèse » d'un fait, d'un existant : cette nécessité exceptionnelle d'une réalité que je suis est dès maintenant le « résidu » issu de l'exclusion de la thèse du monde.

4. Sur cette nécessité comme particularisation d'une généralité éidétique, cf. § 6 : l'application d'une vérité géométrique à une réalité naturelle en est le type.

une thèse *d'existence* (Daseinsthesis) évidente et irrécusable (a) [1].

Les réflexions que nous venons de poursuivre font voir clairement aussi qu'on ne peut imaginer aucune preuve, tirée de la considération empirique du monde, qui nous atteste avec une certitude absolue l'existence du monde. Le monde n'est pas sujet au doute en ce sens que nous trouverions des motifs rationnels qui entreraient en ligne contre la force énorme des expériences convergentes, mais en ce sens qu'un doute est toujours *pensable* et qu'il en est ainsi parce que la possibilité du non-être, en tant que possibilité de principe, n'est jamais exclue. Aussi grande soit-elle, la force de l'expérience peut être peu à peu équilibrée ou surpassée [2]. A l'être absolu du vécu rien n'est changé par là ; et même le vécu reste toujours présupposé par tout ce processus.

Notre analyse atteint ici son point culminant. Nous avons acquis les connaissances dont nous avons besoin. Ces relations éidétiques qui se sont révélées à nous recèlent déjà les prémisses de la plus haute importance, d'où nous dégagerons les conclusions que nous voulons introduire touchant la possibilité de principe de détacher (Ablösbarkeit) [3] l'ensemble du monde naturel du domaine de la conscience, de la sphère d'être du vécu ; c'est dans ces conclusions, comme nous pourrons nous

(a) Il s'agit ici d'un cas *tout à fait remarquable* de ces nécessités empiriques qui ont été signalées dans le § 6 à la fin du second alinéa. Cf. sur ce point également, la *IIIe Etude* du t. II de la nouvelle édition des ETUDES LOGIQUES.

[87] 1. La nécessité d'existence de mon vécu est la nécessité d'une loi empirique exceptionnelle, comme est exceptionnel le fait du vécu *hic et nunc* par rapport à tous les faits de la nature.

2. Sur ces notions de poids, d'équilibre, de surpassement, cf. § 138. « L'adéquation » est définie comme excluant toute « gradation de poids » pouvant procéder de l'infirmation ou de la confirmation de l'expérience en cours.

3. Cette expression confirme le dessein de ce chapitre qui est de *séparer une région d'être*. Ce dessein même impose aux conséquences atteintes une « validité restreinte » (dernier mot du chapitre) ; en effet elles ne peuvent s'accorder qu'avec une ἐποχή restreinte et même limitative pour qui la conscience est un *résidu*, non une *origine*.

en persuader, qu'un thème central, quoique non pleinement exploité, des MÉDITATIONS de Descartes (dont l'intention générale est toute différente) trouvera enfin l'audience auquel il a droit. Certes il sera besoin ultérieurement de quelques développements complémentaires, d'ailleurs faciles à mettre en œuvre, pour atteindre notre but ultime. Provisoirement dégageons nos conséquences sans franchir les bornes d'une validité encore restreinte.

CHAPITRE III

LA RÉGION DE LA CONSCIENCE PURE [4]

§ 47. — LE MONDE NATUREL COMME CORRÉLAT DE LA CONSCIENCE [5].

Les réflexions qui suivent se rattachent aux conclusions du dernier chapitre. Notre expérience humaine suit en fait un cours tel qu'il contraint notre raison à dépasser le plan des choses données dans l'intuition [88] (le plan de l' « imaginatio » selon Descartes) et à situer une « vérité physique » sous ces données. Or ce cours

---

4. LE CHAPITRE III *achève le mouvement du chapitre II et conduit la description éidétique aux portes de la phénoménologie transcendantale.* 1° La conscience n'est pas seulement *distincte* de la réalité ; elle est l'absolu auquel est *rapporté* toute transcendance comme « corrélat de conscience » ; l'hypothèse de l' « anéantisement du monde » est l'aiguillon de cette dernière démarche, §§ 47-9. 2° Ce renversement de l'attitude naturelle qui mettait la conscience dans le monde s'apparente désormais à la réduction annoncée et entrevue aux §§ 32-3 : la description qui finit est le commencement de la phénoménologie transcendantale, §§ 50-1. 3° Quelques éclaircissements sont nécessaires concernant quelques transcendances, celle de Dieu, celle de la chose physique, celle de l'homme comme composé psycho-physique et celle de la conscience psychologique, §§ 51-4. — La conscience est encore une « région » de l'être (p. 93), mais nous saurons bientôt qu'elle est l'*Urregion* (§ 76).

5. 1°) *Que la réalité naturelle est relative à la conscience,* §§ 46-9. Poussant à bout la notion de « contingence » du monde, établie plus haut, nous passons à la notion suivante: la « relativité » de l'ordre de fait — celui que la science élabore et celui même qui se donne dans la perception — à un enchaînement, à un style, à une structure ou, comme dit Husserl, à une motivation immanente au vécu lui-même et qui règle la discordance ou la concordance de l'expérience. Comment s'en assurer ? « En détrui-

pourrait aussi être autre[1]. Par là nous n'envisageons pas l'hypothèse où le développement humain n'aurait pas dépassé le stade préscientifique et ne devrait jamais le dépasser, en sorte que le monde physique aurait bien sa vérité mais que nous n'en saurions rien ; nous ne supposons pas non plus que le monde physique soit autre, avec un autre système de lois que celui qui en fait s'impose à nous. Nous allons plus loin : il n'est même pas impensable que le monde de notre intuition puisse être le dernier mot ; « derrière » lui, il n'y aurait pas du tout de monde physique ; autrement dit les choses de la perception ne se prêteraient à aucune détermination mathématique ou physique ; les données de l'expérience excluraient toute espèce de physique du type de la nôtre ; l'enchaînement de l'expérience serait dès lors autre conformément à ce changement de données ; il serait d'un autre type qu'il n'est en fait, dans la mesure où feraient défaut les motivations empiriques qui règlent l'élaboration des concepts et des jugements en physique. Mais à prendre les choses en gros, nous ne sortirions pas du cadre des *intuitions* donatrices que nous désignons sous le titre de « l'expérience simple » (perception, ressouvenir, etc.); des « choses» pourraient s'y offrir comme maintenant; elles se maintiendraient continuellement au sein du divers de l'expérience en tant qu'unités intentionnelles .

Mais nous pouvons, dans la même direction, aller plus loin : il n'est pas de borne qui nous arrête dans la destruction en pensée de l'objectivité (Objektivität) des choses, prise comme corrélat de la conscience empirique

sant en pensée » cet ordre à ses deux niveaux : scientifique et perceptif. Cette audacieuse hypothèse, digne du malin génie de Descartes, illustre bien le rôle de la fiction (§ 4) : par des variations illimitées, l'imagination cherche la résistance d'un invariant éidétique : or l'ordre de fait du monde n'est point nécessaire éidétiquement ; « l'idée de conscience empirique » implique, outre cet ordre et d'autres ordres, la possibilité extrême du néant d'ordre.

[88] 1. La destruction du monde est essayée en imagination selon deux temps : on montre d'abord que c'est l'expérience intuitive qui « motive » la vérité scientifique, cf. § 40 et § 52, puis que l'essence de conscience empirique survit à l'effondrement des *unités* intentionnelles que sont les choses.

(Erfahrungs). Ici il ne faut jamais perdre de vue que, *quoi que les choses soient* — ces choses dont nous seuls faisons l'objet d'énoncés, sur l'être ou le non-être desquelles seuls nous disputons et décidons rationnellement —, *elles sont telles en tant que choses de l'expérience.* C'est elle seule qui leur perscrit leur *sens* [2] ; et, puisqu'il s'agit de choses de fait, il faut entendre par expérience l'expérience actuelle avec son enchaînement empirique ordonné de façon déterminée. Tentons de soumettre à une investigation *éidétique* les types de vécus mis en jeu par l'expérience et en particulier le vécu fondamental que forme la perception des choses; essayons d'y discerner (nous le pouvons manifestement) des nécessités et des possibilités éidétiques; en se réglant sur elles, suivons sur le plan éidétique les modifications possibles par essence qui affectent les enchaînements empiriques motivés : il apparaît alors que le corrélat de notre expérience de fait que nous nommons *« le monde réel »* est seulement *un cas particulier parmi de multiples mondes et non-mondes possibles,* lesquels, de leur côté, ne sont que les *corrélats des modifications éidétiquement possibles portant sur l'idée de « conscience empirique »* [3], avec ses enchaî-[89] nements empiriques plus ou moins ordonnés [1]. On ne

---

2. Pour la première fois il est dit que la perception prescrit le *sens* des choses. Le § 55 dira clairement que la perception est une conscience « donatrice de sens ». A ce niveau préconceptuel le sens est l'unité intentionnelle d'un cours d'apparences : c'est l'ordre de ce divers qui est contingent et destructible en pensée. La notion d'intuition donatrice (p. 7, n. 6) s'éclaire ici.

3. L'essence de « conscience empirique » implique seulement de procéder par esquisses successives. Le non-monde serait le chaos d'esquisses. — « L'enchaînement de l'expérience » (*die Erfahrungszusammenhänge*) désigne ce style plus ou moins ordonné qui motive des « unités de sens » ou choses. *Notre* expérience est appelée plus loin « légitimante » en tant qu'elle motive de telles unités. Elle est une forme contingente de l'idée d'expérience et a pour corrélat la transcendance d'une chose, c'est-à-dire d'une unité de sens. La transcendance de chose est le cas particulier de l'idée toute nue de transcendance que révèle l'hyperbole d'un non-monde.

[89] 1. La notion d'enchaînement empirique ou de motivation permet d'approfondir celle de perceptibilité étudiée au § 45 et de

doit donc pas se laisser abuser par les mots, quand on parle de la transcendance de la chose à l'égard de la conscience ou de son « être-en-soi ». Le concept authentique de la transcendance de la chose, qui sert d'étalon pour tout énoncé rationnel portant sur la chose, ne doit pourtant lui-même avoir d'autre origine que le propre statut éidétique de la perception, que les enchaînements de *structure* déterminée que nous nommons expérience légitimante (ausweisende). L'idée de cette transcendance est donc le corrélat éidétique de l'idée pure de cette expérience probante.

L'analyse vaut pour toute espèce imaginable de transcendance, qui doit pouvoir être traitée comme réalité ou comme possibilité. *Il n'est point d'objet existant en soi que la conscience et le moi de la conscience n'atteignent.* La chose est chose du *monde environnant*, même celle qu'on ne voit pas, même celle qui est réellement possible, qui ne rentre pas dans l'expérience, mais peut y rentrer ou est susceptible peut-être d'y rentrer. *Pouvoir rentrer dans l'expérience* (Erfahrbarkeit), *cela ne signifie jamais une possibilité logique vide,* mais une possibilité qui trouve sa motivation dans l'enchaînement de l'expérience. Celui-ci est de part en part un enchaînement de « *motivation* » [a], intégrant sans cesse de nouvelles motivations et, celles-ci à peine constituées, les remaniant. Les motivations diffèrent par

---

(*a*) Notons ce point : Ce concept phénoménologique fondamental de motivation s'est fait jour dès que j'ai réalisé dans les ETUDES LOGIQUES la séparation de la sphère purement phénoménologique (par contraste avec le concept de causalité qui se rapporte à la sphère transcendante de réalité) : il est une *généralisation* de ce concept de motivation en vertu duquel nous pouvons dire, par exemple du vouloir dirigé sur une fin, qu'il motive le vouloir appliqué aux moyens. Au reste le concept de motivation subit, pour des raisons essentielles, différentes modifications; mais les équivoques qu'elles sucitent sont sans danger et apparaissent même être nécessaires, dans la mesure où la situation phénoménologique est élucidée.

---

préciser le refus de la chose en soi. — Le § 48 reprendra la différence entre la possibilité logique vide et la possibilité motivée par l'horizon d'indétermination de la conscience potentielle.

leur statut d'appréhension ou de détermination ; elles sont plus riches ou moins riches, plus ou moins délimitées ou vagues quant à leur contenu, selon qu'il s'agit de choses déjà « connues » ou « totalement inconnues » et « non encore découvertes », ou, dans le cas d'une chose qui est vue, selon qu'il s'agit de ce qu'on en connaît ou de ce qu'on en ignore encore. Cela dépend exclusivement de la *configuration* (Gestaltung) *éidétique* de ces enchaînements, lesquels sont justiciables d'une investigation purement éidétique, en tenant compte de toutes leurs possibilités. L'essence veut que tout ce qui existe réellement (realiter), mais dont on n'a pas encore une expérience actuelle, peut passer à l'état de donné, ce qui veut dire alors que cette réalité appartient à l'horizon indéterminé mais *déterminable* de ce qui à chaque moment constitue l'actualité de mon expérience. [90] Or cet horizon est le corrélat des composantes indéterminées qui se rattachent par essence à l'expérience que nous faisons des choses ; ces indéterminations réservent — toujours par essence — la possibilité d'être remplies, possibilités nullement livrées à l'arbitraire, mais *prescrites*, motivées *en fonction du type éidétique* de ces composantes. Toute expérience actuelle conduit au delà d'elle-même à des expériences possibles, et celles-ci à leur tour à de nouvelles expériences possibles, et ainsi à l'infini. Ce mouvement s'opère selon des modes et suivant des formes de régulation éidétiquement déterminés et liés à des types à priori.

Toute construction hypothétique introduite par la vie pratique et par la science empirique se réfère à cet horizon variable mais toujours « posé-avec » le monde même; c'est lui qui donne sa signification essentielle à la thèse du monde [1].

---

[90] 1. Un des pièges de l'attitude naturelle est de poser le monde comme non perçu d'abord. Résorber l'existence non perçue dans l'horizon de l'existence perçue et celle-ci parmi les variétés de modes corrélatifs de l'expérience c'est éveiller la conscience à la générosité qu'elle s'ignorait répandre : elle « donne sens ».

§ 48. — Possibilité logique et absurdité de fait d'un monde extérieur a notre monde.

D'un point de vue « logique », il est possible de supposer une réalité en dehors de ce monde ; cela n'implique manifestement aucune contradiction formelle. Cherchons pourtant à quelles conditions éidétiques cette hypothèse est valable, quel type de preuve son sens exige ; cherchons quel est en général le type de preuve déterminé par principe par la thèse d'un être transcendant, quelle que soit la manière correcte d'en généraliser l'essence; nous reconnaissons que cette réalité doit nécessairement *entrer dans l'expérience*, non pas seulement pour un moi qui serait pensé au moyen d'une possibilité logique vide, mais pour quelque moi *actuel;* elle devrait apparaître comme l'unité légitimable[2] des enchaînements d'expériences qui portent sur elle. Or on peut voir (nous ne sommes pas encore en état de le justifier dans le détail ; seules les analyses ultérieures nous en donneront toutes les prémisses[3]) que ce qui est connaissable par *un* moi doit l'être *par principe* par *tous*. Bien qu'*en fait* chacun n'entretienne pas et ne puisse pas entretenir avec tous des rapports d' « intropathie », de compréhension intime, — comme cela nous est interdit par exemple avec les esprits qui vivent peut-être dans les mondes stellaires les plus éloignés —, il existe pourtant, à considérer les choses dans le principe, *des possibilités éidétiques pour instituer un tel accord des esprits,* donc également des possibilités pour que les mondes d'expérience, en fait séparés, fusionnent au moyen de connexions empiriques actuelles en un unique monde intersubjectif, qui serait le corrélat du monde des esprits lui-même élevé à l'unité (celui-ci étant l'extension universelle de la communauté humaine). Si l'on considère ce point,

2. Cf. p. 88, n. 3.

3. Cf. §§ 135, 151-2. L'accord des sujets ne se fonde pas dans l'existence en soi du monde, mais l'intersubjectivité est le medium de la constitution d'un monde commun. (Ideen II, V° *Méditation cartésienne*).

la possibilité, réservée par la logique formelle, qu'il existe des réalités en dehors du monde, en dehors de *l'unique* monde spatio-temporel qui est *fixé* par notre [91] expérience *actuelle*, s'avère une absurdité de fait. S'il y a de façon quelconque des mondes, des choses réelles. les motivations de l'expérience qui les constituent doivent *pouvoir* s'intégrer à mon expérience et à celle de chaque moi de la façon que l'on a caractérisée plus haut en termes généraux. Il va de soi qu'il y a des choses et des mondes de choses qu'on ne peut légitimer de façon déterminée dans aucune expérience *humaine*, mais cette impossibilité a des raisons de pur fait qui tiennent à la limitation de fait de cette expérience.

§ 49. — La Conscience absolue comme Résidu de l'Anéantissement du Monde[1].

D'autre part toute cette analyse n'implique nullement qu'il *doive* du tout y avoir un monde, une chose quelconque. L'existence d'un monde est le corrélat d'un certain divers de l'expérience qui se distingue par certaines configurations éidétiques. Mais *nulle* évidence n'exige que les expériences actuelles ne puissent se dérouler *que* si elles présentent telles formes d'enchaînement ; si l'on consulte purement l'essence de la perception en général et celle des autres espèces d'intuitions empiriques qui coopèrent à la perception, rien de tel ne peut en être conclu. Au contraire il est tout à fait pensable que l'expérience se dissipe en simulacres à force de conflits internes, et non pas seulement dans le détail ; que chaque simulacre, à la différence de notre

[91] 1. Ce paragraphe, un des plus célèbres des Ideen, précise d'abord le § 47 : l'anéantissement du monde n'est pas l'absence d'intentionnalité, mais la destruction par conflit interne de toute vérité intentionnelle, le « simulacre » généralisé. Le divers figuratif des esquisses est ainsi la clef de toute cette analyse : la « configuration » de ce divers porte le destin de tous les enchaînements empiriques ; ainsi l'ordre transcendant du monde est suspendu à l'ordre immanent du vécu. — *Husserl en tire la conséquence radicale : la conscience n'a pas besoin de choses pour exister ; elle est l'absolu affirmé au* § 44 (p. 81 n. 3) et § 46.

expérience de fait, n'annonce pas une vérité plus profonde ; que chaque conflit considéré à sa place ne soit pas justement celui qu'exige un nouvel élargissement du réseau enchaîné des expériences afin de sauvegarder la concordance de l'ensemble ; il est pensable que l'expérience fourmille de conflits irréductibles, et irréductibles non pas seulement pour nous mais en soi ; que l'expérience se rebelle tout d'un coup contre toute prétention de maintenir constamment la concordance entre les positions de choses ; que de son enchaînement disparaisse tout ordre cohérent entre les esquisses, les appréhensions, les apparences ; bref qu'il n'y ait pas de monde. Dans ce cas il serait possible que dans une certaine mesure il vienne pourtant à se constituer des formations offrant une unité rudimentaire : ce seraient des points d'arrêt provisoires pour les intuitions, qui n'auraient ainsi qu'une simple analogie avec les intuitions de choses, puisqu'elles seraient totalement inaptes à constituer des « réalités » permanentes, des unités durables, qui « existent en soi, qu'elles soient ou non perçues ».

Si maintenant nous faisons intervenir les conclusions obtenues à la fin du dernier chapitre et évoquons ainsi la possibilité du non-être incluse dans l'essence de toute transcendance de chose, il devient clair *que l'être de la conscience,* et tout flux du vécu en général, *serait certes nécessairement modifié si le monde des choses venait à s'anéantir, mais qu'il ne serait pas atteint dans* [92] *sa propre existence.* Il serait certes modifié : que signifie, en effet, du point de vue corrélatif de la conscience, l'anéantissement du monde ? Uniquement ceci : en chaque flux du vécu (le flux des vécus d'un moi pris dans sa totalité, infini dans les deux sens) se trouveraient exclues certaines connexions empiriques ordonnées ; cette exclusion entraînerait également celle de certaines autres connexions instituées par la systématisation théorique de la raison et réglées sur les premières. Par contre cette exclusion n'impliquerait pas celle d'autres vécus et d'autres connexions entre les vécus. *Par conséquent nul être réel,* nul être qui pour la conscience se figure et se légitime au moyen d'apparences n'est *nécessaire pour l'être de la conscience même* (entendue en son sens le plus vaste de flux du vécu)[1].

L'être immanent est donc indubitablement un être absolu, en ce sens que par principe nulla « re » indiget ad existendum.

D'autre part le monde des « res » transcendantes se réfère entièrement à une conscience, non point à une conscience conçue logiquement mais à une conscience actuelle.

Ces principes ressortent déjà clairement pour l'essentiel des analyses antérieures (voir les paragraphes précédents). Ce qui est transcendant est *donné* au moyen de certains enchaînements au sein de l'expérience[2]. Une fois donné directement et selon une perfection croissante au sein d'un flux continu de perceptions se révélant concordantes, l'être transcendant se plie à certaines formes méthodiques de la pensée basée sur l'expérience et accède à travers un nombre plus ou moins grand de médiations à une détermination théorique susceptible d'évidence et de progrès incessant. Supposons[3] que la conscience considérée dans son statut de *vécu* et dans son *déroulement* soit en réalité ainsi faite que le sujet de conscience, lorsqu'il entreprend librement les démarches théoriques nécessaires à l'expérience et à la pensée empirique, soit *capable* d'opérer toutes ces connexions (il nous faudrait alors faire intervenir la compréhension mutuelle avec d'autres moi et d'autres flux du vécu) ; supposons en outre que soient effectivement réalisées toutes les régulations correspondantes de la conscience ; supposons donc que du côté de la conscience et de son déroulement il ne manque absolument rien de ce qui serait requis pour qu'apparaisse un monde doté d'unité et pour que ce monde se prête à une connaissance théorique d'ordre

[92] 1. Dans la ruine du monde, je serais encore conscience intentionnelle, mais visant le chaos ; en ce sens je ne serais plus dépendant de choses et d'un monde ; cette hypothèse me relève donc de ma propre indigence pour m'attester celle des choses et du monde.

2. Ici convergent l'*être-donné* pour l'intuitionnisme « naïf » et la *donation* de sens pour la conscience transcendantale.

3. Contre-épreuve de la destruction du monde : le cours du divers de la conscience change et un monde apparaît.

rationnel. Nous demandons alors si, dans cette hypothèse, il serait encore *pensable* et s'il ne serait pas au contraire absurde que le monde transcendant correspondant ne soit *pas*?

Nous voyons donc que la conscience (le vécu) et l'être réel (reales) ne sont aucunement des espèces d'être coordonnées, cohabitant pacifiquement et entrant occasionnellement en « rapport » ou en « liaison »[4]. A prendre les mots dans leur vrai sens, seules se lient et forment un tout les choses qui sont apparentées par [93] leur essence, qui l'une et l'autre ont une essence propre en un sens identique. Sans doute à l'être immanent ou absolu et à l'être transcendant on peut appliquer les mots « étant » (seiende), « objet » (Gegenstand): ils ont bien l'un et l'autre leur statut de détermination ; mais il est évident que ce qu'on nomme alors de part et d'autre objet et détermination objective ne porte le même nom que par référence à des catégories logiques vides. Entre la conscience et la réalité se creuse un véritable abîme de sens. Nous avons d'un côté un être qui s'esquisse, qui ne peut jamais être donné absolument, un être purement contingent et relatif, de l'autre un être nécessaire et absolu, qui par principe ne se donne pas par esquisse et apparence.

Dès lors, même si le sens des mots permet certainement de parler de l'être réel (realen) du moi *humain* et de son vécu de conscience *dans* le monde, et de parler des divers aspects de cet être réel du point de vue des connexions « psycho-physiques »[1], en dépit de tout cela il est clair désormais que la conscience considérée dans sa « *pureté* » doit être tenue pour un *système d'être fermé sur soi* (für sich geschlossener Seinszusammenhang), pour un système *d'être absolu* dans lequel rien ne peut pénétrer et duquel rien ne peut échapper, qui n'a pas de dehors d'ordre spatial ou temporel, qui ne peut se loger dans aucun système spatio-temporel, qui ne peut

4. Comme « région », la conscience n'est *coordonnée* à la « région » réalité que par la notion d'objet (ou d'être au sens d'objet), dont nous savons qu'elle n'est que la première des catégories de l'ontologie formelle (cf. pp. 11, 29, 40) : l'objet, en ce sens, est « le sujet de prédications possibles vraies » (p. 21).

[93] 1. §§ 52-3.

subir la causalité d'aucune chose, ni exercer de causalité sur aucune chose, — si l'on suppose que la causalité a le sens normal de la causalité naturelle qui institue une relation de dépendance entre des réalités [2].

D'autre part l'ensemble du *monde spatio-temporel* dans lequel l'homme et le moi humain viennent s'insérer à titre de réalités individuelles subordonnées, a *en vertu de son sens un être purement intentionnel;* il a par conséquent le sens purement secondaire, relatif d'un être *pour* une conscience. C'est un être que la conscience pose dans ses propres expériences et qui par principe n'est accessible à l'intuition et n'est déterminable que comme ce qui demeure identique dans le divers motivé des apparences, — un être qui *au delà* de cette identité est un Rien [3].

§ 50. — L'Attitude phénoménologique et la Conscience pure en tant que Champ de la Phénoménologie.

Ainsi est inversé le sens usuel de l'expression être. L'être qui pour nous est premier, en soi est second, c'est-à-dire que ce qu'il est, il ne l'est que par « rapport » au premier. Cela n'implique pas qu'un ordre aveugle de lois impose à l'*ordo et connexio rerum* de se régler sur l'*ordo et connexio idearum.* La réalité, aussi bien la réalité d'une chose prise séparément que la réalité du monde dans son ensemble, ne comporte par essence (au sens strict que nous prenons) aucune auto-

---

2. L'origine leibnizienne de ces lignes est attestée par les Méditations cartésiennes, en particulier *IVe Méditation,* § 33.

Le caractère « clos » de la conscience ne supprime pas l'intentionnalité et exclut purement la relation *externe* de causalité entre deux absolus. L'idée de *constitution* donnera son sens proprement husserlien à ces formules leibniziennes : Husserl dira que le monde se constitue « dans » la conscience, bien que cette inclusion ne soit point « *reel* » *mais* « *intentional* » ; cf. en outre, p. 165, n. 3.

3. Ce texte énonce déjà l'idéalisme husserlien (§ 55) et la série d'équivalences dans laquelle il se résume: être transcendant = être intentionnel = être *pour* la conscience = être relatif = unité contingente (et idéalement destructible) d'un divers d'apparences.

[94] nomie. Ce n'est pas en soi quelque chose d'absolu qui se lie secondairement à un autre absolu ; ce n'est, au sens absolu, strictement rien ; elle n'a aucune « essence absolue » ; son titre d'essence est celui de quelque chose qui par principe est *seulement* intentionnel, *seulement* connu, représenté de façon consciente, et apparaissant.

Reportons-nous à nouveau au premier chapitre, à nos considérations sur la réduction phénoménologique. Il est maintenant clair qu'en fait, à l'opposé de l'attitude théorique naturelle dont le monde est le corrélat, une nouvelle attitude doit être possible qui, alors même que la nature physique tout entière a été mise hors circuit, laisse subsister quelque chose, à savoir tout le champ de la conscience absolue. Au lieu donc de vivre naïvement dans l'expérience et de soumettre l'ordre empirique, la nature transcendante, à une recherche théorique, opérons la « réduction phénoménologique »[1]. En d'autres termes, au lieu *d'opérer* de façon naïve, avec leurs thèses transcendantes, les actes qui relèvent de la conscience constituante de la nature et de nous laisser déterminer, par les motivations qui y sont incluses, à des positions de transcendance toujours nouvelles, mettons toutes ces thèses « hors de jeu » ; nous n'y prenons plus part ; nous dirigeons notre regard de façon à pouvoir saisir et étudier théoriquement la *conscience pure dans son être propre absolu*. C'est donc elle qui demeure comme le « *résidu phénoménologique* » cherché ; elle demeure, bien que nous ayons mis « hors circuit » le monde tout entier, avec toutes les choses, les êtres vivants, les hommes, y compris nous-

[94] 1. *Confrontation avec la réduction phénoménologique :* le renversement des rapports entre conscience et réalité rend *possible* l'ἐποχή. En quel sens ? Comprendre que le monde est le corrélat de l'attitude naturelle c'est être *prêt* à suspendre la croyance qui soutient cette attitude. En ce sens, l'hypothèse de la destruction du monde est un des chemins en direction de l'ἐποχή : imaginer le non-monde, c'est déjà nous soustraire au prestige de l'ordre *qui est là.* Mais l'ἐποχή est plus que cette subordination de la réalité à la conscience, c'est le passage au « je » spectateur qui ne coopère plus à la croyance ; à la compréhension de l'attitude naturelle sur son propre terrain, elle ajoute un *geste libre de retrait ;* cf. p. 94, n. 3.

mêmes. Nous n'avons proprement rien perdu, mais gagné la totalité de l'être absolu, lequel, si on l'entend correctement, recèle (birgt) en soi toutes les transcendances du monde, les « constitue » en son sein (in sich) [2].

Elucidons ce point dans le détail. Gardons l'attitude naturelle et *opérons* (vollziehen) [3] purement et simplement tous les actes grâce auxquels le monde est là pour nous. Nous vivons naïvement dans le percevoir et l'expérimenter, dans ces actes thétiques [3] au sein desquels des unités de chose nous apparaissent, non seulement nous apparaissent mais nous sont données avec la marque du « présent » (vorhanden), du « réel » (wirklich). Passant aux sciences de la nature, *opérons* [3] des actes de pensée réglés selon la logique expérimentale, au sein desquels ces réalités, prises comme elles se donnent, sont déterminées en termes de pensée, au sein desquels également on conclut à de nouvelles transcendances en prenant pour fondement ces transcendances déterminées par l'expérience directe. Plaçons-nous maintenant dans l'attitude phénoménologique : *interceptons* dans son principe général l'*opération* [3] de toutes ces thèses cogitatives; c'est-à-dire « mettons entre parenthèses » celles qui ont été opérées et « ne nous associons plus à ces thèses » pour les nouvelles investigations; au lieu de vivre *en* elles, de *les* opérer [3], opérons [3] des actes de [95] *réflexion* dirigés sur elles ; nous les saisissons alors elles-mêmes comme l'être *absolu* qu'elles sont. Nous

2. Cette phrase capitale marque le tournant de la réduction, qui laisse un « résidu », à la constitution qui retient « *en* » *soi* ce qu'elle paraît exclure « *de* » *soi*. La réduction demeurait restreinte tant qu'elle « séparait la conscience » (chap. II) ; en lui « rapportant » la réalité (chap. III), elle devient indiscernable de la constitution transcendantale qui découvre le sens du monde.

3. La répétition du verbe *vollziehen* marque le passage à la phénoménologie transcendantale ; c'est elle qui fait apparaître l'attitude naturelle comme une *opération que nous sommes libres de ne pas faire*. — La présence-*là* est l'horizon de notre « vie enfoncée dans le monde » (*hineinleben*) ; mais vivre enfoncé dans... c'est *opérer* sans le savoir la position du monde. Réduire l'inscience de l'attitude naturelle, c'est cela l'ἐποχή. Dès que je connais l'attitude naturelle comme *opération*, je suis la conscience absolue qui non seulement la réduit, mais la constitue.

vivons désormais exclusivement dans ces actes de second degré dont le donné est le champ infini des vécus absolus — *le champ fondamental de la phénoménologie.*

§ 51. — Signification des Considérations transcendantales préliminaires.

La réflexion est assurément à la portée de quiconque; chacun peut dans sa conscience placer cet acte sous la saisie du regard; mais nous n'avons pas pour autant opéré une réflexion *phénoménologique,* et la conscience ainsi saisie n'est pas la conscience pure[1]. Les considérations radicales du genre de celles que nous avons poursuivies sont donc nécessaires pour nous contraindre de reconnaître qu'il existe, qu'il peut exister, quelque chose comme le champ de la conscience pure qui ne soit pas un fragment de la nature; elle l'est si peu que la nature n'est possible qu'à titre d'unité intentionnelle motivée dans la conscience au moyen de connexions immanentes. Ces considérations sont nécessaires pour reconnaître en outre que cette unité n'est donnée et ne se prête à une étude théorique que si l'on reste dans une tout autre attitude que celle qui permet d'étudier la conscience qui « constitue » cette unité et d'étudier de même toute espèce de conscience absolue. Elles sont nécessaires si nous considérons la misère philosophique dans laquelle nous nous débattons vainement, et que nous nous dissimulons sous un titre fallacieux quand nous parlons d'une conception de la vie fondée sur les sciences de la nature; il faut que l'on aperçoive enfin clairement que l'étude transcendantale de la conscience ne signifie pas l'étude de la nature ou qu'elle ne peut la présupposer à titre de prémisse; en effet dans l'attitude transcendantale la nature est par principe mise entre parenthèses. Ces considérations sont nécessaires pour reconnaître que si sous forme de réduction phénoménologique nous faisons abstraction de l'ensemble du monde nous faisons tout autre chose qu'abstraire simplement des composantes d'un système

[95] 1. Cf. p. 67, n. 4.

plus vaste, que cette opération ait un caractère de nécessité ou de pur fait. S'il était impossible de penser le vécu de la conscience en dehors de son entrelacement avec la nature, dans le *même* sens où l'on dit que les couleurs sont impensables en dehors de l'étendue, nous ne pourrions pas considérer la conscience comme une région absolument propre, au sens où nous sommes obligés de le faire. Il faut comprendre qu'une « abstraction » à partir de la nature ne peut donner qu'une réalité naturelle mais jamais la conscience trancendantalement pure. Encore une fois la réduction phénoménologique ne consiste pas purement à limiter le jugement à un fragment prélevé sur la totalité de l'être réel dont il dépend [2]. Dans toutes les sciences particulières portant [96] sur la réalité l'intérêt théorique se limite à tel ou tel secteur particulier de la réalité totale, les autres demeurent hors de question dans la mesure où on n'est pas contraint par des relations réelles (reale) qui se déploient dans un sens ou dans l'autre, à procéder à des études chevauchant sur plusieurs secteurs. En ce sens la mécanique fait « abstraction » des processus optiques. La physique fait abstraction, au sens le plus large du mot, de l'ordre psychologique. C'est pourquoi, comme nul savant ne l'ignore, il n'est pas néanmoins dans la réalité de secteur isolé; l'ensemble du monde forme finalement une unique « nature » et toutes les sciences de la nature sont les articulations d'une unique science de la nature. Le principe est essentiellement différent quand on passe au domaine des vécus en tant qu'essences absolues. Ce domaine est solidement clos sur lui-même, sans pourtant avoir de frontières qui puissent le séparer d'autres régions. Car ce qui le délimiterait devrait encore partager avec lui une communauté d'essence. Or il est le tout de l'être absolu au sens déterminé que nos analyses ont fait apparaître [1]. Il est par essence indépendant de tout être appartenant au monde, à la nature, et ne le requiert même pas pour son *existence* (Existenz).

2. Ce texte important confirme que la première interprétation de l'ἐποχή comme séparation d'un « résidu » sera dépassée par la suite.

[96] 1. Cf. p. 93 n. 2. Ainsi la conscience est d'abord un « résidu » qu'on découvre ensuite être le tout de l'être absolu.

L existence d'une nature ne *peut* pas conditionner l'existence de la conscience, puisqu'une nature se promeut (heraustellt) elle-même comme corrélat de la conscience ; elle *n'est* qu'en tant qu'elle se constitue au sein d'un enchaînement ordonné de la conscience.

Remarque.

Notons encore un point en passant, pour prévenir toute erreur d'interprétation; c'est un fait que le cours de la conscience présente un ordre donné dans ses différenciations en individus; or cette facticité et la *téléologie* immanente à ces formes individuelles donnent une occasion légitime de s'interroger sur les fondements qui rendent raison de cet ordre précis; si on recourt au nom de la raison à l'hypothèse d'un *principe théologique*, des raisons éidétiques nous *interdisent d'y voir une transcendance au sens où le monde en est une*[2]; nous commettrions un cercle vicieux, comme il ressort dès l'abord avec évidence de nos constatations. C'est dans l'absolu lui-même et dans une considération radicalement absolue qu'il faut trouver le principe qui confère à cet absolu un ordre. En d'autres termes, comme un Dieu « mondain » (mundaner) est évidemment impossible, comme d'autre part l'immanence de Dieu dans la conscience absolue ne peut être prise au sens où est immanent l'être comme vécu (ce qui ne serait pas moins absurde), il faut bien que dans le flux absolu de la conscience et dans les différents aspects de son infinité, il y ait d'autres façons d'annoncer des transcendances en dehors de la constitution de la réalité des choses en tant qu'unités d'apparences concordantes; et il faut bien finalement qu'il y ait aussi des intuitions qui annoncent cette transcendance; c'est à elles que la [97] pensée théorique pourrait s'adapter et c'est en nous con-

2. La portée de cette remarque est seulement négative : si le problème de Dieu est le problème de la téléologie (pourquoi ce monde et cet ordre de fait ?), le principe de l'ordre n'est pas transcendant au sens de « mondain », ni non plus immanent au sens de « vécu » : ce doit être un absolu qui s'annonce de manière spécifique dans la conscience absolue. Le § 58 fermera définitivement cette porte entr'ouverte.

formant à elles dans un esprit rationnel que nous pourrions arriver à comprendre le rôle souverain d'unification qu'on prête au principe théologique. Dès lors il est également évident que ce rôle souverain ne saurait se prêter à une interprétation causale, au sens du concept naturel de causalité; celui-ci en effet s'abaisse pour se mettre au ton des réalités et des connexions fonctionnelles propres à leur essence particulière.

Cependant il ne convient pas que nous poursuivions ces remarques. Notre propos immédiat ne concerne pas la théologie mais la phénoménologie, même si sous forme médiate la seconde doit être de grande importance pour la première. Quant à la phénoménologie, les considérations fondamentales auxquelles nous venons de nous livrer nous sont d'un grand service, dans la mesure où elles sont le moyen indispensable pour discerner dans la sphère absolue son champ d'étude propre.

§ 52. — Considérations complémentaires. La Chose selon la Physique et la « Cause inconnue des Apparences »[1].

Mais il nous faut apporter quelques compléments nécessaires. La dernière série de nos réflexions a été principalement consacrée à la chose selon l'imagination sensible; nous n'avons pas fait la place qu'elle méritait à la chose selon la physique, à l'égard de laquelle la chose qui apparaît aux sens (la chose donnée dans la perception) doit jouer le rôle de « pure apparence », bien plus

[97] 1. Compléments au § 40. On avait eu besoin seulement de justifier la trancendance du perçu ; il faut maintenant situer positivement la transcendance de la chose physique par rapport à celle-ci, et mettre à l'épreuve le principe de la constitution de la transcendance dans l'immanence. Ce n'est donc plus la « subjectivité » des qualités qui est en cause mais le réalisme physique. Ce paragraphe explicite la thèse que supposait la fiction de la destruction du monde(p. 88 n. 1) : à savoir que la chose physique est « motivée » par le cours de l'expérience sensible. Nous n'avons donc pas ici une théorie générale de la physique ; il s'agit exclusivement de réfléchir sur le mode d'*existence transcendante* de la chose physique.

doit paraître quelque chose de « purement subjectif ». Pourtant si l'on se réfère aux exigences de nos analyses antérieures, cette pure subjectivité ne doit pas être confondue, comme il arrive si fréquemment, avec la subjectivité d'un vécu, comme si les choses perçues se réduisaient à leurs qualités de perception et comme si ces dernières elles-mêmes étaient des vécus. De plus ce ne peut être l'opinion véritable du savant (surtout si nous nous attachons non à ce qu'il dit mais à la signification réelle de sa méthode) que la chose qui apparaît soit un simulacre ou une image-portrait (Bild) erronée de la « vraie chose » physique. Il est également trompeur de dire que les déterminations apparentes sont les « *signes* » des déterminations véritables [a].

Pouvons-nous dire maintenant, au sens du *réalisme* » si répandu, que ce qui est réellement perçu (et ce qui, au premier sens du mot, apparaît) doit de son côté être considéré comme l'apparence, comme la base instinctivement pressentie de quelque chose d'autre qui dans son intimité lui est étranger et en est séparé? Du point de vue théorique, faut-il voir dans cette autre chose une réalité qu'on demande d'accepter à titre d'hypothèse, à seule fin d'expliquer le cours des vécus de [98] l'apparence, et une réalité totalement inconnue qui serait à l'égard de ces apparences une *cause* cachée qu'on pourrait seulement caractériser de façon indirecte et analogique par le biais de concepts mathématiques?

Prenons pour base nos précédentes analyses (les analyses ultérieures permettront de les approfondir davantage et ne cesseront de les renforcer) : il apparaît clairement que les théories de ce genre ne sont possibles qu'aussi longtemps qu'on se garde de considérer sérieusement et de justifier scientifiquement le sens du donné de chose (Dinggegebenem) et par conséquent aussi celui de la « chose en général », tel qu'il est contenu dans l'*essence* propre de l'expérience — bref le sens qui constitue la norme absolue de tout énoncé rationnel portant sur des choses. Ce qui répugne à ce sens (Sinn) est précisément absurde (widersinnig) dans l'acception la plus

(*a*) Cf. les développements consacrés à la théorie des images et des signes au § 43, pp. 78 et suiv.

stricte de ce terme (a), et c'est indubitablement le cas de toutes les doctrines épistémologiques du genre de celles que nous examinons.

Il est même aisé de prouver que si cette cause inconnue que l'on allègue existe du tout, elle doit *par principe* pouvoir être perçue et tomber dans l'expérience, sinon pour nous, du moins pour d'autres moi dotés d'une vision meilleure et plus ample. En outre il ne s'agit pas là d'une possibilité vide, purement logique, mais d'une possibilité éidétique riche de contenu et tirant sa validité de ce contenu. Mais encore il faudrait montrer que cette perception possible doit être elle-même à son tour, en vertu d'une nécessité éidétique, une perception par le moyen d'apparences et que l'argument nous a inévitablement entraînés dans une régression à l'infini. Il faudrait encore considérer que si on explique les phénomènes qui sont donnés dans la perception au moyen de réalités causales qu'on pose hypothétiquement, au moyen de choses inconnues (comme par exemple quand on explique certaines perturbations dans le cours des planètes par l'hypothèse d'une nouvelle planète inconnue, Neptune), l'explication diffère dans son principe même de celle qui consiste à donner une détermination physique des choses empiriques et à recourir à un procédé physique d'explication du genre des atomes, des ions, etc. Il y aurait dans le même ordre d'idées bien des points à développer.

Il ne nous est pas permis de nous engager ici dans une discussion systématique qui prétendrait épuiser toutes ces interférences de problèmes. Il suffit à notre propos de mettre clairement en relief quelques points principaux.

[99] Pour revenir à notre problème, nous posons un premier point qu'il est aisé de justifier : dans la méthode physique c'est *la chose même que nous percevons* qui est toujours et par principe *précisément la chose qu'é-*

(a) Dans cet ouvrage l'absurdité est un terme *logique* qui n'exprime aucune appréciation affective étrangère à la logique. Même les plus grands savants ont à l'occasion succombé à l'absurdité, et si c'est notre devoir scientifique de le déclarer, cela ne porte point préjudice au respect que nous leur portons.

tudie le physicien et qu'il détermine scientifiquement.

Cette proposition semble contredire les propositions énoncées plus haut ([a]), où nous tentions de déterminer exactement le sens des expressions dont use couramment le physicien, le sens de la distinction traditionnelle entre qualités premières et secondes. Après avoir éliminé quelques erreurs manifestes d'interprétation, nous avons dit que « la chose proprement empirique » nous donne le « simple ceci », un « X vide », destiné à supporter les déterminations exactes établies par la physique, lesquelles ne tombent pas elles-mêmes dans l'expérience proprement dite. L'être « physiquement vrai » serait donc « par principe autrement déterminé » que ce qui est « corporellement » donné dans la perception elle-même. Le donné s'offre là avec des déterminations purement sensibles qui précisément ne sont pas d'ordre physique.

Cependant les deux exposés s'accordent parfaitement et nous n'avons pas de sérieuses réserves à opposer à cette interprétation du point de vue physique. Nous devons seulement la comprendre correctement. Ce qui nous est interdit absolument c'est de tomber dans les théories fondamentalement erronées des images et des signes que nous avons envisagées plus haut et réfutées en même temps dans leur racine et dans leur principe général, sans prendre particulièrement en considération la chose physique ([b]). Une image-portrait ou un signe renvoient à quelque chose qui se trouve hors d'eux et qui pourrait être saisi « en personne » si l'on passait à un autre mode de représentation, à l'intuition donatrice. Un signe et une image « n'annoncent » pas dans leur ipséité (Selbst) l'ipséité de ce qui est désigné ou dépeint par l'image. Au contraire la chose physique n'est pas étrangère à ce qui apparaît corporellement aux sens; elle s'annonce dans cette apparence, et même à priori (pour des raisons éidétiques irrécusables) *ne* s'annonce de façon originaire *qu'*en elle. Dès lors le statut sensible de détermination du X, dont le rôle est de porter les déterminations physiques, n'est pas non

(*a*) Cf. ci-dessus, p. 72, § 40.
(*b*) Cf. ci-dessus, § 43, p. 87.

plus un revêtement étranger à ces dernières et qui les dissimule; au contraire, c'est seulement dans la mesure où cet X est le sujet des déterminations sensibles qu'il est aussi le sujet des déterminations physiques, lesquelles de leur côté *s'annoncent* dans les déterminations sensibles. Il ressort de cette analyse détaillée que par principe une chose, et précisément la chose dont parle le physicien, ne peut être donnée que de façon sensible, dans des « manières d'apparaître » sensibles; l'élément identique qui apparaît dans la continuité mouvante de [100] ces manières d'apparaître est cela même que le physicien, en se référant à toutes les connexions empiriques possibles (donc perçues ou perceptibles) et susceptibles d'être prises en considération à titre de « circonstances » (Umstände), soumet à l'analyse causale et étudie en fonction d'enchaînements réels d'ordre nécessaire. La chose qu'il observe, sur laquelle il fait des expériences, qu'il voit constamment, manipule, pèse, met au four, cette chose et non une autre, devient le sujet des prédicats physiques, puisque c'est elle qui a poids, masse, température, résistance électrique, etc. Ce sont de même les processus et les enchaînements perçus eux-mêmes qui sont déterminés par des concepts tels que force, accélération, énergie, atome, ion, etc. La chose qui apparaît aux sens, qui a les formes sensibles, les couleurs, les propriétés olfactives et gustatives, ne sert nullement de signe pour une *autre* chose, mais dans une certaine mesure de signe *pour elle-même*.

Voici tout au plus ce qu'on peut dire : prenons la chose qui apparaît avec telle ou telle propriété sensible, dans des circonstances phénoménales données; *pour le physicien qui a déjà fixé dans ses grandes lignes la détermination physique* de ce genre de choses en général sous forme de connexions du type approprié entre les apparences, cette chose qui apparaît est l'indication d'une abondance de propriétés causales de cette même chose qui en tant que telles s'annoncent précisément dans des relations de dépendance de type familier entre les apparences elles-mêmes. Ce qui s'annonce alors — précisément en tant que s'annonçant au sein d'unités intentionnelles entre des vécus de conscience — est par principe transcendant.

De tout cela il ressort clairement que *même la transcendance supérieure de la chose physique n'implique point que l'on transgresse le monde tel qu'il est pour la conscience,* ou pour tout moi (considéré isolément ou dans un rapport d'intropathie) jouant le rôle de sujet de connaissance.

Telle est la situation dans ses traits généraux : c'est sur le soubassement de l'expérience naturelle (ou des thèses naturelles qu'elle opère) que s'édifie la pensée physique; *docile aux motifs rationnels* que lui suggèrent les enchaînements de l'expérience, elle est forcée de mettre en œuvre certains modes d'interprétation, certaines constructions intentionnelles, comme exigés par la raison, et de les mettre en œuvre pour *déterminer théoriquement* les choses données dans l'expérience sensible. De là procède précisément l'opposition entre la chose selon la simple imaginatio sensible et la chose selon l'intellectio physique; de là aussi, du côté de [101] l'intellectio, tous les schémas ontologiques idéels qui trouvent leur expression dans les concepts physiques et qui puisent leur sens et peuvent exclusivement le puiser dans la méthode des sciences de la nature [1].

Ainsi, sous le couvert de la physique, la raison en œuvre dans la logique expérimentale élabore un corrélat intentionnel de degré supérieur et *dégage* de la nature qui simplement apparaît la nature physique : mais on s'engage dans la mythologie si on s'empare de cette donnée rationnelle *évidente,* qui n'est pourtant que la *détermination selon la logique expérimentale* de la nature donnée dans la simple intuition, et si on la traite comme un monde *inconnu* de réalités qui seraient des choses en soi et qu'on introduirait à titre d'hypothèse afin d'expliquer de façon causale les apparences.

Dès lors il est absurde de rattacher les choses sensibles et les choses physiques par un lien de *causalité.* C'est ainsi que dans le réalisme courant les apparences sensibles, c'est-à-dire les objets comme tels qui apparaissent (qui sont eux-mêmes déjà des transcendances),

---

[101] 1. Les déterminations scientifiques sont donc des corrélats intentionnels de degré supérieur, d'actes « fondés » sur la perception « simple » (§ 93, § 116).

sont confondus au nom de leur « pure subjectivité » avec les vécus absolus de l'apparaître qui les constituent, avec les vécus de la conscience empirique en général. On commet partout cette confusion, au moins sous la forme suivante : on s'exprime comme si la physique objective (objektive) s'attachait à expliquer non pas « l'apparence des choses », en comprenant sous ce mot les choses même qui apparaissent, mais en entendant les *vécus* qui constituent cette apparence au sein de la conscience empirique. Par principe la causalité est immanente au système de rapports du monde intentionnel une fois constitué et n'a de sens qu'à l'intérieur de ce système; or on commence par en faire un lien mythique entre l'être physique « objectif » et l'être « subjectif » tel qu'il apparaît dans l'expérience immédiate — c'est-à-dire la chose sensible « purement subjective » avec ses « qualités secondes » ; — mais surtout, par le passage illégitime de cet être « subjectif » à la conscience qui le constitue, on fait de la causalité un lien entre l'être physique et la conscience absolue et spécialement les vécus purs de la conscience empirique. On introduit ainsi sous l'être physique une réalité absolue de nature mythique, tandis qu'on ferme les yeux au véritable absolu, à la conscience pure en tant que telle. On ne remarque donc pas à quel point il est absurde de porter à l'absolu la nature physique qui n'est que le corrélat intentionnel de la pensée déterminant logiquement son objet; avec la même absurdité, cette nature physique, qui confère au monde des choses des déterminations en termes de logique expérimentale et qui dans ce rôle est parfaitement *connue* (il est dénué de sens de chercher quoi que ce soit derrière elle), est [102] transformée en réalité inconnue qui se signale de façon mystérieuse mais ne se laisse jamais saisir en *elle-même* ni selon aucune de ses déterminations propres, et à laquelle on prête désormais le rôle d'une réalité *causale* par rapport au cours des apparences subjectives et des vécus de la conscience empirique.

Il est une circonstance qui exerce certainement une influence appréciable sur toutes ces méprises : on interprète faussement le *manque d'intuitivité sensible* (Unanschaulichkeit) qui s'attache aux unités catégoriales de pensée et naturellement, dans une mesure particulièrement frappante, aux catégories de formation très médiates; et on interprète faussement la tendance — utile dans la pratique de la connaissance — à soutenir ces règles unificatrices de pensée par des images sensibles, par des « modèles » (Modelle); l'élément dépourvu d'intuitivité sensible serait le *représentant symbolique* d'un facteur caché qu'une meilleure organisation intellectuelle permettrait de convertir en intuition sensible simple; les modèles serviraient d'images schématiques d'ordre intuitif à l'égard de cette réalité cachée ; elles auraient donc une fonction analogue à ces dessins hypothétiques qu'esquisse le paléontologiste pour reconstituer les mondes disparus de vivants à partir de données insuffisantes. On ne remarque pas le sens *évident* que comportent par elles-mêmes ces constructions de la pensée unificatrice; on ne voit pas que le facteur hypothétique est lié ici à l'œuvre de la pensée synthétique. Même une physique divine ne peut convertir en intuitions simples les déterminations de la réalité que la pensée réalise par ses catégories, pas plus que l'omnipotence divine ne peut faire qu'on puisse peindre ou jouer au violon des fonctions elliptiques[1].

Certes ces développements demandent à être approfondis et peuvent éveiller en nous le besoin d'éclaircir complètement tous les rapports mis en cause : du moins nous avons acquis l'évidence nécessaire à notre propos, à savoir que par principe la transcendance de la chose physique est la transcendance d'un être qui se constitue dans la conscience, qui est lié à la conscience, et que rien n'est changé à nos conclusions par la considération des sciences de la nature de type mathématique, même si leur connaissance enveloppe bien des énigmes particulières.

On comprendra sans développement nouveau que tous les éclaircissements concernant les objectivités de la nature en tant que « simples choses » (Sachen) valent nécessairement pour toutes les objectivités axiologiques et pratiques qui trouvent en elles leur fondement,

[102] 1. Cf p. 78 n. 1, 81 n. 2, 157 (*a*).

pour les objets esthétiques, pour les produits de la civilisation, etc., et finalement pour toutes les transcendances en général qui se constituent en rapport avec la conscience [2].

[103] § 53. — LES ETRES ANIMÉS (ANIMALIEN) ET LA CONSCIENCE PSYCHOLOGIQUE [1].

Nos considérations appellent une nouvelle extension fort importante. Nous avons introduit dans le cercle de nos constatations l'ensemble de la nature matérielle, la nature qui apparaît aux sens et la nature physique édifiée sur celle-ci à titre de degré supérieur de connaissance. Quel est maintenant le statut des *réalités animées,* hommes et bêtes? Quel est leur statut en ce qui concerne leur *âme* (Seele) et leurs *vécus psychiques* (seelischen) ? Le monde dans sa totalité n'est pas simplement physique mais psycho-physique. De lui doivent dépendre — cela est indéniable — tous les flux de conscience liés à des corps animés (beseelten). Ainsi *d'un côté la conscience doit être l'absolu* au sein duquel se constitue tout être transcendant et donc finalement le monde *psycho-physique* dans sa totalité; et *d'autre part* la conscience doit être un *événement réel* (reales) *et subordonné à l'intérieur de ce monde.* Comment concilier les deux choses?

Il s'agit d'élucider de quelle façon la conscience vient pour ainsi dire s'insérer dans le monde réel, comment ce qui en soi est absolu peut perdre son immanence et revêtir le caractère de transcendance. Nous voyons du même coup que cela n'est possible que par une certaine participation à la transcendance en son sens premier, originaire, c'est-à-dire manifestement à la transcendance de la nature matérielle. C'est uniquement par la

---

2. Cf. p. 66.

[103] 1. On se rappelle que la conscience est mêlée au monde de deux façons : par son corps, par la perception, § 39. Le premier lien se subordonne au premier puisque c'est dans le monde perçu que la conscience est donnée comme conscience d'un animal, d'un homme. L' « âme » est dans le monde, « réalisée » par son corps, c'est une transcendance.

relation empirique au corps que la conscience devient une conscience humaine et animale d'ordre réel; c'est par là uniquement qu'elle prend place dans l'espace de la nature et dans le temps de la nature — dans le temps qui se prête à des mesures physiques. Nous n'oublions pas non plus que c'est uniquement par la liaison de la conscience et du corps en une unité naturelle donnée à l'intuition empirique qu'est possible quelque chose comme une compréhension mutuelle entre des êtres animés appartenant à un unique monde et que c'est uniquement par ce moyen que chaque sujet connaissant peut découvrir le monde total comme l'englobant, lui et d'autres sujets, et en même temps le reconnaître comme étant le seul et même environnement (Umwelt) qui appartient en commun à lui et aux autres sujets[2].

Il faut une *appréhension, une expérience d'un type original*, une « *aperception* » (Apperzeption) d'un type original pour opérer ce que nous avons appelé cette « liaison », cette réalisation (Realisierung) de la conscience. En quoi consiste cette aperception? Quel type particulier de légitimation requiert-elle ? Il n'importe pas ici[3]. Du moins il est absolument manifeste que la conscience elle-même ne perd rien de sa propre essence dans cet entrelacement d'ordre aperceptif, ou dans cette relation psycho-physique au plan corporel et qu'elle ne [104] peut rien admettre en soi d'étranger à son essence sous peine d'absurdité. L'être corporel est par principe un être qui apparaît, qui se figure par esquisses sensibles. La conscience aperçue de façon naturelle, — le flux des vécus donné comme celui d'un homme et d'un animal et par conséquent soumis à l'expérience en liaison avec

2. Cf. Ve *Méditation* et *supra*, § 47, p. 90.

3. Cf. Ideen II. Cette constitution de l'âme sur la base du corps tient une place considérable dans cet ouvrage. Ici on se contente de montrer que cette transcendance ne pose pas de problèmes nouveaux d'existence, puisque le corps apparaît par esquisse, et que l'union de l'âme et du corps est encore un cas de transcendance « fondée » sur une réalité de degré inférieur. La seule nouveauté est que cette transcendance c'est l'immanence de la conscience « qui s'aliène » (*zu einem Anderen geworden*). C'est pourquoi le § 54 appliquera à la conscience psychologique l'hypothèse de la destruction du monde pour en attester la relativité à la conscience pure.

la corporéité, — n'est pas bien entendu transformée elle-même par cette aperception en un être qui apparaît par esquisses.

Et pourtant elle est devenue autre chose, une partie intégrante de la nature. En soi-même elle est ce qu'elle est : d'essence absolue. Mais ce n'est pas en cette essence, dans son eccéité (Diesheit) fluante qu'elle est saisie; elle est « appréhendée comme quelque chose »; et dans cette appréhension originale se constitue une *transcendance* originale : ce qui apparaît maintenant c'est un *état* de conscience (Zuständlichkeit) appartenant à un sujet personnel identique et *réel*, qui dans cet état de conscience annonce ses *propriétés réelles individuelles;* ce sujet réel — entendu *comme* cette unité des propriétés qui s'annoncent dans des états de conscience — la conscience le saisit dans son unité avec le corps qui apparaît. Ainsi *sur le plan des apparences* se constitue l'unité naturelle de type psycho-physique qu'on nomme homme ou animal : c'est une unité *fondée* corporellement et correspondant à la fonction de fondement exercée par l'aperception.

Comme en toute aperception instituant une transcendance il est possible ici aussi d'adopter une *double attitude.* Selon *l'une* le regard de l'attention se porte sur l'objet aperçu en quelque sorte à travers l'appréhension qui institue la transcendance; selon l'autre il se porte réflexivement sur la conscience pure qui l'appréhende. Dès lors nous avons dans notre cas d'un côté *l'attitude psychologique* où le regard, gardant son orientation naturelle, se porte sur les vécus, par exemple, le vécu de la joie, en tant qu'*état de conscience* vécu par un homme ou un animal. De l'autre côté nous avons *l'attitude phénoménologique* impliquée dans la précédente à titre de possibilité éidétique : par réflexion et par exclusion des positions transcendantes le regard se tourne vers la conscience pure absolue et découvre alors l'aperception propre aux états de conscience appliquée désormais à un vécu absolu: c'est le cas dans l'exemple ci-dessus pour le vécu affectif de la joie considéré comme datum phénoménologique absolu, mais par l'intermédiaire d'une fonction d'appréhension qui l'anime; cette fonction consiste précisément à « annoncer » les états de conscience d'un sujet personnel humain dans leur liaison avec le corps qui apparaît. Le vécu « pur » « réside » en un certain sens dans ce qui est aperçu de façon psychologique, dans le vécu en tant qu'état de conscience d'un homme; tout en conservant sa propre essence il adopte la forme d'un état de conscience et du même coup la relation intentionnelle à un moi humain [105] et à un corps humain. Que le vécu considéré, dans notre exemple le sentiment de joie, perde cette forme intentionnelle (et cela est tout à fait pensable), il subit sans doute une altération, mais ce ne peut être qu'une simplification, un retour à la *conscience pure* qui met fin à sa signification comme événement naturel.

§ 54. — Suite. Que le Vécu psychologique transcendant est Contingent et Relatif, le Vécu transcendantal nécessaire et absolu.

Faisons une hypothèse : nous opérons des aperceptions naturelles, mais elles sont constamment sans validité, elles ne permettent aucun enchaînement concordant où puissent se constituer pour nous des unités empiriques; en d'autres termes figurons-nous, au sens de nos développements antérieurs ([a]), que toute la nature et d'abord la nature physique soit « anéantie » : il n'y a plus de corps et donc plus d'êtres humains. Moi-même comme homme je n'existe plus et à plus forte raison il n'existe plus pour moi d'autres hommes à côté de moi. Mais les composantes du vécu peuvent être aussi altérées qu'on veut, la conscience reste un flux absolu de vécus qui conserve son essence propre. Subsiste-t-il quelque chose qui permette de saisir les vécus comme des « états » d'un moi personnel? Des propriétés personnelles identiques s'annoncent-elles encore dans les changements de ces états? Nous pouvons également dissoudre ces appréhensions, défaire les formes intentionnelles qui les constituent et les réduire aux vécus purs. *Les états psychiques eux aussi* renvoient à des règles qui ordonnent (Regelungen) les vécus absolus au

(*a*) Cf. § 49, p. 91.

sein desquels ils se constituent et prennent la forme intentionnelle, et transcendante à leur façon, « d'états » de conscience. Il est certain qu'on peut penser une conscience sans corps et, aussi paradoxal que cela paraisse, sans âme (seelenloses), une conscience non personnelle (nicht personales) [1], c'est-à-dire un flux vécu où ne se constitueraient pas les unités intentionnelles empiriques qui se nomment corps, âme, sujet personnel empirique, et où tous ces concepts empiriques, y compris par conséquent celui du *vécu au sens psychologique* (en tant que vécu d'une personne, d'un moi animé) perdraient tout point d'appui et en tout cas toute validité. *Toutes* les unités empiriques, y compris les vécus psychologiques, jouent le rôle *d'index* (Indices) *à l'égard des enchaînements absolus du vécu* présentant une configuration éidétique distinctive, à côté de laquelle précisément d'autres configurations sont encore pensables ; toutes sont dans le même sens transcendantes, purement relatives, contingentes. On doit se convaincre que [106] s'il paraît aller de soi que tout vécu propre ou étranger tombe dans l'expérience en tant qu'état psychologique et psycho-physique de sujets animés, et cela de façon tout à fait légitime, cette évidence trouve ses limites dans les considérations qu'on vient d'indiquer; face au vécu empirique et *conditionnant son sens,* on trouve le vécu *absolu;* ce vécu absolu n'est pas une construction métaphysique, mais il peut être légitimé de façon indubitable dans son être absolu par un changement convenable d'attitude et donné dans une intuition directe. On doit se convaincre que le *psychique en général, au sens qu'il prend en psychologie,* que les personnalités psychiques, les propriétés, les vécus ou les états psychiques, sont des unités *empiriques;* comme les réalités de tout genre et de tout degré, ce sont donc de simples

[105] 1. Une question critique se pose ici : si la personnalité est un moment de la conscience psychologique *constituée en transcendance,* en quel sens la conscience absolue est-elle encore un *Ego ?* En quel sens subsiste-t-il au niveau transcendantal un problème de l'intersubjectivité ? Ce point est un des plus difficiles de la phénoménologie transcendantale. Il sera traité sommairement au § 57. Husserl y avoue ses variations et annonce une réponse plus large dans IDEEN II, cf p. 109 n. 1.

unités de « constitution » intentionnelle — existant véritablement (wahrhaft seiend) en leur propre sens; on peut les percevoir, en faire l'expérience, les déterminer scientifiquement sur la base de l'expérience — pourtant ils sont « purement intentionnels » et donc purement « relatifs ». Il est donc absurde de supposer qu'ils existent au sens absolu.

§ 55. — Conclusion. Que nulle Réalité n'existe sans une « Donation de Sens » (Sinngebung). Refus d'un « Idéalisme subjectif » [1].

On peut encore dire d'une certaine manière et non sans précaution dans l'emploi des mots : *Toutes les unités réelles sont des « unités de sens »* (Einheiten des Sinnes). Des unités de sens présupposent une *conscience donatrice de sens* (sinngebendes), non point, je le souligne à nouveau, parce que nous le déduisons de quelque postulat métaphysique, mais parce que nous pouvons l'établir par des procédés intuitifs exempts de tout doute; cette conscience de son côté est absolue et ne dépend pas à son tour d'une donation de sens. Si le concept de réalité est tiré des réalités *naturelles,* des unités d'une expérience possible, on peut sans doute identifier le « tout du monde », le « tout de la nature » avec le tout des réalités; mais il est absurde de l'identifier au tout de *l'être* et par là même de le porter à l'absolu. Une *réalité absolue équivaut exactement à un carré rond.* La réalité et le monde sont ici précisément un titre général pour désigner certaines *unités de sens* dotées de validité, à savoir des unités de « sens » se

[106] 1. Le *paragraphe de conclusion* met l'accent sur le côté positif de l'attitude transcendantale : la réduction est l'envers de la constitution : *Sinngebung et Konstitution* sont rigoureusement synonymes. Le verbe *geben* souligne l'activité de la conscience absolue dans l'intuition même, qui reste intuition (cf. l'expression *gebende Anschauung*) : toute l'originalité de la phénoménologie de Husserl est cette identité du « voir » et du « donner ». — *Sinn* a un sens très large (et non le sens rationnel de signification) : c'est l'unité « présumée » (p. 86), confirmée ou infirmée. Sur la définition de la constitution, cf MÉDITATIONS CARTÉSIENNES, pp. 45-7.

rapportant à certains enchaînements au sein de la conscience absolue et pure qui en vertu de leur *essence* donnent tel sens et non tel autre et légitiment la validité du sens.

Objectera-t-on en présence de notre argumentation que notre position revient à transformer le monde entier en une illusion subjective et qu'on se jette dans un idéalisme berkeleyen [2] ? Nous pouvons simplement ré-[107] pliquer qu'on n'a pas saisi le *sens* de ces arguments. Nous retranchons aussi peu à l'être parfaitement valide du monde, entendu comme le tout des réalités, qu'à l'être géométrique parfaitement valide du carré quand on nie qu'il est rond (ce qui dans ce cas est un franc truisme). La réalité empirique n'est ni « dénaturée » (umgedeutet), ni même niée, mais nous écartons une interprétation absurde qui contredit son sens *propre* tel qu'il est élucidé par l'évidence. Elle procède d'une prétention *philosophique* à ériger le monde en absolu, totalement étrangère à la considération naturelle du monde. Celle-ci est précisément naturelle, elle vit naïvement dans l'opération de la thèse générale que nous avons décrite; elle ne peut donc jamais être absurde. L'absurdité commence quand on se met à philosopher et que, en quête d'une ultime information sur le sens du monde, on oublie de remarquer que le monde lui-même a son être complet sous la forme d'un certain « sens » qui présuppose la conscience absolue à titre de champ pour la donation de sens [(a)]; du même coup on oublie que ce champ, *ce royaume ontologique des origines absolues* (diese Seinssphäre absoluter Ursprünge) [1],

(*a*) Je me permets ici en passant, afin de donner un tour frappant au contraste, de conférer au concept de « sens » (Sinn), une extension inusitée mais néanmoins admissible à sa manière.

2. C'est en général le reproche des philosophes criticistes dont Fink résume les objections dans son grand article : Husserl mêlerait sans cesse un intuitionnisme platonisant à un subjectivisme ruineux, la réalité étant suspendue à un sujet psychologique atteint dans l'expérience interne (art. cit. en particulier, pp. 334-6).

[107] 1. Ce terme d'*Ursprung* est déjà employé dans les PROLÉGOMÈNES A LA LOGIQUE PURE, § 67, au sens de justification par l'évidence (*Einsicht in das Wesen, intuitive Vergegenwärtigung des Wesens in adäquater Ideation*, p. 244), de même ZEITBEWUSSTSEIN pp.7-8 (§ 2). Le sens de ce mot ne cesse de s'enrichir dans la

est accessible à une investigation intuitive et qu'il se prête à une infinité d'évidences de la plus haute dignité scientifique. Ce dernier point il est vrai n'a pas encore été montré; seul le développement de ces études lui conférera toute sa clarté [2].

Nous ferons encore une remarque pour finir : c'est en termes de généralité que dans nos développements précédents nous avons traité de la constitution du monde naturel dans la conscience absolue ; cette généralité ne devrait pas prêter à scandale. Nous n'avons point hasardé des fantaisies philosophiques jetées de haut ; nous nous sommes appuyés sur un travail systématique de fondation ; les connaissances recueillies avec précaution dans ce champ de recherches ont été concentrées dans ces descriptions que nous avons maintenues sur un plan général ; le lecteur qui a l'expérience des sciences saura le reconnaître à la précision conceptuelle de notre exposé. On ressentira peut-être le besoin d'explications plus précises et la nécessité de combler des lacunes qui demeurent ; il est légitime de ressentir ce besoin. Les analyses ultérieures contribueront largement à donner un tour plus concret aux précédentes esquisses. On observera toutefois que notre but n'est pas de donner une théorie détaillée de cette constitution transcendantale et d'ébaucher ainsi une nouvelle [108] « théorie de la connaissance » concernant les sphères

VIe Etude Logique, § 44 : l'*Ursprung* du concept d'être est « l'acte donateur » qui vérifie le sens du concept (vol. III pp. 139-142). — Dans les IDEEN, *Ursprung* a le sens de fondement radical et s'identifie à constitution ; mais selon le § 122 invoqué plus haut (p. 105), il souligne plutôt la spontanéité libre de la constitution. — Dans ERFAHRUNG UND URTEIL, §§ 5, 11, 12, l'*Ursprung-Analysis* est une analyse génétique, une « généalogie de la logique » qui ramène le jugement à la « forme-origine » de la *Selbsgegebenheit*, à savoir à la pure « expérience ».

2. On n'a pas montré en effet que la « constitution » transcendantale est elle-même objet d'*intuition*. Or cela fait difficulté : un « voir » portant sur l'activité constituante *ne doit-il* pas être constitué à son tour ? Cette difficulté ne sera pas traitée dans les IDEEN où ne sont abordés que des problèmes de *constitution de transcendance*. Mais il y a un problème de proto-constitution et de constitution de l'*Ego* (dont seul le problème du temps donne ici un aperçu). Certains inédits de la dernière période sont consacrés à ces difficiles questions.

de réalité, mais seulement d'amener à l'évidence les notions générales auxquelles on peut avoir à recourir pour atteindre l'idée de la conscience transcendantalement pure. Une chose est essentielle à nos yeux : il est désormais évident qu'on peut opérer la réduction phénoménologique, c'est-à-dire mettre hors circuit l'attitude naturelle ou sa thèse générale, et qu'après cette opération le résidu qui demeure est la conscience absolue ou transcendantalement pure à laquelle on ne peut plus sans absurdité accorder encore une réalité naturelle (Realität).

CHAPITRE IV

LES RÉDUCTIONS PHÉNOMÉNOLOGIQUES [1]

§ 56. — QUELLE EST L'EXTENSION DE LA RÉDUCTION PHÉNOMÉNOLOGIQUE ? SCIENCE DE LA NATURE ET SCIENCE DE L'ESPRIT.

Nous venons de mettre la nature hors circuit : ce procédé de méthode nous a permis de manière générale de tourner le regard vers la conscience transcendantalement pure. Maintenant que nous l'avons placée au foyer de notre vision, il demeure utile d'examiner en retour ce qui doit rester hors circuit pour procéder à l'étude de la conscience pure et si cette nécessaire exclusion concerne uniquement la sphère de la nature. Si l'on se place au point de vue de la science phénoménologique à fonder, la question revient à savoir *à quelle science elle peut puiser* sans porter atteinte à son sens pur, quelles sciences elle peut invoquer *à titre de prolégomènes,* quelles sciences lui sont interdites et par conséquent exigent d'être mises « entre parenthèses ». En vertu de son essence originale qui en fait une science des « origines », la phénoménologie est tenue

[108] 1. La possibilité de la réduction phénoménologique étant établie, on reprend la question des « degrés » de la réduction annoncée à la fin du § 33. En gros elle se distribue en deux plans .

1° *Au cycle de la nature se rattache de manière spécifique la réduction de la transcendance divine et de l'ego psychologique* §§ 56-8. 2° *La réduction des éidétiques constitue un « élargissement de la réduction primitive »*, §§ 59-60.

d'examiner avec soin les questions méthodologiques de ce genre qu'ignorent les sciences naïves (« dogmatiques »).

D'abord il va de soi qu'en mettant hors circuit le monde naturel, physique et psycho-physique, on exclut aussi toutes les objectivités individuelles qui se constituent par le moyen des fonctions axiologiques et pratiques de la conscience : produits de la civilisation, œuvres des techniques et des beaux-arts, sciences (dans la mesure où elles n'interviennent pas en tant qu'étalon de validité mais précisément en tant que fait culturel), valeurs esthétiques et pratiques de tout genre. Il faut aussi y joindre naturellement les réalités telles que l'Etat, les mœurs, le droit, la religion. Ainsi *tombent sous le coup de la mise hors circuit toutes les sciences de la nature et de l'esprit,* avec l'ensemble des connaissances qu'elles ont accumulées, en tant précisément que ces sciences requièrent l'attitude naturelle.

[109] § 57. — Le Moi pur est-il mis hors circuit ? [1]

Des difficultés se produisent en un point critique (Grenzpunkte). L'homme pris comme être naturel et comme personne liée aux autres par un lien personnel, celui de la « société », est mis hors circuit ; de même tout être animé. Qu'en est-il alors du *moi pur?* La réduction phénoménologique fait-elle également du moi phénoménologique qui découvre les choses un néant transcendantal ? Procédons à la réduction de toutes choses au flux de la conscience pure. Dans la réflexion

[109] 1. Ces remarques sur le moi pur sont encore très provisoires. On ne dit pas ce qu'il est, s'il est constitué en un sens plus radical que les transcendances. On affirme seulement deux choses : 1° Qu'il est irréductible *a)* comme « regard » qui traverse toute cogitatio *b)* comme identité, qualifiée en première personne, du flux du vécu. — Dans la Ve *Etude,* § 4 (1re et 2e éd.), Husserl niait qu'il y eût un moi phénoménologique : l'unité du flux du vécu est une forme de liaison immanente aux vécus comme tels, « ohne dass es darüber hinaus eines eigenen, alle Inhalte tragenden sie alle noch einmal einigenden Ichprinzips bedürfte. Und hier wie sonst wäre die Leistung eines solchen Prinzips unverständlich ». Plus loin (§ 8) il attaque Natorp (*das reine Ich und*

toute cogitatio que l'on opère prend la forme explicite du cogito. Perd-elle cette forme quand nous exerçons la réduction transcendantale ?

Un point du moins est clair dès le début : une fois exécutée cette réduction, si nous parcourons le flux des multiples vécus qui seul subsiste à titre de résidu transcendantal, nous ne nous heurtons nulle part au moi pur comme à un vécu parmi d'autres vécus ni même comme un fragment original d'un vécu, qui naîtrait avec le vécu dont il serait un fragment et s'évanouirait à nouveau avec lui. Le moi paraît être là constamment, même nécessairement, et cette permanence n'est manifestement pas celle d'un vécu qui s'entête stupidement, d'une « idée fixe ». Il appartient plutôt à tout vécu qui survient et s'écoule ; son « regard » se porte sur l'objet « à travers » (durch) tout cogito actuel. Le rayon de ce regard (Blickstrahl) varie avec chaque cogito, surgit à nouveau avec un nouveau cogito et s'évanouit avec lui. Mais le moi demeure identique. Du moins, à considérer les choses dans le principe, *toute* cogitatio peut changer, venir et passer, même s'il est loisible de douter qu'elle ait une caducité *nécessaire* et non pas seulement, comme nous le découvrons, une caducité *de fait*. Par contre le moi pur semble être un élément *nécessaire;* l'identité absolue qu'il conserve à travers tous les changements réels et possibles des vécus ne permet pas de le considérer *en aucun sens comme une partie ou un moment réel* (reelles) des vécus mêmes [2].

---

die Bewusstheit) qui définissait la conscience par la « relation au je » et caractérisait le « je » comme « centre de référence » de tous les contenus de conscience ; l'unité de conscience, le faisceau des vécus, pensait Husserl à cette époque, ne présuppose pas de « je ». La 3e éd. présente une rétractation sans équivoque du texte néanmoins laissé sans changement (pp. 354, n. 1, 357, n. 1, 359, n. 1, 363, n. 1, p. 376). Sur cette discussion, cf. Gurwitsch, *A non egological conception of consciousness, Phil. and Phén. Research* I, 325-38 et J.-P. Sartre, *la transcendance de l'Ego. Rech. Phil. VI*, pp. 85-123. — Cf. toute la IVe des MÉDITATIONS CARTÉSIENNES.

2. S'il n'est pas un moment réel du vécu, le moi n'est pas immanent au sens du § 41 (cf. 73, n. 2) ; c'est pourquoi Husserl l'appelle une transcendance dans l'immanence.

Sa vie s'épuise en un sens particulier avec chaque cogito actuel ; mais tous les vécus de l'arrière-plan adhèrent à lui et lui à eux ; tous, en tant qu'ils appartiennent à un *unique* flux du vécu qui est le mien, *doivent* pouvoir être convertis en cogitationes actuelles, ou y être inclus de façon immanente ; en langage kantien : *« le « je pense » doit pouvoir accompagner toutes mes représentations »*.

Si la mise hors circuit du monde et de la subjectivité empirique qui s'y rattache laisse pour résidu un moi pur, différent par principe avec chaque flux du vécu, [110] avec lui se présente une transcendance *originale,* non constituée, *une transcendance au sein de l'immanence.* Etant donné le rôle absolument essentiel que cette transcendance joue en chaque cogito, nous n'aurons pas le droit de la mettre hors circuit, quoique pour bien des études il sera possible de laisser en suspens les questions du moi pur [1]. Mais c'est seulement dans la mesure où les propriétés éidétiques immédiates et susceptibles d'une observation évidente sont données conjointement à la conscience pure et n'en dépassent pas les bornes, que nous voulons mettre le moi pur au rang des data phénoménologiques ; par contre toutes les doctrines qui portent sur ce moi et sortent de ce cadre doivent subir la mise hors circuit. Nous aurons d'ailleurs l'occasion dans le deuxième tome de cet ouvrage de consacrer un chapitre particulier aux difficiles questions du moi pur et d'y affermir la position provisoire que nous avons prise ici ([a]).

([a]) Dans les ÉTUDES LOGIQUES j'ai adopté dans la question du moi pur une position sceptique que je n'ai pu maintenir avec le progrès de mes études. La critique que j'ai dirigée contre l'ouvrage de Natorp, si riche de pensée, INTRODUCTION A LA PSYCHOLOGIE, II, 1, (pp. 340 et suiv.) n'est donc pas concluante sur un point essentiel. (Je n'ai malheureusement pas pu lire et considérer davantage l'édition révisée qui vient de paraître de l'œuvre de Natorp).

---

[110] 1. Allusion aux problèmes de constitution de transcendance qui seuls sont traités dans IDEEN I et qui forment la phénoménologie « tournée vers l'objet », § 80.

§ 58. — La Transcendance de Dieu mise hors circuit [2].

Le monde naturel une fois abandonné (Preisgabe), nous nous heurtons encore à une autre transcendance qui, à la différence du moi pur, n'est pas donnée dans une unité immédiate avec la conscience réduite ; elle accède de façon très médiate à la connaissance, s'opposant pour ainsi dire polairement à la transcendance du monde. Nous désignons la transcendance de Dieu. La réduction du monde naturel à l'absolu de la conscience fait apparaître, au sein de vécus de type déterminé, des connexions *de fait* (faktische) présentant un ordre et une régulation distinctifs ; c'est dans ces connexions que se constitue, à titre de corrélat intentionnel, un monde *qui présente un certain ordre au point de vue morphologique* (morphologisch geordnete) dans la sphère de l'intuition empirique, c'est-à-dire un monde pour lequel il peut y avoir des sciences classificatrices et descriptives. C'est ce monde qui en même temps se laisse déterminer, quant à son soubassement matériel, au niveau de la pensée théorique mise en œuvre par les sciences mathématiques de la nature, comme « l'apparence » d'une *nature physique* soumise à des lois naturelles exactes. En tout cela réside une admirable *téléologie;* en effet, la *rationalité* que réalise l'ordre de fait n'est pas telle que l'essence l'exige.

[111] Considérons en outre l'effort pour étudier systématiquement toutes les téléologies qu'on peut rencontrer dans le monde empirique lui-même, par exemple le développement réalisé par la série des organismes jusqu'à l'homme et, dans le développement de l'humanité, l'épanouissement de la culture avec ses trésors spirituels, etc. On n'a pas rendu compte de la finalité en

---

2. La transcendance de Dieu est, comme celle du moi, intérieure à l'immanence du Cogito (p. 96, n. 2), mais elle n'est pas *une* avec lui, comme l'ego de la cogitatio ; elle s'y annonce « médiatement » : *a*) à l'occasion du problème téléologique que pose l'ordre de fait du monde constitué dans la conscience ; *b*) à propos du développement de la vie et de l'histoire humaine ; *c*) à travers les motifs de la conscience religieuse.

expliquant à l'aide des sciences de la nature tous ces produits de l'évolution par leurs circonstances de fait et conformément aux lois de la nature. En réalité, en nous élevant à la conscience pure par la méthode de la réduction transcendantale, nous sommes nécessairement conduits à demander quel fondement requiert la facticité que manifeste la conscience constituante correspondante. Ce n'est pas le fait comme tel, mais le fait en tant qu'il donne naissance à des valeurs possibles et réelles (Wertmöglichkeiten und Wertwirklichkeiten) étagées selon un ordre croissant à l'infini, qui nous contraint à poser le problème du « fondement » — lequel naturellement n'a pas le sens d'une cause (Ursache), au sens d'une causalité de chose (dinglichkausalen). Nous négligeons les autres raisons tirées de la conscience religieuse qui pourraient conduire au même principe, bien entendu celles qui adoptent la forme d'un motif susceptible de fournir un fondement rationnel. Nous venons d'indiquer les différents groupes de motifs rationnels en faveur de l'existence d'un être « divin » extérieur au monde : il nous suffit que cet être ne soit pas transcendant seulement au monde mais manifestement aussi à la conscience « absolue ». Ce serait donc un *« absolu » en un tout autre sens que l'absolu de la conscience;* ce serait de même d'autre part un *être transcendant en un tout autre sens* que l'être transcendant à la façon du monde.

Cet « absolu », ce « transcendant » rentre naturellement dans la réduction phénoménologique. Il doit rester exclu du nouveau champ d'étude qu'il nous faut instituer, dans la mesure où ce doit être le champ de la conscience pure.

§ 59. — La Transcendance de l'Eidétique. Mise hors circuit de la Logique pure en tant que Mathesis universalis[1].

De même que nous avons tenté d'exclure les réalités individuelles en tous les sens du mot, nous tentons maintenant d'exclure toutes les autres variétés de

[111] 1. 2°) *La Transcendance de l'ordre éidétique* propose une diffi

« transcendances ». La nouvelle exclusion porte sur l'ensemble des objets « généraux », sur les essences. Eux aussi sont d'une certaine façon « transcendants » à la conscience pure, ne se rencontrent pas réellement (reell) en elle. Cependant nous ne pouvons pas exclure des transcendances sans rencontrer jamais de bornes. La purification transcendantale ne peut signifier l'exclusion de *toutes* les transcendances, sinon il resterait bien une conscience pure mais non plus la possibilité d'une science de la conscience pure.

[112] Ce point mérite d'être élucidé. Tentons d'étendre aussi loin que possible la mise hors circuit de l'éidétique, en y comprenant par conséquent celle de toutes les sciences éidétiques. Chaque sphère d'être individuel, au sens logique le plus ample, susceptible de constituer une région isolable, commande une ontologie, par exemple la nature physique une ontologie de la nature, l'animalité une ontologie de l'animalité ; toutes ces disciplines, qu'elles soient déjà arrivées à maturité ou postulées pour la première fois, tombent sous la réduction phénoménologique. Aux ontologies matérielles s'oppose l'ontologie « formelle » (étroitement liée à la logique formelle des significations de pensée) [1] ; c'est à elle que ressortit la quasi-région « d'objet en général » [2]. C'est en essayant de la mettre hors circuit que nous rencontrons des scrupules qui en même temps affectent la possibilité d'une exclusion illimitée de l'éidétique.

La série de réflexions qui suit s'impose à nous. A tout domaine d'être il nous faut adjoindre, en vue d'en faire la science, certaines sphères éidétiques ; elles ne constituent pas exactement le domaine d'étude mais le lieu de rassemblement des connaissances éidétiques où doit pouvoir pénétrer à chaque instant le spécialiste du domaine considéré, toutes les fois que le lui suggèrent les motifs théoriques qui trouvent leur cohésion

---

culté technique particulière : si la phénoménologie est une éidétique de la région conscience, tout ce qui concerne l'ontologie formelle (§ 59) et l'ontologie matérielle (§ 60) ne peut être réduit.

[112] 1. Sur l'ontologie formelle, cf. § 8, p. 18, n. 1. — Sur les catégories de signification, cf. § 10, p. 22, n. 2.

2. Cf. § 10. — Sur l'objet et la catégorie d'objet en général en ontologie formelle, cf. également § 10.

dans les propriétés éidétiques de ce domaine. C'est avant tout à la logique formelle (ou à l'ontologie formelle) que chaque savant doit pouvoir en appeler librement. Car quoi qu'il étudie, il s'agit toujours d'objets et tout ce qu'on peut dire à titre formel des objets en général (propriétés, états de chose en général, etc.) le concerne également. De quelque façon qu'il saisisse concept et proposition, qu'il tire des conclusions, etc., il est intéressé lui aussi par tout ce que la logique formelle établit sur les significations et les genres de significations prises dans leur généralité formelle ; tout savant dans sa spécialité est intéressé de la même façon. La phénoménologie n'échappe pas à la règle. C'est à l'objet au sens le plus large du mot que se subordonne également tout vécu pur. Nous ne pouvons donc pas, semble-t-il, exclure la logique et l'ontologie formelles, ni non plus pour des raisons visiblement semblables la nétique générale [3] qui énonce des évidences éidétiques concernant la rationalité et l'irrationalité de la pensée judicative en général dont le contenu de signification n'est déterminé que dans sa généralité formelle.

Si pourtant on y réfléchit de plus près, il apparaît possible sous certaines conditions de mettre « entre parenthèses » la logique formelle et avec elle toutes les disciplines de la mathesis formelle (algèbre, théorie des nombres, théorie de la multiplicité, etc.). Il suffit de supposer en effet que l'investigation pure de la conscience par la phénoménologie ne se propose et ne peut se proposer d'autres tâches que celles d'une analyse descriptive [4], lesquelles peuvent être satisfaites en re- [113] courant à la simple intuition : dès lors les formes de théories (Theorien-formen) [1] en usage dans les disciplines mathématiques et tous leurs théorèmes médiats ne peuvent lui être d'aucune utilité. Dès que la formation des concepts et des jugements ne procède pas par construction et qu'on n'édifie pas de systèmes à base

---

3. Cf. *infra*, pp. 299, 307.

4. Ce point sera plus amplement développé, §§ 72-75.

[113] 1. On se rappelle (p. 17, n. 1) que la troisième des tâches de la logique selon les PROLÉGOMÈNES A LA LOGIQUE PURE est de faire la théorie des formes que peuvent prendre les systèmes déductifs — la théorie des « formes de théorie ».

de déduction médiate, la théorie des formes qui convient aux systèmes déductifs en général, comme on le voit en mathématiques, ne peut plus jouer le rôle d'un instrument de recherche matérielle.

Or la phénoménologie est en fait une discipline *purement descriptive* qui explore le champ de la conscience transcendantalement pure *à la lumière de la pure intuition.* Les propositions logiques auxquelles elle pourrait trouver occasion de recourir seraient donc intégralement des *axiomes* logiques, tels que le principe de contradiction, dont elle pourrait rendre évidente la validité générale et absolue en l'illustrant par des exemples pris dans ses propres données. La logique formelle et toute la mathesis en général peuvent donc être incluses dans l'ἐποχή qui opère expressément l'exclusion; nous pouvons à cet égard être certains de la légitimité de la *norme* que nous voulons suivre en tant que phénoménologues : *ne rien avancer que nous ne puissions rendre éidétiquement évident en présence de la conscience même* et sur le plan de la pure immanence.

Nous comprenons du même coup de façon explicite qu'une phénoménologie descriptive est par principe indépendante de toutes ces disciplines. Si l'on se réfère à l'appréciation de la valeur de la phénoménologie par la philosophie, cette constatation n'est pas sans importance et il est donc utile de le noter en même temps à cette occasion [2].

§ 60. — MISE HORS CIRCUIT DES DISCIPLINES ÉIDÉTIQUES MATÉRIELLES [3].

Quant aux sphères matérielles éidétiques, il en est *une* qui se distingue, de telle façon qu'il ne peut être question de toute évidence de la mettre hors circuit ;

2. Ainsi l'idéal purement descriptif de la phénoménologie opère une sorte de clivage au sein de l'ontologie formelle et en retient la seule science de l'objectivité en général.

3. L'ἐποχή réalise un second clivage : au sein des ontologies matérielles ; sont exclues les essences correspondant aux transcendances « constituées » ; sont retenues les essences correspondant aux vécus immanents. La phénoménologie est alors l'éidé-

c'est la sphère éidétique de la conscience elle-même après sa purification phénoménologique. Même si nous nous proposions d'étudier la conscience pure dans ses particularisations singulières et que nous recourions par conséquent à des sciences de fait mais non point pourtant à une psychologie empirique (en effet, nous nous mouvons dans la région frappée d'interdit par la mise hors circuit du monde par la phénoménologie), nous ne pourrions pas nous passer de l'à priori de la conscience. Une science de faits ne peut renoncer au droit d'user des vérités éidétiques qui se rapportent aux objets individuels de *son propre* domaine. Or, comme il ressort déjà de ce qui a été dit dans l'introduction, notre [114] intention est précisément de fonder la phénoménologie elle-même comme une science *éidétique*, comme la doctrine éidétique de la conscience transcendantalement purifiée.

Dans ces conditions elle embrasse comme étant de son ressort toutes les « *essences immanentes* », c'est-à-dire celles qui, prenant pour cadre exclusif les événements individuels d'un flux de conscience, s'individualisent dans les vécus singuliers de toute espèce qui s'y écoulent. Or il est d'une importance fondamentale de voir que toutes *les essences* ne ressortissent *pas* à ce cycle ; de même qu'on distinguait sur le plan des objets individuels entre objets *immanents* et *transcendants*, la même distinction s'applique aux essences correspondantes. Ainsi donc « chose », « forme spatiale », « mouvement », « couleur de chose », etc., mais aussi « homme », « sensation humaine », « âme » et « vécu psychique » (vécu au sens psychologique), « personne », « trait de caractère », etc., sont des essences transcendantes. On sait que nous voulons édifier la phénoménologie comme une *science éidétique purement descriptive portant sur les configurations immanentes de la conscience*, sur les événements susceptibles d'être saisis au sein du flux vécu dans le cadre de la réduction phénoménologique ; or ce cadre ne tolère rien d'individuel

tiques des essences immanentes, obtenue par réduction de la nature et des transcendances annexes, de la *mathesis* formelle et des éidétiques matérielles propres à la nature.

d'ordre transcendant, ni non plus par conséquent *aucune des « essences transcendantes »* ; celles-ci n'auraient qu'une place logique : dans la doctrine éidétique des objets transcendants considérés.

Dans son immanence elle n'a donc à opérer *aucune position d'être concernant de telles essences*, aucun énoncé concernant leur *validité* ou leur *non validité*, ou concernant la possibilité idéale des objectivités qui leur correspondent ; elle n'a pas à établir de *lois éidétiques* se rapportant à elle.

Les régions et les disciplines concernant les essences transcendantes ne peuvent par principe procurer les prémisses à une phénoménologie qui veut s'attacher à la région pure du vécu. Notre but, on le sait, est de fonder la phénoménologie en respectant cette pureté (en vertu de la norme déjà énoncée plus haut); en outre il est du plus haut intérêt pour la philosophie que nous la menions à bien en pleine conscience sans en trahir la pureté ; c'est pourquoi nous opérons *expressément un élargissement de la réduction primitive*[1] à tous les domaines éidétiques d'ordre transcendant et aux *ontologies* qui s'y rattachent.

Dès lors, de même que nous avons mis hors circuit la nature physique réelle (wirkliche) et les sciences empiriques de la nature, nous excluons à leur tour les sciences éidétiques de la nature, c'est-à-dire les sciences qui traitent des essences attenantes à l'objectivité physique de la nature en tant que telle. Géométrie, cinéma-

[115] tique, physique « pure » de la matière sont mises entre parenthèses. De même, puisque nous avons exclu toutes les sciences expérimentales traitant d'êtres animés de la nature et toutes les sciences empiriques de l'esprit portant sur les êtres personnels capables de relations personnelles, sur les hommes en tant que sujets d'histoire et que véhicules de civilisation et aussi sur les institutions issues de la civilisation, etc., nous mettons également hors circuit les sciences éidétiques qui correspondent à ces objets. Nous le faisons à l'avance et en idée ; car jusqu'à présent, comme chacun le sait, on n'a pas réussi à donner à ces sciences éidétiques (par exemple à la psychologie rationnelle, à la socio-

---

[114] 1. Sur la limitation de la réduction, cf. p. 56, n. 1.

logie) un fondement, — du moins un fondement pur et à l'abri de toutes objections.

Si l'on se réfère aux fonctions philosophiques que la phénoménologie est appelée à assumer, il est bon de rappeler à nouveau ici que dans les investigations poursuivies ci-dessus on a établi *l'indépendance absolue de la phénoménologie* à l'égard de toutes les sciences, y compris *à l'égard des sciences éidétiques d'ordre matériel*[1].

Les extensions des réductions phénoménologiques auxquelles on vient de procéder n'ont pas manifestement la signification fondamentale que comportait la simple mise hors circuit primitive du monde naturel et des sciences qui s'y rapportent. Cette première réduction permet seule au regard de se tourner vers le champ phénoménologique et d'en saisir les données. Les autres réductions, en tant qu'elles présupposent la première, sont donc secondaires mais ne sont pas pour autant de *petite* importance.

§ 61. — La Signification méthodologique de l'enchaînement systématique des Réductions phénoménologiques.

Une doctrine systématique embrassant l'ensemble des réductions phénoménologiques, telle que nous avons essayé de l'esquisser, présente une grande importance pour la méthode phénoménologique (et par la suite pour celle d'une recherche philosophique d'ordre

[115] 1. La réduction phénoménologique au niveau éidétique semble n'avoir qu'une signification négative ; aucun problème de constitution — du moins dans les Ideen I — ne semble se poser en dehors des « unités de sens » apparaissant à travers un divers d'esquisses, cf. p. 117, n. 1. — En droit toute transcendance « s'annonce » et « se constitue » dans la conscience. Mais les Ideen I ne dépassent pas l'exemple de la perception sensible qui est, comme on l'a dit, la pierre de touche de l'attitude naturelle, *supra*, p. 70. Nous avons rencontré d'autres limites au problème de la constitution dans les Ideen, I ; cf. *supra* p. 105, n. 1 et surtout p. 107, n. 2. C'est pourquoi le caractère négatif de la réduction n'est jamais totalement dissipé dans les Ideen I. — Le § 62 ajoute quelques éclaircissements à la frontière entre Ideen I et Ideen III.

transcendantal en général). L'application expresse des « parenthèses » a pour fonction méthodologique de nous rappeler constamment que les sphères d'être et de connaissance considérées se situent *par principe* en dehors de celles que doit étudier une phénoménologie transcendantale et que toute immixtion de prémisses qui relèvent des domaines entre parenthèses est le signe d'une confusion marquée d'absurdité, d'une véritable μετάβασις. Si le domaine phénoménologique se faisait remarquer aussi immédiatement et aussi aisément que les domaines auxquels s'applique l'attitude empiri- [116] que naturelle, ou si, pour y accéder, il suffisait de passer de celle-ci à l'attitude éidétique, comme on atteint le domaine de la géométrie en partant de l'étendue empirique, on n'aurait pas besoin de réductions élaborées, ni des considérations difficiles [1] qu'elles entraînent. On n'aurait pas tant de précautions à prendre pour décomposer la marche pas à pas, si on n'était pas constamment exposé à une fallacieuse métabasis, tout particulièrement quand on tente d'interpréter les objectivités des disciplines éidétiques. Ces tentations sont si fortes qu'elles menacent même celui qui dans des domaines particuliers s'est affranchi des erreurs générales d'interprétation.

Au premier rang nous trouvons la tendance extraordinairement répandue de notre temps à *interpréter psychologiquement l'éidétique.* Il est fréquent que beaucoup de gens qui se disent idéalistes y succombent ; d'ailleurs d'une façon générale les conceptions empiristes ont une influence considérable dans le camp idéaliste. Toutes les fois qu'on traite les idées, les essences comme des « constructions psychiques », toutes les fois que, pour rendre compte des opérations de la conscience par lesquelles on accède aux « concepts » de couleur, de forme, sur la base des intuitions exemplaires portant sur des choses, avec leur couleur, leur forme de chose, etc., on confond la conscience de ces essences de couleur, de forme, qui à chaque instant

---

[116] 1. L'attitude phénoménologique est « difficile » ; l'attitude naturelle est « facile » ; elle va de soi ; il suffit de se laisser vivre pour être pris dans la thèse du monde.

en résultent, avec ces essences elles-mêmes, on intègre au flux de la conscience, à titre de composante réelle, ce qui par principe lui est transcendant. Or on ruine d'un côté la psychologie, car on porte déjà atteinte à la conscience empirique, d'autre part (c'est le point qui nous intéresse) on ruine la phénoménologie. Il est donc de la plus haute importance, si l'on veut véritablement trouver la région cherchée, que l'on fasse la clarté sur ce point. Nous rencontrons naturellement cette question sur notre chemin, d'abord quand nous voulons justifier en termes généraux l'éidétique, ensuite en liaison avec la doctrine de la réduction phénoménologique, spécialement entendue comme mise hors circuit de l'éidétique.

Or cette opération devait il est vrai être limitée à l'éidétique des objets individuels transcendants en tous les sens de ce mot. Nous touchons ici à nouveau un point critique fondamental. Une fois qu'on s'est affranchi de la tendance à interpréter psychologiquement les essences et les états de chose éidétiques, c'est à nouveau un grand pas à franchir : il n'y a pas entre ce pas et le précédent un rapport si évident qu'il permette de reconnaître et d'observer en toutes occasions dans un esprit conséquent la distinction grosse de conséquences que nous avons brièvement caractérisée comme la distinction des *essences immanentes* et *transcendantes*. D'un côté sont les essences qui régissent les configurations de la conscience elle-même, de l'autre [117] les essences qui règlent les événements individuels transcendants à la conscience ; à ces essences par conséquent correspond tout ce qui ne fait que « s'annoncer » dans des configurations de conscience, tout ce qui par exemple se « constitue » en rapport à la conscience au moyen d'apparences sensibles[1].

Dans mon cas du moins, bien que le premier pas ait déjà été fait, le second m'a coûté de durs efforts. Un lecteur attentif des *Etudes Logiques* ne peut manquer maintenant de le remarquer. Le premier pas y est opéré d'un mouvement décidé ; le droit propre de l'éidétique est justifié en détail à l'encontre de toute interprétation

[117] 1. Cf. p. 115, n. 1.

psychologiste — à l'opposé exact de la tendance contemporaine à réagir aussi vivement contre le « platonisme » et le « logicisme ». Quant au second pas, il est fait de façon décisive en quelques théories isolées, entre autres dans celles sur les objectivités logico-catégoriales et sur la conscience donatrice de ces objets, tandis qu'en d'autres passages du même livre on sent nettement une hésitation : tantôt le concept de proposition logique est rapporté à l'objectivité logico-catégoriale, tantôt à l'essence correspondante immanente à la pensée judicative [2]. Il est précisément difficile, quand on débute dans la phénoménologie, d'apprendre à maîtriser sur le plan de la réflexion les différentes attitudes de la conscience avec leurs différents corrélats objectifs. Or c'est le cas pour toutes les sphères éidétiques qui n'appartiennent pas à l'immanence de la conscience même. Ce discernement à acquérir ne concerne pas seulement les essences et les états de chose éidétiques [3] de la logique ou de l'ontologie formelles (donc les essences telles que « proposition », « conclusion », etc., mais aussi « nombre », « ordre », « multiplicité », etc.); il concerne également les essences empruntées à la sphère du monde naturel (telles que « chose », « figure corporelle », « homme », « personne »), etc. Nous avons une marque de ce discernement dans la réduction phénoménologique sous sa forme élargie. Désormais une signification méthodologique importante s'attache aux principes pratiques que cette extension entraîne : à savoir que pour le phénoménologue ni la sphère du monde naturel ni non plus aucune de ces sphères éidétiques ne peuvent par principe avoir la valeur de données, si l'on respecte leur être véritable; que pour assurer la pureté de son domaine d'étude, il faut mettre entre parenthèses tous les jugements qu'elles contiennent; que les diverses sciences en rapport à ces sphères ne peuvent fournir le moindre théorème ni le moindre axiome qui puisse être accepté à titre de prémisses au service de la phénoménologie. C'est en observant ces règles que nous nous mettons méthodiquement

2. Allusion à la théorie du jugement dans la Ve *Etude Logique*.
3. Sur *Wesensverhalte* et sa traduction, cf. p. 13, n. 2.

en garde contre ces confusions qui chez nous, dogmatistes nés, sont trop profondément enracinées pour que nous puissions les éviter par un autre moyen.

[118] § 62. — Vues anticipées sur la Théorie de la Connaissance. Attitude « Dogmatique » et « Phénoménologique »[1].

Je viens d'employer le mot dogmatiste. Comme on va le voir, il n'est pas pris ici dans un usage simplement analogique ; sa résonance épistémologique est fondée dans la nature des choses. Ce n'est pas sans raison qu'on évoque ici l'opposition épistémologique entre le dogmatisme et le criticisme et qu'on caractérise toutes les sciences qui tombent sous la réduction comme *dogmatiques*[2]. En effet, comme il ressort avec évidence de sources éidétiques, les sciences incluses dans les parenthèses sont justement celles, toutes celles qui ont besoin de la « *critique* », entendons d'une critique que par

[118] 1. Le tour kantien de ce § n'est pas moins troublant que le tour cartésien des chap. II et III. Les objections criticistes à la phénoménologie se fondent sur le contraste entre ces deux styles; d'une part, la phénoménologie a été définie provisoirement comme l'*éidétique d'une « région »* ; la conscience apparaissait comme un *Seiendes* immanent, comme un être « résiduel » obtenu par élimination des *Seiende* transcendants ; voici maintenant que la phénoménologie est présentée comme une *critique* de toutes les sciences et de la philosophie : la conscience apparaît comme un *Geltendes* — une source de validité — plutôt que comme une partie de l'être. Les criticistes ont vu là un mélange incohérent d'intuitionnisme dogmatiste et de criticisme mal assimilé. Il est difficile d'en juger par les Ideen ; les chap. II et III sont seulement une *approche* de caractère pédagogique appelée à être dépassée ; quant à ce paragraphe, il exprime moins l'essence de la phénoménologie que son *choc en retour* sur l'épistémologie; Husserl attribue la fonction critique à la phénoménologie appliquée : c'est là qu'il rejoint Kant. Mais le centre vers lequel s'oriente la première approche et d'où procède ce corollaire méthodologique reste caché. Cf. Fink, art. cité, *passim* (en particulier pp. 374-9).

2. Le contraste entre les deux sens du mot dogmatique dans les Ideen est frappant : au § 26 il est pris en un sens favorable, dans la ligne de l'intuitionnisme et contre tout scepticisme et toute critique ; ici il est pris en un sens défavorable dans la ligne de l'attitude naturelle. Le jugement réservé sur la philosophie dans le § 26 se révèle donc être provisoire.

principe elles ne peuvent exercer elles-mêmes ; d'autre part la science dont la fonction spécifique est d'exercer la critique à l'égard de toutes les autres et en même temps d'elle-même n'est autre que la phénoménologie [a]. En termes plus précis, la phénoménologie a la propriété distinctive d'embrasser dans l'ampleur de son universalité éidétique toutes les connaissances et toutes les sciences, si du moins on considère ce qui en elle est *immédiatement évident* ou du moins devrait l'être si elles étaient des connaissances authentiques. Tout point de départ immédiat possible, tout progrès médiat impliqué dans une méthode possible, ont un sens et un droit qui tombent sous sa juridiction. Sont dès lors du ressort de la phénoménologie toutes les connaissances éidétiques (donc toutes les connaissances d'une validité générale inconditionnée) avec lesquelles les problèmes radicaux de « possibilité » soulevés par telle ou telle connaissance ou telle ou telle science susceptible d'être alléguée reçoivent une réponse. En tant que phénoménologie appliquée [3], elle exerce par conséquent à l'égard de toute science originale dans son principe la critique de dernière instance (letztauswertende); c'est donc elle en particulier qui détermine en dernier ressort quel sens convient à « l'être » de ses objets et élucide dans le principe sa méthodologie. On conçoit dès lors que la phénoménologie soit pour ainsi dire la secrète aspiration de toute la philosophie moderne [4]. C'est vers elle que tendent les considérations fondamentales où Descartes a mis une si admirable perspicacité ; puis Hume à nouveau, dans le psychologisme de l'école de Locke, est sur le point d'en franchir l'accès, mais ses yeux sont aveuglés. Le premier à la contempler correc-

(*a*) Sur ce point, cf. ci-dessus, § 26, pp. 46 et suiv. La phénoménologie est alors le fondement naturel des sciences dites spécifiquement philosophiques.

3. Cette expression importante atteste que la phénoménologie n'est pas dans son essence une « critique », c'est-à-dire une science de la possibilité des autres sciences, mais une science propre de la conscience absolue. C'est la différence principale, parmi d'autres, avec Kant.

4. Ces dernières lignes annoncent la *philosophie de l'histoire* de la période de la Krisis.

tement est Kant dont les plus grandes intuitions ne sont pleinement compréhensibles que si nous avons pris une conscience parfaitement claire des traits distinctifs du domaine phénoménologique. Nous voyons [119] alors avec évidence que Kant a posé le regard de son esprit sur cet empire quoiqu'il n'ait pas pu encore en prendre possession et y discerner le centre de recherches d'une science éidétique autonome et rigoureuse. Ainsi par exemple la *Déduction Transcendantale* de la première édition de la *Critique de la Raison Pure* se développe déjà proprement sur le plan phénoménologique ; mais Kant l'interprète à tort comme un plan psychologique et pour cette raison l'abandonne de lui-même à nouveau.

Cependant nous empiétons ici sur des développements à venir, ceux du troisième livre de cet ouvrage[1]. Qu'on se contente de cet exposé anticipé pour justifier le qualificatif dogmatique appliqué au groupe des sciences frappées par la réduction et l'opposition que nous instituons entre ce groupe et la phénoménologie traitée comme une science pleinement originale. En même temps nous introduisons un contraste parallèle entre *l'attitude dogmatique* et *l'attitude phénoménologique,* où l'attitude naturelle se subordonne manifestement à titre de cas particulier à l'attitude dogmatique.

Remarque[2].

Puisque les exclusions spécifiquement phénoménolo-

1. Ideen III existe effectivement mais demeure encore inédit.

2. Cette note est la seule allusion au rapport entre la réduction éidétique de la section logique et la réduction proprement phénoménologique. On écarte la possibilité d'une réduction phénoménologique sans réduction éidétique, c'est-à-dire d'une phénoménologie transcendantale empirique. On a vu par contre (§ 34) qu'une éidétique de la conscience est possible sans réduction phénoménologique, et que celle-ci a pu être préparée par celle-là : c'est la phénoménologie éidétique qui a rapporté l'essence de la nature à l'essence de la conscience : en particulier, l'hypothèse de la destruction du monde a mis à l'épreuve ce rapport éidétique et révélé que l'essence de transcendance n'implique point la nécessité d'unités de sens, la nécessité d'un « monde » au sens de cosmos.

giques que nous avons proposées sont indépendantes de l'exclusion éidétique de l'existence individuelle, on peut se demander si même dans le cadre de ces exclusions il n'est pas possible d'instituer une science de fait portant sur les vécus qui ont subi la réduction transcendantale. Cette question, comme toutes celles qui portent par principe sur des possibilités, ne peut être tranchée que sur le terrain de la phénoménologie éidétique. Répondre à la question c'est comprendre pourquoi toute tentative pour débuter naïvement par une science phénoménologique des faits *avant* d'avoir mené à bien la théorie phénoménologique d'ordre éidétique serait un non-sens. Il apparaît, en effet, qu'il ne peut pas exister *à côté* des sciences de faits étrangères à la phénoménologie une science de faits de nature phénoménologique qui soit parallèle et juxtaposée aux premières ; la raison en est que l'ultime appréciation des sciences de fait conduit à relier dans un unique système les connexions phénoménologiques correspond à toutes ces sciences et motivées en tant que possibilités de fait ; or cette unité ainsi rassemblée n'est autre que le domaine de cette science phénoménologique de fait dont nous éprouvions le manque. Pour une part importante cette science représente donc la « conversion phénoménologique » des sciences de fait ordinaires que la phénoménologie éidétique rend possible ; seule demeure la question de savoir dans quelle mesure, une fois cela fait, il reste autre chose à faire.

[120] *TROISIÈME SECTION*

MÉTHODES ET PROBLÈMES DE LA PHÉNOMÉNOLOGIE PURE [1]

[120] 1. *La troisième partie* met particulièrement en œuvre cette phénoménologie pure qui fait plutôt la transition entre la psychologie phénoménologique et la philosophie transcendantale, telle qu'elle s'affirmera à partir de la FORMALE UND TRANSZENDENTALE LOGIK. Le cœur en est l'étude des structures noético-noématiques. Il faut y voir des *exercices* de phénoménologie qui accoutument l'esprit à repenser les multiples caractères de la connaissance comme des dimensions originales de l'intentionnalité constituante.

CHAPITRE PREMIER

CONSIDÉRATIONS PRÉLIMINAIRES DE MÉTHODE[2]

§ 63. — L'IMPORTANCE PARTICULIÈRE DES CONSIDÉRATIONS DE MÉTHODE POUR LA PHÉNOMÉNOLOGIE.

Si nous observons les règles que nous prescrivent les réductions phénoménologiques, si, comme elles l'exigent, nous mettons strictement hors circuit toutes les transcendances, si nous prenons par conséquent les vécus purement selon leur essence propre, devant nous s'étend un vaste champ de connaissances éidétiques comme il ressort de toutes nos analyses. Quand on a surmonté les difficultés du début, ce champ apparaît infini de toutes parts. La multiplicité des espèces et des formes du vécu avec leurs composantes (Bestände) éidétiques réelles (reellen) et intentionnelles, de même aussi la multiplicité des connexions entre essences et des vérités apodictiquement nécessaires qui ont dans ces essences leur fondement est en vérité inépuisable. Or à ce champ infini de l'à priori de la conscience considéré dans son originalité on n'a jamais fait droit; on ne l'a même jamais proprement considéré ; il importe donc de défricher ce champ infini et d'en recueillir une abondance de fruits. Mais comment trouver le début

2. Le chapitre I n'ajoute rien à la théorie de la réduction et précise le type scientifique de la phénoménologie comme science *intuitive et descriptive :* l'idée centrale est qu'elle réalise un autre type d'éidétique matérielle que la géométrie, en raison de « l'inexactitude » des essences qu'elle décrit.

convenable ? En fait le plus difficile est de commencer; la situation est à cet égard sans précédent. Ce nouveau champ ne se déploie pas à nos yeux avec une abondance de données déjà mises en relief, de telle sorte que nous n'aurions simplement qu'à les saisir et que nous serions assurés de pouvoir en faire l'objet d'une science; encore moins sommes-nous sûrs de la méthode qu'il faudrait suivre ici.

Quand nous tentons par une recherche spontanée d'en accroître la connaissance, il n'en est pas comme avec les données de l'attitude naturelle, en particulier avec les objets de la nature : une expérience ininterrompue, l'exercice millénaire de la pensée nous les a rendus familiers selon leurs multiples propriétés, leurs éléments et leurs lois. Tout ce qui est inconnu y constitue l'horizon du connu. Tout effort de méthode a ses attaches dans le donné, tout perfectionnement de la méthode dans une méthode déjà pratiquée ; en général il s'agit simplement de développer des méthodes spéciales qui se plient aux exigences préalables et impérieuses d'une méthodologie scientifique déjà éprouvée et y trouvent un fil conducteur pour leur travail de découverte.

[121] Quelle différence avec la phénoménologie! Non seulement il est besoin d'une méthode *antérieure* à toute méthode déterminante à l'égard des matières à traiter, ne serait-ce que pour amener sous le regard de l'attention le champ de la conscience transcendantalement pure ; non seulement il faut une pénible conversion du regard pour l'arracher aux données naturelles qui ne cessent de s'imposer à la conscience et qui par conséquent sont pour ainsi dire entrelacées avec les données nouvellement visées, au point que le danger menace toujours de confondre les unes et les autres; mais en outre nous sommes privés de tous les avantages dont nous profitons sur le plan des objets naturels, de la sécurité que donne une intuition éprouvée, du bénéfice d'une élaboration théorique séculaire et de méthodes adaptées à leur objet. Et même si la méthode est déjà perfectionnée nous sommes privés bien entendu de cette confiance et de cet encouragement qui pourraient trouver un aliment dans de multiples applications

éprouvées par le succès, dans le cadre de sciences reconnues et de la pratique de la vie.

A peine apparue, la phénoménologie doit donc compter avec un climat fondamental de scepticisme. Elle n'a pas seulement à développer sa méthode, à conquérir le nouveau genre de connaissances qui convient au nouveau genre de choses ; il lui faut créer la plus parfaite clarté pour préciser le sens et la valeur de la méthode qui lui permettra de faire face à toutes les critiques sérieuses.

En outre — et ce point est beaucoup plus important car il touche aux principes — la phénoménologie doit en vertu de son essence élever la prétention d'être la philosophie « première » et de fournir ses armes à toute critique de la raison susceptible d'être mise en œuvre ; aussi doit-elle être parfaitement exempte de présuppositions et exige-t-elle à l'égard d'elle-même une évidence réflexive absolue. C'est sa propre essence de réaliser la clarté la plus complète sur sa propre essence et par là également sur les principes de sa méthode.

Pour toutes ces raisons, les efforts laborieux qu'il faut déployer pour introduire l'évidence dans les éléments de base de la méthode et dans tous les facteurs qui jouent un rôle méthodologique déterminant à l'égard de la nouvelle science, tant à ses débuts que tout au long de son développement, ont pour la phénoménologie une tout autre signification que peuvent en avoir des efforts analogues pour d'autres sciences[1].

§ 64. — LE PHÉNOMÉNOLOGUE SE MET LUI-MÊME HORS CIRCUIT[2].

Signalons pour commencer un scrupule de méthode qui pourrait en même temps entraver nos premiers pas.

[121] 1. Le paradoxe de la phénoménologie : la science la plus *difficile*, la plus contraire aux tendances naturelles de l'esprit, doit être le plus au *clair* sur ses principes ; cette exigence de transparence à soi-même comporte divers « scrupules », §§ 64-5.

2. 1°) *Les deux scrupules examinés au* § 64 *et au* § 65 sont sy-

Nous mettons hors circuit l'ensemble du monde naturel et toutes les sphères transcendantes d'ordre éidétique· par là nous devons atteindre une conscience « pure ». [122] Mais ne venons-nous pas de dire : « *nous* » mettons hors circuit ? *Pouvons*-nous nous mettre *nous-mêmes*, phénoménologues, hors circuit, nous qui pourtant sommes aussi membres du monde naturel ?

Nous pouvons nous convaincre qu'il n'y a pas là de difficulté, pour autant que nous n'avons pas faussé le sens de la « mise hors circuit ». Nous pouvons même continuer en toute tranquillité à parler comme notre condition d'hommes naturels nous fait parler ; car en tant que phénoménologues nous ne devons pas cesser d'être des hommes naturels et de nous poser comme tels également dans le langage. Mais ce doit être un article de méthode, en ce qui concerne les constatations qui doivent prendre place dans l'ouvrage de base de la phénoménologie que nous avons à élaborer de neuf, de nous plier aux exigences de la réduction phénoménologique : or elle s'applique aussi à notre *existence* (Dasein) empirique et nous interdit d'introduire une proposition qui contienne explicitement ou implicitement des positions naturelles de ce genre. Tant qu'il s'agit d'existence individuelle, le phénoménologue ne procède pas autrement que les spécialistes de n'importe quelle autre éidétique, par exemple que le géomètre. Dans leurs traités scientifiques il n'est pas rare que les géomètres parlent d'eux-mêmes et de leurs travaux; mais le sujet qui élabore les mathématiques n'est pas inclus dans le statut éidétique des propositions mathématiques elles-mêmes.

---

métriques : si le moi psychologique est *exclu*, le phénoménologue qui fait la phénoménologie ne l'est-il pas aussi ? Si la phénoménologie est régie par des lois de méthode, la recherche de ces lois ne tombe-t-elle pas sous des lois qu'elle ignore encore ? Comme tous les philosophes, Husserl répond qu'une méthodologie se découvre en s'exerçant *d'abord* de manière irréfléchie et seulement *ensuite* en réfléchissant sa propre démarche.

§ 65. — Rétro-référence (Rückbeziehung) de la Phénoménologie a elle-même.

On pourrait à nouveau trouver une autre occasion de scandale : dans l'attitude phénoménologique nous dirigeons le regard sur n'importe quel vécu pur en vue de l'explorer ; or les vécus qui forment cette recherche même, cette attitude et cette direction du regard, si on les prend dans leur pureté phénoménologique, doivent en même temps appartenir au domaine à explorer. Il n'y a pas là non plus de difficulté. Il en est exactement de même en psychologie et également dans la noétique logique. La pensée du psychologue est elle-même quelque chose de psychologique, la pensée du logicien relève de la logique en ce sens qu'il tombe lui-même sous l'emprise des normes logiques. Cette rétro-référence à soi-même ne serait inquiétante que si de la connaissance phénoménologique, psychologique et logique qu'on peut avoir de telle pensée appartenant à tel penseur, dépendait la connaissance de tout le reste dans les divers domaines de recherche considérés ; cette présupposition est visiblement absurde.

Il est vrai qu'une certaine difficulté se présente dans toutes les disciplines qui font retour sur elles-mêmes : [123] la première fois qu'on s'y introduit, la première fois également qu'on engage sérieusement la recherche, il faut recourir à des expédients de méthode auxquels il faudra, par la suite seulement, donner une forme scientifique définitive. Si l'on n'introduit pas provisoirement et à titre de préparation des considérations portant sur la matière à traiter et sur la méthode, on ne peut former le projet d'aucune nouvelle science. Or les concepts et les autres éléments méthodologiques avec lesquels la psychologie, la phénoménologie, etc., opèrent à leur début au cours de ces travaux préparatoires sont eux-mêmes de nature psychologique, phénoménologique, etc., et n'acquièrent leur empreinte scientifique que replacés dans le système de la science déjà édifiée.

Dans cet ordre d'idées aucun scrupule sérieux ne pourrait manifestement nous empêcher d'élaborer vraiment ces sciences et en particulier la phénoménologie. Si elle veut être une science *dans le cadre de la pure intuition immédiate*, une science éidétique purement « *descriptive* », ses procédés les plus généraux sont donnés au préalable comme allant pleinement de soi. Sa tâche est de placer sous nos yeux à titre d'exemples de purs événements de conscience, de les amener à une clarté parfaite, de leur faire subir dans cette zone de clarté l'analyse et la saisie éidétiques, de suivre les relations évidentes d'essence à essence, de saisir dans des expressions conceptuelles fidèles ce qu'on voit à ce moment, seule l'intuition et d'une façon générale l'évidence devant prescrire leur sens à ces expressions. Il est possible qu'au début ce procédé naïvement appliqué ne serve qu'à s'accoutumer au nouveau domaine, à y exercer d'une façon générale l'art de voir, de saisir, d'analyser, et à se familiariser un peu avec ces données ; mais si on amorce une réflexion scientifique portant sur l'essence du procédé lui-même, sur l'essence des espèces de données mises en jeu, sur l'essence, les effets, les conditions d'une clarté et d'une évidence parfaites ainsi que d'une expression conceptuelle parfaitement fidèle et immuable, et sur toutes les choses semblables, cette réflexion assumera désormais la fonction de fonder la méthode sur un plan général et avec une rigueur logique. Développée en pleine conscience, elle a maintenant le caractère et la dignité d'une méthode scientifique ; quand, dans un cas donné, on applique des règles de méthode rigoureusement formulées, elle est en état d'exercer une critique à la fois limitative et corrective. La référence essentielle de la phénoménologie à elle-même se manifeste ici par quelques traits : les considérations et les constatations élaborées au cours de la réflexion méthodologique sous le titre de clarté, d'évidence, d'expression, etc., appartiennent elles-mêmes à leur tour au domaine phénoménologique et toutes les analyses réflexives sont des analyses éidétiques d'ordre phénoménologique ; toutes les évidences méthodologiques que nous avons pu acquérir sont elles-mêmes placées, en ce qui concerne leur établissement, sous les règles qu'elles formulent. On doit pou- [124] voir chaque fois se convaincre par de nouvelles ré flexions que les divers états de choses qui ont été formulés dans les énoncés méthodologiques sont susceptibles d'être donnés avec une clarté parfaite, que les concepts employés se conforment au donné avec une réelle fidélité, etc.

Ce qui vient d'être dit s'applique manifestement à toutes les études méthodologiques qui ont rapport à la phénoménologie, aussi loin que nous repoussions les limites; on comprend ainsi que tout cet ouvrage, qui veut frayer la voie à la phénoménologie, soit lui-même de part en part, en vertu de son contenu, une phénoménologie.

§ 66. — Expression fidèle de données claires. Termes univoques [1].

Poussons un peu plus avant les remarques méthodologiques extrêmement générales introduites dans le paragraphe précédent. Nous plaçant sur le plan de la phénoménologie qui ne veut être qu'une doctrine éidétique dans le cadre de l'intuition pure, partons de quelques données de la conscience transcendantalement pure qui joueront le rôle d'exemples et opérons sur elle des intuitions éidétiques immédiates, fixons-les au point de vue *conceptuel* et terminologique [2]. Les mots employés peuvent être issus de la langue commune, être

---

[124] 1. *Les conditions d'une science intuitive*, §§ 66-70 : *a*) *Première condition : la fidélité de l'expression*, § 66. Les difficultés soulevées par le langage — expressions qui ne « couvrent » pas l'intuition, équivoques, etc. — n'ont cessé de préoccuper Husserl comme Berkeley et Bergson ; le langage en effet *conserve* le savoir hors de l'intuition qui le justifie ; cette dignité du langage est en même temps son péril. En outre, la *convention* qui est à sa base est au principe des « équivoques » de signification qui altèrent la transmission de l'intuition.

Sur les rapports de l'expression à la pensée, cf. Etudes Logiques I (*Expression et signification*) ; les chap. I et III de cette *Etude* concernent principalement les difficultés évoquées ici. — Le problème de l'expression sera repris ici même dans le cadre des analyses noético-noématiques, *infra*, §§ 124-7.

2. Au sens strict le concept appartient à la couche de l'expression, *infra*, p. 258.

pleins d'équivoques et rester vagues en raison de leurs variations de sens : tant qu'ils « coïncident » (sich decken) avec le donné intuitif sous la forme d'une expression actualisée, ils prennent un sens déterminé, qui est leur sens actuel *hic et nunc*, et un sens clair; à partir de ce moment ils peuvent être fixés scientifiquement.

Tout n'est pas fait quand on a simplement opéré l'application du mot de telle façon qu'il s'adapte fidèlement à l'essence saisie intuitivement — à supposer même que du côté de cette saisie intuitive rien ne laisse à désirer. Une science n'est possible que là où les résultats de la pensée peuvent être conservés sous la forme du savoir et appliqués à la pensée ultérieure sous forme d'un système de propositions énonciatives, qui restent distinctes quant à leur sens logique, mais qui peuvent être comprises ou actualisées sous la forme du jugement sans la clarté de leur soubassement représentatif, donc sans recourir à l'évidence. Bien entendu elle exige en même temps des préparatifs subjectifs et objectifs, pour que l'on puisse instituer à volonté (et sur une base intersubjective) les fondements appropriés et les intuitions actuelles.

Tout cela implique également que les mêmes mots et les mêmes propositions conservent une corrélation univoque à certaines essences saisissables intuitivement, qui leur confèrent « le sens qui les remplit ». Sur la base de l'intuition et d'exemples individuels éprouvés, [125] les mots sont dès lors dotés de significations distinctes et uniques (en « biffant » pour ainsi dire les autres significations qui par la force de l'habitude tentent parfois de s'imposer), de telle sorte que dans tous les contextes possibles de la pensée actuelle ils conservent les concepts que la pensée leur a adjoints et perdent l'aptitude à s'adapter à d'autres données intuitives solidaires d'autres essences qui les remplissent. Etant donné que dans les langues d'un usage général on a de bonnes raisons d'éviter autant qu'il est possible les termes techniques étrangers, c'est une nécessité constante de prendre garde et de vérifier fréquemment si un mot fixé dans un contexte précédent s'applique réellement avec le même sens dans le nouveau contexte. Mais ce n'est pas ici le lieu d'examiner plus en détail ces règles et les règles semblables (entre autres par exemple celles qui se rapportent à la science entendue comme un produit de collaboration intersubjective).

§ 67. — MÉTHODE DE CLARIFICATION. « PROXIMITÉ » ET « ELOIGNEMENT DU DONNÉ »[1].

Un intérêt plus grand s'attache pour nous aux considérations de méthode qui se rapportent non plus à l'expression mais aux essences et aux connexions entre essences qui doivent s'exprimer à travers elle et d'abord être saisies. Quand le regard se porte sur les vécus pour les étudier, ils se présentent en général dans une espèce de *vide* et dans un *lointain vague*[2] qui les rend inutilisables pour une investigation singulière aussi bien qu'éidétique. Il en serait autrement si, au lieu de nous intéresser à eux-mêmes, nous nous intéressions à leur façon de se donner et si nous voulions élucider l'essence même du vide et du vague : dans ce cas ces essences ne se donnent pas d'une façon vague mais en pleine clarté. Mais si ce dont on a une conscience vague, par exemple quand un souvenir ou une image flotte confusément devant nous, doit livrer sa propre essence, l'essence mise au jour ne peut être qu'imparfaite; autrement dit, là où les *intuitions individuelles* qui sont à la base de la saisie des essences sont d'un degré de clarté inférieur, la *saisie des essences* l'est également, et corrélativement *ce qui est saisi* a un sens « nonclair » et garde une confusion, une indécision externe

[125] 1. *b*) *Deuxième condition d'une science intuitive : la clarification de l'intuition au contact de l'exemple perçu ou imaginé*, §§ 67-70. — Ce problème se pose en raison de la distinction et de l'inséparabilité du fait et de l'essence (§§ 2-4). Les §§ 67-8 précisent la terminologie ou dissipent des confusions préalables. Les §§ 69-70 contiennent l'essentiel du problème, à savoir le rapport de la clarté de l'essence à la clarté des exemples qui l'illustrent.

2. La métaphore du proche et du lointain est déjà chez les cartésiens, en particulier chez Malebranche. Elle sert, chez Husserl, à amorcer la notion de *degrés de clarté* : la limite de perfection est le donné en personne, voire même le donné originaire au sens de la p. 7 (n. 5).

et interne. Il devient impossible ou possible « seulement en gros » de décider si dans deux cas différents on saisit bien la même chose (la même essence) ou quelque chose de différent; on ne peut établir quelles en sont les véritables composantes et que « sont proprement » les composantes qui éventuellement se montrent déjà dans un vague relief et se signalent de façon vacillante.

[126] Tout ce qui flotte devant nous dans une non-clarté oscillante, à une portée d'intuition plus grande ou plus faible, doit donc être approché à une distance normale et *amené à une clarté parfaite,* si l'on veut exercer à son égard des intuitions éidétiques de valeur correspondante, où les essences visées et les relations éidétiques accéderont au rang de donnée parfaite.

La saisie des essences a dans ces conditions ses *degrés de clarté* aussi bien que l'individu qui flotte devant notre regard. Mais pour chaque essence, aussi bien que pour chaque moment correspondant du côté de l'individu, il y a pour ainsi dire une *proximité absolue,* où sa façon de se donner est absolue par rapport à cette série de degrés : autrement dit l'essence se donne *purement* elle-même. L'élément objectif ne s'offre pas seulement « en personne » (als selbst) au regard, la conscience ne le rencontre pas comme « donné », mais donné en personne dans sa pureté, *pleinement et entièrement, tel qu'il est en lui-même.* Tant qu'il subsiste encore un reste de non-clarté, il fait écran dans l'objet donné « en personne » à tels ou tels moments de cet objet, qui dès lors ne franchissent pas le cercle de lumière constitué par le pur donné. En cas *de non-clarté totale,* pôle opposé à la pleine clarté, rien n'accède au rang de donnée, la conscience est *« obscure »* (dunkles), *elle n'est plus du tout intuitive;* au sens propre du mot elle n'est plus du tout « donatrice ». Dès lors il nous faut dire ceci :

Il y a coïncidence entre les deux couples de contraires : *la conscience donatrice au sens fort du mot,* la conscience *intuitive,* par opposé à la conscience *non-intuitive* — la conscience *claire* par opposé à la conscience *obscure.* On dira la même chose des *degrés dans la manière de se donner,* des degrés d'*intuitivité,* de *clarté.* La limite du zéro est l'obscurité, la limite de l'unité est représentée par la plénitude de clarté, d'intuitivité, de donnée.

Dans cette analyse toutefois il ne faut pas entendre par donnée la donnée originaire, ni par conséquent la donnée de type perceptif. Nous n'identifions pas ce qui est « *donné en personne* » (selbst-gegeben) avec ce qui est « originairement », « corporellement donné ». Au sens précis que nous avons caractérisé, « donné » et « donné en personne » sont une seule et même chose et l'emploi du pléonasme ne doit nous servir qu'à exclure *le donné en ce sens plus large* où l'on dit en fin de compte de n'importe quelle chose représentée qu'elle est donnée dans la représentation (quoique peut-être « de façon vide »).

Ces précisions sont en outre valables, comme on le voit d'emblée, pour *n'importe quelles sortes d'intuitions*, y compris les représentations *à vide*, donc aussi *sans limitation du côté des objets considérés*, quoique nous [127] ne nous intéressions ici qu'aux façons diverses dont se donnent les vécus et leurs composantes phénoménologiques réelles (reellen) et intentionnelles.

Anticipant sur des analyses futures il faut noter également que le problème essentiel reste toujours de savoir si le regard du moi pur traverse bien de part en part (hindurchgeht durch) le vécu de conscience considéré ou, en termes plus distincts, si le moi pur se « *tourne* » vers un « donné » et éventuellement le « saisit » ou non [1]. Par conséquent l'expression : « donné de type perceptif » — lorsqu'elle remplace l'expression : « perçu », prise en son sens propre et normal, qui signifie que l'on saisit ce donné dans son être — peut aussi vouloir dire simplement : « prêt à être perçu »; de même l'expression : « donné de type imaginaire » ne signifierait pas encore nécessairement : « saisi par un acte d'imagination »; on peut généraliser la remarque, en tenant compte en outre de tous les degrés de clarté ou d'obscurité. On se reportera par avance à cette propriété « d'être prêt » (Bereitschaft) dont on traitera de plus près par la suite; mais on remarquera en même temps que sous le terme de donnée, lorsque aucune restriction

[127] 1. Cf. §§ 35 et 45 et plus systématiquement § 92.

contraire n'est ajoutée ou manifestement impliquée par le contexte, nous *comprenons implicitement la propriété d'être saisi* (Erfasstheit) et, lorsque c'est une essence qui est donnée, d'être saisi de façon originaire.

§ 68. — Degrés authentiques (Echte) et inauthentiques de clarté. L'essence de la clarification normale [2].

Mais il nous faut poursuivre un peu plus avant nos descriptions. Quand nous parlons de degrés de donnée ou de clarté, il nous faut distinguer entre des degrés *authentiques* de clarté, auxquels on peut ajouter également des *degrés progressifs dans l'obscurité*, et des *degrés inauthentiques de clarté*, à savoir *quand l'amplitude de clarté augmente d'extension*, éventuellement avec un accroissement simultané en intensité.

Un moment déjà donné, déjà soumis à une réelle intuition, peut être donné avec une clarté plus grande ou plus faible — un son, une couleur par exemple. Excluons toutes les appréhensions (Auffassungen) [3] qui débordent les limites des données de l'intuition. Nous avons alors à faire à des gradations (Abstufungen) insensibles qui se développent à l'intérieur du cadre où le donné intuitif est précisément soumis à une intuition réelle; l'intuitivité comme telle permet, sous le titre de clarté, des différences continues de caractère intensif, commençant à zéro comme les autres intensités, mais s'arrêtant vers le haut à une limite exprès. C'est à elles, pourrait-on dire, que renvoient d'une certaine façon les degrés inférieurs [4]; quand nous avons l'intuition d'une

2. Ce paragraphe distingue la clarification *propre* d'une donnée d'une autre opération nécessitée par l'adjonction de représentations annexes au donné; ici clarifier, c'est en un sens *impropre* rendre intuitives ces représentations adventices : c'est une clarification en « extension ». La clarification *propre* intensifie la clarté des moments déjà donnés intuitivement : c'est une clarification en « intensité ».

3. Sur l'appréhension, cf. pp. 172, 203 sq.

4. La distinction du vrai concept de clarté se complique d'une remarque secondaire qui concerne les rapports de l'obscur au clair. En quel sens l'obscur *renvoie*-t-il au clair ? D'une autre

couleur sous un mode de clarté imparfaite, nous « visons » la couleur telle qu'elle est « en elle-même », c'est-à-dire précisément celle qui est donnée avec une clarté imparfaite. Cependant on ne doit pas se laisser [128] égarer par une image suggérée par l'expression : renvoyer à... (Hinweisen) — comme si une chose était le signe d'une autre, — encore moins peut-on parler ici (nous songeons à une remarque déjà faite plus haut ([a])) d'une figuration (Darstellung) du clair « en soi-même » au moyen de l'obscur, à la façon dont par exemple une propriété de chose se « figure », autrement dit s'esquisse, dans l'intuition au moyen d'un moment de sensation. *Les différences graduelles de clarté sont absolument typiques du mode de donnée.*

Il en va tout autrement lorsque une appréhension, *débordant* le donné intuitif, entrelace des appréhensions à vide à l'appréhension réellement intuitive[1]; elle peut alors devenir, comme par degrés, *de plus en plus* intuitive, par élimination des éléments représentés à vide ; elle peut inversement correspondre de plus en plus à une représentation à vide par élimination des éléments déjà intuitifs. *La clarification* comprend donc ici deux espèces de processus combinés : *l'un qui rend intuitif, l'autre qui accroît la clarté des éléments déjà intuitifs.*

On a par là même décrit l'essence de la *clarification normale.* C'est en effet la règle qu'il n'y a pas d'intuitions pures et qu'on ne voit pas de pures représentations à vide se convertir en pures intuitions; ce sont au contraire les *intuitions impures* qui, à titre de degrés intermédiaires au besoin, jouent un rôle capital en rendant intuitif leur objet par certains côtés ou selon certains moments, tout en le représentant à vide par d'autres côtés.

(*a*) Cf. ci-dessus, § 44, p. 83.

manière que le *signe* au signifié (p. 78) ou que la hylé *figurative* au moment figuré de la chose (p. 75).

[128] 1. Ici commence l'étude de la clarification *impropre,* en extension. Cf. p. 127, n. 2.

§ 69. — Méthode pour saisir les Essences avec une Clarté parfaite [2].

Une saisie parfaitement claire a l'avantage, en vertu de son essence, de permettre d'identifier, de distinguer, d'expliciter, de mettre en rapport, etc., avec une certitude absolue; bref elle permet d'opérer avec « évidence » tous les actes « logiques » [3]. A ce groupe appartiennent également *les actes de saisie des essences;* les différences de clarté, qui maintenant ont été élucidées de plus près, se communiquent aux corrélats objectifs de ces actes, de même qu'en retour les connaissances méthodologiques que nous venons d'acquérir ont leur réplique dans l'obtention de données éidétiques parfaites.

D'une façon générale la méthode qui constitue un *chapitre fondamental de la méthode d'une science éidétique en général* exige une démarche progressive. Même si les intuitions individuelles qui servent à la saisie des essences sont déjà suffisamment claires pour permettre d'atteindre avec une clarté totale quelque généralité [129] éidétique, cette clarté de l'individu ne satisfait pas encore l'intention directrice; il subsiste un défaut de clarté en ce qui concerne les déterminations plus précises des essences entrelacées; il faut donc qu'on serre de plus près les cas individuels qui servent d'exemples ou qu'on en fournisse de nouveaux qui soient mieux adaptés et où les traits singuliers appréhendés dans la confusion et l'obscurité pourraient prendre du relief et accéder alors au rang des données les plus claires.

Les objets peuvent partout ici être rapprochés, même déjà *dans la zone d'obscurité.* L'objet d'une représentation obscure s'approche de nous d'une façon spécifique, frappe finalement à la porte de l'intuition, sans avoir besoin pour cela de la franchir (il ne le peut peut-être pas « en raison d'obstacles psychologiques »).

---

2. Les §§ 69-70 développent la *tactique de l'exemple* par laquelle une éidétique peut susciter l'intuition de l'essence, la distinguer de toute autre, la clarifier, surmonter les difficultés issues de la structure de l'attention toujours cernée d'indétermination, etc.
3. Cf. *infra,* § 118.

Signalons en outre qu'*à chaque moment le donné est le plus souvent cerné par une aire de propriétés déterminables mais non encore déterminées* qui ont leur manière propre de se rapprocher par « désenveloppement » (entfaltenden), en se dissociant en de multiples séries de représentations ; cette opération commencera elle aussi dans l'obscurité, puis accédera à nouveau au plan du donné, jusqu'à ce que la propriété visée atteigne le cercle vivement éclairé des données parfaites.

Un point doit encore retenir notre attention : *il serait exagéré de dire que l'évidence dans la saisie des essences exige qu'une totale clarté imprègne jusqu'à l'extrême concret les individus soumis à l'empire de l'essence.* Pour saisir les différences les plus générales entre les essences, comme entre couleur et son, entre perception et vouloir, il suffit d'avoir donné des exemples situés eux-mêmes aux degrés inférieurs de l'échelle de clarté. Tout se passe comme si, dans ces exemples, le caractère le plus général, le genre (la couleur en général, le son en général) était déjà donné dans sa *plénitude* mais que la différence restait encore dans l'ombre. Cette façon de parler est choquante mais je ne verrais pas comment l'éviter. Que chacun réalise pour soi ce dont il s'agit au contact d'une intuition vivante.

§ 70. — Rôle de la Perception dans la Méthode de clarification des Essences. La Position privilégiée de l'Imagination libre[1].

Soulignons encore quelques traits d'une importance particulière dans la méthode de saisie des essences.

L'essence générale de la saisie éidétique immédiate et intuitive a la propriété de pouvoir être opérée sur la base de *simples présentifications* portant sur des exemples individuels (nous avons déjà mis l'accent sur ce

[129] 1. L'imagination, comme on l'a posé en principe au § 4 et comme l'hypothèse de la destruction du monde l'a illustré concrètement (§§ 47-9), est l'arme principale de cette tactique de l'exemple. Comme le géomètre le sait, l'imagination démultiplie en quelque sorte la fonction de l'exemple et révèle par ses libres variations la vraie résistance de l'essence et sa non-contingence.

point (a). Or la présentification, par exemple l'imagination, comme nous venons de le développer, peut avoir [130] une clarté si parfaite qu'elle rende possible une saisie et une compréhension parfaites des essences. En général *la perception donatrice originaire* a un avantage sur toutes les espèces de présentifications ; en particulier naturellement la perception externe. Elle n'a pas seulement un privilège comme acte fondamental de l'expérience appliquée à constater l'existence; cette opération n'entre pas ici en ligne de compte; elle garde aussi sa supériorité quand elle sert de soubassement à la constatation phénoménologique des essences. La perception externe dispense sa clarté parfaite à tous les moments de l'objet qui ont réellement accédé en son sein au rang de donnée sous le mode de l'originaire. Mais elle offre en outre, éventuellement avec la collaboration de la réflexion qui fait retour sur elle, de clairs et solides exemples individuels sur lesquels peuvent s'appuyer des analyses éidétiques générales de style phénoménologique, voire même plus précisément des analyses d'actes. La colère peut se dissiper du fait de la réflexion, ou se modifier rapidement dans son contenu. Elle n'est même pas toujours prête comme la perception à apparaître à tout moment au gré de dispositifs expérimentaux convenables. L'étudier réflexivement en respectant son caractère originaire, c'est étudier une colère en train de se dissiper; ce qui certes n'est pas absolument dénué d'importance, mais n'est peut-être pas ce qui devait être étudié. La perception externe par contre, qui est tellement plus accessible, ne « se dissipe » pas du fait de la réflexion; nous pouvons en étudier l'essence générale, ainsi que l'essence des composantes et corrélats éidétiques qui s'y rattachent de façon générale, et demeurer dans le cadre du donné originaire sans avoir à faire d'efforts particuliers pour en instaurer la clarté. Dira-t-on que les perceptions ont elles aussi leurs différences de clarté, si l'on se réfère au cas où la perception se fait dans l'obscurité, le brouillard, etc. ? Nous ne voulons pas nous engager ici dans des considérations détaillées pour établir si ces différences sont complètement comparables à

(a) Cf. § 4, pp. 12 sq.

celles dont on a parlé plus haut. Il suffit que normalement la perception ne soit pas plongée dans le brouillard et qu'à chaque instant nous disposions d'une perception claire, telle qu'elle est exigée.

Il resterait maintenant quelques points à discuter, s'il était vrai que les privilèges du donné originaire (der Originarität) ont pour la méthode une importance aussi considérable: où, comment, et dans quelle mesure ce caractère originaire peut-il se réaliser dans les différents types de vécus? Laquelle parmi les espèces du vécu se rapproche particulièrement à cet égard du domaine tellement privilégié de la perception sensible ? On peut poser encore bien des questions similaires. Nous pouvons néanmoins faire abstraction de tous ces problèmes. Il y a des raisons qui font que, en phénoménologie comme dans toutes les sciences éidétiques, les présentifications, et pour parler plus exactement, *les images libres ont une position privilégiée par rapport aux perceptions;* cette supériorité s'affirme *même jusque dans la phénoménologie de la perception, à l'exception bien entendu de celle des data de sensation.* [131]

Le géomètre, au cours de ses recherches, recourt incomparablement plus à l'imagination qu'à la perception quand il considère une figure ou un modèle; cela est vrai même du « pur » géomètre, à savoir celui qui renonce à la méthode algébrique. Sans doute il lui faut bien, quand il use de l'imagination, tendre à des intuitions claires dont le déchargent le dessin et le modèle. Mais s'il recourt au dessin réel ou élabore un modèle réel, il est lié; sur le plan de l'imagination il a l'incomparable liberté de pouvoir changer arbitrairement la forme de ses figures fictives, de parcourir toutes les configurations possibles au gré des modifications incessantes qu'il leur impose, bref de forger une infinité de nouvelles figures; et cette liberté lui donne plus que tout accès au champ immense des possibilités éidétiques ainsi qu'aux connaissances éidétiques qui leur font un horizon infini. Dès lors le dessin *suit* normalement les constructions de l'imagination et la pensée éidétiquement pure qui s'élabore sur le fondement de l'imagination; son rôle principal est de fixer les étapes du progrès de pensée déjà accompli et ainsi de faciliter sa présentification. Même lorsqu'on « réfléchit » sur la figure, les nouveaux processus de pensée qui viennent s'adjoindre aux précédents sont, quant à leur soubassement sensible, des processus imaginatifs dont les nouvelles lignes ajoutées à la figure viennent fixer les résultats.

Le phénoménologue qui traite de vécus ayant subi la réduction phénoménologique et des corrélats qui leur appartiennent par essence, n'est pas dans une situation différente pour l'essentiel. Sur le plan phénoménologique les configurations éidétiques sont également en nombre infini. Il ne peut non plus faire qu'un usage limité des ressources offertes par les données originaires. Tous les types principaux de perceptions et de présentifications sont bien à sa libre disposition avec le prestige du donné originaire: ce sont toutes les illustrations d'ordre perceptif auxquelles peut recourir une phénoménologie de la perception, de l'imagination, du souvenir, etc. De même il dispose pour l'essentiel d'exemples susceptibles d'illustrer dans la sphère de l'originaire le jugement, la conjecture, le sentiment, la volition. Mais, comme il va de soi, il n'en est pas ainsi pour toutes les configurations particulières possibles, pas plus que le géomètre ne dispose de dessins et de modèles convenant au nombre infini des espèces de corps. En tout cas ici aussi la liberté dans l'investigation des essences exige nécessairement que l'on opère sur le plan de l'imagination.

D'autre part, à l'exemple encore de la géométrie qui récemment a accordé non sans succès une grande valeur [132] à des collections de modèles, etc., il importe d'exercer abondamment l'imagination à atteindre la clarification parfaite exigée ici, à transformer librement les données de l'imagination; mais auparavant il lui faut les fertiliser par des observations aussi riches et exactes que possible sur le plan de l'intuition originaire : cette influence fécondante n'implique point naturellement que l'expérience comme telle joue le rôle d'une source de validité. On peut tirer un parti extraordinaire des exemples fournis par l'histoire et, dans une mesure encore plus ample, par l'art et en particulier par la poésie ; sans doute ce sont des fictions; mais l'originalité dans l'invention des formes, la richesse des détails, le développement sans lacune de la motivation, les élèvent très au-dessus des créations de notre propre imagination; la puissance suggestive des moyens de représentation dont dispose l'artiste leur permet de se transposer avec une particulière aisance dans des images parfaitement claires dès qu'on les a saisies et comprises.

Ainsi peut-on dire véritablement, si on aime les paradoxes et, à condition de bien entendre le sens ambigu, en respectant la stricte vérité : *la « fiction » constitue l'élément vital de la phénoménologie comme de toutes les sciences éidétiques;* la fiction est la source où s'alimente la connaissance des « vérités éternelles » (a).

§ 71. — Le Problème de la Possibilité d'une Eidétique descriptive [2].

A plusieurs reprises dans ce qui précède nous avons désigné la phénoménologie comme une science descriptive. Ici se pose à nouveau une question fondamentale de méthode et un scrupule nous arrête dans notre avidité à pénétrer dans le nouveau domaine. *Est-il correct d'assigner pour but à la phénoménologie une description pure?* Une *éidétique descriptive,* n'est-ce pas *une absurdité pure et simple?*

Il ne faut pas chercher bien loin les motifs qui amènent à poser cette question. Quiconque à notre manière met pour ainsi dire la première fois la main à une nouvelle éidétique, se demandant bien quelles sont les études possibles d'où il pourra partir, quelles méthodes

(a) Cette proposition montée en épingle a tout ce qu'il faut pour tourner en ridicule dans le camp naturaliste le type éidétique de connaissance (1).

[132] 1. Cette expression osée prête en effet à confondre les essences avec les fictions qui les illustrent ; à quoi il a été répondu au § 23.

2. 3°) *La phénoménologie comme éidétique descriptive,* §§ 70-75. On a supposé (§ 59), pour exclure « l'ontologie formelle comme mathesis universalis », qu'il était possible de suspendre la *logique de la déduction* sans affecter la phénoménologie. Cette possibilité trouve ici sa justification. Une confrontation systématique avec la mathématique est élaborée.

il pourra appliquer, jette involontairement les yeux sur les disciplines éidétiques anciennes et d'un développement avancé, par conséquent sur les disciplines mathématiques, en particulier sur la géométrie et l'arithmétique. Mais en même temps nous remarquons que dans notre cas ces disciplines ne peuvent être invoquées [133] comme guide, que les rapports doivent y être essentiellement différents. Celui qui n'a encore pris connaissance d'aucun échantillon d'analyse éidétique d'ordre vraiment phénoménologique court quelque peu le risque de se méprendre sur la possibilité d'une phénoménologie. Comme les disciplines mathématiques sont les seules qui à notre époque puissent de façon efficace représenter l'idée d'une éidétique scientifique, on est loin tout d'abord de penser qu'il puisse encore y avoir des disciplines éidétiques d'un autre type, non mathématiques, qui diffèrent fondamentalement par l'ensemble de leur type théorique[1] des éidétiques connues. C'est ainsi qu'après s'être laissé gagner par des considérations générales au postulat d'une éidétique phénoménologique, on embrasse aussitôt le fallacieux projet d'instituer une sorte de mathématique des phénomènes; or cette tentative peut conduire à abandonner l'idée d'une phénoménologie, ce qui serait encore bien plus absurde.

---

[133] 1. Un type théorique est défini par le mode de connexion des vérités : PROLÉGOMÈNES A LA LOGIQUE PURE, § 62. Ainsi la logique pure a-t-elle parmi ses tâches celle de faire la « théorie des formes possibles de théories », § 69. La mathématique appelle *multiplicité* (*Mannigfaltigkeit*) le « domaine possible de connaissance susceptible d'être régi par une théorie de telle forme » (§ 70), par conséquent réalisant telles connexions et régi par tels axiomes. La forme de théorie propre aux mathématiques est la déduction pure ; la multiplicité qu'elle régit sera appelée « multiplicité définie ». Husserl tente donc ici de définir rigoureusement l'idéal de démonstration géométrique auquel les cartésiens mesuraient la philosophie. Cf. FORMALE UND TRANSZENDENTALE LOGIK, § 31. Cette distinction entre la phénoménologie et la géométrie est capitale pour opposer Husserl à Descartes : Descartes n'a pas mis en doute au préalable le type *géométrique* de la philosophie (MÉDITATIONS CARTÉSIENNES, pp. 6-7). Il en résulte que l'on prétendra *déduire* de la certitude de l'Ego celle du monde et que l'on retombera à un réalisme inféré (*ibid.*, pp. 20-1, 133-4). Cf. également *Nachwort zu meinen* « IDEEN... », p. 5.

Tentons d'élucider *les propriétés spécifiques des disciplines mathématiques par opposé à celles d'une théorie éidétique du vécu;* nous pouvons ainsi préciser quels sont proprement les buts et les méthodes qui par principe ne doivent pas être appropriés au plan du vécu.

§ 72. — Sciences concrètes, abstraites, « mathématiques » des Essences.

Partons de la distinction des essences et des sciences d'essences en matérielles et formelles. Nous pouvons éliminer les disciplines formelles et avec elles tout l'ensemble des disciplines mathématiques formelles, puisque de toute évidence la phénoménologie appartient aux sciences éidétiques matérielles. Si d'une façon générale l'analogie peut être un guide dans les questions de méthode, elle prendra toute sa force si nous nous bornons aux disciplines mathématiques matérielles, par exemple à la géométrie; nous poserons donc la question précise: faut-il ou peut-on constituer une phénoménologie qui serait *une « géométrie » du vécu?*

Pour atteindre ici à l'évidence souhaitée il est nécessaire d'avoir sous les yeux quelques déterminations importantes tirées de la théorie générale de la science [a].

Toute science théorique assure la cohésion d'un ensemble idéellement clos en le rattachant à un domaine de connaissance qui de son côté est déterminé par un [134] genre supérieur. Nous n'obtenons une unité radicale qu'en remontant au genre absolument suprême, donc à la région considérée et aux composantes régionales qui entrent dans le genre, c'est-à-dire aux genres suprêmes qui s'unissent dans le genre régional et éventuellement se fondent mutuellement les uns dans les autres. Cette structure du genre concret suprême (de la région), issu pour une part de genres suprêmes disjoints, pour une part de genres suprêmes fondés les uns dans les autres (et de cette façon s'incluant mutuellement), correspond à la structure des objets concrets qui en dépen-

---

(a) Pour les développements ultérieurs, cf. le chap. I de la Ire section, en particulier les §§ 12, 15 et 16.

dent : ceux-ci sont formés par les ultimes différences qui pour une part sont disjointes, pour une part sont fondées mutuellement les unes dans les autres; par exemple, dans le cas de la chose, la détermination temporelle, spatiale et matérielle. A toute région correspond une ontologie régionale, avec une série de sciences régionales autonomes et closes qui reposent éventuellement les unes sur les autres et correspondent précisément aux genres suprêmes qui trouvent leur unité dans la région. Aux genres subordonnés correspondent de simples disciplines ou ce qu'on appelle des théories : par exemple au genre section conique, la discipline des sections coniques. Cette discipline n'a au point de vue conceptuel aucune autonomie vraie, dans la mesure où pour articuler ses connaissances et pour les fonder elle devra recourir par nature à l'ensemble fondamental de connaissances éidétiques qui trouvent leur unité dans le genre suprême [1].

Selon que les genres suprêmes ont un caractère régional (concret) ou ne sont que de simples composantes de ces genres, *les sciences* sont *concrètes* ou *abstraites*. La coupure correspond de toute évidence à celle qui oppose genres concrets et abstraits en général ([a]). Dès lors du même domaine relèvent tantôt des objets concrets, comme dans l'éidétique de la nature, tantôt des objets abstraits, tels que les figures spatiales, celles du temps et du mouvement. La relation éidétique qui rapporte tous les genres abstraits aux genres concrets et finalement aux genres régionaux confère à toutes les disciplines abstraites et aux sciences intégrales une relation éidétique aux disciplines concrètes, qui sont les disciplines régionales.

Exactement parallèle à la coupure au sein des sciences éidétiques, se dessine par ailleurs une seconde coupure au sein des sciences de l'expérience. Celles-ci se morcellent à leur tour en fonction des régions. Nous avons par exemple *une unique* science physique de la nature et toutes les sciences particulières de la nature

(*a*) Cf. ci-dessus, § 15, p. 30.

[134] 1. Sur « région », § 12 ; concret et abstrait, § 15.

sont proprement de simples disciplines : le puissant équipement de ces disciplines, non seulement en lois éidétiques mais aussi en lois empiriques[2] qui relèvent de la nature physique en général avant tout morcellement en sphères différentes de la nature, leur confère une unité. D'ailleurs des régions mêmes différentes peuvent se révéler liées par des régulations empiriques, comme par exemple la région du physique et celle du psychique.

[135] Si nous envisageons maintenant les sciences éidétiques connues, nous nous apercevons qu'elles ne procèdent *pas de façon descriptive;* par exemple la géométrie ne saisit pas les différences éidétiques ultimes, ni donc les formes spatiales innombrables qu'on peut tracer dans l'espace en s'appuyant sur des intuitions singulières; elle ne les décrit pas, ne les ordonne pas en classes, comme le font les sciences descriptives de la nature à l'égard des configurations empiriques que la nature présente. La géométrie fixe de préférence un petit nombre d'espèces de figures fondamentales, les idées de volume, de surface, de point, d'angle, etc., celles même qui jouent dans les « axiomes » le rôle déterminant. A l'aide des axiomes, c'est-à-dire des lois éidétiques primitives, elle est en mesure de dériver par voie purement déductive *toutes* les formes « existant » (existierenden)[1] dans l'espace, c'est-à-dire toutes les formes spatiales idéalement possibles et toutes les relations éidétiques qui les concernent, sous forme de concepts qui déterminent exactement leur objet et qui servent de représentants (vertreten) aux essences qui en général demeurent étrangères à notre intuition. L'essence générique du domaine géométrique, ou l'essence pure de l'espace est de telle nature que la géométrie peut être pleinement certaine de pouvoir, en vertu de sa méthode, maîtriser véritablement et avec exactitude toutes les possibilités. En d'autres termes la multiplicité des configurations spatiales en général a une propriété logique fondamentale remarquable pour laquelle nous

2. Sur la distinction des lois empiriques avec leur nécessité de fait et des lois éidétiques seules à priori, cf. § 6.

[135] 1. Sur l'emploi du mot exister en ce sens, cf. p. 43, n. 3 et § 135.

introduisons le terme de *multiplicité « définie »* (definite) ou de *« multiplicité mathématique au sens fort »* [2].

Ce qui la caractérise c'est qu'un *nombre fini de concepts et de propositions*, qu'on doit dans un cas donné tirer de l'essence du domaine considéré, *détermine totalement et sans équivoque l'ensemble de toutes les configurations possibles du domaine; cette détermination réalise le type de la nécessité purement analytique* [3]; il en résulte que *par principe il ne reste plus rien d'ouvert* (offen) *dans ce domaine.*

A quoi nous pouvons ajouter : cette multiplicité a la propriété remarquable de se prêter à des *« définitions mathématiquement exhaustives »*. La « définition » réside dans le système des concepts axiomatiques et des axiomes, et le caractère « mathématiquement exhaustif » dans le fait que les assertions qui ont valeur de définitions impliquent par rapport à la multiplicité des propositions ultérieures la plus considérable antériorit' dans l'ordre du jugement (Präjudiz) qu'on puisse concevoir : finalement il ne reste plus rien d'indéterminé.

Les propositions suivantes contiennent un équivalent de la notion de multiplicité définie :

Toute proposition susceptible d'être construite à partir des concepts axiomatiques tels qu'on vient de les [136] caractériser, et quelle que soit sa forme logique, ou bien résulte de ces axiomes de façon purement formelle, ou en est une conséquence opposée de cette même façon, en ce sens qu'elle présente par rapport aux axiomes une contradiction purement formelle : si bien qu'une proposition qui s'opposerait de façon contradictoire à ces axiomes en serait une conséquence formelle. *Dans une multiplicité définie de type mathématique on peut poser l'équivalence de ces deux concepts : « vrai » et « conséquence formelle des axiomes »*, de même celle des concepts : « faux » et « conséquence contraire formelle des axiomes ».

---

2. PROLÉGOMÈNES A LA LOGIQUE PURE, § 70 (cf. ci-dessus, p. 133, n. 1). FORMALE UND TRANSZENDENTALE LOGIK, § 31.

3. C'est la déduction qui réalise une nécessité analytique régie purement par la logique et l'ontologie formelles, c'est-à-dire par les axiomes analytiques au sens du § 16 (cf. ci-dessous au début de la p. 136).

Un système d'axiomes qui « définit exhaustivement » une multiplicité de la façon indiquée, par un procédé purement analytique, je l'appelle également *un système défini d'axiomes;* toute discipline déductive qui repose sur un tel système est *une discipline définie* ou, *au sens fort du mot, mathématique.*

Les définitions subsistent globalement si nous laissons dans une totale indétermination le morcellement matériel de la multiplicité, par conséquent si nous procédons par généralisation formelle (formalisierende Verallgemeinerung) [1]. Le système d'axiomes se convertit alors en un système de formes axiomatiques, la multiplicité en une forme de multiplicité, la discipline qui a rapport à la multiplicité en une forme de discipline [a].

§ 73. — APPLICATION AU PROBLÈME DE LA PHÉNOMÉNOLOGIE. DESCRIPTION ET DÉTERMINATION EXACTE [2].

Quel est alors le statut de la *phénoménologie*, comparée à la géométrie prise comme représentant d'une mathématique matérielle en général? Il est clair qu'elle relève des disciplines éidétiques concrètes. Son exten-

(*a*) Cf. sur ce point : ETUDES LOGIQUES, vol. I, §§ 69 et 70. — J'ai déjà fait usage des concepts introduits ici vers le début de 1890 dans mes RECHERCHES SUR LA THÉORIE DES DISCIPLINES MATHÉMATIQUES FORMELLES que je concevais comme une suite à ma PHILOSOPHIE DE L'ARITHMÉTIQUE ; il est vrai que mon intention principale était de trouver une solution *de principe* au problème des quantités imaginaires (cf. une brève indication in ETUDES LOGIQUES, vol. I, p. 250). Depuis j'ai eu souvent l'occasion dans des cours et dans des exercices pratiques de développer les concepts et les théories considérés, parfois avec beaucoup de détails, et au cours du semestre d'hiver 1900-01, je leur ai consacré une double conférence devant la *Société Mathématique* de Göttingen. Des points particuliers empruntés à ce cercle d'idées ont pénétré dans la littérature sans qu'on ait nommé leur source d'origine. — La relation étroite du concept de défini (Definitheit) à « l'axiome de complétude » (Vollständigkeitsaxiom) introduit par D. Hilbert pour servir de fondement à l'arithmétique apparaîtra clairement sans autres explications à tout mathématicien.

[136] 1. Cf. § 13.

2. §§ 73-5. La phénoménologie est : 1° une éidétique matérielle

sion est constituée par des *essences du vécu*, c'est-à-dire non des objets abstraits mais concrets. Ceux-ci ont comme tels toutes sortes de moments abstraits; on peut alors poser la question : les genres suprêmes qui se rattachent à ces moments abstraits forment-ils ici aussi des domaines offerts à des disciplines définies (definite), [137] à des disciplines « mathématiques » du type de la géométrie? Avons-nous à chercher ici aussi un système défini d'axiomes et, sur cette base, à édifier des théories déductives ? Corrélativement avons-nous ici aussi à chercher des « figures fondamentales » dont nous dériverions toutes les autres configurations éidétiques relevant de ce domaine ainsi que leurs déterminations éidétiques, en procédant par simple construction, c'est-à-dire déductivement, par application conséquente des axiomes ? Par essence — ce point mérite également d'être noté — ce mode de dérivation implique une détermination logique de type médiat dont les conséquences, lors même qu'elles sont « inscrites dans la figure », ne peuvent pas par principe être saisies dans une intuition immédiate. Nous pouvons serrer de plus près notre question également par ces mots, en adoptant en même temps une tournure corrélative : le flux de conscience est-il une multiplicité mathématique authentique? Ressemble-t-il, si on le prend dans sa facticité, à la nature physique? Celle-ci en effet, si on se fait une idée correcte et conforme à la rigueur des concepts de l'idéal ultime qui conduit le physicien, devrait être considérée comme une multiplicité définie de type concret [1].

C'est un problème épistémologique d'une haute importance d'arriver à une idée parfaitement claire concernant les questions de principe qui entrent ici en jeu et par conséquent, une fois fixé le concept de multiplicité définie, d'élucider les conditions nécessaires aux-

---

comme la géométrie ; 2° une science concrète et non abstraite à la différence de la géométrie ; 3° ses moments abstraits ne se prêtent pas à une construction déductive parce que ses essences sont *inexactes :* ce caractère implique donc que la phénoménologie décrive et ne déduise pas. Le concept d'inexactitude est la clef du chapitre.

[137] 1. Sur le sens originel de multiplicité, cf. ci-dessus, p. 133, n. 1.

quelles doit satisfaire une région matérielle, si elle doit pouvoir répondre à cette idée. Une des conditions à remplir est que la « *formation des concepts* » comporte *l'exactitude;* celle-ci ne dépend nullement de notre libre choix et de notre habileté logique; mais, par rapport aux prétendus concepts axiomatiques qui eux-mêmes doivent pouvoir se fonder dans l'intuition immédiate, elle présuppose *l'exactitude dans les essences mêmes qui sont ainsi saisies.* Or dans quelle mesure trouve-t-on des essences « exactes » dans un domaine d'essences ? Peut-on même découvrir, sous toutes les essences susceptibles d'être saisies dans une intuition véritable, et par là même sous toutes les composantes éidétiques, une infrastructure d'essences exactes? Cela dépend absolument du type propre au domaine considéré.

Le problème que nous venons de toucher est étroitement mêlé à d'autres problèmes fondamentaux et encore sans solution: il s'agit d'élucider dans leur principe les rapports entre la « *description* » et ses « *concepts descriptifs* » d'une part, et d'autre part la « *détermination univoque* », « *exacte* » et ses *concepts idéaux* »; il s'agit parallèlement d'élucider les rapports encore si mal compris entre « sciences descriptives » et « sciences explicatives ». On trouvera dans la suite de ces études une tentative pour répondre à ces questions. Pour le moment nous ne pouvons pas interrompre trop long- [138] temps la ligne principale de nos réflexions et nous ne sommes même pas suffisamment préparés pour traiter dès maintenant cette question de façon exhaustive. Il suffira dans les pages qui viennent de souligner quelques points que nous aborderons par leur côté le plus général.

§ 74. — Sciences descriptives et Sciences exactes[1].

Rattachons nos réflexions au contraste de la géométrie et de la science descriptive. Le géomètre ne s'intéresse pas aux formes de fait qui tombent sous l'intuition

[138] 1. L'éidétique de la nature sert de première illustration à l'opposition des essences inexactes aux essences exactes. Cette oppo-

sensible, comme le fait le savant dans une étude descriptive de la nature. Il ne construit pas comme lui des *concepts morphologiques* portant sur des types vagues de formes qui seraient directement saisis en se fondant sur l'intuition sensible et qui seraient, quant aux concepts et à la terminologie, fixés de façon aussi vague que le sont eux-mêmes ces types. Le *caractère vague* des concepts, le fait qu'ils ont des sphères fluantes d'application, ne sont pas une tare qu'il faut leur imputer; en effet ils sont absolument indispensables à la sphère de connaissances qu'ils servent, ou y sont les seuls autorisés. Comme il faut amener les données intuitives des choses à une expression conceptuelle appropriée en respectant leurs caractères éidétiques donnés dans l'intuition, cela revient précisément à les prendre comme elles se donnent. Or elles ne se donnent que sous forme fluante, et des essences typiques ne peuvent se faire saisir en elles que dans l'intuition éidétique procédant par analyse immédiate. La géométrie la plus parfaite et sa maîtrise pratique la plus parfaite ne peuvent aucunement aider le savant qui veut décrire la nature à exprimer dans des concepts [2] de géométrie exacte cela même qu'il exprime d'une façon si simple, si compréhensible, si pleinement appropriée, par des mots comme dentelé, entaillé, en forme de lentille, d'ombelle, etc.; ces simples concepts sont *inexacts par essence et non par hasard; pour cette raison* également ils sont non-mathématiques.

Les concepts géométriques sont des *concepts « idéaux »*; ils expriment quelque chose qu'on ne peut « voir »; leur « origine » [3], et donc aussi leur contenu

---

sition permet de caractériser les essences exactes comme des *limites idéales* des essences inexactes et d'opposer l'idéation (ou l'idéalisation) à la simple abstraction. (Ce sens technique du mot idéation se distingue de son sens ordinaire d'intuition éidétique en général, § 32). L'idée est le degré-limite de l'essence inexacte de la nature. C'est une idée au sens kantien. On se demandera plus loin si les essences inexactes de la conscience ont aussi une limite idéale dans des essences exactes.

2. Sur le concept comme expression, cf. p. 124, n. 2.

3. Le mot « origine » — comme plus loin le mot « abstraction » — est pris au sens de la psychologie génétique : extraction de l'expérience.

diffèrent essentiellement de ceux des *concepts descriptifs* en tant que concepts exprimant des essences issues sans intermédiaire de la simple intuition, et nullement des essences « idéales ». Les concepts exacts ont pour corrélat des essences qui ont le caractère *« d'idées » au sens kantien* du mot. A l'opposé de ces idées ou essences idéales nous trouvons les *essences morphologiques* qui sont les corrélats des concepts descriptifs.

Cette idéation (Ideation) érige les essences idéales en *« limites » idéales* que l'on ne saurait par principe découvrir dans aucune intuition sensible et dont se « rapprochent » plus ou moins, sans jamais les atteindre, les essences morphologiques considérées; cette idéation diffère fondamentalement de la saisie des essences par simple « abstraction »[1], par laquelle un « moment » est détaché et élevé dans la région des essences comme quelque chose de vague par principe, de typique. Les *concepts génériques*, ou les essences génériques, qui ont leur champ d'extension[2] dans le fluant ont une *consistance* (Festigkeit) et une *aptitude aux distinctions pures qui ne doivent pas être confondues avec l'exactitude des concepts idéaux*, et des genres qui ont exclusivement des objets idéaux dans leur extension. Il faut bien voir en outre que les *sciences exactes* et les *sciences purement descriptives* ont bien entre elles une liaison, mais qu'elles ne peuvent jamais être prises l'une pour l'autre et que quel que soit le développement d'une science exacte, c'est-à-dire opérant avec des infrastructures idéales, elle ne peut résoudre les tâches originelles et autorisées d'une description pure.

[139]

[139] 1. Cf. p. 138, n. 3. Le § 23 précise que « l'abstraction » ne produit pas l'essence mais la conscience de l'essence. C'est de cette « abstraction » psychologique, de ce passage à l'essence qu'il s'agit ici ; elle porte donc sur toutes les essences inexactes, qu'elles soient concrètes ou abstraites (au sens technique purement logique du § 15).

2. Il s'agit de l'extension éidétique au sens du § 13 (cf. p. 27, n. 3).

§ 75. — La Phénoménologie comme Théorie descriptive de l'Essence des Purs Vécus[3].

Quant à la phénoménologie, elle veut être une théorie *descriptive* de l'essence des vécus transcendantalement purs dans le cadre de l'attitude phénoménologique; comme toute discipline descriptive qui ne procède pas à la substruction (substruierende)[4] et à l'idéalisation de la réalité, elle a en soi-même le principe de sa validité. Sa compétence embrasse tout ce qui dans les vécus réduits peut être saisi de façon éidétique dans une intuition pure, que ce soit à titre de constituant réel ou de corrélat intentionnel ; là elle trouve une source considérable de connaissances absolues.

Cependant considérons de plus près jusqu'à quel point on peut instaurer des descriptions véritablement scientifiques[5] dans le champ de la phénoménologie, étant donné le nombre illimité des objets concrets éidétiques qui s'y rencontrent, et quels résultats elles sont capables d'atteindre.

Le propre de la conscience considérée en général est

3. L'inexactitude des essences singulières (telle imagination, etc.) exclut qu'on les déduise *more geometrico*. Mais cette inexactitude est corrigée au niveau des essences plus générales (l'imagination en général, le vécu, etc.) : il est possible de *fixer* ces essences dans des concepts « univoques ». A défaut d'une science exacte, une science « rigoureuse » (au sens de l'article de *Logos*) du vécu est possible ; le concept positif de *rigueur* corrige ainsi le concept négatif d'*inexactitude* qui, du moins au niveau des singularités éidétiques, risque de ruiner les deux premières conditions d'une *science* du vécu : l'univocité de l'expression, § 66 et la clarté de l'intuition, §§ 67-70. Au niveau des genres fixes la phénoménologie rigoureuse échappe au dilemme bergsonien d'un intuitionnisme ineffable et d'un intellectualisme chosiste ou géométrique.

4. Les concepts-limites (le cercle par exemple) sont en quelque sorte « construits — sous » les concepts morphologiques proposés par la nature (le rond par exemple).

5. C'est en effet la possibilité d'une description qui soit une *science* qui est mise en question par « l'inexactitude » des essences du vécu. — Sur concret, abstrait, moment, partie, etc., cf. p. 28, n. 3. Sur singularité, espèce, genre, etc., cf. §§ 14-15.

d'être un flux déployé selon différentes dimensions ; si bien qu'il ne peut être question de fixer dans des concepts exacts le moindre objet concret éidétique ni aucun moment qui le constitue immédiatement. Prenons par exemple un vécu appartenant au genre « imagination de chose », tel qu'il nous est donné soit dans la perception immanente d'ordre phénoménologique ou dans toute autre intuition (mais déjà réduite). L'objet singulier au point de vue phénoménologique (la singularité éidétique) est alors cette image de chose, considérée dans toute sa plénitude concrète, telle exactement qu'elle s'insère dans le flux du vécu, exactement avec la détermination et l'indétermination sous lesquelles elle fait apparaître la chose, selon qu'elle la présente [140] sous une face ou sous une autre, exactement avec la distinction ou la confusion, la clarté oscillante et l'obscurité intermittente, etc. qui précisément lui sont propres. La phénoménologie ne laisse tomber que *l'individuation* (Individuation) mais elle retient tout le fonds éidétique (Wesensgehalt) en respectant sa plénitude concrète, l'élève au plan de la conscience éidétique, le traite comme une essence dotée d'identité idéale qui pourrait comme toute essence s'individuer (vereinzeln) non seulement *hic et nunc* mais dans une série illimitée d'exemplaires [1]. On voit d'emblée qu'on ne peut songer à imposer un concept et une terminologie *fixes* à chacun de ces *concreta* fluants ; il faut en dire autant de chacune de ses parties immédiates et tout aussi fluantes et de chacun de ses moments abstraits.

Si donc il n'est pas question de déterminer de façon univoque les *singularités éidétiques* appartenant à notre sphère descriptive, il en va tout autrement avec les essences d'un *degré plus élevé de spécialité* (Spezialität). On peut arriver à les distinguer de façon stable, à maintenir leur identité, à les saisir dans des concepts rigoureux, et également à les analyser en essences composantes ; dès lors il n'est pas absurde de se proposer pour tâche de les embrasser dans une vaste description scientifique.

---

[140] 1. La singularité éidétique n'exclut que l'individualité empirique, la « facticité », § 15.

C'est ainsi que nous décrivons et par là même que nous déterminons dans des concepts *rigoureux* l'essence générique de perception en général ou de ses espèces subordonnées telles que : perception de chose physique, d'êtres animés, etc. ; de même l'essence de souvenir en général, d'intropathie en général, de vouloir en général, etc. En tête viennent les généralités suprêmes : vécu en général, cogitatio en général, qui déjà autorisent de vastes descriptions éidétiques. Par nature la saisie générale des essences, leur analyse, leur description impliquent manifestement que les résultats obtenus aux degrés les plus élevés ne sont pas, à l'égard de ceux qu'on peut atteindre aux degrés les plus bas, dans une telle dépendance qu'il faille recourir méthodiquement à un procédé inductif systématique et gravir progressivement tous les échelons de la généralité [2].

Ajoutons encore une conséquence. D'après ce qui précède, l'élaboration de théories déductives est exclue de la phénoménologie. Non pas qu'on renonce carrément à tirer des *conclusions médiates ;* mais puisque toutes les connaissances doivent y être descriptives et rigoureusement adaptées à la sphère immanente, les conclusions, les procédés non intuitifs de toute espèce n'ont qu'une signification de méthode, celle de nous conduire à la rencontre des choses qu'une vision directe de l'essence doit ultérieurement transformer en données. Sans doute telle ou telle analogie qui s'impose peut avant toute intuition effective frayer la voie à quelques [141] conjectures concernant des relations entre essences et on peut en tirer des conclusions qui mènent au delà ; mais finalement c'est une vision effective des relations entre essences qui doit habiliter les conjectures. Tant que ce n'est pas le cas, nous ne sommes pas en possession d'un résultat phénoménologique.

Il est vrai que nous laissons sans réponse une question pressante : si l'on considère le domaine éidétique des phénomènes soumis à la réduction (soit dans son ensemble, soit dans l'un quelconque des domaines par-

2. Sinon la fluidité des essences singulières se communiquerait aux genres et l'*inexactitude* exclurait la rigueur de la description de ces genres.

tiels), y a-t-il place dans ce domaine, *à côté* des procédés descriptifs, également pour un procédé idéalisant qui substituerait aux données intuitives des objets idéaux purs et rigoureux ? Ceux-ci pourraient alors servir d'instrument fondamental pour une mathesis des vécus et seraient la contre-partie de la phénoménologie *descriptive*[1].

Quelle que soit l'importance des questions laissées en suspens au cours des précédentes études, celles-ci nous ont fait grandement avancer notre recherche, et pas seulement en introduisant toute une série de problèmes importants dans le cercle de notre examen. Un point est maintenant parfaitement clair : les analogies ne sont d'aucun secours pour fonder la phénoménologie. C'est un préjugé ruineux de croire que les méthodes mises en œuvre par les sciences à priori historiquement connues et qui sont exclusivement des sciences *exactes* portant sur des objets idéaux, doivent servir sans autre examen de modèle à toute science à priori nouvelle et surtout à notre phénoménologie transcendantale — comme s'il ne pouvait y avoir du point de vue de la méthode qu'un seul type de sciences éidétiques, celui de « l'exactitude ». La phénoménologie transcendantale, conçue comme science descriptive des essences, appartient à une *classe fondamentale de sciences éidétiques qui diffère totalement* des sciences mathématiques.

[141] 1. Cf. p. 138, n. 1.

CHAPITRE II

LES STRUCTURES GÉNÉRALES DE LA CONSCIENCE PURE [2]

§ 76. — Le Thème des Etudes suivantes.

La réduction phénoménologique nous avait livré l'empire de la conscience transcendantale : c'était en un sens déterminé l'empire de l'être « absolu ». C'est la proto-catégorie (Urkategorie) de l'être en général (ou dans notre langage, la proto-région); les autres régions viennent s'y enraciner; elles s'y rapportent en vertu de leur *essence;* par conséquent elles en dépendent toutes. La doctrine des catégories doit donc intégralement par-

2. *Le chapitre II donne les grands thèmes de la description pure* que l'on a déjà esquissés avant la réduction : réflexion, « je », intentionnalité, hylé, etc. ; mais il s'agit d'acheminer vers la notion de *noème* du chapitre III qui est proprement le centre de la IIIe Partie. Le tournant d'une simple psychologie éidétique à une phénoménologie vraiment transcendantale est de comprendre en quel sens original toute transcendance est *incluse* dans le moi transcendantal après avoir été *exclue* du moi, considéré dans la IIe Partie comme simple conscience immanente. Il s'agit donc d'un changement progressif de plan, au cours duquel la conscience, d'abord distinguée comme « région » *parmi* des « régions », devient la proto-région, la région *constituante.* Ce renversement qui conduit d'une « séparation » de la conscience à une « inclusion » à la conscience, rectifie le premier sens apparent de la réduction (cf. pp. 48, n. 1 ; 54, n. 1 et 5 ; 56, n. 1 ; 57, n. 4 ; 59, n. 2, 3 ; 70, n. 2 ; 87, n. 3, 4 ; 93, n. 2 ; 94, n. 2 ; 95, n. 2 ; 96, n. 1 ; 106, n. 1 ; 120, n. 1). *Les* §§ 76 *et* 86 *sont donc capitaux pour l'interprétation de la réduction. L'analyse que ces deux articles méthodologiques encadrent se répartit en trois groupes :* 1° *La réflexion,* §§ 77-9 ; 2° *Le moi pur et le temps,* §§ 80-3; 3° *L'intentionnalité, matière et forme,* §§ 83-5.

tir de cette distinction au sein de l'être qui est la plus radicale de toutes, entre l'être comme *conscience* et l'être comme être « *s'annonçant* » (sich bekundendes) dans la conscience, bref comme être « transcendant »; cette différence, comme on le voit, ne peut être acquise [142] et légitimée dans toute sa pureté que par la méthode de réduction phénoménologique. Cette relation éidétique entre l'être *transcendantal* et l'être *transcendant* est le fondement des relations entre la phénoménologie et toutes les autres sciences ; nous y avons déjà touché à plusieurs reprises, mais il nous faudra plus tard encore en approfondir l'élucidation ; il est inscrit dans le sens de ces relations que l'empire où la phénoménologie exerce sa souveraineté s'étend de façon remarquable à toutes les autres sciences que pourtant elle met hors circuit. *La mise hors circuit a en même temps le caractère d'un changement de signe qui en altère la valeur* (umwertende) : *par elle la connaissance transmutée de valeur s'ordonne en retour à la sphère phénoménologique.* Pour parler par image, ce qui est mis entre parenthèses n'est pas effacé du tableau phénoménologique, il est précisément mis seulement entre parenthèses et par là affecté d'un certain indice. C'est avec cet indice qu'il figure dans le thème principal de notre recherche.

Il est absolument nécessaire de bien entendre dans son fondement cette situation, en respectant les points de vue différents qui lui sont propres. C'est ce qui explique par exemple que la nature physique soit soumise à la mise hors circuit et que pourtant il n'y ait pas seulement une phénoménologie de la conscience scientifique, considérée du côté de l'expérience et de la pensée scientifiques, mais encore une phénoménologie de la nature elle-même prise comme corrélat de la conscience scientifique [1]. De même, bien que la psychologie et les sciences de l'esprit soient atteintes par la mise hors circuit, il y a une phénoménologie de l'homme, de sa personnalité, de ses propriétés person-

[142] 1. C'est ce que le chapitre III appellera l'analyse noématique. Sur trancendantal et transcendant, cf. MÉDITATIONS CARTÉSIENNES, pp. 22-3. (« Transcendance d'inclusion irréelle »).

nelles et de son courant de conscience (en tant qu'homme); il y a en outre une phénoménologie de l'esprit social, des configurations sociales, des formations culturelles, etc. [2]. Tout élément transcendant, dans la mesure où il vient se donner à la conscience, est un objet de recherches phénoménologiques, mais pas seulement du point de vue de *la conscience qu'on en a*, par exemple du point de vue des différents modes de conscience où il vient se donner comme un seul et même objet ; il l'est encore à un point de vue différent, quoique essentiellement mêlé au précédent : en tant qu'il est le donné et qu'il est impliqué (Hingenommene) dans les données.

Il y a de cette façon d'immenses champs offerts à l'étude phénoménologique ; on n'y est pas du tout préparé quand on part de l'idée du vécu — en particulier quand on débute comme nous le faisons tous par l'attitude psychologique et qu'on commence par emprunter le concept de vécu à la psychologie de notre temps ; on est d'abord peu enclin, sous l'impression d'obstacles intérieurs, à les reconnaître comme domaine phénomé- [143] nologique. Dans le cas de la psychologie et des sciences de l'esprit, cette inclusion du domaine mis entre parenthèses crée une situation tout à fait originale et d'abord déroutante. Pour nous limiter à la psychologie, nous constatons que la conscience en tant que donnée de l'expérience psychologique, donc comme conscience humaine ou animale, est l'objet de la psychologie, de la psychologie empirique quand la recherche a le caractère d'une science expérimentale, de la psychologie éidétique quand elle a celui d'une science éidétique. D'autre part le monde tout entier, y compris les psychismes individuels et leurs vécus psychiques, rentre dans la phénoménologie, mais avec la modification des parenthèses, — le tout comme corrélat de la conscience absolue. La conscience se présente donc sous différents modes d'appréhensions et sous différents rapports, ces différences jouant à l'intérieur de la phénoménologie elle-même : elle se présente en effet une première fois en elle-même comme conscience absolue, une seconde fois dans son

2. Cf. IDEEN II.

corrélat en tant que conscience psychologique, laquelle est désormais insérée dans le monde naturel ; elle est transmutée d'une certaine façon et pourtant n'est pas dépouillée de son propre statut (Gehalt) en tant que conscience. Ce sont là des relations difficiles et d'une importance extraordinaire. Elles impliquent même que toute constatation phénoménologique portant sur la conscience absolue peut être réinterprétée en termes de psychologie éidétique (celle-ci, pour un examen rigoureux, n'est nullement phénoménologique); mais la manière phénoménologique de considérer la conscience est la plus compréhensive et, en tant qu'absolue, la plus radicale. Il est d'un grand intérêt pour les disciplines impliquées ici et pour la philosophie d'apporter sur tous ces points l'évidence et ultérieurement d'éclairer jusqu'à les rendre parfaitement transparentes les relations éidétiques entre la phénoménologie pure, la psychologie éidétique et empirique ou les sciences de l'esprit. En particulier la psychologie, qui de nos jours tend avec tellement de vigueur à se développer, ne peut s'assurer le fondement radical qui lui manque encore que si elle dispose d'évidences de portée étendue concernant les relations éidétiques considérées ici.

Les indications que nous venons de donner nous font sentir combien nous sommes encore loin d'une intelligence de la phénoménologie. Nous avons appris à adopter l'attitude phénoménologique ; nous avons écarté toute une série de scrupules méthodologiques déroutants et défendu les droits d'une description pure : le champ d'étude s'ouvre devant nous. Mais nous ne savons pas encore quels en sont les *grands thèmes*, plus exactement *quelles directions fondamentales sont prescrites à la description par la spécification* (Artung) *éidétique la plus générale des vécus*. Pour introduire la clarté dans ces relations, nous tenterons précisément [144] dans les chapitres suivants de caractériser cette spécification éidétique très générale en fonction au moins de quelques traits particulièrement importants.

Nous n'abandonnons pas proprement le problème de la méthode en introduisant ces considérations nouvelles. Déjà les discussions méthodologiques antérieures étaient déterminées par des vues très générales sur l'essence de la sphère phénoménologique. Il va de soi qu'une connaissance plus approfondie de cette sphère — non dans ses détails mais sur les points les plus généraux et les plus dominants[1] — doit nous mettre en possession de règles de méthode également plus riches de contenu auxquelles devront se rattacher toutes les méthodes spéciales. La méthode n'est pas quelque chose qu'on importe ou qu'on puisse importer du dehors dans un domaine quelconque. La logique formelle ou la noétique ne fournissent pas une méthode mais une *forme* pour une méthode possible ; aussi utile que puisse être la connaissance formelle en matière de méthode, une méthode *déterminée* — considérée non dans ses particularités purement techniques mais dans son type méthodologique général — est une norme qui procède de la spécification régionale fondamentale à laquelle appartient le domaine en question, et de ses structures générales ; elle dépend donc essentiellement, au point de vue épistémologique, de la connaissance de ces structures.

§ 77. — La Réflexion comme Propriété fondamentale de la Sphère du Vécu. Etudes sur la Réflexion[2].

Parmi les traits distinctifs les plus généraux que présentent les essences de la sphère pure du vécu nous

---

[144] 1. La phénoménologie reste au niveau des genres pour les raisons dites plus haut, p. 139 n. 3.

2. 1°) *Premier thème : la réflexion* (§§ 77-9). Ce thème sert de transition à la fois entre l'analyse pré-phénoménologique (§§ 38 et 45) et l'analyse issue de la réduction, et entre les discussions de méthode (§§ 63 et 76) et l'étude directe du vécu : en effet, la réflexion est à la fois le procédé fondamental de la phénoménologie et un trait du vécu. Il s'agit d'établir par *discussion critique* (§ 77) et par *intuition immédiate* (§ 78) que *la réflexion est l'intuition immédiate du vécu tel qu'il vient précisément d'être vécu*. L'essence de la réflexion renvoie donc à la constitution du temps phénoménologique.

Le scepticisme peut paraître fondé sur les premières conclusions de la phénoménologie : si le vécu est d'abord irréfléchi, intentionnel, tourné vers l'autre, comment la réflexion peut-elle atteindre le vécu ? Il faut que la réflexion révèle le vécu tel qu'il vient précisément d'être sur le mode irréfléchi.

traiterons en premier lieu de la *réflexion*. Notre choix est commandé par sa fonction méthodologique *universelle :* la méthode phénoménologique se meut intégralement parmi des actes de réflexion. Mais l'aptitude fonctionnelle (Leistungsfähigkeit) de la réflexion, et du même coup la possibilité d'une phénoménologie en général, se heurtent à des scrupules sceptiques que nous voudrions tout d'abord détruire dans leurs racines.

Nous avons déjà dû, au cours de nos considérations préliminaires, parler de la réflexion [a]. Les résultats atteints alors, avant même d'accéder au domaine phénoménologique, peuvent être toutefois repris maintenant, en opérant avec rigueur la réduction phénoménologique ; en effet, ces constatations concernaient purement l'essence intime (Eigenwesentliches) du vécu et portaient par conséquent sur des caractères qui demeurent notre sûre possession, une fois qu'ils ont subi la purification transcendantale au point de vue seulement de leur appréhension. Commençons par récapituler les points acquis et tentons en même temps de considérer les choses plus à fond et de mieux comprendre la nature des études phénoménologiques que la réflexion permet et exige.

[145] Tout moi vit (erlebt) ses propres vécus ; toutes sortes d'éléments réels (reell) et intentionnels sont inclus dans ces vécus. Il les vit ; cela ne veut pas dire : il les tient « sous son regard », eux et ce qui y est inclus, et les saisit sous le mode de l'expérience immanente ou d'une autre intuition ou représentation immanentes. Tout vécu qui ne tombe pas sous le regard peut, en vertu d'une possibilité idéale, être à son tour « regardé » ; une réflexion du moi se dirige sur lui, il devient un objet *pour* le moi. Il en est de même des regards possibles que le moi peut diriger sur les composantes du vécu et sur ses intentionalités (sur *ce dont* ils sont éventuellement la conscience). Les opérations réflexives sont à leur tour des vécus et peuvent comme telles servir de substrats pour de nouvelles réflexions, et ainsi à l'infini, selon une généralité fondée dans le principe.

Le vécu, réellement vécu à un certain moment, se

(*a*) Cf. ci-dessus, § 38, p. 65 et § 45, p. 83.

donne, à l'instant où il tombe nouvellement sous le regard de la réflexion, *comme* véritablement vécu, comme existant « maintenant » ; ce n'est pas tout ; il se donne aussi comme quelque chose qui *vient justement* d'exister (als soeben gewesen seiend) et, dans la mesure où il était non regardé, il se donne précisément comme tel, comme ayant existé sans être réfléchi. Dans le cadre de l'attitude naturelle il nous paraît aller de soi, sans d'ailleurs que nous ayons arrêté notre pensée sur ce point, que les vécus n'existent pas seulement quand nous sommes tournés vers eux et que nous les saisissons dans une expérience immanente ; nous croyons qu'ils existaient réellement, qu'ils étaient réellement vécus par nous, si au moment de la réflexion immanente nous en avons « encore conscience » à l'intérieur de la *rétention* (du souvenir « primaire ») comme « venant justement » d'exister[1].

Nous sommes en outre convaincus que la réflexion elle-même, sur le fondement du *re-souvenir* (Wiedererinnerung) et « dans » le re-souvenir, nous annonce nos vécus antérieurs qui étaient « alors » présents, alors perceptibles de façon immanente, quoique non perçus effectivement de façon immanente. La même analyse vaut, si l'on garde le point de vue naturel naïf, pour le *pro-souvenir* (Vorerinnerung), pour l'attente anticipante (vorblickenden Erwartung). Mais d'abord se pose ici la question de la « *protention* » (Protention) immédiate (comme nous pourrions dire) qui est la contre-partie exacte de la rétention immédiate, et ensuite la question du pro-souvenir qui présentifie d'une tout autre façon, qui *re*produit (re-produzierende) au

[145] 1. ZEITBEWUSSTSEIN a donné la première analyse du temps phénoménologique et opposé pour la première fois la *rétention* ou « souvenir primaire », qui participe encore de l'intuition immédiate, et le res-souvenir ou mémoire proprement dite. Le vécu « retenu » dans le présent est encore un moment du vécu. La réflexion repose sur cette structure « rétentionnelle » du vécu. ZEITBEWUSSTSEIN §§ 11-13 ; *Annexe I* (pp. 84-6) sur la rétention ; § 14, 18 sur le ressouvenir. Ainsi la mémoire *réfléchie* ou re-souvenir repose sur une mémoire pré-réflexive, sur la propriété du vécu de retenir le passé : je perçois la chose même comme « venant juste d'être » ; ainsi la réflexion peut être en retard sur son objet et découvrir du vécu qui « a été » sans être réfléchi.

sens plus propre du mot et qui est la contre-partie du *re*-souvenir. La chose intuitivement attendue, et dont par anticipation on a conscience comme « à venir » (arrivant dans le futur), reçoit en même temps une autre signification grâce à la réflexion possible « dans » le pro-souvenir : elle signifie une chose qui sera perçue, de même que la chose rappelée après coup signifie une chose qui a été perçue. Par conséquent même dans le cas du pro-souvenir nous pouvons réfléchir et prendre conscience de vécus propres sur lesquels nous ne nous étions pas arrêtés dans ce pro-souvenir, comme appartenant à l'objet en tant que tel du pro-souvenir ; c'est ce que nous faisons toutes les fois que nous disons [146] que nous *allons voir* ce qui est à venir : le regard de la réflexion s'est alors tourné vers ce vécu de perception « à venir ».

Tous ces aspects, nous les élucidons dans le cadre de l'attitude naturelle, par exemple en tant que psychologues, et nous en poursuivons toutes les connexions ultérieures.

Opérons maintenant la réduction phénoménologique ; ces constatations, une fois mises entre parenthèses, deviennent de simples cas qui illustrent des généralités éidétiques que nous pouvons faire nôtres et étudier de façon systématique dans le cadre de l'intuition pure. Par exemple nous allons, dans une intuition vivante (que ce soit même une fiction), nous transporter dans l'exécution d'un acte quelconque: nous sommes joyeux, supposons, parce que le cours théorique de notre pensée se déroule de façon libre et fructueuse. Nous opérons toutes les réductions et nous voyons ce qui est inscrit dans la pure essence du donné phénoménologique. Nous avons donc d'abord une orientation de la conscience vers les pensées en train de se dérouler. Nous développons le phénomène par son côté exemplaire : supposons que pendant ce déroulement heureux un regard réfléchissant se tourne vers la joie. La joie devient un vécu regardé et perçu de façon immanente, fluctuant de telle ou telle manière sous le regard de l'attention, puis s'évanouissant. La liberté du cours de pensée en souffre, elle apparaît à la conscience de manière modifiée ; le sentiment agréable qui s'attachait à son développement en est essentiellement atteint par contre-coup (mitbetroffen); cela aussi peut être constaté, et pour cela il nous faut opérer encore de nouvelles conversions du regard. Mais laissons de côté pour l'instant ces mouvements du regard et considérons le point suivant.

La première réflexion qui fait retour sur la joie la découvre en tant que présente actuellement, *mais non en tant seulement qu'elle est précisément en train de commencer.* Elle, s'offre là comme joie qui perdure (*fcrt*dauernde), que l'on éprouvait déjà auparavant et qui échappait seulement au regard. Autrement dit, nous avons de toute évidence la possibilité de remonter la durée écoulée et de repasser sur les modes selon lesquels se donne l'agréable, de porter l'attention sur l'étendue antérieure du courant de la pensée théorique, mais aussi sur le regard qui s'est dirigé sur lui antérieurement ; d'autre part il est toujours possible de faire attention à la façon dont la joie se convertit en regard, et de saisir, à la faveur du contraste, l'absence de tout regard dirigé sur cette joie dans le cours antérieur du phénomène. Mais nous avons également la possibilité, en face de cette joie devenue ultérieurement objet, de réfléchir sur la réflexion qui l'objective et ainsi d'éclairer plus vivement encore la différence entre la joie *vécue,* mais non regardée, et la joie *regardée,* ainsi que les modifications qui surviennent à l'occasion des actes de saisie, d'explicitation, etc., introduits avec la conversion du regard[1].

[147] Nous pouvons envisager toutes ces péripéties dans le cadre de l'attitude phénoménologique et sur le plan *éidétique,* soit que nous nous élevions à la plus haute généralité ou que nous nous en tenions aux aspects que

[146] 1. En découvrant la conscience irréfléchie telle qu'elle était avant la réflexion, la réflexion se découvre elle-même comme « modification » du vécu irréfléchi : ainsi la réflexion arrive à se situer elle-même par rapport à l'irréflexion qu'elle révèle telle qu'elle était. On verra par la suite l'importance et les formes variées du concept de « modification » qui convient aux « modifications » relatives à l'attention, à la présentification, aux opérations rationnelles, etc. (cf. 148, n. 1). Sur *Reflexion* et *Urbewusstsein,* cf. ZEITBEWUSSTSEIN, pp. 105-7.

nous pouvons dégager par voie éidétique à l'occasion d'espèces particulières du vécu. Le flux du vécu, considéré globalement, avec les vécus éprouvés sur *le mode de la conscience non réfléchie,* peut ainsi être soumis à une étude éidétique de caractère scientifique visant à une compréhension systématique et complète, et qui tienne compte de toutes les *possibilités* d'inclusion d'autres moments vécus à titre *intentionnel* dans les vécus étudiés ; cette étude par conséquent tiendra compte aussi spécialement des vécus et de *leurs* aspects intentionnels (Intentionalia) qui sont inclus dans ceux que nous étudions et entrent dans la conscience avec une modification. Pour illustrer le dernier point nous avons déjà des exemples connus : ce sont les modifications du vécu incluses de façon intentionnelle dans toutes les présentifications et que la réflexion peut puiser « en » elles ; par exemple le fait « d'avoir été perçu » que comporte tout souvenir, ou celui « d'aller être perçu » que comporte toute attente.

L'étude du flux du vécu de son côté est réalisée dans toutes sortes d'actes réflexifs qui ont une structure particulière ; ces actes à leur tour appartiennent eux-mêmes au flux du vécu ; ils peuvent donc et même doivent devenir l'objet de nouvelles analyses phénoménologiques, à la faveur d'une réflexion correspondante de degré supérieur. En effet, dans l'élaboration d'une phénoménologie générale et la recherche de l'évidence méthodologique qui lui est absolument indispensable, ces analyses ont valeur de fondement. Elles ont manifestement une portée semblable pour la psychologie. Si l'on se contente de parler en termes vagues d'une étude du vécu dans le cadre de la réflexion ou du souvenir (identifié d'ordinaire à la réflexion) on n'a encore rien fait, — sans compter les multiples théories erronées qui d'habitude se glissent dans le discours (faute précisément d'une analyse éidétique sérieuse), comme quand on déclare qu'il ne peut pas y avoir de perception et d'observation immanentes.

Mais entrons un peu plus avant dans la question.

§ 78. — Etude phénoménologique des Réflexions sur le Vécu.

D'après l'analyse précédente, la réflexion est le titre qui convient à certains actes où le flux du vécu peut être saisi et analysé de façon évidente, ainsi que tous les événements variés qu'il comporte (moments du vécu, facteurs intentionnels). C'est, pouvons-nous dire également, le titre de la méthode de conscience appliquée à la connaissance de la conscience en général[1]. Dans le cadre précisément de cette méthode elle devient elle-même l'objet d'études possibles : la réflexion est aussi le titre donné à des espèces du vécu essentiellement solidaires les unes des autres ; elle est donc le [148] thème central d'un chapitre capital de la phénoménologie. Sa tâche y est de distinguer les différentes « réflexions » et de les analyser complètement selon un ordre systématique.

On doit d'abord se rendre compte que *toutes les variétés de la « réflexion »* présentent le caractère d'une *modification de conscience* et, bien entendu, d'une modification que par principe *toute conscience* peut subir[1].

On peut parler ici de modification, dans la mesure où toute réflexion procède essentiellement de certains changements d'attitude qui font subir une certaine transmutation au vécu préalablement donné, ou au datum de vécu jusque-là non réfléchi ; ils deviennent ainsi des modes de la conscience réfléchie (ou de l'objet de conscience réfléchi). Le vécu préalablement donné peut même avoir déjà le caractère d'une conscience ré-

[147] 1. Parce que la réflexion est intuitive, l'étude du vécu et celle de la réflexion sur le vécu peuvent être intuitives : c'est ainsi que la phénoménologie se met en question et se justifie elle-même dans sa première étude.

[148] 1. Les multiples applications de la notion de « modification » révèlent un procédé original de filiation, de dérivation dans une doctrine qui exclut la déduction (§§ 71-5) ; mais cette filiation introduit non une genèse mais un « ordre systématique », comme il est dit quelques lignes plus haut. La réduction est elle-même une modification.

fléchie de quelque chose : la modification est alors d'un degré supérieur ; mais finalement on revient à des vécus absolument non réfléchis et à leurs dabilia (Dabilien) réels ou intentionnels. C'est une loi d'essence que tout vécu puisse être soumis à des modifications réflexives, et cela à des points de vue différents que nous apprendrons à connaître avec plus de précision encore.

Une étude éidétique portant sur les réflexions a une signification méthodologique fondamentale, par rapport à la phénoménologie et, à un degré égal, par rapport à la psychologie : elle se manifeste en ceci que, sous le concept de réflexion, entrent tous les modes de saisie immanente des essences et d'autre part tous ceux de l'expérience immanente. Elle inclut donc par exemple la perception immanente qui, en fait, est une réflexion, dans la mesure où elle présuppose que le regard se détourne d'un objet de conscience quelconque et se porte sur la conscience qu'on en a. De même, comme nous l'avons esquissé dans le paragraphe précédent, quand nous discutions les assertions que l'attitude naturelle tenait pour accordées, un souvenir ne permet pas seulement au regard de faire réflexion sur lui, mais en outre la réflexion spécifique « dans » le souvenir. Soit par exemple le déroulement d'un morceau de musique : il est d'abord atteint dans le souvenir par une conscience irréfléchie sous le mode du « passé ». Mais un tel objet de conscience comporte *par essence* la possibilité que l'on réfléchisse sur son avoir-été-perçu. Il en est de même pour l'attente, pour cette conscience où le regard se porte à la rencontre (entgegenblickende) de « l'à-venir », de « ce qui vient » : il est possible par essence de détourner le regard de cet à-venir sur son devoir-être-perçu. Ces relations éidétiques impliquent l'équivalence à priori et immédiate des propositions suivantes : « je me souviens de A » et « j'ai perçu A » ; « je prévois A » et « je percevrai A » ; elles ne sont qu'équivalentes car leur sens est différent[2].

2. ZEITBEWUSSTSEIN, § 11 sq.

[149] C'est ici la tâche de la phénoménologie d'élucider systématiquement toutes les modifications du vécu qui rentrent sous le titre de réflexion, en corrélation avec toutes les modifications avec lesquelles elles entretiennent un rapport éidétique et qu'elles *présupposent*. Ce dernier point concerne l'ensemble des modifications éidétiques que *tout* vécu doit subir au cours de son déroulement originaire, et en outre les différentes espèces de mutations que l'on peut en idée (ideell) se figurer exécutées sous forme « d'opérations » (Operationen) à propos de chaque vécu [1].

Tout vécu est en lui-même un flux de devenir, il est ce qu'il est, *en engendrant de façon originelle* (in einer ursprünglichen Erzeugung) un type éidétique invariable : c'est un flux continuel de rétentions et de protentions, médiatisé par une phase elle-même fluante de vécus originaires (der Originarität), où la conscience atteint le « maintenant » vivant du vécu, par opposé à son « avant » et à son « après » [2]. D'autre part tout vécu a ses parallèles dans différentes formes de reproduction qui peuvent être regardées comme des transformations « opératives » idéelles du vécu originel : chacun a son « correspondant exact » qui est pourtant sa contre-partie modifiée de part en part dans un ressouvenir aussi bien que dans un pro-souvenir possible,

---

[149] 1. Le progrès de l'analyse proprement phénoménologique de la réflexion est de penser systématiquement la réflexion comme une des modifications possibles. — Sur la notion d' « opération » (*Vollzug* et *Operation* sont synonymes), cf. pp. 94-5 et 107.

2. Jusqu'à présent l'originaire était le donné intégral, la *présence* (pp. 7, 36, 126 sq.) qui « remplit » les significations vides ; maintenant l'originaire est compris temporellement comme le caractère vivant du *présent*. Ces deux sens du mot s'appellent : présence et présent : le donné est le maintenant. Ce second sens appelle un troisième : l'originaire est plus radicalement le jaillissement « originel » de l'opération de conscience. On voit ici groupés quelques mots qui ont une affinité essentielle : *Erzeugung, Operation, Vollzug, Ursprünglich :* les actes de présence et de présent sont des actes vraiment « opérés » et « originels » ; par rapport à toute modification ce sont des *Impressionen*, des *Urerlebnisse*. Ce troisième sens, le plus fondamental, sera élaboré au § 122 où la spontanéité créatrice de la conscience sera affirmée et où l' « originarité de la conscience » sera identifiée à la « production jaillissante », au « Fiat » de la conscience.

dans une simple image possible ou encore dans des formes redoublées (Iterationen) de ces diverses mutations.

Naturellement nous nous représentons tous ces vécus mis en parallèle comme possédant un fonds éidétique (Wesensbestand) commun : les vécus parallèles doivent être la conscience des mêmes objectivités intentionnelles et la conscience doit les atteindre dans des modes identiques de donnée empruntés à cette famille de modes qui peuvent être réalisés sous la condition d'autres variations possibles.

Comme les modifications considérées appartiennent à *chaque* vécu à titre de mutations idéalement possibles et désignent dans une certaine mesure par conséquent des opérations idéelles que l'on peut se figurer réalisées à propos de chacun, elles peuvent être répétées à l'infini et on peut également les opérer sur des vécus modifiés. Réciproquement on peut partir de tout vécu qui est déjà caractérisé comme telle modification et qui par la suite est toujours *en elle-même* caractérisée comme telle : on est alors ramené à certains proto-vécus (Urerlebnisse), à des « *impressions* » (Impressionen), qui représentent les vécus *absolument originaires* au sens phénoménologique du mot. Ainsi les *perceptions* de chose sont des vécus originaires par rapport à tous les souvenirs, présentifications imaginaires, etc. Elles sont aussi originaires que des vécus concrets peuvent l'être. En effet, à les considérer exactement, elles n'ont dans leur plénitude concrète qu'une [150] *seule phase qui soit absolument originaire,* mais qui également ne cesse de s'écouler continûment : c'est le moment du *maintenant* vivant.

Nous pouvons rapporter ces modifications à titre primaire aux vécus actuels de la conscience non réfléchie : en effet, il faut tout de suite considérer qu'à ces modifications primaires doivent participer *ipso facto* tous les vécus de la conscience réfléchie, du fait que comme actes de réflexion sur des vécus, et considérés dans leur plénitude complète, ce sont eux-mêmes des vécus de la conscience non réfléchie et qu'à ce titre ils sont susceptibles de toutes les modifications. Dès lors la réflexion est certainement elle-même une modification générale d'un nouveau genre : à savoir que le moi se *dirige* sur ses vécus et que par là même sont opérés des actes du cogito (en particulier des actes appartenant à la couche inférieure, fondamentale, celle des représentations simples) « dans » lesquels le moi se dirige sur ses *vécus;* mais précisément si la réflexion s'entrelace avec des appréhensions (ou des saisies) intuitives ou vides, il faut aussi nécessairement que l'étude de la modification réflexive se combine avec celle des modifications indiquées plus haut.

Seuls des actes de *l'expérience* réflexive nous révèlent quelque chose du flux du vécu et de sa nécessaire référence au moi pur ; seuls par conséquent ils nous enseignent que le flux est le champ où s'opèrent librement (ein Feld freien Vollzuges) les cogitationes d'un seul et même moi pur, et que tous les vécus du flux sont les siens, dans la mesure précise où il peut les regarder ou porter son regard « à travers eux » (durch sie hindurch) sur quelque chose d'étranger au moi[1]. Nous avons la conviction que ces expériences gardent sens et validité même une fois *réduits* et nous saisissons comme un principe éidétique universel la *validité* de ce genre d'expérience en général, de même que nous saisissons la validité parallèle des *intuitions éidétiques* appliquées aux vécus en général.

Ainsi nous saisissons par exemple la *validité absolue* de la réflexion *en tant que perception* immanente, c'est-à-dire de la perception immanente pure et simple ; cette validité, bien entendu, est fonction des éléments que cette perception amène dans son flux au rang de donnée réellement originaire ; nous saisissons de même la *validité absolue de la rétention immanente* par rapport à ce qui, à sa faveur, accède à la conscience avec le caractère du « encore » vivant et du « venant justement » d'exister ; cette validité, il est vrai, ne subsiste pas plus loin que ne s'étend le contenu même de ce qui est ainsi caractérisé. Elle concerne par exemple ce

---

[150] 1. Sur l'identité du « je » pur et de son regard qui « traverse » le vécu, cf. *supra* p. 109, n. 1 et *infra* §§ 80, 92, 115 et surtout § 122. Les MÉDITATIONS CARTÉSIENNES ajoutent en outre que le moi est le substrat des habitus, § 32.

fait que la réflexion portait sur un son et non sur une couleur. De même nous saisissons la validité *relative* du ressouvenir immanent qui s'étend aussi loin que le contenu du souvenir, considéré isolément, présente le caractère authentique du ressouvenir (tous les moments de l'objet du souvenir ne présentent pas en général ce caractère); cette validité se rencontre exactement ainsi [151] dans *tout* ressouvenir. Mais il faut avouer que c'est un droit purement « relatif », capable d'être supplanté, même si pourtant c'est un droit. Et ainsi de suite[1].

Nous voyons donc avec la clarté la plus parfaite et avec la conscience d'une validité inconditionnée qu'il serait absurde de penser que les vécus ne seraient garantis au point de vue épistémologique que dans la mesure où ils sont donnés dans la conscience réflexive d'une perception immanente, ou même qu'ils ne seraient garantis que dans le maintenant actuel considéré; il serait absurde de mettre en doute l'existence passée des choses qui sont découvertes comme « encore » présentes à la conscience lorsque le regard se tourne en arrière, bref de mettre en doute la rétention immédiate; il serait en outre absurde de se demander si finalement les vécus qui tombent sous le regard ne se convertissent pas de ce fait même en quelque chose de totalement différent, etc. Il suffit pour l'instant de ne pas se laisser égarer par ces arguments qui, en dépit de toute leur précision formelle, omettent totalement de se conformer à la source originelle de toute validité, celle de l'intuition pure ; il importe de rester fidèle au « principe des principes », à savoir que la clarté parfaite est la mesure de toute vérité et que les énoncés qui confèrent à leurs données une expression fidèle n'ont pas à se soucier d'arguments aussi raffinés qu'on voudra.

[151] 1. Ces propositions sur la validité absolue de la rétention et relative du ressouvenir sont l'enjeu de ces trois paragraphes consacrés à la réflexion.

§ 79. — Excursus critique. La Phénoménologie et les Difficultés de « l'Introspection » (Selbstbeobachtung) [2].

Il ressort des derniers développements que la phénoménologie n'est pas touchée par le scepticisme méthodologique qui, sur le plan parallèle de la psychologie empirique, a si souvent conduit à nier ou à restreindre indûment la valeur de l'expérience interne. Récemment H. J. Watt [a] a cru pouvoir néanmoins se faire l'écho de cette critique sceptique tournée contre la phénoménologie; à vrai dire il n'a pas saisi le sens distinctif de la phénoménologie pure, auquel les « Etudes Logiques » ont tenté de donner une introduction ; il n'a pas vu non plus combien la situation de la phénoménologie pure diffère de celle de la psychologie empirique. Aussi apparentées que soient les difficultés de part et [152] d'autre, une différence subsiste : demande-t-on quelle portée et quelle valeur de principe peuvent avoir les constatations portant sur *l'existence* qui confèrent une

(a) Cf. *Revue d'ensemble n° II : Les récentes recherches sur la psychologie de la mémoire et de l'association : année* 1905 (Sammelbericht II : « Ueber die neueren Forschungen in der Gedächtnis — und Assoziationpsychologie aus dem Jahre 1905 ». « Archiv f. d. ges. Psychologie », t. IX (1907). — H.-J. Watt s'attaque exclusivement à Th. Lipps. Bien que mon nom n'y soit pas mentionné, je crois néanmoins pouvoir considérer sa critique comme également dirigée contre moi, puisque une grande partie de l'exposé où il se réfère à d'autres auteurs pourrait être rapportée tout aussi bien à mes Etudes Logiques (1900-01) qu'aux écrits de Th. Lipps qui ne parurent que plus tard.

2. La discussion sur l'introspection est étendue à toute réflexion : la réflexion altère-t-elle le vécu et son objet ? Réponse :

1° Toute négation, tout doute portant sur la valeur de la réflexion ne sont connus eux-mêmes que par réflexion.

2° C'est encore la réflexion, mais une réflexion non déformante, qui permettrait de dire que le vécu primitif a été altéré.

3° La critique de la réflexion se réfère à l'étalon d'une réflexion absolue.

Ce mode de discussion par l'absurde est typique de Husserl, dans les Etudes Logiques I et *supra* § 20. C'est le seul qui soit permis à une science non déductive : finalement, il s'agit de revenir à l'intuition.

expression aux données de nos expériences internes (humaines) ? La question concerne la méthode psychologique; par contre, c'est la méthode phénoménologique qui est en cause, si l'on demande quelle possibilité de principe et quelle portée ont des constatations *éidétiques* qui, sur le fondement de la réflexion pure, doivent atteindre les vécus comme tels, en respectant leur essence propre, sans recourir à l'aperception naturelle (Naturapperzeption). Bien entendu il existe entre les deux méthodes des relations intimes, et même dans une mesure appréciable des concordances qui nous autorisent à prendre en considération les objections de Watt, en particulier les déclarations remarquables du genre de celles-ci :

« Il est à peine possible de conjecturer comment on accède à la connaissance du vécu immédiat. Car ce n'est ni un savoir, ni l'objet d'un savoir, mais quelque chose d'autre. On n'arrive pas à voir comment on peut établir noir sur blanc un procès-verbal portant sur le vécu du vécu, même si cette expérience existe. » « Toujours est-il que c'est l'ultime question à laquelle se ramène le problème fondamental de l'introspection. » « De nos jours on désigne cette description absolue du nom de phénoménologie. » (a)

Se référant aux considérations de Th. Lipps, Watt poursuit : « En opposition à la réalité *sue* (gewusst) des objets de l'introspection, nous avons la réalité du moi présent et des vécus de conscience présents. Cette réalité est vécue (entendons : simplement vécue mais non « sue », c'est-à-dire saisie par réflexion). C'est de cette façon précise qu'elle est une réalité absolue. » « On peut être d'un avis très différent », ajoute-t-il pour sa part, « sur le point de savoir ce qu'on peut faire de cette réalité absolue... Il s'agit pourtant bien ici uniquement de résultats de l'introspection. Or si cette contemplation tournée en arrière est toujours un savoir qui porte sur des vécus que l'on vient *d'avoir* comme objets, comment se prononcer sur les états dont on ne peut avoir aucun savoir, qui sont simplement conscients ? C'est bien ici que porte tout le poids de la discussion:

(a) Loc. cit., p. 5.

d'où dérive-t-on le concept du vécu immédiat qui n'est pas un savoir ? L'observation doit être possible. Vivre, chacun en dernier ressort le fait. Seulement il ne le *sait* pas. Et s'il le savait, comment pourrait-il savoir que son vécu est en vérité absolument tel qu'il pense qu'il est? De quelle tête la phénoménologie peut-elle [153] surgir toute armée? Une phénoménologie est-elle possible et en quel sens? Toutes ces questions sont pressantes. Peut-être qu'en discutant la question de l'introspection en partant de la psychologie expérimentale on jettera une lumière nouvelle sur ces divers points. Car le problème de la phénoménologie est un problème qui nécessairement se pose aussi pour la psychologie expérimentale. Peut-être sa réponse sera-t-elle aussi plus prudente, puisqu'elle n'aura pas l'ardeur qui anime le pionnier de la phénoménologie. En tout cas elle a, de par sa nature propre, plus d'affinité pour une méthode inductive » ([a]).

Quand on voit quelle pieuse confiance en la toute-puissance de la méthode inductive s'exprime dans les dernières lignes (Watt pourrait à peine s'y tenir, s'il réfléchissait aux conditions de possibilité de cette méthode), on est surpris, en vérité, de rencontrer l'aveu suivant : « Une psychologie qui procède par décomposition fonctionnelle ne pourra jamais expliquer le fait du savoir. » ([b])

En face de ces déclarations caractéristiques de la psychologie actuelle, il nous faudrait — dans la mesure précise où elles ont une intention psychologique — mettre d'abord en valeur la distinction donnée plus haut entre les questions de phénoménologie et de psychologie, et souligner de ce point de vue qu'une théorie phénoménologique des essences ne doit pas plus se soucier des méthodes par lesquelles le phénoménologue pourrait s'assurer de *l'existence* des vécus qui lui servent de soubassements dans ses constatations phénoménologiques, que la géométrie se soucie de savoir comment on peut s'assurer de l'existence des figures sur le tableau ou des modèles dans l'armoire. La géomé-

(*a*) Loc. cit., p. 7.
(*b*) Loc. cit., p. 12.

trie et la phénoménologie en tant que sciences d'essences pures ne comportent aucune constatation portant sur l'existence mondaine (reale Existenz). Ce principe a précisément pour corollaire que des fictions, si elles sont claires, lui offrent un soubassement non seulement aussi bon, mais dans une large mesure meilleur que les données de la perception actuelle et de l'expérience (c).

Si donc la phénoménologie n'a même pas à constater l'existence des vécus, ni par conséquent à faire des « expériences » et des « observations » au sens naturel du mot, au sens où une science de faits doit s'appuyer sur elles, elle fait néanmoins des constatations éidétiques sur des vécus non réfléchis ; c'est la condition de principe de sa possibilité. Mais elle les doit à la réflexion, plus exactement à l'intuition réflexive des [154] essences. Dès lors les scrupules sceptiques qui atteignent l'introspection touchent également la phénoménologie; il suffit que ces scrupules soient étendus, d'une façon aisée à concevoir, de la réflexion limitée à l'expérience immanente, à toute réflexion.

En fait, que deviendrait la phénoménologie si « on n'arrivait pas à voir comment on peut établir noir sur blanc un procès-verbal portant sur le vécu du vécu, même si cette expérience existe » ? Que deviendrait-elle, si ces énoncés avaient le droit de porter sur les essences de vécus réfléchis et devenus objets de « savoir », mais non sur les essences de vécus purs et simples? Qu'arriverait-il, s' « il était à peine possible de conjecturer comment on accède à la connaissance du vécu immédiat » — ou à la connaissance de son essence? Il se peut que le phénoménologue n'ait à faire aucune constatation d'existence concernant les vécus qui se proposent à lui à titre d'exemples pour ses idéations. Néanmoins on pourrait objecter que dans ces idéations il ne contemple que les idées du vécu qu'il a sous les yeux à ce moment sous forme d'exemple. Dès que son regard se tourne vers le vécu, celui-ci devient cela même comme quoi (als was) il s'offre désormais au regard; qu'il détourne son regard, et le vécu devient un

---

(c) Cf. ci-dessus, § 70, pp. 129 sq.

autre vécu. L'essence saisie n'est que l'essence du vécu réfléchi et la prétention d'atteindre par la réflexion à des connaissances absolument valables, qui embrasseraient dans leur validité les vécus en général, réfléchis ou non réfléchis, ne repose absolument sur rien : « comment pourrait-on se prononcer sur des états » — fût-ce même en tant que possibilités éidétiques — « dont on ne peut avoir aucun savoir? »

L'objection atteint manifestement toute espèce de réflexion, alors qu'en phénoménologie chacune veut avoir la valeur d'une source de connaissances absolues. En imagination j'évoque une chose, voire même un centaure. J'estime savoir qu'il se figure (darstellt) dans certains « modes d'apparaître », dans certaines « esquisses de sensation », certaines appréhensions, etc. J'estime détenir alors cette évidence *éidétique*, à savoir que cet objet ne *peut* être contemplé que dans de tels modes d'apparaître, au moyen seulement de telles fonctions d'esquisses ou de tout autre facteur susceptible de jouer ici un rôle. Mais, faudrait-il dire, quand je tiens le centaure sous mon regard, ce ne sont pas ses modes d'apparaître, les data où il s'esquisse, ses appréhensions que je tiens sous mon regard; et quand je saisis son essence, ce ne sont pas ces modes que je saisis, ni leurs essences. Il faut pour cela que le regard opère certaines conversions qui mettent en fusion tout le vécu et le modifient; et ainsi dans la nouvelle idéation j'ai un nouveau vécu sous les yeux et je n'ai pas le droit d'affirmer que j'ai accédé aux composantes éidétiques du vécu non réfléchi. Je n'ai pas le droit d'affirmer que [155] l'essence d'une chose en tant que telle implique qu'elle se figure dans des « apparences », qu'elle s'esquisse de la façon indiquée dans des data de sensation, soumis de leur côté à des appréhensions, etc.

Il est clair que la difficulté atteint également les analyses de conscience qui portent sur le « sens » (Sinn) [1] des vécus intentionnels et sur tous les traits qui appartiennent à la chose présumée, à l'objet intentionnel comme tel, au sens d'un énoncé, etc. Car ce sont également des analyses conduites dans le cadre de cer-

[155] 1. Sur *Sinn*, cf. § 55.

tains actes de réflexion orientés de façon particulière. Watt lui-même va jusqu'à dire : « La psychologie doit se rendre compte que par l'introspection la portée objective (die gegenständliche Beziehung) des vécus offerts à la description est altérée. Cette altération a peut-être une importance beaucoup plus grande qu'on n'est enclin à le croire » (a). Si Watt a raison, nous aurions affirmé plus qu'il n'est permis, lorsque dans l'introspection nous constations que nous venions à l'instant d'être attentif à ce livre et que nous l'étions encore. C'était vrai à la rigueur avant la réflexion. Mais celle-ci altère « le vécu » de l'attention « offert à la description »; selon Watt elle l'altère justement dans sa portée objective.

Tout scepticisme authentique, quel que soit son type ou son orientation, se signale par l'absurdité que voici qui l'atteint dans son principe : au cours de son argumentation, il présuppose implicitement, à titre de condition de possibilité, cela même qu'il nie dans ses thèses. Il n'est pas difficile de se convaincre que ce trait se retrouve également dans les arguments qui sont ici en jeu. Celui même qui se contente de dire : « Je doute de la signification cognitive de la réflexion », profère une absurdité. Car, pour se prononcer sur son doute, il use de réflexion; il ne peut tenir cet énoncé pour valable sans présupposer que la réflexion *possède* véritablement et indubitablement (du moins dans le cas présent) la valeur cognitive mise en doute, qu'elle n'altère *pas* la portée objective du vécu et que le vécu non réfléchi ne perd *pas* son essence en passant dans la réflexion.

En outre au cours de l'argumentation on parle constamment de la réflexion comme d'un fait et on parle de ce qu'elle provoque ou pourrait provoquer; du même coup on parle naturellement des vécus qui ne sont pas « sus », réfléchis, également comme de faits, à savoir comme de faits d'où procèdent les vécus réfléchis. Par conséquent on présuppose constamment un *savoir* portant sur les vécus non réfléchis, y compris sur les réflexions non réfléchies, dans le temps même que l'on met en question la possibilité de ce savoir. Cela se pro-

(a) Loc. cit., p. 12.

[156] duit dès que l'on commence à douter qu'il soit possible de constater *quoi que ce soit* concernant le contenu du vécu non réfléchi et l'action de la réflexion; on se demandera par exemple jusqu'à quel point elle altère le vécu primitif, et si elle ne le défigure pas pour ainsi dire, au point d'en faire une réalité totalement différente.

Or il est clair que si ce doute et si la possibilité qu'il recèle étaient justifiés, il ne resterait plus aucun moyen de fonder la certitude qu'il existe et qu'il peut exister un vécu non réfléchi et une réflexion. Il est en outre clair que cette certitude, qui était pourtant la présupposition constante, ne peut être sue que par la réflexion et qu'elle ne peut être fondée en tant que savoir immédiat que par une intuition donatrice d'ordre réflexif. Il en est de même de l'affirmation concernant la réalité ou la possibilité des modifications introduites par la réflexion. Si de telles connaissances *sont* données par l'intuition, elles le sont à l'intérieur d'un contenu intuitif; il est donc absurde de soutenir que toute connaissance nous est interdite concernant le contenu du vécu non réfléchi et la nature des modifications qu'il subit.

Il est inutile d'ajouter quoi que ce soit pour rendre manifeste l'absurdité. Ici comme partout le scepticisme est désarmé quand on en appelle des arguments verbaux à l'intuition éidétique, à l'intuition donatrice originaire et à la validité radicale qu'elle possède en propre (ihr ureigenes Recht). Tout dépend, il est vrai, si on recourt véritablement à cette intuition et si on se résout à porter le point contesté à la lumière de la véritable clarté éidétique et à entreprendre des analyses du genre de celles que nous avons tentées dans le paragraphe précédent, de façon aussi intuitive qu'elles ont été exécutées et présentées [1].

Les phénomènes de la réflexion sont en fait une sphère de données pures, voire même parfaitement claires. Nous touchons ici à une *évidence éidétique* qui peut à chaque instant être atteinte, parce qu'elle est immédiate : à partir d'une donnée objective en tant que telle, il est toujours possible de réfléchir sur la conscience

---

[156] 1. Cf. p. 151 n. 2 sur la méthode de discussion par l'absurde.

donatrice et sur le sujet de cette conscience; à partir du perçu qui est « là » corporellement, sur le percevoir; à partir du souvenu, tel qu'il est « évoqué » en tant que souvenu, en tant que « ayant été », sur l'acte de se souvenir; à partir de l'énoncé, considéré dans le déroulement de son être-donné, sur l'acte d'énoncer etc.; dans tous ces cas, le percevoir en tant que percevoir de cet objet précisément perçu, la conscience du moment en tant que conscience de cet objet momentané, accèdent au rang de données. Il est évident que par essence — et non par conséquent pour des raisons purement contingentes, valables par exemple uniquement « pour nous » et pour notre « constitution psycho-physique » contingente — c'est seulement au moyen de réflexions de ce genre que l'on peut connaître quelque [157] chose comme une conscience et un contenu de conscience (au sens réel ou intentionnel). Dieu Lui-même[1] par conséquent est lié à cette nécessité absolue et évidente, aussi bien qu'à l'évidence selon laquelle $2 + 1 = 1 + 2$. Même Lui ne pourrait obtenir de sa conscience et de son contenu de conscience qu'une connaissance réflexive ([a]).

Il en résulte du même coup que la réflexion ne peut être impliquée dans aucun conflit antinomique avec l'Idéal de la connaissance parfaite. Toute espèce d'être, comme nous avons déjà dû le souligner à plusieurs reprises, a par essence *ses* modes de donnée et par là même ses propres voies en ce qui concerne les méthodes

(*a*) Nous ne transportons pas ici le débat sur le plan de la théologie : l'idée de Dieu est un concept-limite nécessaire dans les discussions épistémologiques, ou un index indispensable lors de la construction de certains concepts-limites dont l'athée lui-même ne peut se passer quand il philosophe 1.

[157] 1. Cf. p. 77 n. 2, 78 n. 2, 81 n. 2. Il n'y a pas lieu, semble-t-il, de rapprocher ce concept-limite des idées-limites de la géométrie (p. 138), ni de la question laissée en suspens (p. 141 n. 1) de la possibilité de concepts-limites par rapport aux concepts inexacts de la phénoménologie. Il s'agit seulement des interdictions éidétiques qui limitent notre libre fantaisie. L'idée de Dieu est ici l'index de la non-contingence des lois éidétiques. Si Dieu est le principe de l'ordre contingent (§ 58), il ne l'est pas de l'ordre éidétique, il n'est pas le créateur des vérités éternelles comme chez Descartes.

de connaissance. Il est absurde de traiter comme un défaut des caractéristiques essentielles de ce type d'être, et même de le mettre au compte de tel ou tel défaut fortuit, empirique, attaché à « notre » connaissance « humaine ». Nous rencontrons une autre question qui demande également à être discutée selon l'évidence éidétique : elle concerne la « portée » possible de la connaissance en litige; c'est par conséquent la question de savoir comment nous garder d'énoncés qui excèdent ce qui est réellement donné à tel moment et qui peut être saisi éidétiquement ; une autre question encore concerne la méthode *empirique :* comment devons-nous agir, nous autres hommes, en particulier en tant que psychologues, étant donné notre statut psycho-physiologique, pour conférer à nos connaissances humaines une dignité aussi haute que possible ?

Il faut d'ailleurs souligner que, ici comme ailleurs, notre recours répété à l'intuition intellectuelle (Einsicht) — à l'évidence (Evidenz) ou intuition — n'est pas une simple phrase mais, au sens des chapitres de la section d'introduction, le retour au critère ultime de toute connaissance, exactement comme quand on parle d'évidence à propos des axiomes logiques et arithmétiques les plus primitifs ([b]). Quand on a appris à saisir

(*b*) Pendant l'impression de ce livre je lis dans l'ouvrage récemment paru de Th. Ziehen : THÉORIE DE LA CONNAISSANCE FONDÉE SUR LA PSYCHO-PHYSIOLOGIE ET LA PHYSIQUE, un jugement porté sur « cette soi-disant intuition ou évidence si suspecte.... laquelle a deux propriétés principales : premièrement, elle change d'un philosophe à l'autre, d'une école philosophique à l'autre ; deuxièmement, elle intervient nommément de préférence quand l'auteur *expose précisément un point particulièrement douteux de sa doctrine ;* il nous faut alors bluffer si nous voulons nous prémunir contre le doute ». Il s'agit dans cette critique, comme il ressort du contexte, de la doctrine développée dans les ETUDES LOGIQUES des « objets généraux » ou « essences » et de l'intuition des essences. Ziehen poursuit : « Pour distinguer ces concepts supra-empiriques de la tourbe vulgaire des concepts ordinaires, on les a pourvus en outre d'une universalité particulière, d'une exactitude absolue, etc. ; je tiens tout cela pour de la pure présomption humaine » (o.c., p. 413). La déclaration de la p. 441 n'est pas moins caractéristique de cette théorie de la connaissance ; elle concerne l'appréhension intuitive du moi ; mais au sens de l'auteur sa validité est bien plus générale : « Je ne pourrais concevoir qu'une façon réelle de ratifier une

[158] par l'évidence ce qui est donné dans la sphère de la conscience, on ne peut lire sans étonnement les propositions du genre de celles qu'on a déjà citées plus haut: « Il est à peine possible de conjecturer comment on accède à la connaissance du vécu immédiat »; une seule conclusion peut en être tirée : c'est combien l'analyse immanente des essences est encore étrangère à la psychologie moderne, bien qu'elle constitue l'unique méthode possible pour fixer les concepts qui ont à jouer un rôle déterminant dans toute description psychologique immanente ([a]), ([b]).

Le rapport étroit qui unit phénoménologie et psychologie devient particulièrement sensible avec les problèmes de la réflexion traités ici. Toute description éidétique relative aux espèces de vécus énonce, pour une existence empirique possible, une norme de validité inconditionnée. En particulier ce qu'on vient de dire

---

telle intuition primaire : ce serait l'accord de tous les individus sentants et pensants sur la constatation de cette intuition. » — Naturellement, il est indéniable que par ailleurs des excès aient été fréquemment commis au nom de « l'intuition ». On peut seulement demander si les excès attribués à une *prétendue* intuition pourraient être découverts autrement que par une intuition *véritable*. Même sur le plan de l'expérience il est commis bien des excès au nom de l'expérience et il serait fâcheux de traiter pour autant l'expérience en général de « bluff » et de suspendre sa « ratification » à « l'accord de tous les individus sentants et pensants sur la constatation de cette expérience ». Cf. sur ce point, le chap. II de la Ire section de cet ouvrage.

[158] (*a*) Cf. mon article in *Logos*, I, pp. 302-22.

(*b*) Les deux articles de A. Messer et J. Cohn (dans le Ier vol. des *Jahrbücher der Philosophie*, édités par *Frischeisen-Köhler*), qui sont également tombés entre mes mains pendant l'impression de ce livre, montrent une fois de plus combien des penseurs pourtant solides sont peu soucieux d'arriver à se libérer de l'emprise des préjugés régnants et, en dépit de toute leur sympathie pour les efforts de la phénoménologie, à saisir la spécificité de la phénoménologie en tant que *doctrine des essences*. Ces deux auteurs, et Messer en particulier (également dans ses réflexions critiques publiées antérieurement in *Archiv f. d. ges. Psychol.* XXII), ont mal compris le *sens de mes analyses*, à un point tel que les doctrines qui y sont combattues comme étant les miennes ne sont *absolument pas les miennes*. J'espère que les analyses plus détaillées du présent ouvrage préviendront désormais le retour de telles erreurs d'interprétation.

s'applique naturellement aussi à toutes les espèces de vécus qui ont un rôle constitutif à l'égard de la méthode psychologique, comme cela vaut pour tous les [159] modes de l'expérience interne. Par conséquent la phénoménologie est l'instance suprême dans les questions méthodologiques fondamentales que pose la psychologie. Les principes qu'elle a établis en termes généraux doivent être reconnus et, si l'occasion le requiert, invoqués par le psychologue, comme la condition de possibilité de tout développement ultérieur de ses méthodes. Tout ce qui les contredit caractérise *l'absurdité psychologique de principe,* de même que sur le plan physique tout ce qui contredit les vérités géométriques et les vérités de l'ontologie de la nature en général est le signe distinctif de *l'absurdité de principe dans les sciences de la nature.*

C'est une telle absurdité de principe qui dès lors s'exprime dans cet espoir que l'on pourra vaincre les scrupules sceptiques dirigés contre la possibilité de l'introspection, en recourant à *l'induction psychologique* par le biais de la psychologie expérimentale. Ici encore c'est exactement comme si, dans le domaine de la connaissance physique de la nature, on voulait surmonter le doute parallèle, de savoir si finalement toute perception externe ne serait pas mensongère (puisque effectivement chacune prise séparément pourrait réellement nous tromper), en recourant à la physique expérimentale, laquelle en réalité présuppose dans chacune de ses démarches la validité de la perception externe.

D'ailleurs les remarques qui sont faites ici en termes généraux ne manqueront pas d'être renforcées par les analyses ultérieures, en particulier par les éclaircissements que nous apporterons sur l'extension (Umfang) des évidences éidétiques d'origine réflexive. Les relations effleurées ici entre la phénoménologie (ou entre la psychologie éidétique, que provisoirement ici nous n'avons pas encore distinguée de la phénoménologie et qui en tout cas lui est intimement unie) et la psychologie comme science empirique, doivent être soumises à une élucidation dans le tome second de cet ouvrage, ainsi que tous les difficiles problèmes qui s'y rattachent. Je suis certain que dans un avenir qui n'est pas trop éloigné cette conviction sera devenue un bien commun, que la phénoménologie (ou la psychologie éidétique) est à l'égard de la psychologie empirique la science fondamentale au point de vue méthodologique, dans le même sens que les disciplines mathématiques matérielles (sachhaltigen) (par exemple la géométrie et la cinématique) sont fondamentales pour la physique [1].

L'antique doctrine ontologique, *selon laquelle la connaissance du « possible » doit précéder celle du réel* (der Wirklichkeiten), demeure à mon avis une grande vérité, pourvu qu'on l'entende correctement et qu'elle soit employée de façon correcte [2].

§ 80. — La relation des Vécus au moi pur [3].

Parmi les traits distinctifs généraux que présentent les essences du domaine du vécu après la purification transcendantale, la première place revient expressément à la relation qui unit chaque vécu au moi « pur ». [160] Chaque « *cogito* », chaque acte en un sens spécial, se caractérise comme un acte du moi, il « procède (geht hervor) du moi », en lui le moi « vit » « actuellement ». Nous avons déjà abordé cette question et nous rappelons en quelques propositions les développements antérieurs.

En observant *je* perçois quelque chose; de la même façon *je* « suis occupé » par une chose qui revient fréquemment à ma mémoire; procédant à une quasi-observation, *je* poursuis sur le plan de l'imagination créatrice une sorte de voyage dans le monde imaginaire. Ou bien

---

[159] 1. Sur ce rapport des sciences empiriques aux sciences éidétiques, cf. §§ 7-8.

2. Sur l'essence comme possibilité par rapport à l'existence, cf. §§ 135 (p. 280) et 140.

3. 2°) *Le rapport au « je » et la temporalité*, § 80-3. Le problème du moi est très brièvement repris après la réduction. Quelques points acquis (§§ 35, 37, 53, 57) sont rappelés ; deux problèmes nouveaux sont posés : une *description* du « je » pur est-elle possible ? et quel rapport la réflexion sur le « je » entretient-elle avec les problèmes de constitution ? — Mais le problème du moi est surtout renouvelé par celui du temps : §§ 81-3.

je réfléchis, je tire des conclusions; je rétracte un jugement, au besoin en me « retenant » de juger. Je passe par un état agréable ou désagréable, je me réjouis ou m'afflige, j'espère, ou bien je veux et agis; ou encore je me « retiens » d'être joyeux, de souhaiter, de vouloir et d'agir. A tous ces actes je participe (bin ich dabei), je participe *actuellement*. Par la réflexion je me saisis moi-même comme participant en tant que je suis tel homme.

Or si j'opère l'ἐποχή phénoménologique, le « moi un tel » est justiciable, comme l'ensemble du monde selon la position naturelle, de la mise hors circuit; il ne subsiste que le pur vécu en tant qu'acte avec sa propre essence. Mais je vois également qu'en saisissant ce vécu en tant que vécu humain, abstraction faite de la thèse d'existence, on introduit toutes sortes d'éléments dont la présence n'est nullement nécessaire, et que d'autre part nulle mise hors circuit ne peut abolir la forme du *cogito* et supprimer d'un trait le « pur » sujet de l'acte: le fait « d'être dirigé sur », « d'être occupé à », « de prendre position par rapport à », « de faire l'expérience de », « de souffrir de », enveloppe *nécessairement* dans son essence d'être précisément un rayon qui « émane du moi » ou, en sens inverse, qui se dirige « vers le moi »; ce moi est le *pur* moi; aucune réduction n'a prise sur lui.

Nous avons parlé jusqu'à présent de vécus présentant le type particulier du « cogito ». Les autres vécus, qui jouent par rapport à l'actualité du moi le rôle de milieu (Milieu) général, ne présentent pas sans doute la relation caractéristique au moi dont nous venons de parler. Et pourtant ils participent aussi au pur moi et celui-ci à eux. Ils lui « appartiennent », ils sont « les siens », *son* arrière-plan de conscience, *son* champ de liberté.

Bien qu'il soit entrelacé de cette façon particulière avec tous « ses » vécus, le moi qui les vit n'est pourtant point quelque chose qui puisse être considéré *pour soi* et traité comme un objet *propre* d'étude. Si l'on fait abstraction de sa « façon de se rapporter » (Beziehungsweisen) ou « de se comporter » (Verhaltungsweisen), il est absolument dépourvu de composantes éidétiques et n'a même aucun contenu qu'on puisse expliciter (explikablen); il est en soi et pour soi indescriptible : moi pur et rien de plus [1].

[161] C'est pourtant pour cette raison qu'il se prête à une multiplicité de descriptions importantes qui concernent précisément les manières particulières *dont* (wie) il est en chaque espèce ou mode du vécu le moi qui les vit. Dans ces descriptions on continue de distinguer, en dépit de leurs interrelations nécessaires, d'une part le *vécu lui-même* et d'autre part le *moi pur* du vivre. Et à nouveau : *l'aspect purement subjectif du mode du vécu* et, ce qui reste par soustraction, *le statut* (Gehalt) *du vécu qui pour ainsi dire se détourne du moi* (ich-abgewante). L'essence qui caractérise la sphère du vécu présente donc une certaine dualité de faces dont l'importance est extraordinaire; nous pouvons encore en dire ceci : il faut distinguer dans les vécus une face *orientée subjectivement* (subjektiv-orientierte) et une face orientée objectivement (objektiv-orientierte) ; cette manière de s'exprimer ne doit pas être mal interprétée, comme si nous enseignions que « l'objet » éventuel du vécu était dans ce vécu quelque chose d'analogue au moi pur. Toutefois cette manière de s'exprimer trouvera sa justification. Nous ajoutons en même temps qu'à cette dualité de faces répond du côté de la recherche, au moins dans une proportion notable, une division parallèle (qui ne sera pas néanmoins une véritable coupure); une partie des recherches est orientée dans le sens de la pure subjectivité, l'autre dans le sens des facteurs qui se rattachent à la « constitution » de l'objectivité *pour* la subjectivité. Nous aurons beaucoup à dire sur la « relation intentionnelle » des vécus (ou du moi pur qui les vit) aux objets, sur les multiples composantes du vécu et sur les « corrélats intentionnels » qui en sont solidaires. Mais ce même aspect peut être exploré et décrit, se prêter à de vastes études d'ordre analytique ou synthétique, sans que jamais on s'occupe de façon plus

---

[160] 1. A la première question on répond : bien qu'il ne soit pas réduit, le moi est un objet d'étude ; comme eussent dit Malebranche et Berkeley, il n'y a pas d'idée de l'âme ; le moi est seulement impliqué dans toute description comme *manière* de se comporter. Il ne se prête pas à la question *Qui sit*, mais *Quomodo sit*.

pénétrante du moi pur et des différentes façons dont il y participe. Il est certes inévitable qu'à différentes reprises on touche à cette question, dans la mesure précisément où le moi participe nécessairement au vécu[1].

Les méditations que nous avons l'intention de poursuivre dans cette section porteront de préférence sur la face du vécu orientée objectivement ; c'est elle qui se présente la première, en partant de l'attitude naturelle. C'est à ces méditations que se référaient déjà les problèmes indiqués dans le paragraphe d'introduction de cet ouvrage.

§ 81. — Le Temps phénoménologique et la Conscience du Temps.

Une discussion spéciale doit être consacrée au temps phénoménologique en tant que trait distinctif général de tous les vécus.

Il faut soigneusement respecter la différence qui sépare ce *temps phénoménologique,* cette forme unitaire de tous les vécus en *un seul* flux du vécu (un *unique* moi pur) et le temps « *objectif* » (objektiven) c'est-à-dire *cosmique*[2].

[162] Par la réduction phénoménologique la conscience n'a

---

[161] 1. La deuxième question soulevée ici n'est pas traitée : si les problèmes de constitution traités dans les Ideen concernent les transcendances qui s'annoncent dans le vécu, — donc la face-objet du vécu, — y a-t-il un problème de constitution du moi — de la face-sujet du vécu ? Si l'on considère que le moi est une transcendance originale, il est naturel que la phénoménologie rencontre ce problème ; cf. p. 162 n. 2. Or le problème du temps (§§ 81-8) et celui de la hylé — et d'une manière générale celui de la structure immanente du vécu (§ 85) — peuvent être considérés comme des échantillons de cette phénoménologie « tournée vers le moi » (cf. *infra* p. 163 n. 2 et 165 n. 3) ; le temps est en effet la connexion immanente du flux, lequel a déjà été caractérisé comme flux des « esquisses » (§ 41) : hylé et temporalité sont donc bien des aspects solidaires de cette structure immanente.

2. Sur le rapport du temps phénoménologique au temps « objectif » (au sens de 63 n. 3), cosmique, cf. Zeitbewusstsein, § 1, pp. 3-8.

pas seulement perdu sa « liaison » aperceptive (apperzeptive « Anknüpfung »)[1] (ce qui est bien entendu une image) à la réalité matérielle et son insertion — secondaire il est vrai — dans l'espace, mais aussi son inclusion dans le temps cosmique. Le temps qui par essence appartient au vécu comme tel — avec les différents modes sous lesquels il se donne : modes du maintenant, de l'avant, de l'après, modes du en même temps, du l'un après l'autre, déterminés modalement par les précédents — ce temps ne peut aucunement être mesuré par la position du soleil, par l'heure, ni par aucun moyen physique; il n'est pas mesurable du tout.

Le temps cosmique est au temps phénoménologique dans un rapport en quelque manière analogue à ce qu'est « l'extension » (Ausbreitung) qui tient à l'*essence* immanente d'un contenu concret de sensation (par exemple un datum visuel dans le champ des data visuels de sensation) par rapport à « l'étendue » (Ausdehnung) spatiale objective, à savoir l'étendue physique de l'objet physique qui apparaît et qui « s'esquisse » visuellement dans ce datum de sensation[2]. Or il serait absurde de situer dans le même genre éidétique un moment de sensation, comme la couleur ou l'extension, et le moment de la chose qui s'esquisse à travers lui, comme la couleur de la chose et l'étendue de la chose; il en est de même pour le temps phénoménologique et le temps du monde. Dans le vécu et ses moments vécus le temps transcendant peut se figurer au moyen d'apparences, mais par principe cela n'aurait pas plus de sens dans un cas que dans l'autre de supposer une ressemblance du type portrait (bildliche) entre la figuration et le moment figuré; cette ressemblance en effet présupposerait une unicité d'essence.

D'ailleurs on ne doit pas dire que la façon dont le

[162] 1. Cf § 53.

2. Cf. § 41, le rapport de « figuration » (*Darstellung*) entre le datum sensuel (hylé) et le moment correspondant de l'objet. Est-ce à dire que le temps cosmique soit « figuré » dans le temps phénoménologique d'une manière en tous points identique à celle de la qualité ou de l'espace ? La suite répond négativement, sans pousser plus avant la comparaison qui mettrait en jeu la constitution du temps.

temps cosmique s'annonce dans le temps phénoménologique est exactement identique à celle dont d'autres moments éidétiques du monde, concernant la chose même, se figurent sur le plan phénoménologique. Il est certain que la figuration des couleurs et celle des autres qualités sensibles de la chose (dans les data sensoriels correspondant aux divers champs sensoriels) diffère essentiellement de nature; et la façon dont s'esquissent les formes spatiales des choses dans les formes d'extension à l'intérieur de data de sensation est à son tour d'une nature différente. Néanmoins dans l'analyse qu'on en a faite plus haut il existe partout une communauté de nature.

Le temps, comme le montreront les études ultérieures, est d'ailleurs un titre qui couvre tout un *ensemble de problèmes parfaitement délimités* et d'une difficulté exceptionnelle. Il apparaîtra que nos analyses antérieures ont jusqu'à un certain point passé sous silence toute une dimension de la conscience; elle a été obligée de le faire, afin de protéger contre toute confusion les aspects qui d'abord ne sont visibles que dans l'attitude [163] phénoménologique et qui, par abstraction de la nouvelle dimension, forment un domaine de recherches bien délimité[1]. « L'absolu » transcendantal que nous nous sommes ménagés par les diverses réductions, n'est pas en vérité le dernier mot; c'est quelque chose (etwas) qui, en un certain sens profond et absolument unique,

[163] 1. Les problèmes concernant la constitution *des transcendances* ont seuls été abordés jusqu'ici, cf. p. 161 n. 2. La réduction des trancendances ou réduction limitée (§ 32) ne peut conduire qu'à une sphère « close » de problèmes de constitution. L'*Urkonstitution* du moi — qui est en un sens une auto-constitution — fait l'objet d'un groupe important d'inédits. S'il y a, comme il est dit plus loin, une « énigme » (*Rätsel*) de la conscience du temps, c'est en tant qu'elle touche à cette *Urkonstitution* du moi lui-même. L'ancienneté des travaux sur la CONSCIENCE DU TEMPS (1903-5), publiée par M. Heidegger, atteste que cette difficulté a été aperçue à la naissance même de la phénoménologie transcendantale. La *IVe Méditation cartésienne* montre que la temporalité de l'*ego* permet de passer au point de vue d'une « *genèse* » de l'*ego* : « *l'ego* se constitue pour lui-même en quelque sorte dans l'unité d'une histoire » (p. 64) ; cette « genèse » est passive ou active (pp. 65-70) et repose sur la « compossibilité » des vécus dans le flux temporel.

se constitue soi-même, et qui prend sa source radicale (Urquelle) dans un absolu définitif et véritable.

Par bonheur nous pouvons laisser de côté l'énigme de la conscience du temps ([a]) dans nos analyses préparatoires, sans en compromettre la rigueur. Nous ne faisons précisément qu'y toucher dans les propositions suivantes :

La propriété éidétique qu'exprime le terme général de temporalité appliqué aux vécus en général, ne désigne pas seulement un caractère que possède de façon générale chaque vécu pris séparément, mais *une forme nécessaire qui lie des vécus à des vécus.* Tout vécu réel (nous formons cette évidence en nous fondant sur la claire intuition d'une réalité vécue) est nécessairement un vécu qui dure; et avec cette durée il s'ordonne à un continuum sans fin de durées — à un continuum *rempli* (erfüllten). Il a nécessairement un horizon temporel rempli et qui se déploie sans fin de tous côtés. Autrement dit il appartient à un *unique « flux du vécu »* qui s'écoule sans fin. Chaque vécu, par exemple un vécu de joie, de même qu'il peut commencer, peut finir et ainsi délimiter sa durée. Mais le flux du vécu ne peut commencer ni finir. Chaque vécu en tant qu'être temporel est le vécu de son moi pur [2]. Ce qui implique nécessairement que le moi ait la possibilité (possibilité non point seulement logique et vide, nous le savons) de diriger sur ce vécu son regard de pur moi et de le saisir comme existant réellement, ou comme durant dans le temps phénoménologique.

La situation implique *par essence* une autre possibilité : le moi peut toujours tourner son regard vers le *mode* temporel *sous lequel se donne* un vécu et reconnaître avec évidence (cette évidence, nous l'obtenons en fait en réalisant de façon vivante (nachlebend) par l'in-

(a) Les efforts de l'auteur concernant ce problème, et qui longtemps demeurèrent vains, ont pour l'essentiel abouti à un terme dans l'année 1905 ; leurs résultats ont été communiqués dans des cours à l'Université de Göttingen.

2. L'appartenance à l'unique flux *est* l'appartenance à l'unique moi, au « moi pur » (§ 82) ; l'identité profonde des problèmes du moi pur et du temps apparaît encore p. 165. Sur l' « intentionnalité constituante du temps » cf. ZEITBEWUSSTSEIN § 36.

tuition ce que nous décrivons) qu'il n'est pas de vécu durable qui ne se constitue [3] dans un flux continu de modes de donnée, qui confère une unité au processus ou à la durée; le moi reconnaît en outre que le mode de donnée *du* vécu temporel est lui-même à son tour un vécu, quoique d'une espèce nouvelle et d'une dimension [164] nouvelle. Soit par exemple la joie qui commence, finit et dans l'intervalle dure; je peux d'abord la tenir elle-même sous le regard pur; je l'accompagne dans ses phases temporelles. Mais je peux aussi porter mon attention sur ses modes de donnée; remarquer le mode présent du « maintenant » et observer qu'à ce maintenant, et par principe à tout maintenant, se joint en une continuité nécessaire un maintenant nouveau et toujours nouveau; remarquer que du même coup chaque maintenant actuel se convertit en un « justement » (Soeben); ce « justement » se convertit à son tour et continuellement dans des « justement » de « justement » toujours nouveaux et ainsi de suite sans fin. Il en est de même pour tout maintenant nouvellement adjoint au précédent.

Le maintenant actuel est nécessairement et demeure quelque chose de ponctuel : c'est une *forme qui persiste* (verharrende) *alors que la matière est toujours nouvelle.* Il en est ainsi avec la continuité des «justement»; c'est une continuité de formes avec des contenus toujours nouveaux. Autrement dit, le vécu durable de la joie est « pour la conscience » donné dans un continuum de conscience dont la *forme* est constante. Une phase impressionnelle [1] y joue le rôle de phase-limite par rapport à une continuité de rétentions; celles-ci à leur tour ne sont pas au même niveau, mais doivent être *rapportées les unes aux autres selon une série continue d'intentions* (kontinuierlich-intentional) [2],

3. Cette constitution est la constitution même du moi comme forme de temporalité. Cette forme est objet d'intuition éidétique et non pas seulement comme chez Kant une condition de possibilité atteinte par analyse régressive. Le type d'intuition d'un continu *infini* sera examiné au § 83.

164] 1. Sur le « maintenant » comme « impression » ou « originarité » cf. p. 149 n. 2.

2. De même que l'expression de constitution, celle d'intentionnalité est étendue du rapport de transcendance au rapport intra-

pour former un emboîtement (ein Ineinander) continu de rétentions de rétentions. Cette forme reçoit un contenu toujours nouveau; par conséquent à chaque impression dans laquelle est donné le maintenant du vécu, « s'ajoute » (fügt sich) une nouvelle impression qui correspond à un point de durée continuellement nouveau; continuellement l'impression se convertit en rétention, et celle-ci continuellement en rétention modifiée, et ainsi de suite.

Il faut considérer en outre la direction inverse dans ces mutations continuelles : à l'avant correspond l'après, au continuum de rétentions, un continuum de protentions.

§ 82. — Suite. Le triple horizon du Vécu, considéré en même temps comme horizon de la réflexion sur le Vécu [3].

Ce n'est pas tout. Chaque maintenant qui affecte un vécu, même s'il est la phase inaugurale d'un vécu nouvellement apparu, a nécessairement son *horizon d'antériorité*. Or ce ne peut être par principe une antériorité vide, une forme vide sans contenu, dénuée de tout sens. Elle a nécessairement la signification d'un maintenant passé, qui comprend sous cette forme quelque chose qui est passé, un *vécu* passé. Tout vécu nouvellement commençant est nécessairement précédé dans le temps par des vécus; le passé du vécu est continuellement rempli [4]. Chaque maintenant qui affecte un vécu a aussi son *hori-*

---

subjectif, c'est-à-dire à la *forme temporelle* qui lie un vécu à un vécu, une rétention à une rétention.

3. Rapprocher l'idée d' « horizon » temporel de celle d' « horizon » d'attention ou d'arrière-plan potentiel. C'est le même « horizon » considéré une fois comme « inactuel », une fois comme passé ; l'originarité avait aussi plusieurs sens (p. 149 n. 2). Il faudra aussi ajouter tout l'*horizon d'originarité* du présent.

4. Cette *Erfüllung* signifie ici comme chez Kant qu'il n'y a pas de forme du temps sans vécus qui s'y écoulent. Mais ce sens rejoint finalement celui que l'intuition confère à ce moment abstrait, puisque tout vécu passé qui remplit le temps peut aussi remplir l'intention qui le vise, c'est-à-dire être perçu de manière immanente, § 78 *ad finem*.

zon nécessaire de *postériorité;* lui non plus n'est pas un horizon vide; chaque maintenant qui affecte un vécu, [165] même s'il est la phase terminale par laquelle s'achève la durée d'un vécu, se mue nécessairement en un nouveau maintenant et celui-ci est nécessairement un vécu rempli.

A quoi on peut encore ajouter : à la conscience du maintenant se joint nécessairement celle du justement passé, qui est elle-même à son tour un maintenant. *Un vécu ne peut cesser sans que l'on ait la conscience qu'il cesse et qu'il a cessé :* cette conscience est un nouveau maintenant rempli. Le flux du vécu est une unité infinie, et la *forme du flux* est une forme qui *embrasse nécessairement tous les vécus d'un moi pur* — cette forme enveloppant elle-même une diversité de systèmes de formes.

Nous réservons pour les travaux ultérieurs déjà annoncés le soin de développer ces vues avec plus de détails et d'en élucider les conséquences métaphysiques considérables [1].

La particularité générale des vécus dont on vient de traiter, en considérant ceux-ci comme des données possibles de la perception réflexive (immanente), est à son tour un élément constitutif (Bestandstück) à l'intérieur d'une propriété encore plus vaste qui s'exprime dans la *loi éidétique* suivante : chaque vécu non seulement peut être considéré du point de vue de la *succession* (Folge) temporelle au sein d'un enchaînement de vécus essentiellement fermé sur soi-même mais peut être encore envisagé du point de vue de la *simultanéité.* Cela signifie que chaque maintenant qui affecte un vécu a un horizon de vécus qui ont précisément aussi la forme d'originarité du « maintenant »; ces vécus en tant que tels forment *l'horizon d'originarité* (Originaritätshorizont) *du moi pur,* son *maintenant*-de-conscience, total et originaire [2].

C'est en tant qu'unité que cet horizon entre dans le mode du passé. Chaque avant, en tant qu'il est un maintenant modifié, implique par rapport à chaque vécu saisi

---

[165] 1. Cf. p. 161 n. 1, 163 n. 2.
2. Cf. p. 164 n. 3.

par le regard et dont il est l'avant, un horizon sans fin qui embrasse tout ce qui appartient au même maintenant modifié; bref c'est l'horizon formé par tous les vécus qui « ont existé simultanément ». Les descriptions antérieures doivent donc être complétées par une nouvelle dimension ; c'est seulement par cette addition que nous obtenons le champ *total* du temps phénoménologique qui appartient au moi pur ; ce champ, le moi peut le parcourir à partir de l'un quelconque de « ses » vécus selon les *trois* dimensions de l'avant, de l'après, du simultané ; nous dirons encore que nous obtenons le *flux total* des unités temporelles de vécu, flux *unitaire* (einheitlich) *par essence* et strictement « clos » sur lui-même [3].

Nous pouvons tenir pour des corrélats nécessaires ces deux notions : d'une part un *unique* moi pur, d'autre part un *unique* flux du vécu, rempli selon ses trois dimensions, essentiellement solidaire de lui-même (zusammenhängender) dans cette plénitude, se suscitant lui-même (sich fordernder) à travers sa continuité de contenu [4].

[166] § 83. — LA SAISIE DU FLUX UNITAIRE DU VÉCU CONÇUE COMME UNE « IDÉE » [1].

A cette *forme-mère* (Urform) *de la conscience* se rattachent les propriétés suivantes selon une loi d'essence.

Quand le regard pur du moi atteint par réflexion et saisit de façon perceptive un vécu quelconque, il est possible à priori de détourner le regard pour le porter

3. Le mot « clos » a déjà été employé pour désigner la suffisance de la conscience, considérée dans son rapport à elle-même, cf. p. 93 n. 2.

4. Cf. p. 163 n. 2.

[166] 1. Problème : comment peut-on avoir l'intuition d'une totalité non donnée dans le présent ? Or cette totalité est le moi concret (p. 61). Il faut que l'intuition porte sur une idée au sens kantien, c'est-à-dire que cette totalité est une tâche pour la réflexion, pour un regard qui se déplace sans fin le long de ce flux. Champ d'inattention et horizon temporel s'impliquent donc mutuellement.

sur d'autres vécus, *aussi loin* que s'étend cet enchaînement. Or par principe la *totalité* de cet enchaînement n'est jamais donnée et n'est pas susceptible d'être donnée dans un unique regard pur. Et pourtant d'une *certaine* façon, mais d'une façon toute différente par principe, ce tout peut être saisi intuitivement, à savoir sous la forme de « *l'absence de limite dans le développement* » (Grenzenlosigkeit im Fortgang) *que présentent les intuitions immanentes,* lorsqu'on passe d'un vécu déjà fixé aux nouveaux vécus qui forment son horizon, de la fixation de ceux-ci à la fixation de leur horizon et ainsi de suite. L'expression *d'horizon de vécu* ne désigne pas seulement ici l'horizon de temporalité phénoménologique, considéré selon les diverses dimensions qu'on a décrites, mais des différences introduites par des mode de donnés répondant à *un nouveau type.* En ce sens un vécu qui est devenu un objet pour un regard du moi et qui a par conséquent le mode du regardé, a pour horizon des vécus non regardés ; ce qui est saisi sous un mode « d'attention », voire avec une clarté croissante, a pour horizon un arrière-plan d'inattention qui présente des différences relatives de clarté et d'obscurité, ainsi que de relief et d'absence de relief. C'est ici la racine de nouvelles possibilités éidétiques : celle d'amener sous le regard pur l'objet non regardé, de remarquer à titre primaire ce qui n'était remarqué que latéralement, de faire ressortir ce qui était sans relief, de rendre l'obscur clair et sans cesse plus clair ([a]).

C'est dans ce développement continuel de saisie en saisie que nous saisissons d'une certaine façon, dirais-je, *le flux lui-même du vécu en tant qu'unité.* Nous ne le saisissons pas comme un vécu singulier, mais à la façon d'une *Idée au sens kantien.* Ce n'est pas quelque chose qu'on pose et qu'on affirme au hasard ; c'est une donnée absolument indubitable, en prenant le mot donnée en un sens élargi en conséquence. Cette indubitabilité, quoique fondée elle aussi sur l'intuition, a

(*a*) Le mot « horizon » a donc ici la même valeur que, dans le § 35, p. 62, les expressions « d'aire » et « d'arrière-plan ».

une tout autre source que celle qui est en jeu lorsqu'il s'agit de l'être des vécus; ceux-ci, on le sait, accèdent au rang de donnée dans la perception immanente. C'est précisément la propriété caractéristique de l'idéation, qui est l'intuition d'une « Idée » au sens kantien et qui pour autant ne perd pas la transparence de l'évidence (Einsichtigkeit) [2], que la détermination adéquate de [167] son propre contenu, c'est-à-dire ici du flux du vécu, ne puisse pas être atteinte. Nous voyons en même temps que le flux du vécu et ses composantes, considérés en tant que tels, comportent toute une série de modes distincts sous lesquels ils se donnent ; ce devra être une des tâches maîtresses de la phénoménologie générale que d'en faire l'investigation systématique.

Nous pouvons encore tirer de nos considérations cette proposition évidente et de validité éidétique : *nul vécu concret ne peut être tenu pour indépendant au sens complet du mot.* Chacun « appelle un complément » (ergänzungsbedürftig) par rapport à un enchaînement qui n'est nullement arbitraire quant à son type et à sa forme mais qui nous est imposé (gebunden).

Considérons par exemple une perception externe, disons la perception déterminée de telle maison ; prise dans sa plénitude concrète, elle implique son environnement (Umgebung) de vécus en tant que facteurs nécessaires de sa détermination ; ce facteur de détermination, il est vrai, en dépit de sa spécificité et de sa nécessité, est néanmoins « *extérieur à l'essence* » du vécu (ausserwesentliches), en ce sens que son altération ne change rien au fonds éidétique *propre* du vécu. *Ainsi la perception elle-même varie en fonction des changements qui affectent les déterminations de l'environnement,* bien qu'en même temps la différence spécifique ultime à l'intérieur du genre perception, la singularité (Eigenheit) intime du vécu, puisse être pensée comme restant identique.

Il est impossible par principe que deux perceptions, ayant dans cette singularité une identité d'essence,

2. Trois usages différents de la notion d'Idée : l'essence-limite de la géométrie (p. 138 n. 1), le concept-limite de Dieu (p. 157 n. 1), l'unité totale du flux vécu.

soient également identiques en ce qui concerne les déterminations de leur environnement ; sinon elles formeraient une perception numériquement *unique* (individuell *eine*).

On peut en tout cas comprendre cette impossibilité dans le cas de deux perceptions, et d'une façon générale de deux vécus, appartenant à un *même* flux de vécus. Chaque vécu exerce une influence sur l'aire (claire ou obscure) des autres vécus.

Un examen plus serré montrerait en outre qu'on ne peut concevoir deux *flux de vécus* (deux sphères de conscience relatives à deux moi purs) *ayant un statut éidétique identique*, de même que, comme il ressort déjà de l'anlyse antérieure, le vécu *pleinement déterminé* d'un sujet ne pourrait appartenir à un autre sujet ; ils ne peuvent avoir en commun que des vécus ayant une spécification (Artung) intime identique (quoique cette communauté ne soit pas une identité numérique), mais ils ne peuvent avoir en commun deux vécus ayant en outre une « aire » absolument semblable.

§ 84. — L'Intentionnalité comme Thème capital de la Phénoménologie [1].

Nous abordons maintenant un autre trait distinctif des vécus qu'on peut tenir véritablement pour le thème [168] central de la phénoménologie orientée « objectivement » : l'intentionnalité. Cette caractéristique éidétique concerne la sphère des vécus en général, dans la mesure où tous les vécus participent en quelque manière à l'intentionnalité, quoique nous ne puissions pas dire de *tout* vécu qu'il a une intentionnalité, dans le même sens où par exemple nous pouvons dire de tout

[167] 1. 3°) *L'Intentionnalité : matière et forme*, §§ 84-6. C'est le thème central de la phénoménologie tournée vers l'objet, vers la constitution des transcendances. Que reste-t-il à découvrir que l'étude générale de l'intentionnalité (§ 36), celle de ses modes actuels et potentiels (§§ 35 et 37) ne nous ait appris ? Il reste tous les problèmes de structure, c'est-à-dire les « modifications » de toute espèce et les hiérarchies des « couches » d'actes simples et fondés. Ce sont là les aspects les plus remarquables des problèmes de constitution, comme il est dit au § 86

vécu qui s'offre au regard d'une réflexion possible à titre d'objet, même si c'est un moment abstrait du vécu, qu'il est temporel. C'est l'intentionnalité qui caractérise la *conscience* au sens fort et qui autorise en même temps à traiter tout le flux du vécu comme un flux de conscience et comme l'unité *d'une* conscience.

Dans les analyses éidétiques préliminaires consacrées dans la deuxième section à la conscience en général (avant même de franchir le seuil de la phénoménologie, et spécialement en vue de l'atteindre par la méthode de réduction), nous avons déjà dû élaborer toute une série de déterminations d'un caractère très général, concernant l'intentionnalité en général et les signes distinctifs de « l'acte », de la « cogitatio » ([a]). Par la suite nous avons eu recours encore à cette notion ; nous en avions le droit bien que nos analyses primitives n'aient pas encore été conduites sous la norme expresse de la réduction phénoménologique. En effet elles atteignaient dans sa pureté l'essence intime des vécus ; par conséquent elles ne pouvaient pas être atteintes lorsqu'on a mis hors circuit l'aperception psychologique et sa position d'être. Comme il s'agit maintenant de reconnaître dans *l'intentionnalité le titre qui rassemble des structures phénoménologiques fort vastes* et d'esquisser la problématique qui se rapporte essentiellement à ces structures (pour autant que cela est possible dans une introduction générale), récapitulons ce qui a été dit plus haut, mais en le remaniant pour l'adapter aux exigences de notre but présent dont l'orientation est essentiellement différente.

Nous entendions par intentionnalité cette propriété qu'ont les vécus « d'être conscience *de* quelque chose ». Nous avons d'abord rencontré cette propriété remarquable, à laquelle renvoient toutes les énigmes de la théorie de la raison et de la métaphysique, dans le *cogito* explicite : une perception est perception de..., par exemple d'une chose (Ding); un jugement est jugement d'un état de chose; une évaluation, d'un état de valeur; un souhait porte sur un état de souhait, ainsi de suite. Agir porte sur l'action, faire sur le fait, aimer sur

(*a*) Cf. ci-dessus, §§ 36-8, pp. 64-9.

l'aimé, se réjouir sur ce qui est réjouissant, etc. En [169] tout cogito actuel un « regard » qui rayonne (ausstrahlender) du moi pur se dirige sur « l'objet » (Gegenstand) de ce corrélat de conscience, sur la chose, sur l'état de chose, etc.; ce regard opère la conscience (d'espèce fort variée) qu'on a *de* lui. Or la réflexion phénoménologique nous a enseigné qu'on ne peut découvrir en tout vécu cette conversion du moi qui se représente, pense, évalue, etc., cette façon de s'occuper-actuellement-de-son-objet-corrélat, d'être-dirigé-vers-lui (ou même de se détourner de lui, tout en ayant le regard sur lui); et pourtant ces vécus comportent une intentionnalité. Il est clair par exemple que l'arrière-plan d'objets d'où se détache un objet perçu sur le mode du cogito actuel, par le fait qu'il bénéficie de cette conversion par laquelle le moi le distingue, est véritablement du point de vue du vécu un arrière-plan *d'objets*. Autrement dit, tandis que nous sommes maintenant tournés vers l'objet pur sous le mode du « cogito », toutes sortes d'objets « apparaissent » néanmoins, accèdent à une « conscience » intuitive, vont se fondre dans l'unité intuitive d'un champ d'objets de conscience. C'est un *champ de perceptions potentielles*, en ce sens qu'un acte particulier de perception (un cogito qui aperçoit) peut se tourner vers chaque chose qui apparaît ainsi ; mais cela ne signifie pas que les esquisses de sensations présentes dans le vécu — par exemple les esquisses visuelles déployées dans l'unité du champ des sensations visuelles — étaient dépourvues de toute appréhension d'objet et que l'apparence intuitive des objets se constituait seulement quand le regard se tournait vers elles.

Dans ce groupe des vécus situés à l'arrière-plan on peut encore inclure des vécus actuels, tels que des « *amorces* » (Regungen) de plaisir, des amorces de jugement, des amorces de souhait, etc., situées à différents degrés d'éloignement dans l'arrière-plan, ou bien, pourrait-on dire encore, à différents *degrés d'éloignement du moi* ou de *proximité du moi*, puisque le moi actuel, le moi pur qui vit dans les cogitationes du moment est le centre de référence. Un plaisir, un souhait, un jugement, etc., peuvent être « *opérés* » (vollzogen) au sens spéci fique, je veux dire par le moi qui « s'engage vitalement » dans cette opération (ou qui « pâtit » de façon actuelle, comme dans « l'opération » de la tristesse) ; or ces modes de la conscience peuvent déjà « *s'amorcer* », poindre à « l'arrière-plan » sans être « opérés » de cette manière. Par essence ces modes inactuels sont pourtant déjà « conscience de quelque chose »[1]. C'est pour cette raison que nous n'avons pas inclus dans l'essence de l'intentionnalité la propriété spécifique du cogito, le « regard sur », le mouvement du moi qui se tourne vers (lequel d'ailleurs demande à être compris et soumis à une étude phénoménologique de multiples manières) [a]; cette propriété du cogito représentait [170] plutôt une modalité particulière à l'intérieur de la fonction générale que nous nommons l'intentionnalité.

Remarques de Terminologie.

Dans les *Etudes Logiques* cette propriété générale est désignée du nom de « caractère d'acte » (Aktcharakter) et chaque vécu concret qui présente ce caractère est nommé « acte ». Les erreurs constantes d'interprétation que cette notion d'acte a soulevées me décident à préciser avec plus de précaution la terminologie (ici comme dans mes cours depuis déjà un certain nombre d'années) ; je ne prends plus l'un pour l'autre sans précaution les expressions acte et vécu intentionnel. Il apparaîtra par la suite que mon concept primitif d'acte est absolument indispensable, mais qu'il est nécessaire constamment de tenir compte de la différence modale entre acte opéré et acte non opéré.

Quand il n'est rien ajouté et qu'on parle purement et simplement d'acte, il faut entendre exclusivement les

(*a*) Cf. ci-dessus, § 37, pp. 65 sq.

[169] 1. Sur les vécus opérés, amorcés, etc., cf. § 115. L'intentionnalité englobe donc les vécus théoriques, affectifs, volitifs, etc., les vécus actuels et inactuels. Rem. : la métaphore de la proximité a déjà été employée pour les degrés de clarté, § 67 ; on sait depuis Descartes et Malebranche que la clarté est à proportion de notre attention.

actes proprement dits, les actes si l'on peut dire actuels, opérés.

Il faut d'ailleurs remarquer d'une manière générale que dans la phénoménologie à ses débuts tous les concepts, ou tous les termes, doivent demeurer en quelque manière plastiques (in Fluss), toujours sur le point de se différencier en fonction des progrès de l'analyse de conscience et à mesure que l'on connaît mieux de nouvelles stratifications phénoménologiques à l'intérieur de ce qui d'abord est apparu dans une unité indifférenciée. Tous les termes choisis ont une intention qui est fonction de leur contexte (ihre Zusammenhangstendenzen); ils suggèrent des directions pour des relations ultérieures ; et en les suivant, il apparaît souvent par la suite qu'elles n'ont pas leur source dans une *unique* couche éidétique ; et ainsi il s'avère en même temps que la terminologie devrait être plus exactement délimitée ou modifiée de quelque autre manière. Ce n'est donc qu'à un degré fort avancé du développement d'une science qu'on peut compter sur une terminologie définitive. Il est fallacieux et profondément absurde de soumettre les analyses scientifiques, au début de leur essor, aux réglements formels et tout extérieurs d'une logique de la terminologie et d'exiger dès le début une terminologie comparable à celle qui permet de fixer les résultats définitifs dans les sciences de développement avancé. Au début toute expression est bonne et en particulier toute expression imagée convenablement choisie et susceptible d'orienter notre regard vers un événement phénoménologique clairement saisissable. La clarté n'exclut pas une certaine aire d'intermination. C'est précisément la tâche ultérieure de la déterminer avec plus de précision ou de la rendre plus claire, de même qu'il [171] importe d'autre part, par des comparaisons, des changements dans le contexte, d'en faire l'analyse intérieure pour la résoudre en composantes ou en couches. Est-il quelqu'un que les justifications intuitives ne satisfont pas, qui exige des « définitions » comme dans les sciences « exactes », ou qui croit pouvoir, avec des concepts phénoménologiques prétendus immuables, élaborés par l'analyse grossière de quelques exemples, se diriger à sa libre fantaisie au plan d'une pensée scientifique pure de toute intuition, et par ce moyen faire avancer la phénoménologie ? Celui-là est encore à un tel point un débutant qu'il n'a pas saisi l'essence de la phénoménologie et la méthode qu'elle exige par principe.

Ce qu'on vient de dire n'a pas moins de valeur quand on l'applique à la phénoménologie psychologique d'orientation empirique, si l'on entend par là une description de phénomènes psychologiques qui s'attache aux traits essentiels de l'immanence.

Le concept d'intentionnalité, pris comme nous l'avons fait dans son ampleur indéterminée, est un concept de départ et de base absolument indispensable au début de la phénoménologie. La propriété générale qu'il désigne peut rester aussi vague que l'on veut en attendant une étude plus serrée ; elle peut se ramifier en une multitude aussi grande qu'on veut de configurations essentiellement différentes ; il peut même être aussi difficile qu'on veut d'établir par une analyse rigoureuse et claire ce qui forme proprement la pure essence de l'intentionnalité, quelles configurations concrètes elle porte proprement en elle-même à titre de composantes et quelles autres sont étrangères à sa nature intime ; de toute façon nous abordons les vécus d'un point de vue précis et absolument décisif quand nous reconnaissons qu'ils sont intentionnels et quand nous disons d'eux qu'ils sont la conscience de quelque chose. Peu nous importe dans cet énoncé s'il s'agit de vécus concrets ou de couches abstraites du vécu : en effet, ces dernières également peuvent présenter le trait distinctif en question.

§ 85. — ὕλη SENSUELLE (SENSUELLE), μορφή INTENTIONNELLE [1].

Nous avons déjà indiqué plus haut, en caractérisant le flux du vécu comme l'unité d'une conscience, que l'intentionnalité, abstraction faite de ses formes et de

[171] 1. L'étude de la hylé ressortit à la constitution des objets dans la conscience, en tant que l'intentionnalité l'anime. La « hylétique » répond à la « noétique » comme la matière à la forme. Mais

ses degrés énigmatiques, ressemble à un milieu universel qui finalement porte en soi tous les vécus, même ceux qui ne sont pas caractérisés comme intentionnels. Au niveau de considération auquel nous nous limitons jusqu'à nouvel ordre, et qui nous dispense de descendre dans les profondeurs obscures de l'ultime conscience qui constitue toute temporalité du vécu, nous acceptons plutôt les vécus tels qu'ils s'offrent à la réflexion immanente en tant que processus temporels unitaires; il nous faut pourtant distinguer en principe deux choses :

[172] 1° Tous les vécus qui dans les *Etudes Logiques* étaient désignés du nom de « contenus primaires » ([a]);

2° Les vécus, ou moments du vécu, qui portent en eux la propriété spécifique de l'intentionnalité.

Au premier groupe appartiennent certains vécus « *sensuels* » formant une unité en vertu de leur genre suprême : les « *contenus de sensation* » tels que les data de couleur, les data de toucher, les data de son, etc., que nous ne confondrons plus avec les moments des choses qui apparaissent, avec la qualité colorée, la qualité rugueuse, etc., qui au contraire « s'esquissent » de manière vécue au moyen des précédents. De même les sensations de plaisir, de douleur, de démangeaison, etc., ainsi que les moments sensuels de la sphère des « impulsions » (Triebe). De tels vécus concrets rentrent comme composantes dans un nombre beaucoup plus vaste encore de vécus concrets qui, considérés comme totalités, sont intentionnels, en ce sens que par delà ces moments sensuels on rencontre une couche qui

---

(*a*) II 2, *VI*[e] *Etude*, § 58, p. 652 [3e éd., vol. III, p. 180] ; le concept de contenu primaire se trouve d'ailleurs déjà dans ma PHILOSOPHIE DE L'ARITHMÉTIQUE, 1891, p. 72 et *passim*.

---

en un sens plus profond la hylé touche à la constitution du temps et à l'*Urkonstitution* du moi (cf. p. 163) : c'est le flux des « esquisses » qui donne sa durée immanente à la visée d'un objet. Comme E. Fink l'a souligné, si l'on ne va pas jusqu'à la constitution de la hylé (et donc du temps et du moi pur), la constitution de la chose elle-même ne peut prendre son sens radical, c'est-à-dire créateur. Le début du § 85 annonce que faute de « descendre dans les profondeurs obscures de l'ultime conscience qui constitue toute temporalité du vécu » l'analyse des IDEEN restera relative à l'intentionnalité transcendante. Même restriction p. 172, dernier alinéa.

pour ainsi dire les « anime », *leur donne un sens* (sinngebende) (ou qui implique essentiellement une donation de sens) (Sinngebung) [1]; c'est par le moyen de cette couche, et à partir de *l'élément sensuel qui en soi n'a rien d'intentionnel*, que se réalise précisément le vécu intentionnel concret.

Ce n'est pas ici le lieu de décider si, dans le flux du vécu, ces vécus sensuels sont partout et nécessairement porteurs de quelque « appréhension qui les anime » (en y joignant tous les caractères que cette appréhension exige et rend possible), autrement dit, s'ils sont toujours impliqués dans des *fonctions intentionnelles.* D'autre part, nous laisserons également en suspens, pour commencer, la question de savoir si les caractères qui instituent essentiellement l'intentionnalité peuvent avoir une plénitude concrète sans soubassements sensuels.

En tout cas, dans l'ensemble du domaine phénoménologique (dans l'ensemble : c'est-à-dire à l'intérieur du plan de la temporalité constituée qu'il faut constamment conserver [2]) cette dualité et cette unité remarquables de la ὕλη *sensuelle et de la* μορφή *intentionnelle* jouent un rôle dominant. En fait ces concepts de matière (Stoff) et de forme (Form) s'imposent franchement à nous quand nous nous présentifions quelques intuitions claires, ou des appréciations, des actes de plaisir, des volitions, etc., clairement opérés. Les vécus intentionnels se présentent alors comme des unités grâce à une donation de sens (en un sens très élargi du mot). Les data sensibles se donnent comme matière à l'égard de formations intentionnelles ou de donations de sens de degré différent, à l'égard de formations simples (schlichte) et de formations fondées (fundierte) de manière originale ; nous reviendrons sur ce point avec plus de détails. La doctrine des « corrélats » confirmera encore par un autre côté combien ces expres-

[173]

[172] 1. La donation de sens est le fait de la *morphé,* cf. p. 174. Le « sens » selon le § 55, se bornait à l'unité intentionnelle de la chose : la signification du mot est étendue à tous les degrés d'intentionalité. Dans la IVe section, il prend sa signification définitive par contraste avec la « relation à l'objet », §§ 129-131.

2. Cf. p. 171 n. 1.

sions conviennent. Quant aux deux possibilités laissées en suspens ci-dessus, on pourrait donc les intituler : *matières sans forme* et *formes sans matière.*

Ajoutons encore un point qui concerne la terminologie. L'expression de contenu primaire ne nous paraît plus suffisamment caractéristique. D'autre part on ne peut utiliser l'expression de vécu sensible (sinnliches) pour ce même concept, car elle se heurte aux expressions générales de perceptions sensibles, d'intuitions sensibles en général, de joies sensibles, etc.; ici ce ne sont plus de simples vécus hylétiques qui sont désignés comme sensibles, mais des vécus intentionnels ; il est manifeste que l'expression de vécus sensibles « simples » (blossen) ou « purs », n'arrangerait pas les choses en raison des nouvelles équivoques qu'elle introduirait. Il faut tenir compte en outre des équivoques qui appartiennent en propre au mot « sensible » et qui subsistent dans la réduction phénoménologique. Indépendamment de la dualité de sens qui apparaît dans le contraste des deux mots « donateur de sens » et « sensible » et qui, avec le trouble qu'il cause à l'occasion, ne peut guère être évitée davantage, il faudrait considérer une nouvelle équivoque : la sensibilité au sens étroit désigne le résidu phénoménologique de ce qui est médiatisé par les « sens » (Sinne) dans la perception externe normale. Après la réduction il se manifeste une parenté éidétique entre les data « sensibles » considérés qui appartiennent aux intuitions externes ; à cette parenté correspond une essence générique originale, un concept de base de la phénoménologie. En un second sens, plus large et unifié dans son essence, le terme de sensibilité embrasse aussi les états affectifs (Gefühle) et les impulsions sensibles qui ont leur propre unité générique et d'autre part ont également avec ces sensibilités au sens étroit une parenté éidétique de nature plus générale ; en tout cela on fait abstraction de la communauté qu'exprime en outre le concept *fonctionnel* de hylé. Ces deux raisons réunies nous forcent à étendre l'expression primitivement plus réduite de sensibilité à la sphère affective et volitive, c'est-à-dire aux vécus intentionnels dans lesquels les data sensibles des sphères considérées se présentent avec la fonction de « matière ». Nous avons donc besoin de toute façon d'un nouveau terme qui exprime tout le groupe par l'unité de la fonction et qui souligne le contraste entre cette fonction et les caractères informants (formenden); nous choisissons à cet effet l'expression de *data hylétiques ou matériels*, simplement même de matière (Stoffe). Toutes les fois qu'il y a intérêt à rappeler les anciennes expressions, qui à leur façon sont inévitables, nous parlons de *matière sensuelle*, voire même *sensible*.

[174] Ce qui informe (formt) la matière pour en faire un vécu intentionnel, ce qui introduit l'élément spécifique de l'intentionnalité, c'est cela même qui donne à l'expression de conscience son sens spécifique et fait que la conscience précisément indique *ipso facto* quelque chose dont elle est la conscience. Comme l'expression de moments de conscience, d'aspects conscientiels (Bewusstheiten), ou toute autre expression formée sur le même modèle, et également l'expression de moments intentionnels, sont rendues absolument inutilisables par suite des multiples équivoques qui se manifesteront plus distinctement par la suite, nous introduisons le terme de *moment noétique* (noetisches Moment) ou plus brièvement de *noèse* (Noese). Ces noèses forment l'élément spécifique du *Noûs au sens le plus large* du mot ; ce Noûs nous renvoie, par toutes les formes actuelles de sa vie, aux cogitationes et ensuite aux vécus intentionnels en général ; il embrasse ainsi tous les éléments (et pour l'essentiel uniquement ceux-là) qui forment la *présupposition éidétique de l'idée de norme*. En même temps il n'est pas à regretter que le mot Noûs rappelle une de ses significations caractéristiques, à savoir précisément le « *sens* « (Sinn), quoique la « donation de sens » qui se réalise dans les moments noétiques enveloppe une diversité d'aspects et n'englobe qu'à titre de fondement une « donation de sens » qui vient alors s'adjoindre au concept fort de sens.

Ce n'est pas sans de solides raisons qu'on pourrait caractériser cette face noétique des vécus comme la face *psychique*. En effet, quand les tenants de la psychologie philosophique parlaient de ψυχή et de psychique, c'est bien sur l'élément introduit par l'intentionnalité qu'ils dirigeaient leur regard avec une certaine préférence, en même temps qu'ils attribuaient au corps et à ses activités sensorielles les moments sensibles. Cette tendance ancienne trouve son expression la plus récente dans la distinction de Brentano entre « phénomènes psychiques » et « physiques ». Elle est particulièrement significative, car c'est elle qui a frayé la voie au développement de la phénoménologie — bien que Brentano lui-même soit encore demeuré éloigné du plan phénoménologique et que par cette distinction il n'ait pas atteint celle qu'il cherche proprement, à savoir la distinction des domaines empiriques respectifs des sciences physiques de la nature et de la psychologie. De tout ceci un point seulement nous importe particulièrement ici : sans doute Brentano n'a pas trouvé encore le concept de moment matériel — et la raison en est qu'il n'a pas tenu compte de la coupure de principe entre les « phénomènes physiques » comme moments matériels (data de sensation) et les « phénomènes physiques » comme moments objectifs apparaissant dans la saisie noétique des premiers (couleur de la [175] chose, etc.) ; par contre il a d'un autre côté caractérisé le concept de « phénomène psychique » dans une des déterminations qui le délimite, par le trait distinctif de l'intentionnalité. C'est précisément en le définissant ainsi qu'il a attiré l'attention des contemporains sur le « psychisme », en lui donnant ce sens caractéristique qui, dans l'interprétation traditionnelle du mot, était jusqu'à un certain point souligné mais nullement mis en relief[1].

[175] 1. Sur la thèse de Brentano et ses défauts, cf. Ve *Etude Logique*, §§ 9-11. Husserl y cite ce texte de Brentano extrait de la PSYCHOLOGIE (I. 115) : « Tout phénomène psychique est caractérisé par ce que les scolastiques du moyen âge ont appelé l'inexistence intentionnelle (ou encore mentale) d'un objet, et par ce que nous-même nous nommerions, d'une expression malheureusement non dénuée d'équivoque, la relation à un contenu, la direction vers un objet (sans entendre par là une réalité) ou l'objectivité immanente. Tout phénomène psychique contient en soi quelque chose comme un objet, quoique de manière différente de l'un à l'autre ». Husserl reproche à cette terminologie de suggérer l'existence d'une relation *réelle* entre phénomène mental et phénomène physique et d'une relation *intérieure* à la conscience. La confusion de l'immanence et de l'inclusion intentionnelle est vivement reprochée à Brentano : radicalement, le vécu n'est pas un phénomène qui

Mais on peut faire valoir contre l'emploi du mot psychique comme équivalent de l'intentionalité le fait qu'il est indubitablement fâcheux de désigner par le même mot le psychique au sens d'intentionnel et le psychique au sens de psychologique (donc de ce qui est l'objet distinctif de la psychologie). Ce dernier concept en outre présente une ambiguité fâcheuse qui a sa source dans la tendance connue en faveur d'une « psychologie sans âme ». A cette tendance se rattache le fait que sous le nom de psychique — surtout de psychique actuel par opposé aux « dispositions psychiques » correspondantes — on pense de préférence aux vécus qui sont inclus dans l'unité du flux de conscience empiriquement posé. Or il est inévitable de caractériser également comme psychiques et comme objets de la psychologie les êtres mondains (realen) qui sont porteurs de cette réalité psychique, à savoir les êtres animés, ou leurs « âmes » et les propriétés de cette âme mondaine (seelisch-realen Eigenschaften). La « psychologie sans âme » confond, nous semble-t-il, la mise hors circuit de l'entité-âme, au sens que ce mot prendrait dans quelque métaphysique nébuleuse de l'âme, avec la mise hors circuit de l'âme en général, c'est-à-dire de la réalité (Realität) psychique donnée en fait dans l'expérience et dont les *états* (Zustände) constituent les vécus [2]. Cette réalité n'est nullement le simple flux du vécu, lié au corps et soumis en quelque façon à des régulations empiriques, les concepts de dispositions psychiques servant de simples index à ces régulations. Néanmoins comme toujours la présence de ces équivoques rend le mot inutilisable pour nous, surtout du fait que les concepts désignant le psychique qui pré-

---

inclut une autre espèce de phénomènes. — Sur le rapport de Husserl à Brentano, cf. *Nachwort zu meinen* « IDEEN » pp. 16-20. Husserl y avoue, en 1931, que « la question de l'égoïté spécifique (der spezifischen Ichlichkeit) n'est pas encore abordée dans le tome I des IDEEN, p. 19. — Cf. également *die Intentionalität bei Husserl und bei Brentano* dans l'article de Landgrebe : *Husserls Phänomenologie und die Motive zu ihrer Umbildung*. Revue internationale de Philosophie, 15 janvier 1939, pp. 280-9.

2. Sur « âme », « état », cf. les remarques faites ci-dessus sur la conscience psychologique, telle qu'elle est constituée dans le monde à titre de moi mondain, transcendant, § 35.

valent de nos jours n'orientent pas l'attention vers la propriété spécifiquement intentionnelle.

Nous nous en tenons donc au mot *noétique* et nous disons :

Le flux de l'être phénoménologique a une couche (Schicht) *matérielle et une couche noétique.*

Les considérations et les analyses phénoménologiques qui portent spécialement sur l'élément matériel peuvent être dites *de phénoménologie hylétique;* et celles qui se rapportent aux moments noétiques, *de phénoménologie noétique.* Les analyses de loin les plus importantes et les plus fructueuses sont du côté noétique.

[176] § 86. — Les Problèmes fonctionnels[1].

Les problèmes les plus vastes de tous sont néanmoins les *problèmes fonctionnels* portant sur la « *constitution des objectivités de conscience* ». Ils concernent la façon dont les noèses, par exemple dans le cas de la nature, en animant la matière et en se combinant en systèmes continus et en synthèses unificatrices du divers (mannigfaltig-einheitlichen), instituent la conscience de quelque chose ; c'est par cette fonction que l'unité objective (objektive) du vis-à-vis de la conscience (Gegenständlichkeit) peut se faire « annoncer » de façon

1. *Conclusion : les problèmes fonctionnels.* § 86, Cet article prolonge, plus systématiquement encore, le § 76 de ce chapitre et corrige définitivement l'apparence négative de la réduction (cf. p. 141 n. 2). L'origine chez Stumpf du terme de « fonction » est expliquée à la fin de l'article ; il désigne la constitution de l'objectivité par la conscience. La constitution de l'objet est-elle une création ? Dans les Ideen, elle concerne seulement le moment noétique du vécu et suppose une matière à animer. Elle porte donc uniquement sur la synthèse du divers dans une *unité de sens.* Nous avons ici la réplique positive de l'hypothèse de la destruction du monde aux §§ 47 et 49. La limite des problèmes de constitution de l'*objectivité* est donc dans cette notion de matière et dans sa concordance. Mais cette limite renvoie plutôt à la constitution plus profonde du moi et du temps à partir de cette source radicale mystérieusement évoquée pp. 163 et 171. C'est pourquoi la constitution du « sens » du monde ne révèle pas encore l'origine radicale du monde, où E. Fink voit la tâche finale de la phénoménologie transcendantale.

concordante dans ce divers, s'y fait « légitimer » et déterminer « rationnellement » [2].

La « *fonction* », en ce sens du mot (qui diffère totalement du sens mathématique), est quelque chose d'absolument original, fondé dans *l'essence* pure des noèses. La conscience est précisément conscience « de » quelque chose ; c'est son essence de receler en soi un « sens », qui est pour ainsi dire la quintessence de « l'âme », de « l'esprit », de la « raison ». Le titre de conscience ne s'applique pas à des « complexes psychiques », à des « contenus » fondus ensemble, à des « faisceaux » (Bündel) ou des flux de « sensations » qui, faute d'avoir en soi un sens, pourraient subir n'importe quel mélange sans jamais engendrer un « sens » ; la conscience au contraire est de part en part « conscience », source de toute raison et de toute déraison, de tout droit et de toute illégalité, de toute réalité et de toute fiction, de toute valeur et de toute non-valeur, de toute action (Tat) et de toute non-action. La conscience diffère donc du tout au tout de ce que le sensualisme veut seulement y voir, de la matière qui par elle-même est en fait dénuée de sens et irrationnelle, quoique assurément accessible à la rationalisation. Nous apprendrons bientôt à comprendre mieux encore en quoi consiste cette rationalisation.

Le point de vue de la fonction est le point de vue central de la phénoménologie ; dès lors les recherches qui rayonnent de ce centre embrassent à peu près toute la sphère de la phénoménologie ; finalement *toutes* les analyses phénoménologiques entrent d'une façon ou d'une autre à son service à titre d'éléments constituants ou d'infrastructures [3]. Au lieu de se borner à l'analyse et à la comparaison, à la description et à la classification attachées aux vécus pris isolément, on considère les vécus isolés du point de vue « téléologique » de leur fonction, qui est de rendre possible une « unité synthétique » [4]. On considère des divers de conscience

2. Allusion aux problèmes de la raison qui font l'objet de la IVe Section.

3. Allusion aux deux types d'analyses selon forme et matière (constituants) et selon thèses « simples » et thèses « fondées ».

4. La phénoménologie est une téléologie, une science fonction-

(Bewusstseinsmannigfaltigkeiten) qui sont pour ainsi dire *prescrits*[5] par essence dans les vécus eux-mêmes, dans leur donation de sens, dans leurs noèses en général, et qui sont pour ainsi dire prêts à en être extraits; par exemple, sur le plan de l'expérience et de la pensée empirique, on considère les multiples formes de synthèses de conscience et les groupements disjoints de vécus de conscience,. dont la liaison interne est assurée par la cohérence du sens (Sinneszusammengehörigkeit), par la conscience unitaire d'un seul et même [177] élément objectif, qui apparaît tantôt d'une façon, tantôt de l'autre, se donne intuitivement ou se détermine par la pensée. L'étude fonctionnelle tente d'élucider comment un élément identique (Selbiges), comment des unités objectives (objektive) et non réellement (reell) immanentes aux vécus, sont « conscientes », « visées » ; elle tente d'élucider comment à l'identité de l'objet présumé peuvent appartenir des configurations de conscience de structure très différente et pourtant exigée par essence, et comment ces configurations devraient être décrites avec rigueur et méthode. En outre elle tente d'élucider comment, parallèlement au double titre de « raison » et de « déraison », peut et doit se « légitimer » (ausweisen) ou se « démentir » (abweisen) aux yeux de la conscience l'unité dont est capable l'objectivité en chaque région ou catégorie d'objets, comment on peut et on doit la déterminer sous les formes de la conscience pensante, la déterminer « plus exactement » ou « autrement », ou bien la rejeter purement et simplement à titre de « néant » et « d'illusion ». C'est à ce problème que se rattachent toutes les distinctions qui se présentent sous ces titres vulgaires et pourtant si pleins d'énigmes : « réalité » (Wirklichkeit) et « illusion », réalité (Realität) « vraie », « réalité

---

nelle, en ce sens qu'elle subordonne les problèmes partiels à la *totalité* des « sens » constitués et à la totalité du flux de conscience. La subordination de l'hylétique aux problèmes de constitution de l'objectivité reflète cette subordination des parties au tout.

5. Synonyme de constituer : les totalités à multiples faces rassemblées par une unité de sens sont prescrites par le vécu. Le mot souligne le renversement qu'opère l'idéalisme husserlien.

illusoire », valeur « vraie », valeur « illusoire » et « non-valeur », etc.; l'élucidation phénoménologique de ces distinctions vient donc s'insérer à cette place[1].

Il importe donc d'examiner sur un plan extrêmement général comment, en chaque région et catégorie, des unités objectives se « constituent pour la conscience ». Il faut montrer systématiquement comment leur *essence* prescrit — précisément en tant que possibilités éidétiques — tous les enchaînements que peut comporter une conscience réelle ou possible de ces unités : les intuitions simples ou fondées qui s'y rapportent intentionnellement, les configurations de pensée de degré inférieur et supérieur, confuses ou claires, exprimées ou non exprimées, préscientifiques et scientifiques, en s'élevant jusqu'aux configurations suprêmes de la science théorique rigoureuse. Tous les modes fondamentaux d'une conscience possible, les mutations, fusions, synthèses qui peuvent par essence les affecter, appellent une étude et une recherche de l'évidence qu'il faut conduire en termes de généralité éidétique et selon la pureté phénoménologique ; on se demandera comment ces modes fondamentaux prescrivent en vertu de leur essence *propre* toutes les possibilités (et toutes les impossibilités) de l'être ; comment en fonction de lois éidétiques absolument invariables, un objet existant peut être un corrélat pour des enchaînements de la conscience comportant un statut éidétique parfaitement déterminé, et comment inversement l'être inhérent à des enchaînements de telle espèce est équivalent (gleichwertig) à un objet existant ; bien entendu cette analyse porte sur toutes les régions de l'être et sur tous les degrés de généralité, en descendant jusqu'à la plénitude concrète de l'être[2].

Par son attitude purement éidétique et la « mise hors circuit » de toute espèce de transcendance, la phé-

[177] 1. Cf. IVe Section.

2. Ce programme ne sera que partiellement réalisé dans les IDEEN ; on en trouve plutôt l'exécution dans FORMALE UND TRANSZENDENTALE LOGIK et dans ERFAHRUNG UND URTEIL. Néanmoins, la notion de noème oriente vers ces problèmes radicaux : elle répond à cette exigence de chercher dans l'essence même de certaines *connexions* de la conscience la règle de constitution de tous les *corrélats* possibles et réels de la conscience.

noménologie est nécessairement conduite, sans quitter [178] son propre terrain qui est celui de la conscience pure, à poser tout cet ensemble complexe de *problèmes transcendantaux au sens spécifique; c'est pourquoi* elle mérite le nom de *phénoménologie transcendantale.* Sans quitter son propre terrain, elle doit en arriver à ne pas considérer les vécus comme de quelconques choses mortes, comme des « complexes de contenus », qui existent purement, mais ne signifient rien, ne veulent rien dire et qu'il suffirait de distribuer en éléments et formations complexes, en classes et en sous-classes ; elle doit se rendre maîtresse de la *problématique par principe unique en son genre* que lui proposent les vécus en tant que vécus *intentionnels,* c'est-à-dire *purement en vertu de leur essence éidétique,* en tant que *conscience « de ».*

Naturellement *l'hylétique* pure se subordonne à la phénoménologie de la conscience transcendantale. Elle se présente d'ailleurs comme une discipline autonome ; elle a comme telle sa valeur en elle-même, mais d'autre part, d'un point de vue fonctionnel, elle n'a de signification qu'en tant qu'elle fournit une trame possible dans le tissu intentionnel, une matière possible pour des formations intentionnelles. Si l'on considère non seulement la difficulté, mais aussi l'ordre de préséance des problèmes par rapport à l'idée d'une connaissance absolue, l'hylétique se situe manifestement très au-dessous de la phénoménologie noétique et fonctionnelle (ces deux derniers aspects de la phénoménologie étant d'ailleurs proprement inséparables) [1].

Nous passons maintenant à des développements plus détaillés dans les chapitres suivants.

Remarque.

Le mot fonction est employé par Stumpf dans ses importantes publications de l'Académie de Berlin (a)

(a) Cf. C. Stumpf, *Ercheinungen und psychische Funktionen,* pp. 4 sq. et *Zur Enteilung der Wissenschaften ; in* Abh. d. Kgl. Preuss. Akademie d. Wissensch., 1906.

[178] 1. Cf. p. 171 n. 1.

sous la forme complexe de « fonction psychique », et il l'oppose à ce qu'il nomme l' « apparence ». Il tient cette distinction pour une distinction psychologique ; elle coïncide alors (mais précisément dans son application psychologique) avec l'opposition que nous faisons entre « actes » et « contenus primaires ». Il faut noter que les termes en question ont dans nos travaux une signification toute différente de celle qu'elles ont chez ce savant distingué. Il est déjà arrivé plusieurs fois de confondre le concept de phénoménologie chez Stumpf (au sens de doctrine des « apparences ») avec le nôtre. La phénoménologie de Stumpf correspondrait plutôt à l'analyse qui a été caractérisée plus haut comme hylétique, à ceci près que la détermination que nous lui donnons est essentiellement conditionnée dans [179] son sens méthodique par le cadre transcendantal dans lequel elle s'insère. D'autre part l'idée de l'hylétique se transpose *ipso facto* de la phénoménologie sur le plan d'une psychologie éidétique ; or c'est dans cette psychologie éidétique que devrait être incluse selon notre interprétation la « phénoménologie » de Stumpf.

CHAPITRE III

NOÈSE ET NOÈME (NOEMA)[1]

§ 87. — Remarques préliminaires[2].

Il est aisé de caractériser la propriété distinctive du vécu intentionnel dans ses traits généraux ; nous comprenons tous l'expression « conscience de quelque

---

[179] 1. Le Chapitre III, « au seuil de la phénoménologie » (p. 180), marque le pas décisif vers la constitution de l'objectivité. Il s'agit de réfléchir sur l'objet lui-même, de le découvrir comme une « composante » (p. 180) du vécu. Dans le sujet il y a plus que le sujet, entendons : plus que la cogitatio ou noèse ; il y a l'objet même en tant que visé, le cogitatum en tant qu'il est purement pour le sujet, c'est-à-dire constitué par sa référence au flux subjectif du vécu. En cela consiste la phénoménologie « tournée vrs l'objet » (p. 161) : elle réfléchit sur l'objet « dans le sujet ». Le terme de noème indique que l'objet doit changer de nom ; son nom de baptême phénoménologique rappelle le νοῦς qui en quelque façon l'inclut.

1° La notion de noème, comme composante originale du vécu, est d'abord introduite de façon générale (§§ 87-8).

2° Le cas particulier de la perception conduit à une première extension de la notion de noème : il inclut, outre le « sens » indifférent à l'existence ou à l'inexistence de l'objet, l'indice même de réalité qui procède de la « thèse » d'existence du monde ; ainsi l'existence (comme *posée*) est exclue, mais la croyance à l'existence (comme *position*) est intégrée au noème, §§ 89-90. On généralise aux autres indices d'irréalité, de reproduction, etc., cette première extension du noème § 91.

3° Seconde extension : on inclut au noème les « modes d'apparaître » qui correspondent aux variations de l'attention, § 92.

4° Troisième extension : les vécus complexes comme le jugement, les opérations affectives et volontaires offrent les mêmes structures noético-noématiques, mais sous forme plus composée, §§ 93-6.

2. 1°) *La notion générale de noème : le « sens »*, §§ 87-8. Réfléchir sur l'objet n'est pas facile : il faut vaincre une certaine

chose », en particulier si on l'illustre d'exemples quelconques. Il est d'autant plus difficile de saisir correctement et dans leur pureté les caractéristiques éidétiques d'ordre phénoménologique qui lui correspondent. Même aujourd'hui la plupart des philosophes et des psychologues (si l'on doit en juger par la littérature sur la question) semblent encore assez loin de comprendre que ce titre embrasse tout un vaste champ offert à une pénible investigation, à savoir à une investigation éidétique. Car on n'a à peu près rien fait tant qu'on se contente de dire et de saisir avec évidence que toute représentation se rapporte à un représenté, tout jugement à un jugé, etc., ou qu'on renvoie par ailleurs à la logique, à la théorie de la connaissance, à l'éthique et à leurs multiples évidences, et qu'on *caractérise* ces évidences comme relevant de l'essence de l'intentionalité. C'est en même temps une façon très simple de prétendre réduire la doctrine phénoménologique des essences à une très vieille théorie et d'y voir seulement un nom nouveau appliqué à l'ancienne logique et aux disciplines qui lui sont à la rigueur assimilables. Car tant qu'on n'a pas saisi l'originalité de l'attitude phénoménologique et qu'on ne s'est pas réellement approprié le domaine purement phénoménologique, on peut bien employer le mot phénoménologie, on ne possède pas la chose. Au surplus il ne suffit pas de changer simplement d'attitude ou d'effectuer la réduction phénoménologique pour faire de la logique pure une discipline digne du nom de phénoménologie. Jusqu'à quel point en effet des propositions logiques et de même des propositions purement ontologiques, purement éthiques, ou toute autre proposition à priori qu'on peut citer, peuvent-elles exprimer une propriété véritablement phénoménologique ? A quelles couches phénoménologiques peut-elle bien appartenir dans un cas donné? La difficulté n'est nullement aisée à résoudre. Elle

« naïveté phénoménologique », comme on dira dans FORMALE UND TRANSZENDENTALE LOGIK, qui consiste, au nom de l'idée d'intentionnalité, à élaborer les différentes ontologies à priori (logiques, éthiques, etc.) hétérogènes à la conscience même. L'attitude transcendantale apprend à lier l'intentionnalité à la constitution et non pas seulement à l'à priorisme.

recèle au contraire les problèmes les plus difficiles de tous, dont le sens est naturellement caché à tous ceux qui n'ont encore aucun pressentiment des distinctions fondamentales qui commandent ce problème. En fait [180] (si je peux me permettre un jugement tiré de ma propre expérience) quand on part d'évidences purement logiques, d'évidences empruntées à la théorie de la signification, à l'ontologie et à la noétique, ou encore quand on part de l'épistémologie normative et psychologique ordinaires, il faut suivre un chemin long et épineux avant qu'on ait pu saisir d'abord des données psychologiques immanentes au sens authentique du mot, puis des données phénoménologiques et finalement toutes les connexions éidétiques qui nous rendent intelligibles à priori les relations transcendantales. La difficulté est la même toutes les fois que nous tentons de partir d'évidences objectives pour nous frayer un chemin vers les évidences phénoménologiques qui s'y rattachent essentiellement[1].

Ainsi l'expression « conscience de quelque chose » se comprend très bien de soi et pourtant elle est en même temps suprêmement incompréhensible. Les impasses et les fausses pistes où les premières réflexions conduisent engendrent aisément un scepticisme qui aboutit à supprimer tout cet ensemble de problèmes gênants. Nombreux sont ceux qui déjà s'en interdisent l'accès parce qu'ils ne veulent pas se résoudre à saisir le vécu intentionnel, par exemple le vécu de perception, avec l'essence qui appartient en propre à ce vécu comme tel. Au lieu de vivre dans la perception et d'être tourné vers le perçu pour le considérer et en faire la théorie, ils n'arrivent pas à tourner le regard vers le percevoir ou vers les propriétés qui caractérisent la *façon* dont le perçu se donne, et à prendre tel qu'il se donne ce qui s'offre dans l'analyse immanente des essences. Si on réussit à adopter l'attitude convenable et si on l'a

[180] 1. Chez Husserl lui-même l'idée d'intentionnalité a d'abord servi à protéger l'à priori contre le subjectivisme ; il a fallu une véritable conversion pour suspendre l'à priori à une subjectivité supérieure que le premier souci pouvait faire manquer et pour accéder à cette intuition que l'intentionnalité est une *inclusion*, « non réelle », du corrélat dans la conscience.

fortifiée par l'exercice, si avant tout on a acquis le courage, à force de se dépouiller radicalement de tout préjugé, de se conformer fidèlement aux claires données éidétiques sans se soucier de toutes les théories courantes et factices, on doit sans tarder obtenir des résultats solides et identiques chez tous ceux qui adoptent la même attitude; il devient sérieusement possible de transmettre à d'autres ce que l'on a vu soi-même, de contrôler leurs descriptions, de faire ressortir l'ingérence inaperçue d'intentions verbales vides, de faire apparaître, en les confrontant avec l'intuition, et d'éliminer les erreurs qui peuvent se glisser même ici, comme sur tous les plans où une validité est en jeu. Mais venons-en à la matière en question.

§ 88. — Composantes réelles (reelle) et intentionnelles du Vécu. Le Noème [2].

Notre tâche, comme en général dans toutes les réflexions présentes, étant d'établir les distinctions les plus générales que l'on peut saisir pour ainsi dire au seuil de la phénoménologie et qui déterminent tout développement ultérieur de la méthode, nous rencon- [181] trons d'abord une distinction fondamentale qui concerne l'intentionnalité : la distinction entre les *composantes proprement dites* des vécus intentionnels et leurs *corrélats intentionnels* (ou les composantes de ces corrélats). Déjà dans les réflexions éidétiques préliminaires de la troisième section nous avons touché à cette distinction [(a)]. Elle nous servait, dans le passage de l'attitude naturelle à l'attitude phénoménologique, à mettre en lumière l'originalité de la sphère phénoménologique.

(a) Cf. § 41, pp. 73 sq.

2. La notion de noème est introduite par celle de *composition* du vécu. Ainsi on est passé de l'opposition entre conscience et réalité (§§ 33-46), à leur corrélation (§§ 47-55), puis à l'inclusion de la réalité dans la conscience. Mais l'inclusion « réelle » de la hylé dans le vécu sert toujours de contraste (cf. § 41) à l'inclusion « intentionnelle » du noème et garde le transcendantalisme de retomber à l'idéalisme subjectiviste.

Mais il ne pouvait être alors question qu'elle prenne à l'intérieur de cette sphère même, donc dans le cadre de la réduction transcendantale, une signification radicale qui puisse conditionner toute la problématique de la phénoménologie. D'un côté nous avons donc à distinguer les parties et les moments que nous obtenons par une *analyse réelle* (reelle) du vécu : par là nous traitons le vécu comme s'il était un objet au même titre que n'importe quel autre objet, nous interrogeant sur les éléments ou les moments dépendants qui l'édifient réellement. Mais de l'autre côté le vécu intentionnel est conscience de quelque chose; il est tel en vertu de son essence, par exemple en tant que souvenir, que jugement, que volonté, etc.; et ainsi nous pouvons chercher ce qui doit être énoncé du point de vue éidétique concernant ce : « de quelque chose ».

Tout vécu intentionnel, grâce à ses moments noétiques, est précisément un vécu noétique; son essence est de recéler (bergen) en soi quelque chose comme un « sens », voire un sens multiple, et, sur la base de ces donations de sens et en liaison intime avec elles, d'exercer d'autres fonctions (Leistungen) qui, grâce à elles, deviennent précisément « pleines de sens » (sinnvolle). Ces moments noétiques sont par exemple les conversions du regard du moi pur en direction de l'objet « visé » (gemeinten) par le moi en vertu de la donation de sens, bref en direction de l'objet qui pour lui est « sous-jacent au sens » (im Sinne liegt); c'est en outre la saisie de l'objet, son maintien alors que le regard s'est tourné vers d'autres objets qui ont pénétré dans le cercle de « visée » (in das Vermeinen); ajoutons de même les fonctions d'explicitation, de mise en rapport, d'appréhension globale, les multiples prises de position de la croyance, de la conjecture, de l'évaluation, etc. Tout cela doit être découvert dans les vécus considérés, quelles que soient leurs différences de structure et leurs variations internes. Cette série de moments cités à titre d'exemples a beau renvoyer à des composantes réelles des vécus, il reste néanmoins qu'ils renvoient aussi, à savoir sous le titre de sens, à des composantes *non réelles*.

Dans tous les cas, aux multiples data composant le

statut réel noétique, correspond une multiplicité de data susceptibles d'être exhibés (aufweisbarer) dans une intuition véritablement pure : ils forment un « *statut* [182] *noématique* » corrélatif, ou plus brièvement le « *noème* »; ce sont ces termes que désormais nous emploierons constamment [1].

La perception par exemple a son noème, à savoir au degré inférieur son sens de perception (Wahrnehmungssinn) [(a)] [2], c'est-à-dire le *perçu comme tel.* De même le souvenir possède chaque fois son « *souvenu* » *comme tel;* il le possède précisément en tant qu'il est le sien, exactement comme il est « visé » dans le souvenir et accède « à la conscience »; de même encore le jugement

(*a*) Cf. Etudes Logiques, II, 1, *Ire Etude,* § 14, p. 50, sur le « sens qui remplit » (en outre *VIe Etude,* § 55, p. 642 [3e éd., III, p. 169] sur le « sens de perception ») ; pour la suite, voir encore la *Ve Etude,* § 20 sq., sur la « matière » (Materie) d'un acte ; de même *VIe Etude,* §§ 25 à 29 et *passim.*

[182] 1. L'homonymie de la hylé et de l'objet (cf. § 41, *ad finem*) devient une « correspondance », une « corrélation » de moments. Elle justifie l'emploi de part et d'autre des mêmes mots : *Gehalt, Mannigfaltigkeit, Data.*

2. Le sens strict du mot *Sinn* apparaîtra au § 99 et surtout §§ 129-133 (cf. p. 172 et p. 174). Dans la *Ve* et la *VIe Etudes Logiques,* qui sont au niveau des Ideen, on emploie encore le terme de *contenu* intentionnel (*Inhalt*) (*Ve Etude,* § 16 sq.) pour désigner : *a*) soit l'objet visé dans des intentions différentes (ainsi la même personne que je désigne successivement comme empereur d'Allemagne, fils de Frédéric III, etc.), ce que la IVe section des Ideen nommera proprement l'objet, le X identique de noèmes multiples ; *b*) soit la « matière » du vécu, à savoir le « sens » qui diffère d'une visée à l'autre, le *Quid* de l'intention (§ 20) ; *c*) soit enfin l'essence intentionnelle ou significative qui ajoute la « qualité » (ou caractère de croyance) à la « matière » (ou sens). La *VIe Etude* (§§ 25-29) ajoute une nouvelle dimension : celle de plénitude ou *Fülle.* La présence pleine d'un objet n'ajoute rien au sens, à la matière, mais lui donne la vie, la corporéité. Il y a donc des contenus « signitifs » et « intuitifs ». Cette différence de plénitude « est une différence phénoménologiquement irréductible » (§ 26). On appelle alors « essence cognitive » (*erkenntnismässig*) la totalité du contenu considéré dans son sens ou matière, son type de croyance ou qualité, son degré de plénitude. Deux actes de même essence cognitive sont donc à tous égards identiques, alors que deux actes de même essence intentionnelle peuvent « coïncider » tout en différant par leur plénitude (§ 28).

comporte le « *jugé comme tel* », le plaire, le plaisant comme tel, etc. Dans tous ces cas le corrélat noématique, c'est-à-dire ici le « sens » (en donnant à ce mot une signification très élargie), doit être pris exactement tel qu'il réside à titre « immanent »[3] dans le vécu de la perception, du jugement, du plaisir, etc., c'est-à-dire tel qu'il nous est offert par ce vécu *quand nous interrogeons purement ce vécu lui-même.*

L'analyse d'un exemple montrera en pleine clarté en quel sens nous comprenons ces déclarations (nous mènerons cette analyse avec les seules ressources de l'intuition).

Notre regard, supposons, se porte avec un sentiment de plaisir, sur un pommier en fleurs, dans un jardin, sur le vert tendre du gazon, etc. Il est manifeste que la perception et le plaisir qui l'accompagne ne sont pas ce qui en même temps est perçu et agréable. Dans l'attitude naturelle le pommier est pour nous un existant situé dans la réalité spatiale transcendante et la perception, ainsi que le plaisir, est un état psychique qui nous appartient, à nous hommes réels dans la nature (realen). Entre l'une et l'autre réalités naturelles, entre l'homme comme réalité naturelle ou la perception comme réalité naturelle, et le pommier comme réalité naturelle, il existe des rapports qui sont également une réalité naturelle. Dans certains cas, on dira que dans telle situation vécue la perception est « pure hallucination », que le perçu, à savoir ce pommier devant nous, n'existe pas dans la réalité « véritable » (in der « wirklichen » Realität). Dans ce cas le rapport naturel, qui auparavant était visé comme subsistant réellement (wirklich) est détruit. La perception reste seule, il n'y a plus rien là de *réel* (wirkliches) à quoi elle se rapporte.

Passons maintenant à l'attitude phénoménologique. Le monde transcendant prend ses « parenthèses », son être réel est soumis à l'ἐποχή. Nous demandons alors ce qui peut être découvert du point de vue éidétique

3. Cet usage audacieux du mot « immanent » pour désigner l'inclusion intentionnelle de la transcendance (cf. aussi p. 183 haut) veut rappeler que le monde n'a *perdu* aucune propriété bien qu'il ne soit plus monde *posé* dans la réalité, mais pur perçu, désiré, jugé, etc., « dans » la conscience.

dans le complexe du vécu noétique inclus dans la perception et dans l'évaluation agréable. En même temps [183] que l'ensemble du monde physique et psychique, la subsistance réelle (wirkliche) du rapport naturel (realen) entre perception et perçu est mise hors circuit ; et pourtant il subsiste manifestement une relation entre perception et perçu (comme aussi entre le plaire et le plaisant); cette relation accède au rang de donnée éidétique dans la « pure immanence », à savoir sur le seul fondement du vécu de perception et de plaisir phénoménologiquement réduit, et tel qu'il s'insère dans le flux trancendantal du vécu. C'est précisément cette situation qui doit nous occuper, la situation purement phénoménologique. Il est possible que la phénoménologie ait aussi quelque chose à dire et peut-être beaucoup à dire au sujet des hallucinations, des illusions et en général des perceptions mensongères; mais il est évident que ces perceptions mensongères, envisagées avec le rôle qu'elles jouaient dans le cadre de l'attitude naturelle, tombent sous la réduction phénoménologique. Désormais si l'on considère la perception et même un enchaînement de perceptions qui se poursuit de façon quelconque (comme quand nous contemplons l'arbre en fleurs tout en nous promenant), nous n'avons pas à nous demander par exemple s'il lui correspond quelque chose dans « la » réalité. Cette réalité thétique, considérée par rapport au jugement, pour nous n'est pas là. Néanmoins tout pour ainsi dire demeure comme par devant. Le vécu de perception, même après la réduction phénoménologique, est la perception *de* « ce pommier en fleurs, dans ce jardin, etc. »; de même le plaisir *après* réduction est le plaisir que nous prenons à ce même arbre. L'arbre n'a pas perdu la moindre nuance de tous les moments, qualités, caractères *avec lesquels il apparaissait dans cette perception, et avec lesquels il se montrait « beau », « plein d'attrait », etc., « dans » ce plaisir.*

Dans le cadre de notre attitude phénoménologique nous pouvons et nous devons nous poser la question éidétique suivante : *Qu'est-ce que le « perçu comme tel ? » Quels moments éidétiques recèle-t-il en lui-même en tant qu'il est tel noème de perception?* Nous obtenons la réponse, en nous soumettant purement à ce qui est *donné* du point de vue éidétique; nous pouvons décrire fidèlement et avec une parfaite évidence « ce qui apparaît comme tel ». Pour exprimer la même chose autrement, nous pouvons « décrire la perception du point de vue noématique ».

§ 89. — Enoncé noématique et Enoncé concernant la Réalité. Le Noème dans la Sphère psychologique[1].

Il est clair que tous ces énoncés descriptifs, quoiqu'ils puissent rendre le même son que des énoncés concernant la réalité, ont subi une *radicale* modification de sens; de même la chose décrite, tout en se donnant comme « exactement la même », est radicalement [184] changée, en vertu pour ainsi dire d'un changement de signe qui l'invertit. C'est « dans » la perception réduite (dans le vécu phénoménologique pur) que nous découvrons, comme appartenant indissolublement à son essence, le perçu comme tel qui demande à être exprimé comme « chose matérielle », « plante », « arbre », « en fleur », etc. Les *guillemets* sont manifestement significatifs, ils expriment ce changement de sens, la modification radicale de signification que le mot a subie parallèlement. *L'arbre pur et simple* (schlechthin), la chose dans la nature, ne s'identifie nullement à ce *perçu d'arbre comme tel* qui, en tant que sens de la perception, appartient à la perception et en est inséparable. L'arbre pur et simple peut flamber, se résoudre en ses éléments chimiques, etc. Mais le sens — le sens de

[183] 1. 2°) *Première extension du terme de noème*, §§ 89-91. On revient d'abord sur les termes de noème et de sens à propos de l'exemple limité de la perception, § 89 (on remarque à la fin de cet article que « l'immanence » spéciale du noème permet de parler d'une *réflexion* sur l'objet comme moment du sujet). Puis on établit de quelle manière le *caractère de réalité*, qui est retenu après exclusion de la « thèse » du monde, s'incorpore au noème, § 90.

cette perception, lequel appartient nécessairement à son essence — ne peut pas brûler, il n'a pas d'éléments chimiques, pas de force, pas de propriétés naturelles (realen).

Tout ce qui est un trait distinctif du vécu sous forme purement immanente et réduite, tout ce qui ne peut être par la pensée détaché du vécu tel qu'il est en soi et qui dans l'attitude éidétique se transpose *ipso facto* dans l'Eidos, est séparé par un abîme de tout l'ordre de la nature et de la physique, et non moins de celui de la psychologie; et même cette image, parce qu'elle relève du naturalisme, n'est pas assez forte pour indiquer la différence.

Le sens de la perception appartient *également*, cela va de soi, à la perception avant la réduction phénoménologique (à la perception au sens de la psychologie). On peut donc ici apercevoir clairement en même temps comment la réduction phénoménologique peut acquérir aux yeux du psychologue l'utile fonction méthodologique de fixer le sens noématique, en le distinguant strictement de l'objet pur et simple, et d'y reconnaître un facteur qui appartient de façon inséparable à l'essence psychologique du vécu intentionnel — ce vécu étant désormais conçu comme réalité naturelle (real).

De part et d'autre, dans l'attitude psychologique aussi bien que dans l'attitude phénoménologique, il ne faut pas perdre de vue que le « perçu » en tant que sens n'inclut en soi aucun élément (et donc ne tolère point que lui soit attribué sur le fondement de « connaissances indirectes » aucun élément) qui « n'apparaisse réellement » dans la chose qui dans un cas donné apparaît à la perception; et il l'inclut exactement sous le même mode, avec la même façon de se donner que celle avec laquelle cette chose accède à la conscience dans la perception. Sur ce sens, tel qu'il est immanent à la perception, peut à tout moment se diriger une *réflexion originale* et le jugement phénoménologique est seulement tenu de se conformer dans une expression fidèle à ce qui est saisi en elle.

[185] § 90. — Le « Sens noématique » et la Distinction entre « Objets immanents » et « réels » (wirklichen).

Comme la perception, *tout* vécu intentionnel a son « objet (Objekt) intentionnel », c'est-à-dire son sens objectif : c'est même cela qui constitue l'élément fondamental de l'intentionnalité. En d'autres termes, avoir un sens, ou « viser à quelque sens » (etwas im Sinne zu haben) est le caractère fondamental de toute conscience, qui par conséquent n'est pas seulement un vécu, mais un vécu qui a un sens, un vécu « noétique » [1].

Bien entendu le noème complet (volle) ne se réduit pas à ce caractère qui au cours de nos analyses d'exemples s'est détaché comme « sens »; parallèlement la face noétique du vécu intentionnel ne consiste pas seulement dans ce moment qui est proprement la « donation de sens », et auquel le « sens » appartient spécialement à titre de corrélat. Il apparaîtra bientôt que le noème complet consiste en un complexe de moments noématiques et que le moment spécifique du sens n'y forme qu'une sorte de *couche nucléaire* (Kernschicht) nécessaire, sur laquelle sont essentiellement fondés d'autres moments; c'est uniquement pour cette raison que nous avons pu désigner également ces autres moments comme moments du sens, mais en donnant à ce mot une signification élargie [2].

Néanmoins tenons-nous en pour commencer aux seuls traits que l'analyse a fait apparaître avec clarté [3].

---

[185] 1. Sur noème et donation de sens, cf. § 85.

2. Cette parenthèse consacrée au *noème complet*, qui est plus que le *sens*, annonce le chapitre IV qui sera consacré aux autres caractères noématiques qui s'ajoutent au sens : caractères de croyance, formes syntaxiques, expression, etc.

3. On reprend ici l'analyse au point où l'a laissée le § précédent. La difficulté est celle-ci : si le « sens » est indifférent à l'existence ou à la non-existence de l'objet, n'est-il pas un double mental de la réalité ? Pour bien entendre l'immanence spéciale du noème, il faut comprendre que la thèse de réalité, une fois suspendue, est retenue comme moment de croyance ; dès lors le *caractère de réalité* lui-même fait partie du noème et s'ajoute au « sens ». Quand nous croyons que la chose existe,

Le vécu intentionnel, avons-nous montré, est fait indubitablement de telle façon que, en disposant convenablement le regard, on peut en dégager un « sens ». La situation qui définit pour nous ce sens ne pouvait pas demeurer cachée : à savoir le fait que, même si l'objet représenté ou pensé d'une représentation donnée (et en général l'objet d'un vécu intentionnel quelconque) n'existe pas — ou si l'on est persuadé de sa non-existence — la représentation ne peut être dépouillée de son objet représenté en tant que tel, et donc qu'il faut instituer une distinction entre l'objet de la représentation et l'existence de cet objet. Une distinction si frappante exigeait de s'imprimer dans une tournure littéraire. C'est à elle en fait que renvoie la distinction scolastique entre *l'objet « mental »* (mentalem), *« intentionnel »* ou *« immanent »* d'une part et l'objet *« réel »* (wirklichem) d'autre part. Cependant il faut encore parcourir une distance immense, quand on a déjà saisi une première fois une distinction sur le plan de la conscience, pour être en état de la fixer correctement dans sa pureté phénoménologique et de la mettre en valeur comme il convient; ce pas, décisif pour une phénoménologie cohérente et féconde, n'a pas été fait. Le moment décisif consiste avant tout à décrire avec une fidélité absolue ce qui se présente réellement dans sa pureté phénoménologique, en se gardant de toute interprétation qui transgresserait les limites du donné. La recherche de dénominations annonce déjà des interprétations, souvent fort erronées. De telles interprétations se trahissent ici dans des expressions comme [186] « objet mental », « immanent »; elles sont aussi peu qu'il est possible suscitées par l'expression « d'objet intentionnel ».

On serait même tenté de dire que dans le vécu l'intention serait donnée avec son objet intentionnel; celui-ci appartiendrait en tant que tel de façon inséparable à l'intention : il résiderait donc *réellement* (reell) en elle.

---

le corrélat de notre croyance est un de ces moments noématiques qui concourt au noème complet annoncé plus haut et étudié au chap. IV. Ainsi la différence entre le « sens » et le « caractère de réalité » de la perception reste encore à l'intérieur du noème au sens large.

Il serait et resterait son objet visé, représenté, etc.; peu importerait que « l'objet réel » qui lui correspond existe ou non dans la réalité, ait été anéanti dans l'intervalle, etc., etc.

Mais [1] si nous tentons de séparer de *cette* façon l'objet réel (dans le cas de la perception externe : la chose perçue située dans la nature) et l'objet intentionnel, et d'inclure ce dernier à titre réel (reell) dans la perception, dans le vécu, en tant qu'il leur est « immanent », nous nous heurtons à une difficulté : *deux* réalités doivent désormais s'affronter, alors qu'*une seule* se présente et qu'une seule est possible. C'est la chose, l'objet de la nature que je perçois, l'arbre là-bas dans le jardin; c'est lui et rien d'autre qui est l'objet réel de « l'intention » percevante. Un second arbre immanent, ou même un « portrait interne » de l'arbre réel qui est là-bas, au dehors, devant moi, n'est pourtant donné en aucune façon et le supposer à titre d'hypothèse ne conduit qu'à des absurdités. La copie entendue comme un élément réel (reelles) dans la perception, conçue elle-même comme réalité naturelle psychologique, serait à son tour une réalité naturelle (Reales) — et cette réalité naturelle jouerait le rôle de portrait à l'égard d'une autre. Or cela ne se pourrait qu'à la faveur d'une conscience de copie, au sein de laquelle quelque chose devrait d'abord apparaître une fois — et ainsi nous aurions une première intentionnalité; mais cette chose à son tour jouerait dans la conscience le rôle de « objet-portrait » à l'égard d'une autre chose — il faudrait alors recourir à une seconde intentionnalité fondée sur la première. Or il n'est pas moins évident que chacun de ces deux modes de conscience pris séparément implique déjà la distinction entre objet immanent et objet réel, et

[186] 1. La discussion commence par une réfutation par l'absurde qui, comme toujours, doit ramener à la simple intuition de la « situation phénoménologique ». Trois arguments : *a*) L'objection suppose qu'on a fait du « sens » une composante réelle du vécu, comme la hylé ; il est alors coupé de la réalité ; *b*) Si en outre on l'interprète comme réalité psychique, on dédouble la réalité ; c) On ne rattache plus le « sens » à la « réalité » que comme un portrait ou un signe, selon l'interprétation déjà critiquée, § 43.

ainsi recèle en soi le même problème que celui qui devait être résolu par cette construction. Au surplus, dans le cas de la perception, cette construction tombe sous l'objection discutée plus haut (a) : on ne peut introduire dans la perception de la réalité physique ces fonctions de copie sans lui substituer une conscience de portrait qui, traitée du point de vue descriptif, a une constitution radicalement différente. Cependant le point important ici c'est que, si on accorde à la perception, et par voie de conséquence à tout vécu intentionnel, une fonction de copie, on est entraîné irrémédiablement, comme il ressort d'emblée de notre critique, dans une régression à l'infini.

[187] Pour nous garder de tels errements, nous devons nous en tenir à ce qui est donné dans le pur vécu et le prendre exactement comme il se donne, sans sortir des limites de la clarté. L'objet « réel » doit ensuite être « mis entre parenthèses ». Considérons ce que cela signifie; commençons en hommes placés dans l'attitude naturelle : l'objet réel c'est la chose là-bas, au dehors. Nous la voyons, nous sommes devant elle, nous avons les yeux dirigés sur elle et nous la fixons, nous la décrivons telle que nous la trouvons là, nous faisant vis-à-vis dans l'espace, et nous élaborons sur elle des énoncés. De même nous prenons position à son égard en l'évaluant; ce vis-à-vis de nous-même que nous voyons dans l'espace nous plaît, ou bien nous détermine à agir; ce qui se donne là, nous le prenons, le manions, etc. Opérons maintenant la réduction phénoménologique : toute position transcendante est placée entre les parenthèses qui la mettent hors circuit : c'est donc d'abord la position transcendante résidant dans la perception elle-même qui est touchée, mais aussi de proche en proche tous les actes fondés sur elle, tout jugement de perception, la position de valeur qui s'édifie sur cette base et éventuellement le jugement de valeur, etc. Il en résulte que la seule opération admise est de considérer, de décrire toutes ces perceptions, tous ces jugements comme les natures éidétiques (Wesenheiten) qu'elles sont en elles-mêmes, et de s'attacher aux propriétés de

(a) Cf. ci-dessus, § 43, pp. 78 sq.

toute sorte qui sont données avec évidence à l'occasion (an) ou au sein (in) de ces essences; par contre nous ne tolérons aucun jugement qui fasse usage de la thèse de la chose « réelle » ou de la nature transcendante dans son ensemble ou qui « coopère » (mitmacht) à cette thèse. En tant que *phénoménologues* nous nous abstenons de toute position de ce genre. Nous ne les rejetons pas pour autant si nous ne nous « plaçons pas sur leur terrain » et n'y « coopérons point ». Elles sont encore là et contribuent essentiellement au phénomène. Plutôt nous les contemplons; au lieu d'y coopérer nous en faisons des objets, nous les prenons comme des éléments composants du phénomène et traitons la thèse de la perception précisément comme une de ses composantes[1].

Nous attachant donc au sens clair de ces mises hors circuit, nous demandons de façon générale ce qui « réside » (liegt) avec évidence dans l'ensemble du phénomène « réduit ». Or précisément dans la perception réside également cette propriété remarquable; elle possède son sens noématique, son « perçu comme tel » : « cet arbre en fleur » là-bas dans l'espace — le tout entendu avec ses guillemets —; ce sens est précisément le *corrélat* qui appartient à l'essence de la perception phénoménologiquement réduite. En langage figuré, la « mise entre parenthèses » que la perception a subie empêche qu'on porte aucun jugement sur la réalité perçue (c'est-à-dire tout jugement qui se fonde dans la perception non modifiée et accueille en soi-même la thèse d'une telle perception). Mais elle n'interdit pas que l'on porte [188] un jugement sur ce fait que la perception est conscience *d*'une réalité (dont on n'a pas le droit désormais « d'opérer » en même temps la thèse); elle n'empêche pas non plus de décrire la « réalité comme telle » qui apparaît de façon perceptive, en tenant compte des modes particuliers sous lesquels elle accède à la conscience dans le cas présent : par exemple précisément comme

---

[187] 1. Cette phase négative de la réduction a été étudiée dans la IIe section. Il s'agit de montrer maintenant que le noème retient le « caractère de réalité » qui s'ignorait lui-même dans la croyance naturelle. En ce sens il est bien vrai que la réduction révèle la croyance comme croyance et en fait pour la première fois un objet phénoménologique. Cf. Fink, art. cit., pp. 348-354.

perçu, comme apparaissant « sous une seule face », selon telle ou telle orientation, etc. Avec un soin minutieux il nous faut désormais veiller à ne pas imposer au vécu d'autre propriété que celle qui est réellement incluse dans son essence, et à la lui « imposer » (einlegen) de la manière exacte dont elle « repose » (liegt) dans l'essence elle-même.

§ 91. — EXTENSION AUX SPHÈRES LES PLUS EXTRÊMES DE L'INTENTIONNALITÉ[1].

Ce qui a été établi plus en détail en donnant un privilège à la perception est maintenant réellement valable pour *toutes les espèces de vécus intentionnels.* Dans le souvenir nous trouvons après la réduction le souvenu comme tel, dans l'attente l'attendu comme tel, dans l'imagination créatrice l'imaginé comme tel.

En chacun de ces vécus « habite » un sens noématique et, quelle que soit la parenté du sens dans ces divers vécus, voire même l'identité éidétique s'il s'agit d'un unique fonds nucléaire (Kernbestande), le sens en tout cas est d'une espèce différente lorsque le vécu appartient à des espèces différentes, et le noyau commun dans un cas donné présente au moins des caractères différents, cela de toute nécessité. Il peut s'agir chaque fois d'un arbre en fleur, et chaque fois cet arbre peut apparaître de telle façon que la description fidèle de ce qui apparaît comme tel se fasse nécessairement avec les mêmes expressions. Et pourtant les corrélats noématiques sont pour cette raison essentiellement différents, selon qu'il s'agit d'une perception, d'une imagination, d'une présentification du type portrait, d'un souvenir, etc., etc. Dans un cas ce qui apparaît est caractérisé

[188] 1. Nous pouvons généraliser : si le caractère de réalité qui est le résidu phénoménologique de la « thèse » naturelle dans la perception appartient au noème complet du perçu, le caractère d'irréalité, ou de réalité reproduite, appartient aussi au noème complet de l'imaginé, du souvenu etc. ; le noème complet diffère d'une classe d'actes à l'autre, même si le « noyau de sens » (c'est un arbre) demeure identique.

comme « réalité corporelle », une autre fois comme fictum, dans un autre cas encore comme présentification du type souvenir, etc.

Ce sont des caractères que nous découvrons sur (an) le perçu, l'imaginé, le souvenu, etc., comme tels — *sur le sens de la perception, sur le sens de l'imagination, sur le sens du souvenir;* ils en sont inséparables et *lui appartiennent nécessairement, en corrélation avec les espèces respectives de vécus noétiques.*

Toutes les fois qu'il importe donc de décrire fidèlement et intégralement les corrélats intentionnels, il nous faut grouper ensemble tous ces caractères, qui n'obéissent jamais au hasard mais se conforment à certaines lois éidétiques, et les fixer dans des concepts rigoureux.

[189] Nous remarquons par ce moyen qu'à l'intérieur du noème *complet* il nous faut discerner en fait, comme nous l'avions annoncé à l'avance, des *couches essentiellement différentes* qui se rassemblent autour d'un « *noyau central* », autour du pur « *sens objectif* » (gegenständlichen)[1] c'est ce sens qui dans nos exemples peut chaque fois être décrit à l'aide d'expressions objectives (objektiven) absolument identiques, étant donné qu'il pouvait y avoir une identité dans les vécus parallèles d'espèces différentes. En même temps nous voyons que parallèlement, si nous écartons à nouveau les parenthèses apposées aux thèses, on doit pouvoir distinguer, en fonction des différents concepts de sens, différents concepts *d'objectivités* (Objektivitäten) *non modifiées :* parmi ces concepts « l'objet pur et simple » (Gegenstand schlechthin)[1], à savoir le noyau identique qui tantôt est perçu, tantôt directement présentifié, tantôt figuré en portrait dans un tableau, etc., indique un *unique* concept central. Cette indication nous suffira provisoirement.

Engageons-nous plus avant dans la sphère de la conscience et tentons, en nous attachant aux modes principaux de la conscience, de nous familiariser avec les

---

[189] 1. Désormais *Gegenstand schlechthin* désigne le « sens » identique (arbre) d'une perception, d'un souvenir, etc., et *Objekt* le corrélat complet.

structures noético-noématiques. Assurons-nous en même temps pas à pas, par une justification réelle, de la validité *universelle* de la corrélation fondamentale entre noèse et noème.

§ 92. — LES MUTATIONS ATTENTIONNELLES AU POINT DE VUE NOÉTIQUE ET NOÉMATIQUE[2].

Nous avons déjà parlé plusieurs fois dans nos chapitres préparatoires d'un type remarquable de mutation qui affecte la conscience; elle se combine avec tous les autres types de phénomènes intentionnels et forme ainsi une structure *sui generis* tout à fait générale de la conscience : nous parlons en langage figuré du « regard de l'esprit » ou des « rayons du regard » émané du moi pur; nous disons que le regard se tourne et se détourne. Les phénomènes qui répondent à cette description présentaient une réelle unité et se détachaient avec une complète clarté et un relief distinct. Toutes les fois qu'on parle « d'attention » ils jouent le rôle principal, sans toutefois s'isoler au point de vue phénomélogique des autres phénomènes; c'est mêlés à eux qu'ils sont désignés comme des modes de l'attention. Nous voulons pour notre part conserver le mot attention et parler au surplus de *mutations attentionnelles*, mais en nous reférant exclusivement aux phénomènes que nous avons nous-mêmes distinctement séparés, et également aux groupes des mutations phénoménales solidaires qu'il nous faudra décrire de plus près par la suite.

[190] Il s'agit ici d'une série de mutations idéalement possibles qui présupposent un noyau noétique

2. 3°) *Deuxième extension de la notion de noème : aux modifications attentionnelles,* § 92. On n'a parlé jusqu'ici de l'attention qu'au point de vue de l'actualité du Cogito, non du mode d'apparaître de l'objet. Le noème complet inclut ces variations de l'apparaître corrélatives des modifications noétiques ; il s'agit de caractères qui varient sans altérer le sens ; la difficulté est de comprendre comment les caractères attentionnels de l'objet (remarqué, non remarqué, éclairé, mis en relief, etc.) peuvent néanmoins ne pas rester *étrangers* au noyau identique.

possédant lui-même nécessairement des moments de genre différent susceptibles de le caractériser; ces mutations par elles-mêmes n'altèrent pas les fonctions noématiques ressortissant à ces noèses et pourtant elles représentent des transformations qui affectent l'*ensemble* du vécu tant par sa face noétique que noématique. Le rayon du regard émis par le moi pur tantôt traverse de part en part telle couche noétique, tantôt telle autre ou (comme on le voit dans le cas par exemple des souvenirs dans des souvenirs) traverse telle ou telle couche emboîtée dans une autre (Schachtelungsstufe), tantôt directement, tantôt par réflexion. A l'intérieur du champ total donné des noèses potentielles, ou des objets noétiques, nous regardons tantôt ce tout, l'arbre par exemple qui est présent de façon perceptive, tantôt telle ou telle partie, tel ou tel moment du tout; puis nous revenons à une chose située dans le voisinage ou bien à quelque système ou processus de forme complexe. Soudain nous tournons le regard vers un objet de souvenir qui nous « passe par la tête » : au lieu de traverser la noèse de perception qui constitue à nos yeux ce monde des choses qui sans cesse apparaît et se développe selon une unité ininterrompue, tout en s'articulant de multiples façons, le regard pénètre à travers une noèse de souvenir dans un monde de souvenirs, s'y meut, s'y déplace, passe à des souvenirs de degré différent ou à des mondes imaginaires, etc.

Demeurons pour plus de simplicité dans *une seule couche* intentionnelle, dans le monde de la perception, qui est là avec sa certitude toute simple. Fixons en idée quant à son statut noématique une chose ou un processus de chose qui accède à la conscience par la perception; fixons de même pendant l'intervalle correspondant de la durée phénoménologique l'ensemble de la conscience concrète que nous avons de cette chose, en respectant son essence immanente complète. La fixation du rayon attentionnel au cours de son déplacement *déterminé* appartient elle aussi à cette idée. Car le rayon lui aussi est un moment du vécu. Il est alors évident que ce vécu maintenu fixe peut subir des altérations que nous désignons précisément sous ce titre : « simples changements dans la distribution de l'attention et de ses modes ». Il est clair que dans ce cas le fonds *noématique* du vécu demeure le même, dans la mesure où on peut dire dans tous les cas : c'est le même objet qui ne cesse pas d'être caractérisé comme existant corporellement et qui se figure sous les mêmes modes d'apparaître, la même orientation, les mêmes caractéristiques apparentes; et la conscience en saisit tel ou tel contenu sous les mêmes modes d'indication indéterminée et de co-présentation (Mitgegenwärtigung) non intuitive, etc. En quoi consiste le changement ? Si l'on souligne et 191] que l'on compare les composantes noémiques parallèles il consiste, disons-nous, *uniquement* en ceci : dans un cas c'est tel moment de l'objet, dans un autre cas c'est tel autre qui est « préféré » ; ou bien : un seul et même moment est tantôt « remarqué à titre primaire », tantôt seulement à titre secondaire, ou simplement « tout juste encore co-remarqué », à moins qu'il ne soit « complètement non-remarqué », tout en continuant d'apparaître. Il y a précisément différents modes qui appartiennent spécialement à l'attention comme telle. Les *modes d'actualité* forment ainsi un groupe qui se détache du mode de *l'inactualité*, que nous nommons purement et simplement inattention, et qui est le mode si l'on peut dire de la conscience morte (des toten Bewussthabens).

D'autre part il est clair que ces modifications ne sont pas seulement celles du vécu lui-même dans son fonds noétique ; elles atteignent aussi ses *noèmes* et représentent du côté noématique — sans préjudice pour le noyau noématique identique — un genre original de caractérisations. Il est d'usage de comparer l'attention à une lumière qui éclaire. Ce que l'on remarque, au sens spécifique du mot, se trouve pris sous un faisceau plus ou moins clair de lumière ; il peut aussi reculer dans la pénombre et dans la pleine obscurité. Aussi insuffisante que soit l'image pour exprimer sans confusion possible tous les modes que la phénoménologie doit fixer, elle est néanmoins assez caractéristique pour indiquer les changements qui affectent la chose qui apparaît comme telle. Cette variation dans l'éclairage n'altère pas ce qui apparaît quant à son propre fonds de *sens,* mais clarté et obscurité modifient ses modes d'apparaître ; il faut les découvrir et les décrire dans la direction du regard sur l'objet noématique.

Il est alors manifeste que les modifications du noème ne consistent pas dans une propriété purement extrinsèque qui s'ajouterait du dehors à un élément qui lui-même demeurerait identique ; au contraire les noèmes concrets changent de part en part ; il s'agit donc de modes nécessaires qui affectent la façon même dont le noyau identique se donne.

A y regarder de plus près, on ne rend pas compte des faits si l'on dit qu'il faut respecter comme une constante le contenu noématique *pris dans son ensemble* (le *noyau attentionnel* si l'on peut dire) caractérisé au point de vue de l'attention par tel ou tel mode, cette constante s'opposant aux modifications attentionnelles arbitraires[1]. Il apparaît au contraire, si l'on considère la situation par le côté noétique, que certaines noèses sont conditionnées soit de façon nécessaire, soit en fonction de possibilités déterminées dans leur nature, par des modes de l'attention et en particulier par l'attention positive au sens tout à fait spécial du terme. C'est le cas pour toutes les « opérations d'actes », les « prises de position actuelles », par exemple l' « opération » de [192] trancher un doute, d'écarter, de poser un sujet et d'y apposer un prédicat, l'opération d'évaluer et celle d'évaluer une chose « en raison d'une autre », l'opération d'un choix, etc. : toutes ces opérations présupposent une attention positive dirigée sur les objets par rapport auxquels le moi prend position. Mais cela ne

191] 1. L'hypothèse qu'on écarte est celle-ci : on pourrait penser que le noème comporte le sens-tel-qu'il-apparaît-pour-une-attention-normale. On a bien inclus *un* mode de l'attention dans le noème, mais ce mode constant exclut les variations d'attention qui d'une manière quelconque doivent être intégrées aux structures noético-noématiques. La solution est cherchée dans un retour au point de vue de la noèse : les actes de prise de position (cf. p. 169 et § 115) montrent combien l'attention peut tenir à l'intimité de certains actes ; l'objet est donc corrélativement changé de part en part ; mais nous savons que la manière dont le moi vit dans ses actes concerne le *comment* et non le *Quid* de ces actes. Il en est de même des variations noématiques correspondantes : l'attention affecte l'objet dans le *comment* de son apparaître.

change rien au fait que cette fonction du regard qui se déplace, élargit ou rétrécit son champ d'exploration, représente une *dimension* sui generis *de modifications noétiques et noématiques qui se correspondent;* l'investigation éidétique systématique de ces modifications fait partie des tâches fondamentales de la phénoménologie générale.

Lorsqu'elles sont sur le mode de l'actualité, les diverses configurations attentionnelles comportent en un sens tout à fait spécial le *caractère de la subjectivité;* ce même caractère s'étend ensuite à toutes les fonctions qui sont modalisées précisément par ces modes ou qui les présupposent en vertu de leur spécification. Le rayon de l'attention se donne comme irradiant du moi pur et se terminant à l'objet, comme dirigé sur lui ou s'en écartant. Le rayon ne se sépare pas du moi, mais est lui-même et demeure rayon-du-moi (Ichstrahl)[1]. « L'objet » est atteint ; il est le point de mire, simplement posé en relation au moi (et par le moi lui-même): mais lui-même n'est nullement « subjectif ». Une prise de position qui comporte en soi le rayon du moi est de ce fait même un acte du moi lui-même : c'est le moi qui agit ou pâtit, qui est libre ou conditionné. Le moi, pourrait-on dire encore, « vit » dans de tels actes. Ce mot : vivre ne désigne nullement l'être de « contenus » quelconques emportés dans un flux de contenus ; il désigne une multiplicité de modes accessibles à la description et qui concernent la façon dont le moi, engagé dans certains vécus intentionnels qui comportent le mode général du cogito, vit au sein de ces actes comme « l'être libre » (freie Wesen) qu'il est. L'expression : « en tant qu'être libre » ne signifie rien d'autre que des modes du vivre tel que : sortir-de-soi-librement, ou revenir-en-soi-librement, agir spontanément, éprouver quelque chose de la part des objets, pâtir, etc. Tous les processus qui se déroulent dans le flux du vécu en dehors du rayon du moi ou du cogito prennent un caractère essentiellement différent : ils sont situés en dehors de l'actualité du moi et pourtant, comme nous l'avons déjà indiqué plus haut, ils comportent une appar-

[192] 1. Cf. §§ 57 et 80.

tenance au moi, dans la mesure où il est le champ de potentialité offert aux actes libres du moi [2].

Nous n'en dirons pas davantage pour caractériser dans leurs traits généraux les thèmes néotico-noématiques qui nécessiteront une analyse fondamentale et systématique dans le cadre de la phénoménologie de l'attention ([a]).

[193]

§ 93. — Passage aux Structures noético-noématiques de la Sphère supérieure de Conscience [1].

Dans le développement prochain de l'analyse nous considérerons des structures de la sphère « supérieure » de conscience : là *un certain nombre de noèses sont*

(*a*) L'attention est un thème central de la psychologie moderne. Le caractère sensualiste de cette dernière n'apparaît nulle part de façon plus frappante que dans sa manière de traiter ce thème : pas une fois, en effet, la relation éidétique entre attention et intentionnalité — à savoir le fait fondamental que l'attention n'est qu'une espèce fondamentale de modifications *intentionnelles* — n'a été mise en lumière jusqu'à présent, du moins à ma connaissance. Depuis la parution des Etudes Logiques, cf. les développements *in* t. II, *IIe Etude,* §§ 22 sq., pp. 159-165 et *Ve Etude,* § 19, p. 385, [3e éd. p. 405]), on fait quelques mots d'allusion en passant à une relation entre attention et « conscience d'objet » ; mais, à quelques exceptions près (je pense aux écrits de Th. Lipps et de A. Pfänder), en des termes qui ne permettent pas de comprendre qu'on est ici au *commencement* radical et premier de la doctrine de l'attention et que toute la suite de l'étude doit être conduite dans le cadre de l'intentionnalité et ne peut être, bien entendu, traitée d'abord comme une étude empirique, mais avant tout comme une étude éidétique.

---

2. Cf. § 122. On sait déjà que le moi pur n'est pas un objet pour la phénoménologie ; il est seulement le « comment » de son propre engagement dans ses actes (p. 160, n. 1) ; c'est ce qu'on avait appelé *das rein Subjektive der Erlebnisweise* (*ibid.*). — Dans les textes des Etudes Logiques auxquels Husserl renvoie ici, l'attention représente la liberté de la conscience qui, dans un acte complexe, peut « vivre » tantôt dans la couche de l'expression, tantôt dans celle de la signification, tantôt dans l'acte, tantôt dans son objet. (*Ve Etude,* § 19, pp. 405-11).

[193] 1. 4°) *Troisième extension de la notion de noème : aux intentionnalités complexes,* § 93 : *a*) *jugement,* § 99 ; *b*) *opérations affectives et pratiques,* § 95.

édifiées l'une sur l'autre pour composer l'unité d'un vécu concret; parallèlement les corrélats noématiques sont également *fondés* (fundierte) sur d'autres noèmes. Car *il n'est pas de moment noétique auquel n'appartienne de façon spécifique un moment noématique :* ainsi l'exige la loi éidétique universellement confirmée.

Dans le cas également des noèses de degré supérieur — prises dans leur intégralité concrète — le fonds noématique comporte un noyau central qui s'impose d'abord de façon prédominante : c'est « l'objectivité visée comme telle », l'objectivité entre guillemets, comme l'exige la réduction phénoménologique. Là aussi ce noème central doit être pris avec le fonds objectif modifié avec lequel il est précisément noème, objet de conscience comme tel. En conséquence il est à remarquer également ici que nous sommes en face d'une *objectivité d'un type nouveau* — en effet, l'objet pris sous la condition de cette modification est devenu à son tour, sous le titre de sens, un objet qui toutefois a sa dignité propre comme quand nous en faisons l'étude scientifique —; cette nouvelle espèce d'objet a ses modes de donnée, ses « caractères », ses multiples modes sous lesquels la conscience l'atteint dans le noème complet correspondant au vécu noétique considéré ou à la spécification du vécu considérée. Naturellement ici aussi à tous les clivages dans le noème correspondent nécessairement des clivages parallèles dans l'objectivité non modifiée.

Une étude phénoménologique plus précise aura la tâche d'établir en outre, dans le cas des noèmes qui [194] représentent des formes particulières variables à l'intérieur d'une espèce immuable (par exemple la perception), quelles propriétés sont commandées en terme de lois éidétiques par la spécification elle-même et quelles autres le sont par les formes particulières qui différencient l'espèce. Or cette exigence s'impose jusqu'au bout: dans la sphère éidétique il n'y a pas de contingence ; tout y est lié par des relations éidétiques : noèse et noème en particulier n'échappent pas à la règle.

§ 94. — Noèse et Noème dans le Domaine du Jugement[1].

Considérons comme exemple de cette sphère d'essences fondées le jugement *prédicatif*. Le noème du *juger*, c'est-à-dire du vécu concret du jugement, est le « jugé comme tel » ; or ce noème n'est rien d'autre, du moins quant à son noyau principal, que ce que d'ordinaire nous appelons simplement *le jugement*.

Pour saisir le noème complet, il faut réellement le prendre dans sa pleine concrétion noématique selon laquelle la conscience l'atteint. Le jugé (Geurteilte) ne doit pas être confondu avec la matière du jugement (Beurteilten). Si le juger se construit sur le fondement d'un percevoir ou d'une autre représentation positionnelle » simple, le noème de la représentation passe dans la pleine concrétion du juger (de même que la noèse qui anime la représentation devient une composante éidétique de la noèse concrète du jugement), et y adopte certaines formes. Le représenté comme tel prend la forme du sujet ou de l'objet apophantique, etc.[2]. Pour plus de simplicité, faisons abstraction de la couche supérieure représentée par « l'expression » verbale[3]. Ces « objets sur quoi » on juge, en particulier les objets qui ont la fonction sujet, sont la matière du jugement (die beurteilten). Le tout formé par eux, le *Quid total du jugé* (das gesamte geurteilte Was). considéré en outre avec les *caractères* exacts, avec la *manière de se donner*, selon lesquels ce Quid est « atteint par la conscience » dans le vécu, constitue le *corrélat noéma-*

[194] 1. La réduction qui porte sur la « thèse » même du jugement (l'*Urteilsfällung*) fait apparaître le noème du jugement : la proposition tout entière. Les Etudes Logiques avaient au contraire pour but d'échapper au subjectivisme et d'exclure la proposition du vécu psychologique. Le subjectivisme est désormais suffisamment dépassé pour qu'il soit possible de souligner l'inhérence du jugé au juger et d'inclure la logique dans la phénoménologie.

2. Sur apophantique, cf. p. 22, n. 2.

3. Cf. §§ 124-7. Les Etudes Logiques partaient au contraire de l'expression, remontaient de là à la signification, puis à « l'intuition qui la remplit ». Ici le centre de gravité est la théorie de la perception d'où l'on remonte au jugement et à l'expression.

tique complet, le « *sens* » (entendu de la façon la plus large) du vécu de jugement. En termes plus stricts, il est le « sens dans le comment (im Wie) de son mode de donnée », dans la mesure où ce mode se présente comme un caractère attaché au vécu[4].

Dans cette analyse il ne faut pas omettre la réduction phénoménologique qui nous oblige, si nous voulons atteindre le pur noème de notre vécu de jugement, à « mettre entre parenthèses » l'exécution (Fällung) du jugement. Si nous procédons ainsi, nous avons devant nous la pleine essence concrète du vécu de jugement, ou comme nous l'exprimons maintenant, *la noèse du jugement saisie concrètement comme essence* et *le noème du jugement* qui appartient à cette noèse et fait un avec elle : c'est-à-dire le « *jugement exécuté* », *compris comme Eidos* et considéré lui aussi dans sa pureté phénoménologique[5].

[195] Les psychologistes se scandaliseront ici sur tous les points ; ils ne sont déjà pas enclins à distinguer entre le juger comme vécu empirique et le jugement comme « Idée », comme essence. Cette distinction n'appelle plus pour nous de justification. Mais même celui qui l'accepte est mis en cause. Car il est invité à reconnaître qu'il ne suffit pas de faire cette simple distinction et qu'il est nécessaire de fixer un certain nombre d'idées contenues dans l'essence de l'intentionnalité du jugement, en tenant compte de ses deux faces différentes. Il faut d'abord reconnaître qu'ici comme dans tous les vécus intentionnels les deux faces, noèse et noème, doivent être par principe distinguées.

Du point de vue critique notons que les deux concepts établis dans les *Etudes Logiques*, « *d'essence intentionnelle* » et « *d'essence cognitive* » (erkenntnismässigen) (a) [1] sont certes corrects, mais qu'ils sont suscep-

(*a*) Cf. ETUDES LOGIQUES II, II, Ve *Etude*, § 21, pp. 321 sq. [3e éd., vol. II, Ve *Etude*, § 21, pp. 417 sq.].

4. Ce « comment » qui complète le « Quid » du jugé désigne, comme on le sait, les caractères de croyance, les modes attentionnels, etc.

5. Comme pour la perception (§ 90), la croyance est réintégrée comme objet d'investigation, cf. p. 185, n. 3.

[195] 1. Sur ces expressions, cf. le *Commentaire*, p. 182, n. 2.

tibles d'une certaine interprétation, dans la mesure où on peut y voir en principe l'expression d'essences non seulement noétiques mais aussi noématiques ; l'interprétation noétique, développée alors de façon unilatérale, n'est justement pas celle qui entre en considération lorsqu'il s'agit de former le concept purement logique de jugement (donc le concept que réclame la logique pure au sens de la mathesis pure, par opposé au concept noétique de jugement employé dans la noétique logique normative). La distinction qui s'impose déjà dans le langage courant entre *exécuter un jugement* et le *jugement exécuté* peut mener à une vue exacte, à savoir qu'au vécu du jugement se rattache *à titre de corrélat* le jugement pur et simple en tant que noème.

Ce noème précisément devrait alors être entendu comme le « jugement », ou la *proposition au sens purement logique* — avec cette réserve que la logique pure ne s'intéresse pas au noème dans la totalité de ses aspects; il ne l'intéresse que dans la mesure où elle le pense comme exclusivement déterminé par une essence *plus restreinte,* celle même dont les *Etudes Logiques* amorçaient la détermination plus exacte en esquissant la distinction signalée plus haut. Si nous voulons, en partant d'un vécu de jugement déterminé, atteindre le noème complet, il nous faut, comme on l'a dit plus haut, prendre « le » jugement exactement comme il accède à la conscience dans tel vécu précis, tandis qu'en logique formelle l'identité « du » jugement a une portée beaucoup plus grande. Un jugement évident : S est P, et « le même » jugement aveugle sont noématiquement différents mais identiques quant à un certain noyau [196] de sens qui est seul déterminant du point de vue de la logique formelle. Cette différence ressemble à celle que nous avons déjà abordée entre le noème d'une perception et celui d'une présentification parallèle qui représente le même objet avec exactement le même statut de détermination, la même caractérisation (comme « étant certain », « étant douteux », etc.). Les types d'actes diffèrent et il reste par ailleurs encore une zone de jeu immense pour des différences phénoménologiques, mais le Quid noématique est identique. Ajoutons encore que, à l'idée du jugement qui vient d'être caractérisée et qui forme le concept de base de la logique formelle (de cette discipline incluse dans la mathesis universalis qui se rapporte aux significations prédicatives), s'oppose encore en un second sens à titre de corrélat l'idée noétique : « le jugement » ; par là il faut entendre le juger en général, pris dans sa généralité éidétique et purement déterminée par la forme. C'est le concept fondamental de la législation (Rechtslehre) noétique formelle du juger [a] [1].

Toutes les analyses que nous venons de développer sont également vraies des autres vécus noétiques, par exemple, cela va de soi, de tous les vécus qui ont une parenté éidétique avec les jugements entendus comme

(a) En ce qui concerne le concept de « jugement en soi », de « proposition en soi », introduit par Bolzano, les analyses de la DOCTRINE DE LA SCIENCE montrent à l'évidence que Bolzano n'a pas clairement réalisé le sens propre de sa conception révolutionnaire. Bolzano n'a jamais vu que nous avons ici *deux* interprétations possibles par principe, qui toutes deux pourraient être désignées comme « jugement en soi » : l'élément spécifique du vécu de jugement (l'idée noétique) et l'idée noématique qui en est le corrélat. Ces descriptions et ces éclaircissements sont ambigus. En tout cas il avait en vue, en tant que mathématicien soucieux d'objectivité, le concept noématique — quoique une tournure occasionnelle semble parler en sens contraire (cf. loc. cit. I, p. 85, la citation qu'il approuve tirée de la « doctrine de la pensée » de Mehmel). Il avait ce concept en vue exactement comme l'arithméticien a en vue le nombre, étant préoccupé des opérations numériques mais non des problèmes phénoménologiques que pose la relation entre le nombre et la conscience du nombre. La phénoménologie était ici, dans la sphère logique comme partout ailleurs, une chose *complètement étrangère* au grand logicien. Ceci doit être clair pour quiconque a réellement étudié la DOCTRINE DE LA SCIENCE de Bolzano, malheureusement devenue si rare, et en outre n'est pas enclin à confondre toute élaboration de concepts éidétiques fondamentaux — opération qui reste naïve par rapport à la phénoménologie — avec une élaboration phénoménologique. Sinon, on devrait, si l'on voulait rester conséquent avec soi-même, désigner comme phénoménologues tous les mathématiciens qui ont été des créateurs de concepts, par ex., un Cantor, en raison de sa conception géniale des concepts fondamentaux de la théorie des groupes, et également en dernier ressort le créateur inconnu des concepts fondamentaux de la géométrie aux temps obscurs de l'antiquité.

[196] 1. Cette noétique formelle du jugement se découpe à l'intérieur de l'étude noétique du jugement, comme le noyau de sens du jugement se découpe à l'intérieur du noème complet pour consti-

certitudes prédicatives : les supputations, les conjectures, les doutes, également les refus qui leur correspondent ; la concordance peut y être si parfaite qu'on trouve dans le noème un statut de sens partout identi-
[197] que, affecté seulement de « caractérisations » différentes. Le même « S est P » qui forme le *noyau noématique*, peut être le « *contenu* » d'une certitude, d'une supputation du possible ou d'une conjecture, etc.[1]. Dans le noème ce noyau « S est P » ne demeure pas isolé ; tel qu'il est ici dégagé par la pensée à titre de contenu c'est un élément non autonome ; il accède chaque fois à la conscience avec des caractérisations variables qui sont indispensables au noème complet : il accède à la conscience avec le caractère du « certain » ou du « possible », du « vraisemblable », du « nul », etc. ; ces caractères portent en bloc les guillemets qui les modifient ; ils sont spécialement ordonnés à titre de corrélat à des moments noétiques du vécu tels que : tenir-pour-possible, tenir-pour-vraisemblable, pour-nul, etc.[2].

Par là se dessinent, comme on le voit en même temps, deux concepts fondamentaux de « *contenu de jugement* », et également de contenu de conjecture, de contenu de question, etc. Il n'est pas rare que les logiciens se servent de l'expression de contenu de jugement, mais en un sens tel que manifestement elle désigne à la fois (sans pourtant que l'on fasse la distinction pourtant si nécessaire) le concept noétique de jugement et le concept noématico-logique de jugement : c'est ce couple de concepts que nous avons caractérisé tout à l'heure. Parallèlement à ces deux concepts et, comme il va de soi, sans coïncider avec ceux-ci ni entre eux-

---

tuer le thème de la logique formelle appliquée aux significations prédicatives. — Bolzano, auquel Husserl se réfère ici, est placé, à côté de Leibniz, comme « un des plus grands logiciens de tous les temps », PROLÉGOMÈNES A LA LOGIQUE PURE, p. 225. Il lui a manqué néanmoins, déclarait déjà Husserl, la clef d'une « théorie de la multiplicité » pour embrasser tout l'empire de la *mathesis universalis* (*ibid.*).

[197] 1. Le noyau de sens qu'étudie le logicien est un moment abstrait du noème. Ainsi la phénoménologie enveloppe la logique en ce double sens que la proposition logique est un moment abstrait du noème et que celui-ci est inclus intentionnellement dans la noèse judicative.

2. Sur ces modalités de croyance, cf. §§ 103 sq.

mêmes, se développent les couples correspondants de concepts dans les conjectures, les questions, les doutes, etc. Or c'est ici que se fait jour un second sens du mot contenu de jugement : il désigne un « contenu » identique que le jugement peut avoir *en commun* avec une conjecture (ou un conjecturer), avec une question (ou un questionner) et avec d'autres noèmes d'actes, ou d'autres noèses [3].

§ 95. — Distinctions analogues dans la Sphère Affective et Volitive [4].

Des développements analogues valent ensuite, comme il est aisé de s'en convaincre, pour la sphère affective et volitive, pour des vécus tels que prendre plaisir et déplaisir, apprécier en tous les sens du mot, souhaiter, se décider, agir ; tous ces vécus contiennent plusieurs et souvent de nombreuses stratifications intentionelles, d'ordre noétique et parallèlement d'ordre noématique.

Les stratifications, pour parler en termes généraux, y sont telles que les couches supérieures du phénomène total peuvent disparaître sans que le reste cesse d'être un vécu intentionnel intégral et concret et qu'en sens inverse également un vécu concret peut recevoir une nouvelle couche noétique globale : par exemple sur une représentation concrète peut s'édifier un moment non-autonome « d'évaluation », lequel en sens inverse peut à nouveau disparaître.

[198] Quand de cette façon un percevoir, un imaginer, un

3. Husserl résume les deux innovations des Ideen : le « sens » (ou contenu) est à la fois mieux distingué de la noèse et des autres caractères du noème.

4. Le second exemple de vécus de degré supérieur esquisse une percée au delà de la conscience théorique. C'est le lieu de poser la question de l'intellectualisme husserlien. Les actes affectifs, axiologiques, volitifs, pratiques, sont « fondés » sur des perceptions, des représentations au sens large, des jugements de chose : mais en retour les caractères affectifs, les valeurs, etc. constituent une couche originale tant noématique que noétique. Les Ideen ne s'intéressent pas à cette couche en tant qu'originale ; on vérifie seulement à son propos l'universalité de la structure noème-noèse et l'unité des problèmes de réduction et de constitution.

juger, etc., servent de soubassement à une couche d'évaluation qui le recouvre entièrement, nous trouvons dans *l'ensemble hiérarchique,* désigné en raison de la couche supérieure du nom de vécu d'évaluation, *différents noèmes ou sens.* Le perçu comme tel appartient, en tant que sens, spécialement au percevoir, mais il s'incorpore dans le sens de l'évaluation concrète, pour servir de fondement à *son* sens : nous devons dès lors distinguer d'un côté les objets, choses, propriétés, états de chose, qui sont là dans l'évaluer comme ayant une valeur, ou les noèmes correspondants des représentations, des jugements, etc., qui fondent la conscience de valeur ; d'autre part nous avons les objets-valeurs eux-mêmes, les états de chose-valeurs eux-mêmes, ou les modifications noématiques correspondantes ; ensuite nous trouvons les noèmes intégraux qui appartiennent à la conscience concrète de valeur.

Notons d'abord à titre d'éclaircissement que, pour éviter le plus possible les confusions, nous faisons de notre mieux (ici et dans tous les cas analogues) pour introduire des termes relatifs qui soulignent les différences, afin de maintenir plus facilement la distinction entre l'objet qui vaut (werten Gegenstand) et l'objet-valeur (Wertgegenstand), l'état de chose qui vaut et l'état de chose-valeur (Wertsachverhalt), la propriété qui vaut et la propriété-valeur (Werteigenschaft), (cette expression ayant elle-même à nouveau un double sens). Nous parlons de la simple « chose » (Sache) qui vaut, qui a un caractère de valeur, *une qualité de valeur* (Wertheit) ; nous parlons d'autre part de la *valeur concrète* elle-même ou de *l'objectivité-valeur* (Wertobjektität). De même nous parlons en termes parallèles du *simple état de chose* ou de la *simple situation,* et de *l'état de valeur* (Wertverhalt) ou de la *situation de valeur,* à savoir dans les cas où l'évaluer a pour soubassement fondateur une conscience d'état de chose. L'objectivité-valeur implique la chose correspondante, elle introduit comme nouvelle couche objective la *qualité de valeur.* L'état de valeur recèle en lui-même le simple état de chose qui s'y rattache, la propriété de valeur ainsi que la propriété de chose et par là-dessus la qualité de valeur.

En outre il faut encore distinguer entre l'objectivité de valeur pure et simple et *l'objectivité de valeur entre guillemets,* qui réside *dans le noème.* De même qu'en face du percevoir je situe le perçu comme tel, qui exclut toute question sur l'être véritable du perçu, de même à l'évaluer s'oppose l'évalué comme tel ; mais là encore on laisse hors de question l'être de la valeur (l'être de la chose évaluée *et* l'être véritable de la valeur de cette chose). Toutes les positions actuelles sont à mettre hors circuit si l'on veut saisir le noème. En outre il faut bien noter que le « sens » *complet* de l'évaluer enveloppe le Quid de cet évaluer selon la plénitude totale avec laquelle il accède à la conscience dans le [199] vécu de valeur considéré, et que l'objectivité de valeur entre guillemets n'est pas par lui-même sans autre question le noème complet.

Les distinctions qu'on vient de faire peuvent être transposées dans la sphère *volitive.*

D'un côté nous avons le *décider* que nous opérons à un moment donné, en y joignant tous les vécus qu'il exige pour soubassement et qu'il inclut en soi, si on le considère dans sa plénitude concrète. Le décider comporte un grand nombre de moments noétiques. A la base des positions volitives nous trouvons des positions de valeur, des positions de chose, etc. De l'autre côté nous avons la *décision,* en tant qu'espèce originale d'objectivité appartenant en propre au domaine de la volonté ; comme il est manifeste, cette objectivité se fonde sur d'autres objectivités noématiques similaires. Mettons donc hors circuit en tant que phénoménologues toutes les positions que nous opérons : cette fois encore, le phénomène volitif, pris comme vécu intentionnel phénoménologiquement pur, conserve son objet propre : le « *voulu comme tel* »; nous avons ainsi un *noème propre au vouloir :* la « *visée volitive* » (Willensmeinung); ce noème doit être pris exactement de la façon dont il réside comme « visée » dans tel vouloir (considéré dans son essence complète); il faut y joindre tout ce qui est voulu et tout ce « sur quoi » on veut.

Nous venons d'employer le mot « visée ». C'est le mot qui partout ici s'impose, comme les mots « sens » et « signification ». Au *viser* (Meinen oder Vermeinen) correspond alors la *visée*, au *signifier* la *signification*. Cependant ces mots se sont au total chargés de tant d'équivoques en se transmettant qu'on ne peut s'y référer sans les plus grandes précautions — et les moindres équivoques ne sont pas celles qui apparaissent dans ces couches corrélatives qui exigent une séparation scientifique rigoureuse. Nos analyses se développent désormais dans l'extension maxima définie par le genre éidétique : « vécu intentionnel ». Or l'expression « viser » se limite normalement à des sphères plus étroites qui jouent en même temps le rôle de soubassement à l'égard des phénomènes des autres sphères. Dès lors ce mot (et les expressions apparentées) ne pourra être pris en considération et retenu comme terme consacré que dans le cadre de ces sphères plus étroites. Par rapport aux propriétés générales les termes nouveaux que nous avons introduits et les analyses d'exemples que nous y joignons nous rendent de meilleurs services.

§ 96. — Transition aux Chapitres suivants. Remarques et Conclusions.

Si nous avons consacré tant de soin à l'élaboration générale de la distinction entre noèse et noème (en entendant par noèse le vécu intentionnel intégral et concret, caractérisé par l'accentuation de ses composantes [200] noétiques), c'est que la compréhension et la maîtrise de cette distinction a pour la phénoménologie une portée considérable ; elle est même absolument décisive pour la fonder correctement. A première vue elle semble aller de soi : toute conscience est conscience de quelque chose et les modes de conscience sont très différents. Mais, à y regarder de plus près, on rencontre de grosses difficultés ; elles portent sur la compréhension des modes d'être du noème : en quel sens « réside »-t-il dans le vécu ? Comment doit-il être « atteint par la conscience » dans le vécu ? La difficulté est en particulier de départager purement ce qui doit revenir dans l'ordre des composantes réelles (reeller) au vécu lui-même et ce qui doit revenir au noème pour lui être attribué en propre. Comment également découvrir les articulations correctes dans l'édifice parallèle de la noèse et du noème ? Ce nouveau problème ne manque pas de difficultés. Supposons même que nous ayons opéré avec succès pour l'essentiel ces distinctions à propos des représentations et des jugements où elles se présentent d'abord et pour lesquelles la logique fournit un travail préparatoire précieux quoique de portée insuffisante ; mais même alors il faut quelque effort et quelque maîtrise de soi non seulement pour postuler et pour affirmer les distinctions parallèles dans l'ordre des actes affectifs mais pour les élever réellement au rang de données claires.

On ne peut attendre de cet ouvrage, dans le contexte de ces méditations qui ont une simple valeur d'amorce, qu'il traite de façon systématique telle ou telle partie de la phénoménologie. Mais la tâche que nous nous sommes assignée est tout de même de serrer les problèmes de plus près que nous ne l'avons fait jusqu'à présent et d'esquisser les débuts de ces études. Cela est nécessaire si nous voulons que les structures noético-noématiques soient portées au moins à une clarté telle que l'on puisse comprendre leur signification par rapport à la problématique et aux méthodes de la phénoménologie. On ne peut se faire une idée précise de la fécondité de la phénoménologie, de l'ampleur de ses problèmes, de la nature de ses procédés, qu'en l'abordant effectivement, domaine après domaine, et qu'en rendant manifeste l'étendue des problèmes qui s'y rattachent. Or comment aborder chacune de ces régions, comment faire sentir qu'elle offre une solide base de travail ? Ce n'est possible que si on réalise les distinctions et les clarifications phénoménologiques qui seules peuvent faire comprendre le sens des problèmes à résoudre ici. C'est à cette perspective que se borneront rigoureusement, comme nous l'avons fait en partie déjà auparavant, toutes les analyses et toutes les démonstrations que nous poursuivrons par la suite. Aussi compliquées que puissent paraître au débutant les matières traitées, nous nous tiendrons néanmoins dans un cycle limité de problèmes. Nous donnerons naturellement la préférence à des questions qui sont relativement [201] voisines des voies d'accès à la phénoménologie et qui sont absolument nécessaires pour pouvoir suivre les lignes maîtresses qui traversent systématiquement ce domaine de part en part. *Tout* est difficile et exige un effort pénible de concentration sur les données de l'intuition éidétique spécialement appliquée à la phénoménologie. Il n'y a pas de « voie royale » en phénoménologie, ni non plus en philosophie. Il n'y a qu'*une* voie, celle que prescrit sa propre essence.

Qu'on nous permette encore une remarque pour finir. Selon notre analyse la phénoménologie se donne comme une science *à ses débuts*. Combien parmi les résultats des analyses tentées ici sont-ils définitifs ? Seul l'avenir peut l'apprendre. Il est certain qu'un grand nombre de nos descriptions devraient être faites autrement *sub specie æterni*. Mais une seule chose est permise et nécessaire, c'est que nous nous efforcions à chaque pas de décrire fidèlement ce que nous voyons réellement de notre point de vue et après l'étude la plus sérieuse. Notre démarche est celle de quelqu'un qui ferait un voyage d'études dans une partie inconnue du monde : il décrit soigneusement ce qui s'offre à lui sur les chemins non frayés et non pas toujours les plus courts qu'il emprunte. Il peut avoir l'assurance que ce qu'il énonce c'est ce qui *devait* être dit étant donnés le temps et les circonstances; ses descriptions conserveront toujours leur valeur, parce qu'elles sont une expression fidèle de ce qu'il a vu, — même si de nouvelles études doivent donner le jour à de nouvelles descriptions considérablement améliorées. Dans le même esprit que ce voyageur, nous voulons être par la suite de fidèles témoins des configurations phénoménologiques et pour le reste garder une attitude de liberté intérieure, même à l'égard de nos propres descriptions [1].

---

1. Le souci de ne pas retomber après chaque conquête de l'analyse au « tout naturel » est frappant ; il y a une pente naturelle des mots qui nous éloigne de l'intuition pure ; la phénoménologie est l'enjeu d'un combat : nous sommes au commencement et tout est difficile. G. Berger souligne ce ton de pionnier et ce mélange d'intrépidité et de scrupule à travers l'œuvre de Husserl.

CHAPITRE IV

PROBLÉMATIQUE DES STRUCTURES NOÉTICO-NOÉMATIQUES [2]

§ 97. — QUE LES MOMENTS HYLÉTIQUES ET NOÉTIQUES SONT DES MOMENTS RÉELS (REELLE) DU VÉCU, ET LES MOMENTS NOÉMATIQUES NON-RÉELS.

En introduisant dans le chapitre précédent la distinction du noétique et du noématique, nous avons employé l'expression *d'analyse réelle* (reelle) et *intentionnelle.* Reprenons la question à ce point. Un vécu

2. *Le chapitre IV contient des exercices phénoménologiques dans la ligne des problèmes du chapitre III.*

1° La confrontation de la hylé et du noème est poussée plus avant, § 97, et l'inclusion du noème dans la noèse précisée, § 98.

2° Les analyses principales portent sur des séries de « caractères » qui, joints au « sens », déterminent le noème complet : la première série concerne la filiation des diverses « présentifications » et leurs formes composées, §§ 99-101.

3° La seconde série de caractères, la plus importante puisqu'elle ramène au problème de la thèse du monde, concerne les modes de la croyance, §§ 101-115. On montre d'abord la filiation de tous les dérivés de la croyance-mère ou certitude, puis on les oppose globalement à la modification de *neutralité.* La notion de *conscience positionnelle* est saisie dans toute son extension quand on en a compris toutes les modifications et qu'on a compris l'opposition universelle de la conscience positionnelle et de la conscience neutre.

4° On étend les dernières conclusions : *a*) aux vécus « fondés » sur des représentations simples et qui ajoutent aux caractères d'être les caractères du valable, de l'agréable, etc. ; *b*) et aux « synthèses » de représentations et de thèses affectives ou pratiques, §§ 115-124.

5° Enfin le parallélisme de la noèse et du noème est cherché au niveau de « l'expression » : c'est la couche du « Logos », des significations énoncées, §§ 124-7.

phénoménologiquement pur a ses composantes réelles (reellen). Pour plus de simplicité limitons-nous aux vécus noétiques de degré inférieur, donc à ceux qui ne sont pas composés dans leur intentionnalité de multiples couches noétiques superposées, comme dans les actes de pensée, les actes affectifs et volitifs.

Prenons pour exemple une perception sensible, la perception simple d'un arbre : nous venons de jeter [202] un coup d'œil dans le jardin; nous avons cette perception si nous contemplons dans une unité de conscience cet arbre là-bas, qui maintenant est immobile, puis apparaît agité par le vent ; il s'offre également sous différents modes d'apparaître, selon que nous modifions notre position spatiale par rapport à lui tout en continuant de le contempler, par exemple en nous approchant de la fenêtre, ou bien en changeant simplement la position de la tête et des yeux, en tendant et en relâchant à nouveau l'accommodation, etc. *Une seule* perception peut de cette façon englober dans son unité une grande multiplicité de modifications ; tant que notre contemplation reste conforme à l'attitude naturelle, nous attribuons tantôt ces modifications à l'objet réel (wirklichen), comme étant *ses* altérations ; tantôt nous les rapportons à une relation naturelle (realen) et réelle (wirklichen) qu'il entretient avec notre subjectivité psycho-physique naturelle ; enfin nous les rattachons à cette subjectivité même. Il importe maintenant de décrire ce qui subsiste de cette analyse, à titre de résidu phénoménologique, si nous retournons à la « pure immanence », et *ce qui dans ce cas peut compter comme composante réelle* (reelles) *du pur vécu* et ce qui ne le peut pas. Il faut alors apercevoir avec une clarté totale que le vécu de perception pris en lui-même comporte bien dans son essence « l'arbre perçu comme tel », ou le noème complet qui reste intact quand on met hors circuit la réalité de l'arbre lui-même et celle de l'ensemble du monde ; mais d'autre part ce *noème* avec son « arbre » entre guillemets *n'est pas réellement* (reell) *contenu dans la perception, pas plus que ne l'était l'arbre de la réalité.*

Qu'est-ce qui se trouve donc réellement (reell) contenu dans la perception en tant que vécu pur, comme le sont dans le tout ses parties, ses éléments et ses moments indivisibles ? Déjà en passant nous avons mis en relief ces parties composantes authentiques, réelles (reellen), sous le titre de composantes *matérielles* (stoffliche) et *noétiques*. Opposons-les aux composantes noématiques.

La couleur du tronc d'arbre, en tant purement qu'elle accède à la conscience de perception, est « la même » exactement que celle que nous attribuions à l'arbre réel avant la réduction phénoménologique (du moins comme homme « naturel » et avant l'immixtion de connaissances physiques). *Cette* couleur, mise entre parenthèses, appartient désormais au noème. Mais elle n'appartient pas au vécu de perception en tant que composante réelle (reelles), bien que nous trouvions également en lui « quelque chose comme de la couleur » : à savoir la « couleur sensuelle » (Empfindungsfarbe) qui est le moment hylétique du vécu concret dans lequel « s'esquisse » la couleur noématique, ou « objective » (objektive).

Ce qui alors s'esquisse, c'est une seule et même couleur noématique qui, dans l'unité continue d'une con- [203] science perceptive changeante, accède à la conscience *comme* couleur identique et en soi-même invariable, dans une multiplicité continue de couleurs sensuelles. Nous voyons un arbre qui ne change pas de couleur : c'est sa couleur, celle de l'arbre ; et pourtant la position des yeux, l'orientation relative changent à de multiples égards ; le regard ne cesse de se déplacer sur le tronc, sur les rameaux ; en même temps nous nous rapprochons ; et ainsi nous rendons fluide de multiple manière le vécu de perception. Faisons réflexion sur la sensation, sur les esquisses : ce sont bien des données évidentes que nous saisissons; et si nous varions l'attitude et la direction de l'attention, nous pouvons, avec une parfaite évidence, mettre également en relation ces esquisses avec les moments objectifs correspondants et les reconnaître comme correspondants ; nous voyons alors sans difficulté que les couleurs esquissées qui se rattachent à quelque couleur immuable attribuée à la chose sont dans le même rapport que « l'unité » à une « multiplicité » continue.

En opérant la réduction phénoménologique, nous accédons même à cette évidence éidétique générale : l'objet arbre, qui dans une perception *en général* est déterminé en tant qu'*objectif*, tel qu'il apparaît dans cette perception, *ne* peut apparaître *que quand* les moments hylétiques, ou bien, dans le cas où on a une série continue de perceptions, quand les mutations hylétiques continues, sont tels et non point autres. Cela implique donc que tout changement dans le statut hylétique de la perception, s'il ne supprime pas franchement la conscience de perception, doit avoir au moins pour résultat que l'objet qui apparaît devienne objectivement « autre », soit en lui-même, soit dans le mode d'orientation lié à son apparaître, etc.[1].

Dès lors il est également hors de doute que dans ce cas « unité » et « multiplicité » relèvent de *dimensions totalement différentes; tout ce qui est d'ordre hylétique* rentre bien dans le vécu concret à titre de composante *réelle* (reelles) : par contre ce qui se « figure », ce qui « s'esquisse » dans le moment hylétique comme multiple, rentre dans le *noème*.

Or la matière, disions-nous déjà plus haut, est « animée » par des moments noétiques, elle supporte (tandis que le moi est tourné non pas vers elle mais vers l'objet) des « appréhensions », des « donations de sens », que nous saisissons dans la réflexion sur (an) et avec la matière. Il en résulte immédiatement que le vécu inclut dans sa composition « réelle » (reellen) non seulement les moments hylétiques (les couleurs, les sons

---

[203] 1. 1°) *L'insistance de Husserl à opposer les composantes hylétiques et noétiques aux composantes noématiques trouve ici un nouveau motif.* Aux §§ 85 et 88 il s'agissait de réagir contre la méprise possible d'un idéalisme subjectiviste qui logerait le monde dans la conscience. Ici l'idée principale est autre : l'objectivité tout entière paraît ou disparaît, paraît telle ou autre, selon la structure et le cours des moments hylétiques. C'était le sens de l'hypothèse de la destruction du monde. Ainsi deux idées s'équilibrent : l'objet n'est *pas* inclus dans la noèse comme l'est la hylé ; la hylé *commande* en quelque façon l'objet bien que la noèse le « constitue » ; mais elle le constitue à « travers » la hylé dont les changements règlent l'apparaître de l'objet. — Ce rôle de la hylé ramène à cette idée plusieurs fois entrevue : la constitution du moi comme temporalité et comme hylé est plus radicale que celle de l'objectivité « dans » le vécu.

sensuels), mais aussi les appréhensions qui les animent — donc, en prenant *les deux ensemble : l'apparaître* de la couleur, du son, et de toute autre qualité de [204] l'objet.

On peut donc dire d'une façon générale : en elle-même la perception est perception de *son* objet ; à toute composante que la description dirigée « objectivement » fait apparaître du côté de l'objet, correspond une composante réelle (reelle) du côté de la perception : bien entendu dans la mesure seulement où la description se conforme fidèlement à l'objet tel qu'il « s'offre » (dasteht) lui-même dans cette perception. Toutes ces composantes noétiques ne peuvent même être caractérisées qu'en recourant à l'objet noématique et à ses divers moments, par conséquent en disant : conscience *de,* plus exactement conscience perceptive *d'*un tronc d'arbre, de la couleur du tronc, etc.

Néanmoins notre réflexion a montré d'autre part que l'unité réelle (reelle) au sein du vécu des composantes hylétiques et noétiques diffère totalement de celle des composantes du noème qui « accèdent à la conscience en elles » ; elle diffère en outre de l'unité qui unit toutes ces composantes réelles (reellen) du vécu avec l'élément qui à travers elles et en elles accède à la conscience à titre de noème. Cet élément « *transcendantalement constitué* » « sur le fondement » des vécus matériels « par le moyen » (durch) des fonctions noétiques est certes un « donné » ; c'est même un donné évident, si, nous plaçant sur le plan de l'intuition pure, nous décrivons fidèlement le vécu et ce qui accède à la conscience à titre de noème ; mais s'il appartient au vécu, ce n'est nullement dans le même sens que les constituants réels (reellen) du vécu qui sont dès lors ses constituants proprement dits[1].

---

[204] 1. L'analyse oscille entre deux pôles : le noème *n'est pas* inclus dans la noèse comme la hylé : cette hétérogénéité qui dès le début a distingué la transcendance de l'immanence est insurmontable ; d'autre part, la hylé est le *fondement* de constitution des objets : les changements de la hylé commandent ceux de l'apparence. Cette double relation aboutit à l'idée d'une *corrélation* nécessaire et réciproque entre telle essence de noèse et telle essence de noème ; autrement dit, telle visée implique tel

Si l'on a pu nommer « transcendantale » la réduction phénoménologique et également la sphère pure du vécu, c'est parce que cette réduction nous fait découvrir une sphère absolue de matières et de formes noétiques dont les combinaisons de nature déterminée impliquent, *en vertu d'une nécessité éidétique immanente*, cette propriété étonnante : avoir conscience de telle ou telle chose déterminée ou déterminable donnée à la conscience ; cette chose est le vis-à-vis de la conscience elle-même ; elle est autre par principe, irréelle (Irreelles), transcendante ; nous atteignons ici à la source ultime d'où l'on peut tirer la seule solution pensable en réponse aux problèmes les plus profonds de la théorie de la connaissance, concernant l'essence et la possibilité d'une connaissance objectivement valable du transcendant. La « réduction » transcendantale exerce l'ἐποχή à l'égard de la réalité : mais c'est à l'élément qu'elle conserve de cette réalité qu'appartiennent les noèmes avec l'unité noématique qui réside en eux-mêmes ; ils enveloppent aussi par conséquent la manière dont la réalité naturelle (Reales) accède elle-même à la conscience et y est donnée de manière spéciale. Une fois qu'on a reconnu qu'il s'agit ici de relations *éidé-* [205] *tiques* et donc absolument nécessaires, un vaste champ est offert à l'étude, celui des relations éidétiques entre le noétique et le noématique, entre le vécu de conscience et le corrélat de conscience. Sous le dernier titre éidétique il faut entendre l'objectivité de conscience comme telle et en même temps les formes du comment noématique de la visée (des noematischen Wie der Gemeintheit) ou de la donnée. Sur le plan où se tiennent nos exemples naît d'abord cette évidence générale : la perception n'est pas le fait brut qu'un objet soit présent (ein leeres Gegenwärtighaben des Gegenstandes) ; « à priori », l'essence propre de la perception implique qu'elle ait « son » objet, et qu'elle l'ait en tant qu'unité d'une *certaine* composition (Bestand) noématique, laquelle ne cesse de devenir autre selon que l'on a du « même » objet des perceptions autres, mais demeure

---

objet et tel objet implique telle noèse qui le vise. La fin du § dégage cette idée qui est précisée au § 98.

toujours prescrite de manière éidétique ; réciproquement l'essence de tel objet, objectivement déterminé de telle ou telle manière, implique que cet objet existe à titre noématique (noematischer zu sein) dans des perceptions présentant telle ou telle spécification descriptive, et qu'il ne puisse exister de cette façon que dans ces perceptions, et ainsi de suite.

§ 98. — MODE D'ÊTRE DU NOÈME. MORPHOLOGIE DES NOÈSES. MORPHOLOGIE (FORMENLEHRE) DES NOÈMES.

Il faut encore introduire quelques compléments importants. D'abord il faut bien noter que chaque fois qu'on soumet un phénomène à la réflexion qui en fait l'analyse réelle ou à cette autre réflexion de type tout différent qui démembre son noème, on fait apparaître de nouveaux phénomènes ; nous nous laisserions induire en erreur si nous confondions les nouveaux phénomènes, qui sont d'une certaine manière une transformation des anciens, avec ces derniers, et si nous attribuions aux premiers ce qui est inclus en ceux-ci à titre réel (reell) ou noématique. Par conséquent on ne prétend pas par exemple que les contenus matériels, disons les contenus de couleur qui s'esquissent, soient présents dans le vécu de perception exactement comme ils le sont dans le vécu analyseur. Dans le vécu de perception, pour ne considérer qu'un point, ils étaient contenus à titre de moments réels (reelle), mais ils n'y étaient pas perçus, ils n'étaient pas saisis comme objets. Or dans le vécu analyseur ils sont traités comme objets, ils sont le point de mire de fonctions noétiques qui tout à l'heure n'étaient pas présentes. Bien que cette matière soit encore chargée de sa fonction figurative, celle-ci a elle-même subi une altération essentielle (d'une autre dimension bien entendu). Ce point sera repris plus tard. Il est manifeste que cette distinction a une portée essentielle pour la méthode phénoménologique.

Après cette remarque nous portons notre attention sur les points suivants qui se rattachent à notre thème

[206] particulier. D'abord chaque vécu est tel qu'il est possible par principe de diriger le regard sur lui et sur ses composantes réelles (reellen), et également en sens inverse sur le noème, sur l'arbre vu comme tel. Ce qui est donné dans cette disposition du regard est bien lui-même un objet, en langage logique ; mais c'est un objet totalement *dépourvu d'autonomie*. Son *esse* consiste exclusivement dans son « *percipi* » — avec cette réserve que cette proposition ne doit nullement être prise dans le sens berkeleyen, puisque le percipi ne contient nullement ici l'esse à titre de composante réelle (reelles) [1].

Ce rapport de dépendance se laisse naturellement transposer dans le point de vue éidétique : l'Eidos du noème renvoie à l'Eidos de la conscience noétique ; ces deux Eidos ont entre eux une solidarité *éidétique*. L'élément intentionnel, en tant que tel, ne mérite ce nom que comme objet intentionnel d'une conscience de *telle ou telle nature* (so und so gearteten), qui est la conscience de cet objet intentionnel.

En dépit de cette absence d'autonomie, le noème se laisse considérer en lui-même ; on peut le comparer à d'autres noèmes, en explorer les changements possibles de configuration, etc. On peut esquisser une *morphologie générale et pure des noèmes*, à laquelle répondrait corrélativement une *morphologie* générale et non moins pure *des vécus noétiques concrets* avec leurs composantes *hylétiques* et *spécifiquement noétiques*.

Naturellement ces deux morphologies ne seraient nullement le *reflet*, si l'on peut dire, l'une de l'autre et ne conduiraient pas de l'une à l'autre par un simple changement de signe, de telle sorte qu'à chaque noème N nous pourrions substituer la « conscience

[206] 1. La reprise de la formule de Berkeley est conforme à l'idée que l'objet est inclus dans le vécu, mais le sens prétendûment berkeleyen est refusé, s'il est vrai qu'il revient à une inclusion « réelle » de l'*esse* dans le *percipere*. C'est pourquoi il y a deux sortes d'Eidos, l'Eidos noème, l'Eidos noèse ; entre les deux est une altérité dans une dépendance. Il est donc possible de comparer les noèmes entre eux (morphologie des noèmes), et d'instituer un *parallélisme* entre les deux morphologies. C'est à ce parallélisme qu'est consacré l'essentiel de ce chapitre.

de N ». Cette impossibilité ressort déjà de ce que nous avons dit plus haut sur la solidarité qui existe entre les qualités unitives dans le *noème* d'une chose et le divers hylétique où elle s'esquisse au sein des perceptions possibles de cette chose[2].

Il pourrait sembler que le même principe devrait valoir également pour les moments spécifiquement *noétiques* du vécu. On pourrait en particulier se référer à ces moments qui font qu'une multiplicité complexe de data hylétiques — data de couleur, data de toucher, etc. — prend pour fonction d'esquisser de manière multiple une seule et même chose objective. Il suffit même de rappeler que dans la matière elle-même, par essence, la relation à l'unité objective n'est pas prescrite de façon univoque, que le même complexe matériel peut supporter des appréhensions multiples, sautant de l'une à l'autre par intervalles discrets, et que, en fonction de ces appréhensions, ce sont des objectivités *différentes* [207] qui accèdent à la conscience. Dès lors n'apparaît-il pas déjà clairement que les *appréhensions animatrices* de la matière, considérées comme moments du vécu, présentent des *différences essentielles* et qu'elles se différencient en même temps que les esquisses dont elles suivent les changements et dont l'animation leur permet de constituer un « sens » ? On serait alors tenté de conclure : il existe bien un *parallélisme* entre noèse et noème, mais tel qu'on est contraint de décrire les configurations par leurs deux faces et selon leur correspondance éidétique. Le plan noématique serait le lieu des unités, le plan noétique, le lieu des multiplicités « constituantes ». La conscience qui unit « fonctionnellement » le multiple, et qui en même temps constitue l'unité, ne présente en fait *jamais* d'identité, alors que l'identité de « l'objet » est donnée dans le corrélat noématique. Considérons par exemple les différentes phases d'un acte de perception qui dure et qui constitue l'unité d'une chose : elles révèlent un élément identique, à savoir cet

2. La corrélation entre noème et noèse n'est pas une ressemblance : d'un côté un divers hylétique, de l'autre une unité noématique. Mais à son tour cette opposition trop simple sera dépassée par l'introduction d'un divers noématique (p. 207, *ad finem*).

arbre unique, qui demeure inchangé dans le sens de cette perception; le voici maintenant qui se donne sous tel angle, puis sous tel autre, maintenant par devant, ensuite par derrière, d'abord perçu de façon confuse et indéterminée quant aux propriétés saisies par la vue à partir d'une place quelconque, puis perçu de façon claire et déterminée, etc. : dans cet exemple l'objet découvert dans le noème accède à la conscienec comme un objet identique au sens littéral du mot, mais la conscience qu'on en a dans les différentes phases de sa durée immanente n'est pas identique; elle est seulement enchaînée (verbundenes) et une (einiges) en vertu de sa continuité.

Quelle que soit la part d'exactitude contenue dans cette interprétation, les conclusions tirées ne sont pas absolument correctes, même si la plus extrême prudence a été apportée dans cette difficile question. Les parallélismes qui jouent ici — et il y en a *plusieurs* qui empiètent trop aisément l'un sur l'autre — sont grevés de grandes difficultés qui appellent encore pas mal d'élucidations. Il faut soigneusement garder présente à l'esprit la différence entre les vécus noétiques ou concrets, les vécus avec tous leurs moments hylétiques, et les noèses pures, en tant que simples complexes de moments noétiques. En outre il nous faut respecter la distinction entre le noème complet et (par exemple dans le cas de la perception) « l'objet comme tel qui apparaît ». Si nous prenons cet objet et tous ses « prédicats » objectifs — à savoir les modifications noématiques des prédicats de la chose perçue qui dans la perception normale sont posés purement et simplement comme réels — cet objet et ses prédicats sont bien des unités en face du divers des vécus de conscience constituants (les noèses concrètes). Mais ce sont aussi des unités d'un [208] divers *noématique*. Nous le vérifions dès que nous portons au centre de l'attention les caractéristiques de « l'objet » noématique (et de ses « prédicats ») que nous avons jusqu'à présent négligées à l'excès. Il est donc certain par exemple que la couleur qui apparaît est une unité en face d'un divers *noétique* et spécialement du divers formé par ces caractères noétiques d'appréhension. Or une étude plus précise montre que des variations parallèles *dans les noèmes* correspondent à celles des caractères d'appréhension, sinon dans la « couleur elle-même » qui ne cesse d'apparaître, du moins dans ses « modes » variables « d'apparaître », par exemple « dans l'angle sous lequel elle m'apparaît ». Ainsi d'une façon générale les « caractérisations » noétiques se reflètent dans celles du noème[1].

Comment cela se fait-il ? Tel devra être le thème d'analyses de vaste envergure, où nous ne pourrons plus nous borner à la sphère de la perception qu'ici nous avons privilégiée à titre d'exemple. Nous analyserons successivement les différentes espèces de conscience avec leurs multiples caractères noétiques et nous en ferons l'étude serrée du point de vue du parallélisme noético-noématique.

Nous devons au préalable nous pénétrer de cette idée que le *parallélisme* entre *l'unité de l'objet « visé » selon tel ou tel noème*, de l'objet désigné par son « sens », et les *configurations de la conscience qui le constituent* (« *ordo et connexio rerum—ordo et connexio idearum* ») *ne doit pas être confondu avec le parallélisme de la noèse et du noème,* entendu en particulier comme parallélisme des caractères noétiques et des caractères noématiques correspondants.

C'est à ce dernier parallélisme que s'appliquent les considérations qui suivent.

§ 99. — Le Noyau noématique et ses Caractères dans la Sphère des Présentations (Gegenwaertigungen) et des Présentifications (Vergegenwaertigungen)[2].

Nous avons donc pour tâche d'étendre considérablement le cercle des observations faites dans les deux sé-

---

[208] 1. L'idée d'une ressemblance (« reflet ») entre la structure de la noèse et celle du noème, après avoir été écartée en un sens strict (p. 206), reparaît sous une forme atténuée par le biais des « modes d'apparaître ». Ce sont les « caractères » qu'on trouve joints au « sens » qui se prêtent à un parallélisme de la noèse et du noème.

2. 2°) *La première direction offerte au parallélisme de la noèse complète et du noème complet concerne le mode de donnée d'un même « sens » (tel arbre) dans la perception et dans la série des*

ries parallèles de phénomènes noétiques et noématiques, afin d'accéder au noème complet et à la noèse complète. Ce que jusqu'à présent nous avons considéré de préférence, sans pressentir encore il est vrai l'ampleur des problèmes impliqués, ne constitue précisément qu'un noyau central qu'en outre nous n'avons pas délimité sans ambiguïté.

Rappelons-nous d'abord ce que nous avons appelé « le sens objectif » (gegenständlichen); il était apparu plus haut ([a]) en comparant des noèmes de représentations [209] de *types* différents, des perceptions, des souvenirs, des représentations par portrait, etc. [1]. Ce sens objectif demandait à être décrit avec des expressions purement objectives (objektiven), et même en termes identiques d'une espèce de conscience à l'autre, dans le cas limite favorablement choisi où un objet parfaitement semblable, pareillement orienté, appréhendé semblablement à tous points de vue — par exemple un arbre — se figurait au moyen de perceptions, de souvenirs, de portraits, etc. Mais face à cette identité de « l'arbre qui

(*a*) Cf. ci- dessus, § 91, pp. 188 sq.

représentations simples issues de la perception par une modification convenable, §§ 99-101. Cette analyse commencée au § 91, se bornait à *généraliser* la notion de « mode de donnée ». Ici, le but est de *différencier* plus exactement les « séries » de modifications par lesquelles on passe du mode « originaire » de donnée dans la perception aux autres modes de donnée. *a*) On examine d'abord les « séries » simples : reproduction, imagination, signe, § 99 ; *b*) puis les séries de degré composé : souvenir « dans » le souvenir, etc., §§ 100-1 ; *c*) puis on généralise la notion de « caractère » et de « modification » et on se prépare à envisager d'autres « dimensions » de caractérisation, dont la plus importante concerne les modalités de la croyance. L'idée centrale est que toutes ces modifications affectent le noème lui-même, sont des manières d'apparaître de l'objet, corrélatives de modifications noétiques originales.

[209] 1. Sur *Gegenstand* et *Objekt*, cf. p. 189 n. 1. *Vorstellung* (représentation) se divise en *Gegenwärtigung* (présentation originaire dans la perception) et *Vergegenwärtigung* (présentification « en » portrait, souvenir, signe). Le souvenir est la plus simple présentification : elle « reproduit » simplement l'objet perçu. Le portrait et le signe sont plus complexes. Ils ne seront vraiment compris qu'après la modification de neutralité, § 111. On donnera alors une définition plus complète de la présentification, cf. p. 225 n. 1.

apparaît comme tel », plus celle du comment « objectif » de son apparaître, il reste, quand on passe d'une espèce d'intuition à l'autre et d'une espèce de représentation à l'autre, les différences mouvantes qui portent sur le *mode de donnée.*

Cet élément identique accède à la conscience, tantôt de façon *« originaire »*, tantôt *« par souvenir »*, ou encore *« par portrait »*, etc. Mais ce qu'on désigne ainsi ce sont des *caractères de « l'arbre qui apparaît comme tel »;* on les trouve en dirigeant le regard sur le corrélat noématique et non sur le vécu et sa composition réelle (reellen). Ce qui s'exprime ainsi ce ne sont *pas des « modes de la conscience »*, au sens de moments néotiques, mais *des modes sous lesquels l'objet de conscience lui-même et en tant que tel* se donne. En tant qu'ils sont des caractères attachés à ce qu'on pourrait appeler l'élément « idéel » (ideellen), ils sont eux-mêmes « idéels » et non réels (reell).

Une analyse plus serrée révèle que les divers caractères invoqués à titre d'exemples n'appartiennent pas à une seule et même série.

D'une part nous avons la modification *reproductive* simple : la présentification simple; elle se donne *dans sa propre essence,* de façon suffisamment caractéristique, comme la *modification d'une autre chose.* La présentification renvoie à la perception selon sa propre essence phénoménologique : par exemple le souvenir du passé implique, comme nous l'avions déjà remarqué, « l'avoir perçu »; par conséquent la perception « correspondante » (la perception du même noyau de sens) accède d'une certaine façon à la conscience dans le souvenir, sans toutefois y être réellement contenue. Le souvenir est précisément en sa propre essence « modification de » la perception. *Corrélativement* la chose caractérisée comme passée se donne en elle-même comme « ayant été présente », par conséquent comme une modification « du présent », lequel en tant que non modifié est précisément l'élément « originaire », le « présent corporel » de la perception.

D'autre part la modification *du portrait* (verbildlichende) relève d'une autre série de modifications. Elle présentifie « dans » un « portrait ». Le portrait peut être une chose qui apparaît sur le mode originaire, par exemple le portrait « peint » (non pas la chose peinture, [210] celle dont on dit par exemple qu'elle est pendue au mur ([a])) que nous saisissons de façon perceptive. Mais le tableau peut être également une chose qui apparaît sur le mode reproductif comme quand nous avons dans le souvenir ou l'imagination libre des représentations du type portrait [1].

En même temps on remarque que les caractères de cette nouvelle série non seulement se réfèrent à ceux de la première, mais présupposent en outre certaines complications. Ce dernier point concerne la distinction entre le « portrait » et la « chose dépeinte par le portrait » : cette distinction se rattache à l'essence de la conscience par son côté noématique. On remarque également ici que le noème enveloppe un couple de caractères qui renvoient l'un à l'autre, quoiqu'ils appartiennent à différents objets de représentation en tant que tels.

Nous avons enfin un type étroitement apparenté au précédent et néanmoins nouveau de caractères noématiques modifiés (auxquels correspondent comme partout des caractères noétiques) : ce sont les *représentations par signes,* avec leur couple analogue de contraires, le *signe* et le *signifié;* nous rencontrons donc encore une fois des complexes de représentations, et, à titre de corrélats correspondant à l'unité spéciale qu'ils forment en tant que représentations par signe, un *couple* de caractérisations noématiques solidaires qui apparaissent dans des couples noématiques d'objets.

On remarque également que, de même que le portrait

(a) Sur cette distinction, cf. en outre § 111, p. 226.

[210] 1. Le meilleur commentaire sur l'image est à prendre dans l'IMAGINAIRE de J.-P. Sartre. Le statut du portrait lui-même (le tableau, pendu au mur) ne pourra être compris que quand on aura introduit la modification de neutralisation. Le tableau n'est pas exactement perçu : c'est un perçu modifié de telle façon que je m'abstiens de le poser (§ 111). Mais l'objet imaginaire, visé par delà le portrait, est lui aussi issu d'une neutralisation, mais d'une neutralisation de souvenir : c'est un souvenir non posé comme ayant existé ; je m'abstiens sur son caractère reproduit (§ 111).

se donnait en lui-même, en vertu de son sens de portrait, comme la modification *de* quelque chose qui sans cette modification s'offrirait précisément en personne, corporelle ou présentifiée, il en est exactement de même du « signe » : lui aussi, mais à sa façon, se donne comme modification de quelque chose.

§ 100. — Lois eidétiques concernant les constructions hiérarchiques de représentations dans la noèse et le noème.

Tous les types de modification de représentation traités jusqu'à présent peuvent se prêter à de nouvelles constructions hiérarchiques, de sorte que les intentionnalités de la noèse et du noème s'étagent *par degrés* les unes sur les autres ou plutôt *s'emboîtent les unes dans les autres* d'une manière originale.

Il y a des *présentifications simples*, des modifications simples de perceptions; mais il y a aussi des *présentifications de second, de troisième degré et par essence de degré quelconque*. On peut prendre pour exemple les souvenirs évoqués « dans » des souvenirs. En vivant dans le souvenir, nous « opérons » un enchaînement de vécus sur le mode de la présentification. Pour s'en convaincre il suffit de faire réflexion « dans » le souvenir (ce qui est à nouveau une modification présentifiante [211] qui affecte un acte originaire de réflexion); l'enchaînement du vécu nous apparaît alors caractérisé comme « ayant été vécu » sous forme de souvenir. Or parmi les vécus ainsi caractérisés, que nous fassions ou non réflexion sur eux, il peut même apparaître des souvenirs caractérisés comme « souvenirs qui ont été vécus » : à travers eux le regard peut être dirigé sur le souvenu de deuxième degré. Mais dans l'enchaînement du vécu modifié au second degré peuvent à nouveau apparaître des souvenirs, et ainsi à l'infini, du moins idéalement.

Un simple changement de signe dont nous découvrirons plus tard la nature propre[1], suffit pour transposer tous ces processus dans le type *image libre;* il y a ainsi

1. § 111.

des images en images, et l'emboîtement peut se poursuivre à n'importe quel degré.

Dans le même sens nous rencontrons en outre des *mélanges*. Outre que chaque présentification par essence enveloppe en soi, par rapport au degré qui lui est immédiatement inférieur, des modifications présentifiantes de *perceptions* qui tombent sous le regard de l'attention par le moyen de cette réflexion étonnante qui s'exerce dans la présentification — nous pouvons trouver dans l'unité d'un phénomène de présentification, *outre* des présentifications de perceptions, également des présentifications de souvenirs, d'attentes, d'images, etc., etc. : les présentifications en question peuvent appartenir elles-mêmes à chacun de ces types. Tous ces redoublements peuvent se produire à différents degrés.

On peut en dire autant des types complexes de représentation *par portrait* et par *signe*. Prenons un exemple qui nous montrera des édifices de représentations fort compliqués et pourtant aisément compréhensibles, formés de représentations de degré supérieur. Un nom prononcé devant nous nous fait penser à la galerie de Dresde et à la dernière visite que nous y avons faite : nous errons à travers les salles et nous arrêtons devant un tableau de Teniers qui représente une galerie de tableaux. Supposons en outre que les tableaux de cette galerie représentent à leur tour des tableaux, qui de leur côté feraient voir des inscriptions qu'on peut déchiffrer, etc. Nous mesurons quel emboîtement de représentations peut être réellement institué et quelles séries de médiations peuvent être introduites entre les objets discernables. Il n'est pas besoin d'exemple si compliqué pour illustrer des *évidences éidétiques*, en particulier pour saisir la possibilité idéale que nous avons de poursuivre à volonté cet emboîtement.

§ 101. — Les caractéristiques du degré en tant que tel. Les différents types de « réflexions ».

Dans les formations hiérarchiques de cette nature, qui contiennent dans leurs articulations des modifications

[212] présentifiantes redoublées, il se constitue manifestement des *noèmes qui présentent une formation hiérarchique correspondante.* Dans la conscience de portrait au deuxième degré, un « portrait » est caractérisé en lui-même comme portrait de deuxième degré, comme portrait d'un portrait. Supposons même que nous nous souvenions de quelle façon hier nous évoquions un événement de jeunesse : le noème « vécu-de-jeunesse » est caractérisé en lui-même comme souvenu au deuxième degré. On peut donc dire en généralisant :

Tout degré noématique possède *une caractéristique de son degré :* c'est une sorte d'index qui permet à chaque noème ainsi caractérisé de s'annoncer comme appartenant à tel degré; ce peut être d'ailleurs un objet de degré primaire ou un objet que le regard rencontre dans quelque direction réflexive. En effet *chaque degré implique qu'on puisse réfléchir sur lui;* prenons par exemple le cas des choses évoquées dans des souvenirs de deuxième degré : nous avons des actes réflexifs qui portent sur les perceptions de ces choses mêmes; ces perceptions appartiennent au même degré, elles sont donc présentifiées au second degré.

En outre chaque degré du noème est la « représentation » « *des* » données du degré suivant. Le mot « *représentation* » ne désigne pas ici un vécu de représentation, et la préposition « de » n'exprime pas ici la relation de la conscience à l'objet de conscience. C'est pour ainsi dire une *intentionnalité propre au noème par opposé à celle de la noèse.* Cette dernière porte en elle la première en tant que corrélat de conscience et l'intentionnalité traverse en quelque manière les lignes de l'intentionnalité noématique [1].

Ce point devient plus clair quand on laisse le regard du moi diriger son attention sur l'objet de la conscience. Celui-ci *traverse* alors les noèmes superposés (geht

[212] 1. Dans toutes ces analyses l'exercice porte sur un départage rigoureux entre ce qui revient au noème et ce qui revient à la noèse (cf. début du § 102). Ainsi, quand le souvenir *vise* un autre souvenir, c'est le noème, c'est-à-dire l'*objet* même du souvenir de premier degré qui désigne intentionnellement un souvenir de second degré. L'aspect noétique de l'opération concerne le degré des « réflexions » elles-mêmes.

durch die Noemen...hindurch), pour atteindre finalement *l'objet du dernier degré;* il ne traverse pas cet objet, il le fixe. Mais le regard peut aussi se déplacer *de degré en degré* et, au lieu de les traverser tous, il peut se diriger sur les données de chacun d'eux et se fixer sur elles, et cela, soit dans le *sens « direct »*, soit dans le sens *réfléchissant du regard.*

Pour reprendre l'exemple ci-dessus, le regard peut s'arrêter au degré : galerie de Dresde ; « en souvenir » nous nous promenons à Dresde, dans la galerie. Nous pouvons ensuite, encore à l'intérieur du souvenir, nous replonger dans la contemplation des tableaux et nous retrouver ainsi dans les mondes dépeints. Puis, nous plaçant dans la conscience de portrait de deuxième degré et nous tournant vers la galerie de tableaux peinte sur la toile, nous contemplons les tableaux peints de ce nouveau degré; ou bien nous faisons réflexion, degré par degré, sur les noèses et ainsi de suite.

Cette multiplicité de directions possibles du regard se rattache essentiellement à la multiplicité des intention-[213] nalités rapportées l'une à l'autre et fondées l'une sur l'autre; partout où nous rencontrons une manière analogue de se fonder — nous en découvrirons encore par la suite un grand nombre qui appartiendront à des types tous différents —, nous verrons s'ouvrir des *possibilités* analogues de *changements dans la réflexion.* Inutile de dire combien ces rapports appellent une élucidation éidétique approfondie de caractère scientifique.

§ 102. — Passage a de nouvelles Dimensions dans la caractérisation du Noème.

Si on considère *toutes* les caractéristiques originales rencontrées dans l'empire multiforme des modifications qu'introduit la présentification, il est manifeste que nous *devons,* pour la raison déjà avancée, faire la distinction entre le noétique et le noématique. Prenons les « objets » noématiques suivants : l'objet-portrait ou l'objet dépeint par le portrait, celui qui joue le rôle de signe et celui qui est désigné; nous faisons *abstraction* des caractérisations qui leur sont attachées : « portrait de », « dépeint par le portrait », « signe de », « désigné ». Ces objets noématiques sont évidemment des unités dont nous avons conscience dans notre vécu, mais qui le transcendent. S'il en est ainsi, les caractères qui *leur* surviennent au regard de la conscience et qui sont saisis comme *leurs* propriétés quand le regard s'applique sur eux, ne peuvent nullement être regardés comme des moments réels (reelle) du vécu. Comment maintenant se comportent mutuellement ces deux éléments, l'élément noétique, qui est une composante réelle (reeller) du vécu, et l'élément noématique qui dans le vécu accède à la conscience en tant que non-réel ? Cette question peut entraîner des problèmes aussi difficiles que l'on veut, néanmoins il nous faut opérer partout la distinction entre ces deux éléments; elle ne concerne pas seulement le noyau néomatique, « l'objet intentionnel comme tel » (pris selon son mode « objectif » (objektiven) d'être donné), le noyau qui se présente comme le porteur des « caractères » noématiques; la distinction vaut aussi pour les caractères eux-mêmes.

On rencontre encore bien d'autres de ces caractères adhérant au noyau noématique; ils diffèrent beaucoup par la façon dont ils s'y rattachent. Il s'ordonnent à des *genres fondamentalement différents* et, si l'on peut dire, à des *dimensions* fondamentalement différentes de *caractérisation* [1]. Qu'on veuille bien remarquer dès l'abord que *tous* les caractères qu'on peut signaler ou qui ont déjà été signalés (et qui sont de simples titres appliqués à des recherches d'ordre analytico-descriptif) sont d'une *portée phénoménologique universelle.* Nous les avons abordés en donnant d'abord la priorité aux vécus intentionnels qui présentent la structure relativement la plus simple, à ceux que rassemble un concept déterminé et fondamental de *« représentation »* (Vorstellung) et [214] qui constituent le soubassement nécessaire des autres vécus intentionnels. Mais nous trouvons également les mêmes genres fondamentaux et les mêmes différences de caractères dans tous ces vécus fondés et *donc dans*

[213] 1. C'est ici la transition entre le premier groupe de « modifications » (et donc de « caractères » noématiques et noétiques), et le second groupe qui concernera les « caractères » de croyance.

tous les vécus intentionnels en général. Telle est donc la situation; dans tous les cas un noyau noématique, un « noème d'objet » (Gegenstandsnoema) est nécessairement donné à la conscience; ce noyau *doit* d'une façon ou d'une autre être caractérisé; et les caractères qui l'affectent doivent se reférer à telles ou telles différences empruntées à *chaque* genre de caractère (de leur côté ces différences s'excluent mutuellement).

§ 103. — Caractères de croyance et caractères d'être [1].

Si maintenant nous nous mettons en quête de nouveaux caractères, notre attention est d'abord attirée par le fait suivant : aux groupes de caractères traités plus haut se joignent des caractères d'un type totalement dif-

---

[214] 1. 3°) *Le second groupe de « caractères » qui modifient noème et noèse est formé par les caractères noématiques d'être* (être véritable, douteux, vraisemblable, possible, etc.) : *il leur correspond les caractères noétiques de croyance* (certitude, doute, conjecture, supputation) ; Husserl dit *doxique pour* « de croyance », (δόξα = croyance). L'importance de cette analyse est grande : la « thèse » du monde, on le sait, est une croyance ; c'est donc ici qu'elle est *incluse,* comme caractère du noème, dans la structure même du vécu, après avoir été exclue comme perte naïve dans le monde. La réduction elle-même va être rencontrée parmi les « modifications » de la croyance-mère (*Urdoxa*), § 109 : et ainsi la phénoménologie fait accéder au rang d'objet la croyance naïve dont elle délivre et la réduction libératrice elle-même ; cf. p. 223 n. 1. L'analyse se distribue ainsi : *a*). Première série de modifications doxiques (sur la même ligne en quelque sorte) :

noème : réel	possible	vraisemblable	problématique	douteux
noèse : certitude	supputation	conjecture	question	doute

Toutes ces modalités renvoient à la forme-mère du réel et de la croyance certaine, §§ 103-6 ; *b*) Toute cette série peut à son tour être modifiée par la confirmation du oui ou l'infirmation du non. Affirmation et négation sont donc une nouvelle dimension de modification qui renvoit à la croyance-mère, § 106. (Les §§ 107-108 font le point des deux premières séries de modifications de croyance) ; *c*) Les deux premières séries prises en bloc peuvent à leur tour être modifiées par *neutralisation :* §§ 109-115. La notion de position est comprise dans son universalité quand on accède à l'opposition globale de la conscience qui *pose* et de la conscience qui *s'abstient* (§ 114).

férent, comme il est clair : les *caractères d'être*. Que seront les caractères noétiques qui se rapportent corrélativement au mode de l'être — les « *caractères doxiques* » ou « *de croyance* » ? Dans le cas des représentations intuitives ce sera par exemple la croyance perceptive qui est réellement (reell) incluse dans la perception normale en tant qu'acte de « s'apercevoir » (Gewahrung); ce sera, plus précisément, la certitude perceptive; du côté de « l'objet » (Objekt) qui apparaît il lui correspond, à titre de corrélat noématique, un caractère d'être particulier : celui du « *réel* » (wirklich). Le même caractère noétique ou noématique se retrouve dans les présentifications « certaines », dans les souvenirs « sûrs » de toute espèce, soit qu'ils se rapportent à ce qui a été, à ce qui est maintenant, ou à ce qui sera dans l'avenir (ainsi dans l'attente du prosouvenir). Ce sont des actes qui « *posent* » *de l'être*, des actes « *thétiques* ». Toutefois, il faut noter à propos de cette expression que, si elle indique en outre un actus (Aktus), une prise de position en un sens particulier, cette propriété précise ne doit pas entrer en ligne de compte [2].

Dans le groupe d'exemples considérés jusqu'à maintenant, ce qui apparaît par voie de perception ou de souvenir avait pour caractère d'être « réellement », purement et simplement — d'être « certainement », comme on peut encore dire pour souligner le contraste avec les autres caractères d'être. En effet ce caractère peut se modifier, voire même passer par une série de modifications actuelles à l'occasion du même phénomène. Le mode de la *croyance « certaine »* peut se transformer en celui de la simple *supputation* (Anmutung) ou de la *conjecture* (Vermutung) ou en celui de l'*interrogation* et du *doute;* parallèlement la chose qui apparaît (et qui selon cette première dimension de caractérisation a été caractérisée comme « originaire », « reproductive » etc.) a adopté les *modalités d'être* du « *possible* », du « *vraisemblable* », du « *problématique* », du « *douteux* ».

2. Les actes au sens fort de prise de position seront étudiés plus tard, § 115.

Par exemple : soit un objet perçu; d'abord il est là, sa présence va tout simplement de soi; elle est certaine. [215] Soudain le doute nous prend, et nous nous demandons si nous ne sommes pas victime d'une pure « illusion », si ce qu'on voit, entend, etc., n'est pas « un pur simulacre ». Ou bien ce qui apparaît garde sa certitude d'être, mais notre incertitude porte sur un faisceau quelconque de propriétés. La chose laisse « supputer » un homme. Puis intervient une supputation contraire; ce pourrait être un arbre qu'on déplace et qui dans l'obscurité du bois paraît semblable à un homme qui se déplace. Mais voilà que le « poids » d'une des « possibilités » se met à croître considérablement; nous nous décidons pour elle, par exemple de cette façon : nous conjecturons carrément : « en tout cas c'était bien un arbre. »

C'est de la même façon, mais beaucoup plus fréquemment encore, que changent les modalités d'être dans le souvenir : dans ce cas elles s'établissent et s'échangent en grande partie purement dans le cadré de l'intuition, ou des représentations obscures, sans l'intervention d'aucune « pensée » au sens spécifique, sans « concept » ni jugement prédicatif [1].

On voit en même temps que les phénomènes qui s'y rattachent proposent encore pas mal d'études; bien des caractères se présentent encore (comme le « *décider* », le « *poids* » des possibilités, etc.) [2] ; en particulier une question demanderait encore une étude plus approfondie : quels soubassements essentiels conviennent à tels ou tels caractères? selon quelles lois éidétiques s'articule dans son ensemble l'édifice des noèmes et des noèses?

Qu'il nous suffise ici comme ailleurs, d'avoir mis en évidence les *groupes de problèmes.*

---

[215] 1. Comme dans URTEIL UND ERFAHRUNG, la doctrine de la croyance est élaborée au niveau des représentations simples, « sur » le perçu, le souvenu, l'imaginé, en deçà des actes supérieurs de la « couche du Logos » (§§ 124 et suivants). Ainsi, la *croyance* est à un niveau de complexité antérieure au « jugement ».

2. Cf. pp. 287-8

§ 104. — Les Modalités doxiques en tant que Modifications.

La série des modalités de croyance qui nous occupe spécialement appelle encore une remarque : on y voit à nouveau s'affirmer le *sens* exprès, *spécifiquement intentionnel du mot modification* que nous avons mis en lumière en analysant la série précédente des caractères noétiques ou noématiques. Dans la série présente, la certitude de croyance joue manifestement le rôle de la *forme-mère* (Urform), non modifiée, ou, comme il faudrait dire ici, « *non-modalisée* » *des modes de croyance.* De même parallèlement dans le corrélat, le *caractère pur et simple d'être* (le noématique qui est « certain » ou « réel ») joue le rôle de *forme-mère à l'égard de toutes les modalités d'être.* En fait tous les caractères d'être qui en émanent ou, pour leur donner leur nom *spécifique,* toutes les modalités d'être contiennent dans leur sens propre une référence à la forme-mère. Le « possible » équivaut *en soi-même* à : « étant possible » ; [216] le « vraisemblable », le « douteux », le « problématique » équivalent à : « étant vraisemblable », « étant douteux et problématique ». L'intentionnalité des noèses se reflète dans ces relations noématiques, et on se sent à nouveau forcé de parler franchement d'une « *intentionnalité noématique* », « *parallèle* » *à l'intentionnalité noétique* qui seule mérite proprement ce nom[1].

Cette propriété peut être étendue ensuite aux « *propositions* » complètes, c'est-à-dire aux unités formées par le noyau de sens et le caractère d'être ([a]).

Il est d'ailleurs commode d'appliquer le terme de modalité d'être à toute la série de ces caractères d'être,

---

(*a*) Pour un traitement plus détaillé du concept de « proposition » (Satz), en notre sens étendu de façon inusitée, voir le chap. I de la section IV, pp. 265 sq.

216] 1. On avait déjà eu recours à cette expression pour les présentifications complexes ; cf. les remarques p. 212, n. 1 sur cette intentionnalité intra-noématique.

donc d'y englober aussi « l'être » au sens non-modifié, toutes les fois qu'on est obligé de le considérer *comme un membre de cette série;* on procède alors comme l'arithméticien lorsqu'il englobe aussi l'unité sous le vocable de nombre. Dans le même sens nous généralisons le sens de l'expression de modalités doxiques : *sous* ce nom il nous arrivera d'ailleurs fréquemment de rassembler, en pleine conscience de la dualité de sens, les éléments noétiques et noématiques parallèles.

En outre, quand on caractérise l'être non-modifié comme « être certain », il faut attirer l'attention sur les équivoques du mot « certain » : non seulement en ce sens qu'il désigne tantôt « l'être certain » du noème, tantôt celui de la noèse; mais il a aussi un autre usage (qui peut ici nous induire gravement en erreur) : il sert par exemple à exprimer le corrélat de l'affirmation, le « oui » par opposition au « non » et au « ne pas ». Nous devons ici nous interdire strictement cet usage[2]. Les significations des mots ne cessent d'osciller à l'intérieur du cadre prescrit par l'équivalence logique immédiate. Or notre tâche est de faire ressortir partout les équivalences et d'éliminer strictement toute référence à des phénomènes différents par leur essence qui peuvent se cacher derrière les concepts équivalents.

La certitude de croyance est la croyance pure et simple, la croyance au sens fort. Nos analyses montrent qu'elle a en fait une situation à part très remarquable parmi la multiplicité des actes qui sont tous conçus sous le titre de croyance — ou de « jugement » comme on dit souvent d'une façon peu adéquate[3]. Il faut une expression propre qui tienne compte de cette position à part et qui efface toute référence à cette tendance commune à mettre la certitude sur le même plan que les autres modes de la croyance. Nous introduisons le terme de *croyance-mère* (Urglaube) ou de *proto-doxa* (Urdoxa) : il permet de marquer de façon adéquate la référence intentionnelle que nous avons soulignée de toutes les [217] « modalités de croyance » à la croyance-mère. Notons

2. L'affirmation et la négation constituent une dimension surajoutée à la série des modes doxiques, § 106.

3. Cf. p. 215 n. 1.

encore que nous emploierons cette dernière expression (ou celle de « modalité doxique ») pour désigner *tous* les dérivés intentionnels qui se fondent dans l'essence de la proto-doxa, et également tous les dérivés *nouveaux* que nous aurons à mettre en lumière, dans les analyses suivantes.

Il est à peine besoin que nous critiquions encore la doctrine radicalement fausse selon laquelle on aurait un genre « croyance » (ou « jugement ») dont la certitude, la conjecture, etc., seraient seulement les différences, comme s'il s'agissait là d'une série d'espèces coordonnées (en quelque endroit que l'on veuille interrompre la série), de même que dans le genre qualité sensible, la couleur, le son, etc., sont des espèces coordonnées. De plus il nous faut renoncer, ici comme en d'autres endroits, à poursuivre les conséquences de nos constatations phénoménologiques.

§ 105. — La Modalité de Croyance comme Croyance; la Modalité d'Etre comme Etre.

La situation hautement remarquable que nous avons décrite plus haut nous a amené à parler d'une intentionnalité en vertu de laquelle les modes secondaires se réfèrent à la proto-doxa; le sens de cette expression exige qu'il soit possible de diriger le regard selon plusieurs directions, cette possibilité appartenant en général à l'essence des intentionnalités de degré supérieur [1]. Cette possibilité existe en fait. *D'un côté* nous pouvons, en vivant par exemple dans la conscience du vraisemblable (dans le conjecturer), considérer *ce qui* est vraisemblable; *d'un autre côté* nous pouvons considérer le vraisemblable lui-même et en tant que tel, c'est-à-dire l'objet noématique *selon* le caractère que lui communique la noèse de conjecture. *Dans la seconde disposition du regard,* « l'objet » (Objekt), avec son fond de

[217] 1. Cette analyse est strictement parallèle à celle qui a été suscitée par les présentifications complexes, § 101. Il s'agit toujours de bien distribuer ce qui est noématique et ce qui est noétique.

sens et *avec* ce caractère de vraisemblance, est *donné comme étant;* par rapport à lui, la conscience est dès lors une croyance simple au sens non modifié du mot. De même nous pouvons vivre dans la conscience de possibilité (dans la « supputation ») ou bien dans l'interrogation ou le doute, le regard étant dirigé sur *ce qui* y est conscient comme possible, problématique, douteux. Mais nous pouvons aussi considérer les possibilités, les aspects problématiques et douteux en tant que tels, voire même, explicitant cette évidence, saisir l'être-possible, l'être-problématique, l'être-douteux sur l'objet porteur du sens, et traiter cet être comme prédicat : il est alors donné comme *étant* au sens non modifié.

Ainsi nous pourrons constater les particularités éidétiques hautement remarquables qui suivent : tout vécu, *considéré selon la totalité des moments noétiques qui se constituent par le moyen de ces noèses sur « l'objet* [218] *intentionnel comme tel », joue le rôle de conscience de croyance au sens de la proto-doxa*[1].

Nous dirons encore d'une autre façon : toute adjonction de nouveaux caractères noétiques, ou bien toute modification de caractères anciens, non seulement constituent de nouveaux caractères noématiques, mais provoquent *ipso facto* la constitution pour la conscienec de *nouveaux objets d'être ;* aux caractères noématiques correspondent des caractères prédicables inhérents à l'objet du sens, et qui sont des predicabilia réels (wirkliche) et non pas simplement modifiés noématiquement.

Ces propositions gagneront en clarté quand nous nous serons familiarisés avec de nouvelles sphères noématiques.

---

[218] 1. L'intérêt de cette étude des caractères doxiques est d'acheminer vers une notion large de croyance ou de *position*. La conjecture, la supputation, le doute, en renvoyant à la certitude, apparaissent comme des manières de *poser* leur objet : elles le *posent* en corrigeant la certitude par un indice variable de vraisemblance, de doute, etc. On n'arrivera qu'au § 117 à cette notion très générale de « thèse », après avoir élargi le cycle des modifications de la croyance.

§ 106. — L'Affirmation et la Négation et leurs corrélats noématiques[2].

Nous rencontrons encore une nouvelle modification qui renvoie à la proto-doxa. Il est vrai qu'elle est éventuellement de degré plus élevé en raison de sa référence intentionnelle aux diverses modalités de la croyance : c'est le *refus* et son analogue, *l'assentiment*, ou, selon une expression plus spéciale, la *négation et l'affirmation*. Toute négation est négation de quelque chose et cè quelque chose renvoie à une modalité quelconque de la croyance. Du point de vue noétique la négation est la « modification » de quelque « position » (Position), ce qui ne veut pas dire d'une affirmation, mais bien d'une « position » (Setzung) au sens plus large d'une modalité quelconque de la croyance.

Sa fonction noématique nouvelle est de *« biffer d'un trait »* le caractère positionnel correspondant; son corrélat spécifique est le caractère-de-biffement, le caractère du *« ne pas »*. Le trait de la négation traverse un élément positionnel ou, pour parler plus concrètement, une *« proposition »* ; et cela, en biffant son *caractère* spécifique de *proposition,* c'est-à-dire sa modalité d'être. Par là précisément ce caractère et la proposition elle-même se présentent comme *« modification » d'autre chose.* On dira la même chose différemment : la conversion de la conscience simple d'être dans la conscience correspondante de négation provoque dans le noème le passage du simple caractère de « étant » au caractère de *« n'étant pas »*.

Par analogie, le « possible », le « vraisemblable », le

2. *b*) *Affirmation et négation,* § 106. Les points importants de cette analyse sont : 1° affirmation et négation ne sont pas sur le même plan que la certitude, la conjecture, le doute, etc., mais modifient éventuellement tous ces modes doxiques. 2° Ces modes se prêtent à un départage de caractères noétiques et noématiques que l'on peut traiter en objets propres de réflexion. 3° Ces modes élargissent le cycle des caractères *positionnels.*

« problématique », deviennent l'« impossible », l'« invraisemblable », le « non-problématique ». Et ainsi se modifie le noème total, la « *proposition* » totale, prise dans sa plénitude noématique concrète.

De même que la négation, pour garder le langage figuré, biffe d'un trait, l'affirmation « *souligne d'un* [219] *trait* »; elle « *confirme* » *une position par* « *l'assentiment* », au lieu de la « supprimer » comme la négation. Cette opération engendre également une série de modifications noématiques qui font pendant aux modifications par biffage; mais il n'est pas possible ici de poursuivre plus loin cette analyse.

Nous avons fait abstraction jusqu'ici du trait distinctif de la « prise de position » par le moi pur[1]; celui-ci dans le refus, spécialement ici dans le refus par négation, se « *dirige* » *contre* ce qui est refusé, contre l'être à biffer; de même dans l'affirmation il *s'incline* vers ce qui est affirmé, se dirige *vers* lui. Il ne faut pas négliger non plus cette face descriptive de la situation qui appelle une analyse propre.

De même il faut encore tenir compte du fait que l'emboîtement des intentionnalités rend possible des orientations chaque fois différentes du regard. Nous pouvons vivre dans la conscience qui nie, en d'autres termes « opérer » la négation : le regard du moi est alors dirigé sur cela même qui porte le trait de biffage. Mais nous pouvons aussi diriger le regard, pour la saisir, sur la chose biffée en tant que telle, sur la chose *affectée du trait:* elle se présente alors *comme un nouvel* « *objet* » (Objekt), et elle se présente bien entendu sous la *simple modalité proto-doxique* (doxischen Urmodus) *de l'*« *étant* ».

La nouvelle attitude ne crée pas le nouvel objet d'être; même quand on « opère » le refus, ce qui est refusé accède à la conscience avec son caractère de biffage ; mais ce n'est que dans la nouvelle attitude que ce caractère devient une *détermination qu'on peut attribuer comme prédicat* au noyau du sens noématique.

---

[219] 1. Même remarque que p. 214 n. 2.

Dans cette direction également s'offrent donc des tâches pour une analyse éidétique d'ordre phénoménologique (a).

§ 107. — MODIFICATIONS REDOUBLÉES (ITERIERTE).

Les rudiments que nous avons déjà pu acquérir d'une telle analyse suffisent pour faire sur-le-champ le progrès suivant dans l'ordre des évidences :

Puisque le negatum (Negat), l'affirmatum (Affirmat) sont toujours eux-mêmes des objets d'être, ils peuvent être à leur tour affirmés ou niés, comme tout ce qui accède à la conscience sous un mode d'être. Il se forme par conséquent *une chaîne de modifications redoublées, en nombre théoriquement infini*, qui se modèle sur la constitution de l'être qui est opérée à nouveau à chaque [220] redoublement. On a ainsi au premier degré le « non-n'étant-pas », le « non-étant-impossible », le « non-étant non-problématique », le « non-étant invraisemblable », etc.

La même chose vaut, comme on peut le voir immédiatement, pour toutes les modifications d'être dont on a parlé plus haut. Que quelque chose soit possible, vraisemblable, problématique, etc., peut à son tour accéder à la conscience sous le mode de la possibilité, de l'invraisemblance, du problématique; aux formations noétiques correspondent les formations noématiques d'être: il est possible qu'il soit possible, qu'il soit vraisemblable ou problématique; il est vraisemblable qu'il est possible, qu'il est vraisemblable; on peut introduire de la même façon toutes les complications qu'on veut. Aux formations de plus haut degré correspondent ensuite des affirmata et des negata qui à leur tour peuvent être modifiés; et ainsi de suite jusqu'à l'infini, idéalement du moins. Il ne s'agit nullement ici de simples répétitions verbales. Il suffit qu'on évoque la théorie des probabi-

---

(a) Il serait instructif, sur la base des élucidations consacrées dans les chapitres précédents à l'essence des phénomènes doxiques, de méditer sur l'ouvrage pénétrant de A. Reinach, ZUR THEORIE DES NEGATIVEN URTEILS (*Contribution à la théorie du jugement négatif*), (Münchner Philos. Abhandlungen, 1911), et de porter sa problématique sous notre éclairage.

lités (Wahrscheinlichkeitslehre) et ses applications, où possibilités et probabilités sont pesées, niées, mises en doute, supputées, mises en question, constatées, etc.

Mais il faut toujours noter que le terme de modification se rapporte d'une part à une transformation possible des phénomènes, donc à une opération actuelle possible ; d'autre part il concerne cette propriété éidétique beaucoup plus intéressante des noèses ou des noèmes de renvoyer à une autre chose non modifiée ; cette propriété est inscrite dans leur essence propre, et sans que l'on ait à considérer leur genèse[1]. Mais à l'un et l'autre point de vue, nous restons sur le plan de la pure phénoménologie. En effet, les mots transformation et genèse se rapportent ici à des processus éidétiques d'ordre phénoménologique et ne désignent aucunement des vécus empiriques entendus comme des faits naturels.

§ 108. — Que les Caractères Noématiques ne sont pas Déterminés par la « Réflexion » [2].

A chaque nouveau groupe de noèmes et de noèses que nous avons élevé à la clarté de la conscience, il est nécessaire de nous assurer à nouveau de cette règle fondamentale de connaissance, si contraire aux habitudes de pensée du psychologisme, qui exige de distinguer réellement et correctement entre noèse et noème, exactement comme l'exige une description fidèle. Alors même qu'on s'est déjà familiarisé avec la description éidétique purement immanente (ce que beaucoup ne réussissent pas à faire, qui par ailleurs apprécient hautement la description), et qu'on s'accorde à reconnaître

[220] 1. La filiation proprement phénoménologique n'est pas une histoire empirique, une « genèse » au sens psychologique du mot, mais une possibilité de transformation des noèses et des noèmes.

2. Husserl ne cesse de revenir sur la correction du départage entre noème et noèse. C'est un effet du psychologisme d'incliner à chercher dans des modes « de la conscience », c'est-à-dire dans la noèse, ce qui se lit *sur l'objet* : c'est la chose qui est douteuse, c'est encore elle ou une de ses propriétés qui est biffée ou soulignée. La conquête du noème complet est un des enjeux principaux de ces exercices phénoménologiques.

à toute conscience un objet intentionnel qui lui appar-
[221] tient et se prête à une description immanente, la tentation reste grande de considérer les caractères noématiques, et tout particulièrement ceux dont on a traité en dernier lieu, *comme de simples « déterminations issues de la réflexion »*. Si on se souvient du concept étroit de réflexion dans son acception commune, nous comprenons ainsi cette interprétation : il s'agirait de déterminations qui échoient aux objets intentionnels du seul fait que ceux-ci sont rapportés aux *modes de conscience* dans lesquels ils figurent précisément comme objets de conscience.

Dès lors pour atteindre le negatum, l'affirmatum, etc., il faut que l'objet du « jugement » soit caractérisé comme nié quand la réflexion porte sur le nier, comme affirmé quand elle porte sur l'affirmer, de même comme vraisemblable quand la réflexion porte sur le conjecturer, et ainsi en chaque cas. C'est là une pure construction [(a)] [1] ; une simple remarque en montre déjà l'absurdité : si ces prédicats n'étaient véritablement que des prédicats relationnels révélés par réflexion, ils ne pourraient précisément être *donnés* que dans la réflexion actuelle sur le côté acte, et en relation avec lui. Or de toute évidence ils ne sont pas donnés par le moyen d'une telle réflexion. Nous saisissons ce qui concerne proprement le corrélat en orientant directement le regard vers le corrélat. C'est sur l'objet en tant que tel qui apparaît que nous saisissons les negata, les affirmata, le possible et le problématique, etc. Le regard ne se réfléchit aucunement sur l'acte. Inversement les prédicats noétiques qui procèdent d'une telle réflexion n'ont en aucune façon le même sens que les prédicats noématiques en question. Cette distinction a pour con-

(a) Cf. ETUDES LOGIQUES II, II, *VI*[e] *Etude*, § 44, pp. 111 sq. [3e éd. vol. III, pp. 139 sq.].

[221] 1. La *VI*[e] *Etude* (vol. III, 139-142) critique ici Locke qui prétend tirer du sens « interne » le concept d'être. Or le sens « interne » ne révèle que l'acte même de percevoir, juger, colliger, compter, etc. S'il est vrai que le concept d'être est une partie dépendante du *Sachverhalt*, c'est dans l' « état de chose » que je trouve la copule de l'affirmation et non dans l'acte comme vécu de conscience.

séquence que du point de vue de la *vérité* également on ne peut manifestement trouver qu'une équivalence mais non une identité entre : ne-pas-être et : « être nié valablement », entre : être-possible et : « être tenu pour possible de façon valable », etc.

Le témoignage du langage naturel, quand aucun préjugé psychologique ne l'altère, peut également être évoqué ici, si nous avions encore besoin d'un témoignage. Quand on regarde dans le stéréoscope, on dit : cette pyramide qui apparaît n'est rien, c'est un pur « simulacre ». Ce qui apparaît en tant que tel est manifestement le sujet de la prédication ; c'est à lui (qui est un noème de chose mais nullement une chose) que nous attribuons tous les caractères que nous pouvons découvrir en lui, — et précisément la nullité (die Nichtigkeit). Il suffit ici comme partout en phénoménologie d'avoir le courage, non point d'altérer par des interprétations ce qui doit être saisi dans le phénomène par une intuition véritable, mais de le prendre exactement comme il se donne lui-même et de le décrire *honnêtement*. Toutes les théories doivent se régler sur ce principe.

[222] § 109. La Modification de Neutralité [1].

Parmi les modifications qui se rapportent à la sphère de la croyance, il en est une fort importante qui s'offre encore à la description ; elle occupe une position totalement isolée et ne peut donc aucunement être mise dans la même série que les modifications énoncées plus haut. Si nous lui consacrons à cette place une analyse plus détaillée, nous y sommes autorisés par la façon

[222] 1. *c*). §§ 109-115. A leur tour, toutes les modifications antérieures apparaissent comme des *positions* (positions certaines, positions douteuses, vraisemblables, — affirmées, niées) au regard de la nouvelle modification qui seule ne pose pas, *s'abstient de poser*. C'est elle que met en œuvre l'ἐποχή. Mais il est difficile de l'isoler, en tant qu'abstention pure, des actes qui la compliquent ; on en examine deux, §§ 110-2 : la supposition et l'imagination. Après l'avoir atteinte dans sa pureté, il faut saisir dans toute son ampleur l'opposition universelle entre conscience positionnelle et neutre, en montrant que l'une et l'autre sont contenues « potentiellement » dans tous leurs dérivés.

très spéciale dont elle se comporte à l'égard des positions de croyance, et par le fait que seule une étude plus approfondie en révèle l'originalité; en effet elle n'est pas une modification de conscience appartenant spécialement à la sphère de la croyance, mais une modification *générale* d'une importance capitale. Nous aurons par là l'occasion d'examiner également un type de modification authentique de croyance qui faisait encore défaut à notre énumération et avec laquelle on confond aisément la nouvelle modification que nous mettons en question : celle qui consiste à admettre (Annahmen) [2].

Il s'agit maintenant d'une modification qui en un certain sens supprime complètement toute modalité doxique à laquelle elle s'applique et lui retire toute force, — mais en un tout autre sens que la négation ; celle-ci comme nous l'avons vu a une action positive (Leistung) dans le negatum : elle y introduit un non-être qui est lui-même à son tour un être. Elle ne biffe pas, elle « n'agit » (leisten) pas, elle est pour la conscience tout le contraire d'une action (Leistens) [3] : elle en est la *neutralisation*. Elle est impliquée toutes les fois que l'on se retient d'agir, qu'on met-hors-de-jeu, « entre parenthèses », « en-suspens » l'agir, puis, l'ayant-mis-« en-suspens », qu'on se-« transporte-par-la-pensée »-dans-l'agir et qu'on « se figure simplement par la pensée » ce qui est produit par l'agir, sans y « coopérer ».

Comme cette modification n'a jamais été élaborée scientifiquement et par conséquent n'a jamais été fixée au point de vue de la terminologie (on l'a toujours confondue, quand on l'a rencontrée, avec d'autres modifications), et comme dans le langage commun on manque également d'un terme univoque, nous ne pouvons l'atteindre qu'en la circonscrivant et en procédant par approximations successives, par une série d'éliminations. En effet, toutes les expressions qu'on vient d'accumuler pour la désigner provisoirement contiennent un surplus de sens. Toutes introduisent en sus un « faire » (Tun) volontaire alors que celui-ci ne doit aucunement

---

2. Sur l'*Annahme*, cf. § 110.
3. V. *Glossaire* pour la traduction de *leisten, handeln, tun*.

intervenir ici. Nous l'éliminons donc. Le résultat de ce faire a certainement un statut distinctif ; si l'on fait abstraction du fait que ce statut « procède » (entstammt) du faire (ce qui naturellement est *aussi* une donnée phénoménologique), on peut l'examiner en lui-même, pour autant qu'il puisse exister et survienne effectivement dans l'enchaînement du vécu en l'absence de cette action volontaire. Si nous excluons tout facteur volontaire de cette mise en suspens, et si d'autre part nous [223] ne l'entendons pas non plus au sens d'un doute ou d'une hypothèse, il reste une certaine manière de laisser « en-suspens », ou mieux encore de laisser quelque chose « qui se tient là » sans que l'on ait « réellement » conscience de ce quelque chose comme se tenant là. Le caractère de position est devenu sans force. La croyance désormais n'est plus sérieusement croyance, la conjecture n'est plus sérieusement conjecture, la négation sérieusement négation, etc. C'est une croyance, une conjecture, une négation « *neutralisées* », etc., dont les corrélats répètent ceux des vécus non modifiés, mais d'une façon radicalement modifiée ; ce qui est purement et simplement, ce qui est possible, vraisemblable, problématique, de même ce qui n'est pas, et chacun des autres negata et affirmata, — sont là pour la conscience, mais non sous le mode du « en réalité », mais en tant que « simplement pensé », que « simple pensée ». Chaque mode de croyance comporte la « parenthèse » modificatrice, étroitement apparentée à celle dont nous avons tellement parlé ci-dessus et dont l'importance est si grande pour préparer la voie à la phénoménologie [1]. Les positions pures et simples, les positions non neutralisées, entraînent comme corrélats des « propositions » (Sätze) qui sont globalement caractérisées comme « ce qui est ». Possibilité, vraisemblance, problématique, non-être, être-oui (ja sein) — chacun de ces modes est lui-même quelque chose « qui est » : c'est comme tel en effet qu'il est caractérisé dans le corrélat et comme tel qu'il est « visé » dans la conscience. Mais les positions neutralisées se distinguent

[223] 1. Ces lignes attestent que l'analyse porte bien sur la modification qui a rendu possible la phénoménologie ; cf. p. 214 n. 1.

essentiellement en ceci que *leur corrélat* ne contient *rien qu'on puisse poser, rien qui soit réellement prédicable;* à aucun point de vue la conscience neutre ne joue, vis-à-vis de ce dont elle est conscience, le rôle d'une « croyance ».

§. 110. — La Conscience neutralisée et la Juridiction de la Raison. Admettre (Annehmen) [2].

Le signe que nous rencontrons réellement ici une particularité incomparable de la conscience, c'est que les noèses *proprement dites,* non neutralisées, sont soumises en vertu de leur *essence* à une « *juridiction de la raison* », tandis que *pour les noèses neutralisées la question de la raison ou de la non raison est dénuée de sens.*

Il en est de même, corrélativement, des *noèmes.* Toute chose caractérisée quant au noème comme étant (comme certaine), comme possible, conjecturable, problématique, nulle, etc., peut être ainsi caractérisée de façon « valable » ou « non-valable » ; elle peut être, être possible, être nulle, etc., « en vérité ». Par contre on ne « *pose* » *rien tant qu'on se figure simplement par la pensée;* ce n'est pas là une *conscience positionnelle.* La « simple pensée » de réalités, de possibilités, etc., ne « *prétend* » *rien;* on n'a ni à la reconnaître comme correcte, ni à la rejeter comme incorrecte.

224] Bien entendu, toute simple pensée peut être transposée en un *admettre,* un *supposer* (Ansetzen), et cette nouvelle modification se subordonne (comme celle du simplement penser) à l'action absolument libre de la volonté. Mais supposer est à son tour apparenté à poser, la *supposition* (Ansatz) est encore une espèce « de *proposition* » (Satz), avec cette différence que c'est une modification absolument originale de la position de croyance, une modification qui contraste avec la série

2. L'absence de prétention rationnelle de la croyance neutralisée sert seulement de critère pour la distinguer de l'*Annahme* ou *Ansetzen,* qui reste encore une position de croyance sous la forme, il est vrai discrète, de la sup-position.

principale traitée plus haut et se situe à part. Elle peut s'introduire à titre de membre dans l'unité que forment telles ou telles positions soumises au jugement de la raison (la supposition figurant comme « proposition antécédente » (Vordersatz) ou conséquente (Nachsatz) d'un raisonnement hypothétique); et ainsi elle peut être soumise elle-même à l'appréciation de la raison. Ce n'est pas d'une pensée simplement tenue en suspens que l'on peut dire qu'elle est correcte ou non, mais bien d'une supposition qui entre dans un raisonnement hypothétique. C'est une erreur fondamentale de confondre l'un et l'autre et de négliger l'équivoque contenue dans l'expression : se figurer simplement par la pensée, ou : simplement penser.

Il faut en outre considérer l'équivoque non moins déroutante qui réside dans le mot penser : tantôt en effet il est rapporté à la sphère nettement caractérisée de la pensée qui procède au moyen d'explicitations, de concepts et d'expressions, bref à la pensée logique en un sens spécifique [1] ; tantôt il est rapporté au moment positionnel comme tel ; or celui-ci, comme nous l'observions précisément ici, ne requiert aucune explicitation, aucune prédication conceptuelle [2].

Tous les phénomènes dont il a été parlé se rencontrent dans la sphère que nous avons d'abord privilégiée, celle des simples intuitions sensibles et de leurs transformations en représentations obscures [3].

§. 111. — La Modification de Neutralité et l'Imagination [4].

Une nouvelle équivoque dangereuse apparaît dans l'expression « se figurer simplement par la pensée » ; du moins il faut se garder d'une confusion très facile,

---

[224] 1. C'est de ce sens qu'il sera question sous le nom de « Logos », §§ 124-7.

2. Cf. p. 215 n. 1.

3. Celles que l'on a étudiées dans le premier groupe d'analyses (§§ 99-101) : souvenir, image, signe et leurs redoublements.

4. Après avoir distingué la neutralisation de la supposition on la distingue de l'imagination. Les rapports étroits entre imagination et neutralisation expliquent que l'imagination ait pu jouer un si

entre la *modification de neutralité* et *l'imagination.* Ce qui déroute, et ce qui en réalité n'est pas aisé à débrouiller, c'est que l'imagination elle-même est en fait une modification de neutralité ; en dépit du caractère particulier que présente son type, elle est d'une signification universelle ; elle peut s'appliquer à *tous* les vécus; elle joue même un rôle dans la plupart des formes qu'adopte la conscience quand elle se figure simplement par la pensée ; et pourtant dans ce cas on doit la distinguer de la modification générale de neutralité avec les multiples formes qui se conforment à toutes les espèces diverses de position.

Plus exactement, *l'imagination* en général est la *modification de neutralité appliquée à la présentification « positionnelle »*, donc au souvenir au sens le plus large qu'on puisse concevoir.

[225] Il faut ici noter que dans le langage courant *présentification* (reproduction) et *imagination* chevauchent. L'emploi que nous faisons de ces diverses expressions est tel que, compte tenu de nos analyses, le mot général de présentification ne permet pas de décider si la « position » qui est impliquée est propre ou neutralisée. Dès lors les présentifications en général se divisent en deux groupes ; d'un côté les *souvenirs* de toute espèce, de l'autre *leurs modifications de neutralité.* Pourtant cette distinction n'a pas la valeur d'une classification authentique, comme la suite le montrera [a] [1].

(*a*) Cf. les renseignements sur essence et contre-essence (Gegen-Wesen), p. 233.

---

grand rôle dans la « destruction » du monde qui déshabitue de la croyance naïve à l'existence en soi.

[225] 1. Cette division des présentifications corrige le tableau provisoire donné plus haut, cf. p. 209 n. 1. Il apparaît que la première série de modifications (perception, souvenir, imagination et signe) n'était pas homogène, puisque les deux premiers termes sont seuls positionnels et que le troisième est la neutralisation du second. L'imagination est donc une espèce très particulière de neutralisation. ZEITBEWUSSTSEIN précise encore (§ 16 et *Annexes II* et *III*, pp. 86-93) : on a d'abord la sensation comme *Gegenwärtigung oder Präsentation*, à laquelle adhèrent la rétention et la protention pour former la sphère originaire au sens large ; puis on a la *setzende Vergegenwärtigung* (souvenir, co-souvenir, re-souvenir, pro-souvenir) ; enfin la *Phantasie-Vergegenwärtigung.*

D'autre part chaque vécu en général (quand il est si l'on peut dire vivant) est un vécu « qui est à titre présent ». Par essence il implique que la réflexion puisse revenir sur lui ; et dans cette réflexion il est nécessairement caractérisé comme cela *qui est* de façon certaine et présente. Dès lors à tout vécu, comme à tout être individuel atteint par une conscience originaire, correspond une série de modifications idéalement possibles du type souvenir. Le *vivre, entendu comme conscience originaire du vécu,* appelle divers parallèles possibles, à savoir les souvenirs de cette même conscience ; il appelle donc aussi des modifications de neutralité de ces souvenirs : *les images.* Ce principe s'applique à tout vécu, de quelque façon que soit disposée la direction du regard du moi pur. Ce qui suit servira d'éclaircissement.

Aussi souvent que nous ayons présentifié des objets quelconques — supposons que ce soit un monde purement imaginaire et que nous soyons tournés vers lui avec attention — il faut tenir pour une propriété éidétique de la conscience imageante que non seulement le monde, mais en même temps le percevoir lui-même qui « donne » ce monde, est imaginaire. C'est vers lui que nous sommes tournés, vers le « percevoir en imagination » (c'est-à-dire vers la modification neutralisante du souvenir); mais cela n'est vrai, comme nous le disions plus haut, que quand nous « réfléchissons en imagination ». Or il est d'une importance capitale de ne pas confondre, d'une part, *cette* modification qui théoriquement est toujours possible et qui transformerait tout vécu, y compris celui de la conscience imageante, dans la *pure image* exactement correspondante ou, *ce qui revient au même,* dans le *souvenir neutralisé* — et d'autre part cette modification de neutralité que nous pouvons opposer à tout vécu « *positionnel* ». A cet égard le souvenir est un vécu positionnel tout à fait spécial. La perception normale en est un autre, un autre encore [226] la conscience perceptive ou reproductive portant sur la possibilité, la vraisemblance, le problématique, la conscience du doute, de la négation, de l'affirmation, de la supposition, etc.

Nous pouvons nous assurer par exemple que la *mo-*

dification de neutralité appliquée à la perception normale qui pose son objet suivant une certitude non modifiée, est la *conscience neutre de l'objet-portrait*[1] : c'est elle que nous trouvons à titre de composante quand nous contemplons normalement un monde dépeint par portrait (abbildlichen) sur la base d'une figuration perceptive (perzeptiv dargestellt). Tentons de clarifier ce point ; supposons que nous contemplions la gravure de Dürer « Le Chevalier, la Mort et le Diable ».

Que distinguons-nous ? Premièrement la perception normale dont le corrélat *est la chose « plaque gravée »*, la plaque qui est ici dans le cadre.

Deuxièmement nous avons la conscience perceptive dans laquelle nous apparaissent en traits noirs les figurines incolores : « Chevalier à cheval », « Mort » et « Diable ». Ce n'est pas vers elles en tant qu'objets que nous sommes tournés dans la contemplation esthétique ; nous sommes tournés vers les réalités figurées « *en portrait* », plus précisément « *dépeintes* », à savoir le chevalier en chair et en os, etc.

La conscience qui permet de dépeindre et qui médiatise cette opération, la conscience du « portrait » (des figurines grises dans lesquelles, grâce aux noèses fondées, autre chose est « figuré comme dépeint » par le moyen de la ressemblance) est un exemple de cette modification de neutralité de la perception. *Cet objet-portrait, qui dépeint autre chose, ne* s'offre *ni comme étant, ni comme n'étant pas,* ni sous aucune *autre modalité positionnelle;* ou plutôt, la conscience *l'atteint bien comme étant, mais comme quasi-étant* (gleichsam seiend), selon la modification de neutralisation de l'être.

Mais il en est de même de la *chose dépeinte,* lorsque nous prenons une attitude *purement esthétique* et que nous la tenons elle aussi à son tour pour un « simple portrait », sans lui accorder le sceau de l'être ou du non-être, de l'être possible ou conjecturé, etc. Comme on le voit, cette attitude n'implique aucune privation,

226] 1. On se rappelle que dans l'étude de l'imagination (§ 99, p. 210 n. 1), on avait laissé en suspens le statut du *portrait* lui-même qui sert en quelque sorte de tremplin à la représentation de l'objet imaginaire qu'il « dépeint ». Ce portrait est un perçu neutralisé.

mais une modification, précisément celle de la *neutralisation.* Nous n'avons pas le droit de nous la représenter simplement comme une opération qui s'ajouterait à une position préalable, qui la transformerait après coup. Elle peut être telle à l'occasion, mais elle ne l'est pas nécessairement.

§ 112. — Que la Modification imageante peut être redoublée mais non la Modification neutralisante.

La différence essentielle entre l'imagination, entendue comme présentification neutralisante, et la modification [227] neutralisante en général se montre à un trait (pour souligner nettement une fois encore cette différence décisive) : *la modification imageante* sous forme de présentification *peut être redoublée* (il y a des images de degré quelconque : des images « en » images) [1], tandis qu'il est *exclu par essence qu'on puisse répéter « l'opération » de neutralisation.*

Notre affirmation selon laquelle il est possible de redoubler les modifications reproductives (ainsi que celles du portrait) pourraient se heurter à une objection assez générale. La difficulté ne sera levée que quand la pratique de l'analyse phénoménologique authentique sera plus étendue qu'elle ne l'est encore à présent. Aussi longtemps qu'on traitera les vécus comme des « contenus » ou des « éléments » psychiques et que, en dépit de toutes les polémiques à la mode dirigées contre la psychologie atomiste et chosiste, on continuera de les considérer comme des sortes de choses en miniature (Sächelchen), aussi longtemps qu'on croira trouver la différence entre les « contenus de sensation » et les « contenus d'imagination » correspondants, dans des critères matériels tels que « l'intensité », la « plénitude », etc., on ne peut entrevoir aucun progrès.

Il faudrait qu'on s'avisât pour commencer qu'il s'agit ici d'une différence *qui concerne la conscience*, que par conséquent le Phantasma n'est pas un simple datum de

[227] 1. On a étudié ces redoublements au § 100.

sensation décoloré, mais qu'il est par essence l'image *du* datum de sensation correspondant ; en outre ce « *de* » ne peut surgir à la faveur d'aucune exténuation aussi raffinée qu'on voudra de l'intensité, de la plénitude de contenu, etc., du datum de sensation envisagé [2].

Quiconque a un sens exercé des diverses réflexions de conscience (et d'abord a appris à reconnaître les données de l'intentionnalité) saura *voir* sans difficulté les degrés de conscience qui sont impliqués dans les images en image, ou dans les souvenirs en souvenir ou en image. Ensuite il saura également voir ce qui est inscrit dans la spécification éidétique de ces formations par degrés superposés : il verra en effet que *toute image de degré supérieur* peut être librement convertie en une *image directe* de ce qui était d'abord imaginé de façon médiate, alors que cette libre possibilité n'existe *pas* lorsqu'il s'agit de passer de *l'image* à la *perception correspondante.* Ici la spontanéité rencontre un abîme que le moi pur ne peut franchir que sous la forme essentiellement nouvelle de l'action et de la création génératrices de réalité (realisierende) (compte tenu également de l'hallucination volontaire) ([a]).

([a]) En ce qui concerne les points empruntés à la doctrine de la modification de neutralité traités jusqu'à présent, les ETUDES LOGIQUES avaient atteint pour l'essentiel une interprétation correcte, en particulier pour ce qui concerne la relation à l'imagination. Cf. *ibid*, la Ve *Etude*, en particulier au §. 39, l'opposition entre la modification « qualificative » et la modification « imaginative » où la première avait déjà le sens de ce qui *ici* est appelé modification de neutralité. — Puisque le livre de Meinong : UEBER ANNAHMEN, 1902, a traité en détail de ces questions qui sont étroitement apparentées à celle que nous discutons dans le chapitre présent, il me faut expliquer pourquoi je prends uniquement pour base mes anciens travaux et non son livre. A mon avis, ce livre, qui révèle ici comme ailleurs des coïncidences si vastes avec les sections parallèles des ETUDES LOGIQUES — quant à la matière et quant aux notions théoriques —, n'a réalisé aucun progrès réel sur mes propres tentatives, ni pour le fond, ni pour la méthode. Bien des thèmes sur lesquels je crois devoir, main-

---

2. La coupure entre image et perception et plus particulièrement entre la hylé de l'image (phantasma) et celle de la perception (datum sensuel) est absolue : contre l'empirisme, la différence est de nature et non de degré.

[228] § 113. — POSITIONS ACTUELLES ET POTENTIELLES.

Les considérations consacrées à la modification de neutralité et à la position appelleront des prolongements importants. Nous avons pris le terme de « conscience positionnelle » en un sens large qui appelle nécessairement une différenciation.

Distinguons position *actuelle* et position *potentielle* et adoptons pour titre général, puisque nous ne pouvons tout de même pas nous en passer, celui de « *conscience positionnelle* » (positionales).

La différence entre l'actualité et la potentialité de la *position* est en relation étroite avec les différences d'actualité de l'attention et de l'inattention qui ont été traitées plus haut (a) ; toutefois elle ne les recouvre nullement. Si l'on tient compte de la modification de neutralité, il s'introduit une dualité dans la distinction

tenant comme auparavant, m'appesantir, n'y sont pas remarqués ; c'est spécialement le cas pour les points traités plus haut. Les confusions révélées par nos dernières discussions constituent précisément le noyau principal des vues de Meinong sur les suppositions.

(a) Cf. § 35, pp. 61 sq. ; § 37, pp. 65 sq. ; § 92, pp. 189 sq.

[228] 1. Une nouvelle précision s'ajoute à la description de la neutralisation. On sait que toute conscience peut être attentive ou inattentive, actuelle ou potentielle. Qu'arrive-t-il quand on applique cette distinction à la conscience qui *pose* (comme certain, vraisemblable, douteux, etc.) et à la conscience *qui tient en suspens* toute position ? Une conscience peut *poser* d'une manière inattentive, potentielle, et la conversion de l'actuel au potentiel, et du potentiel à l'actuel se fait toujours sur le mode positionnel. De même une conscience peut être « actuellement » *neutre* ou potentiellement neutre : les conversions d'attention ne font pas que l'on passe de la neutralité à la positionalité. En effet, une description superficielle pourrait laisser croire que cesser de faire attention, c'est cesser de *poser*, (de croire, de conjecturer, de douter, etc.) et que l'inattention est une manière de neutralisation de la croyance. Cela reviendrait à dire que faire attention c'est *poser* (croire. etc.). Potentialité et actualité sont donc des complications de la positionalité et de la neutralité de la conscience et ne recouvrent nullement cette distinction cardinale des modes de croyance. — Sur tout ceci, cf. MÉDITATIONS CARTÉSIENNES, pp. 49-51.

générale entre l'actualité et l'inactualité que présente l'orientation attentionnelle du moi ; une dualité de sens s'introduit dans le concept impliqué par le mot actualité ; il nous faut en élucider la nature.

La modification de neutralité nous est apparue dans le contraste entre la croyance *réelle*, la conjecture *réelle*, etc., et cette conscience spécifiquement modifiée qui consiste « à se transporter purement par la pensée » dans une croyance, une conjecture ; on dira corrélativement : dans le contraste entre avoir « *réellement* » devant soi, ou « avoir réellement posé » ce qui est, ce qui est vraisemblable, etc., et d'autre part l'avoir posé, *non pas* réellement, mais sous le mode d'un simple « tenu en suspens ». Or de prime abord nous marquions également la différence essentielle d'attitude d'une conscience non-neutre et d'une conscience neutre du point de vue de la potentialité des positions. Toute conscience « réelle » permet qu'on dégage d'elle [229] de multiples positions qu'elle incluait de façon potentielle ; celles-ci sont alors des positions *réelles :* tout ce qui est réellement visé en un sens thétique enveloppe des prédicables réels. Mais une conscience neutre ne « contient » en soi aucun prédicable « réel » d'aucune sorte. On peut développer cette conscience en usant d'actualités intentionnelles, en se tournant vers les différents prédicats de l'objet de conscience : on ne trouve que des actes neutres, ou que des prédicats modifiés. Il est nécessaire que l'on soumette à une étude plus approfondie cette façon différente d'être potentielle pour la conscience neutre et pour la conscience non-neutre, à savoir ce fait remarquable que la potentialité générale que peut adopter le regard de l'attention se scinde par conséquent en une double potentialité.

Comme il ressortait des considérations de l'avant-dernier paragraphe, chaque vécu réel, en tant qu'il est présent ou, comme l'on peut dire encore en tant qu'unité temporelle constituée dans la conscience phénoménologique du temps [1], porte avec soi d'une certaine manière

1. L'analyse de la double potentialité — d'une conscience *qui pose* et d'une conscience *neutre* — est étendue à la perception immanente. La transition est obtenue en considérant que la con-

son caractère d'être, de la *même manière qu'une chose perçue.* A toute présence actuelle du vécu correspond au point de vue idéel une modification de neutralité : elle consiste en une présence possible du vécu mais à titre d'image ; cette présence correspond exactement à la précédente quant à son contenu. Un tel vécu imaginaire se caractérise non plus comme étant réellement présent mais comme étant « quasi »-présent. En fait tout se passe exactement comme lorsque l'on compare les données noématiques d'une perception quelconque avec celle d'une imagination (d'une contemplation en imagination) qui au point de vue idéel lui correspond exactement : le perçu est caractérisé comme « être réellement présent », l'imaginaire qui lui est parallèle, comme être identique quant au contenu, mais comme « pure image », comme être « quasi »-présent. Ainsi :

La conscience originelle du temps joue elle-même le rôle d'une conscience perceptive et a sa contre-partie dans une conscience imageante correspondante.

Cette conscience du temps qui embrasse tout n'est pas, cela va de soi, *un percevoir immanent continu* au sens fort du mot, c'est-à-dire au sens d'un percevoir *qui pose de l'être de façon actuelle,* ce percevoir étant lui-même un vécu en notre sens, un vécu situé dans le temps immanent, doté d'une durée présente, constitué dans la conscience du temps. En d'autres termes, elle n'est pas, comme il va de soi, une réflexion interne continue où les vécus, *posés* au sens spécifique, *saisis* de façon actuelle *comme étant,* seraient objectivés.

Parmi les vécus il en est certains, nettement caractérisés, qui portent le nom de réflexions immanentes et plus spécialement de perceptions immanentes : ils sont [230] dirigés sur leurs objets de telle façon qu'ils saisissent l'être actuellement, qu'ils posent l'être. En outre parmi ces vécus il est des perceptions dirigées de façon transcendante et qui posent l'être au même sens du mot : ce sont celles qu'on nomme externes. Le mot « *perception* », pris en son sens normal, ne veut pas

science du temps, sur laquelle repose la réflexion ou perception immanente, est une sorte de perception qui peut donc être *neutralisée* elle aussi.

dire seulement qu'une chose *apparaît au moi au sein d'un présent vivant,* mais encore que le moi *s'aperçoit* (gewahr werde) de la chose qui apparaît, la saisit comme étant là véritablement, bref la pose. Cette actualité de la position d'existence est, d'après ce qui précède, neutralisée dans la conscience perceptive de portrait. Le regard tourné vers le « portrait » (non vers ce qu'il dépeint), nous ne saisissons rien de réel comme objet, mais précisément un portrait, un fictum. Cette « saisie » comporte bien une orientation actuelle du regard, elle n'est pourtant pas une saisie « réelle », mais une simple saisie sous la modification du « quasi » (gleichsam) ; la position n'est pas une position actuelle, mais modifiée dans le registre du « quasi ».

Quand le regard de l'esprit se détourne du fictum, l'actualité attentionnelle de la position neutralisée se transforme en potentialité : le portrait apparaît encore, mais n'est plus observé, n'est plus saisi — tout en restant sous le mode du « quasi ». Cette situation, ainsi que sa potentialité, recèle en son essence la possibilité que le regard se tourne activement vers le portrait ; mais dans ce cas cette possibilité n'ouvre jamais la voie à des actualités de *position* [1].

Il en est de même quand nous comparons des souvenirs « actuels » (non-neutres, posant réellement leur objet) avec ceux où le souvenu continue d'apparaître lorsque le regard se détourne de lui, mais n'est plus posé de façon actuelle. La potentialité de *position* de la chose qui apparaît « encore » signifie alors ceci : à la faveur de l'actualité attentionnelle surgissent non plus seulement des cogitationes qui saisissent leur objet

[230] 1. L'exemple du « portrait » éclaire bien ce que peut être une conscience *neutre* oscillant entre l'actualité et la potentialité, sans cesser d'être neutre : si je fais attention au portrait lui-même, la saisie du portrait est actuelle et pourtant ne devient pas une perception authentique ; je ne « pose » pas le portrait ; le portrait comme tremplin de l'imagination reste un perçu « neutralisé ». — De même un souvenir non remarqué, potentiel, ne devient pas un souvenir « neutralisé », c'est-à-dire une image. — De même, enfin, l'arrière-plan de perception est une position potentielle, non une position neutralisée. — Bref, la neutralité peut être actuelle ou potentielle, comme la positionalité peut être potentielle ou actuelle.

en un sens quelconque, mais des cogitationes qui le saisissent de façon absolument « réelle » et le posent de manière actuelle. Dans la modification de neutralité appliquée à des souvenirs, c'est-à-dire dans les pures *images*, nous rencontrons encore les potentialités attentionnelles dont la transformation en actualités donne bien des « actes » (cogitationes), mais ces actes sont des positions totalement neutralisées, des positions doxiques totalement transposées sur le mode du quasi. La conscience n'atteint pas l'imaginaire comme « réellement » présent, passé ou futur, il « flotte » (vorschwebt) seulement devant l'esprit, en tant qu'imaginaire, sans être posé actuellement. Un simple déplacement du regard en direction de l'imaginaire ne peut supprimer cette neutralité, pas plus que dans d'autres cas il ne peut produire une actualité de position.

Chaque perception — ce trait peut encore nous servir d'illustration supplémentaire — a son arrière-plan de perception. La chose qui est spécialement saisie a son *environnement* de choses qui co-apparaissent de [231] façon perceptive, tout en étant privées de toute thèse particulière d'existence. Cet environnement lui aussi est quelque chose « qui est réellement » ; la conscience qu'on en a est telle qu'il *peut* — au sens d'une possibilité éidétique — tomber sous un regard qui pose l'être de façon actuelle. Il est dans une certaine mesure une *unité de positions potentielles*. La même remarque s'applique également au souvenir, en ce qui concerne son arrière-plan de souvenirs, et aussi à la perception ou au souvenir quant à leur champ de rétentions et de protentions, de rétro-souvenirs (Rückerinnerungen) et de pro-souvenirs ; ces divers arrière-plans s'imposent avec une plénitude plus ou moins grande et avec des degrés variables de clarté ; mais ils ne sont pas opérés sous forme de thèses actuelles. Dans tous ces cas l'actualisation des « positions potentielles » conduit nécessairement, par un déplacement correspondant du regard (actualité attentionnelle), à des positions actuelles toujours nouvelles ; cette nécessité appartient à l'essence de ces diverses situations. Si nous passons aux modifications parallèles de neutralité, tous ces traits se transposent sur le mode du quasi, y compris la « potentialité » elle-même. L'objet-portrait et l'objet-image ont aussi nécessairement leur arrière-plan attentionnel. A nouveau le mot « arrière-plan » sert de titre commun à diverses orientations et « saisies » potentielles. Mais ici, en se produisant, le déplacement réel du regard ne conduit jamais par principe à des positions réelles, mais toujours uniquement à des positions modifiées.

Il en est de même — et ce point nous intéresse encore particulièrement ici — avec les modes dérivés des thèses spécifiques de croyance (les proto-thèses doxiques), conjectures, supputations, questions, etc., de même avec les négations et les affirmations. Les corrélats dont nous avons conscience ici, la possibilité, la vraisemblance, le non-être, etc., *peuvent* se prêter à une position doxique, et donc en même temps à une « objectivation » spécifique ; mais tant que nous « vivons » « dans » le conjecturer, le questionner, le refuser, l'affirmer, nous n'opérons point de proto-thèses doxiques, quoique, à vrai dire, nous accomplissions d'autres « *thèses* », en prenant ce concept de thèse en un sens nécessairement généralisé, à savoir *des thèses de conjecture, des thèses de question, des thèses de négation*, etc. Mais chaque fois nous *pouvons* opérer les proto-thèses doxiques correspondantes ; c'est dans *l'essence* même de la situation phénoménologique que se fonde la *possibilité idéale d'actualiser les thèses potentielles* incluses en elles (a). Cette actualisation, s'il s'agit dès l'abord de thèses actuelles, conduit toujours à nouveau à des thèses actuelles, en tant qu'incluses potentielle-[232] ment dans les thèses initiales. Si nous traduisons les thèses initiales dans le langage de la neutralité, la potentialité se traduit également dans le même langage. Opérons des conjectures, des questions, etc., purement en imagination : tout ce qui a été dit auparavant subsiste ; seul le signe est changé. Toutes les thèses doxiques et toutes les modalités d'être que l'on dégage de l'acte ou du noème d'acte primitifs par des déplacements possibles du regard de l'attention, sont maintenant neutralisées.

(a) Cf. ci-dessus, § 105, p. 217

§ 114. — Analyse complémentaire concernant la Potentialité de la Thèse et la Modification de Neutralité[1].

La distinction entre la conscience non-neutre et neutre, si l'on suit les analyses précédentes, ne touche pas uniquement les vécus de conscience exécutés dans le mode attentionnel du cogito, mais aussi sous celui de l'inactualité attentionnelle. Un signe en est le double rôle joué par ces « arrière-plans » de conscience lorsqu'ils se transforment par l'attention en « premiers plans » ou plus exactement en actualités attentionnelles, le vécu primitif se changeant en même temps en un cogito doxique, en une proto-doxa. Il va de soi que cette conversion reste possible quelles que soient les circonstances : en effet, l'essence de tout vécu intentionnel comporte la possibilité que le regard « se pose » sur ses noèses aussi bien que sur ses noèmes, sur les objectivités constituées noématiquement et sur leurs prédicats, et qu'il les saisisse et les pose sur le mode de la proto-doxa.

La situation, pourrait-on dire encore, est celle-ci : la *modification de neutralité* n'est pas une modification *spéciale,* attachée aux thèses *actuelles,* les seules qui soient véritablement des thèses ; elle représente une *particularité fondamentale et essentielle de toute conscience en général,* qui s'exprime dans l'attitude de la conscience à l'égard de la possibilité de poser ou de ne pas poser l'être de façon actuelle sur le mode de la proto-doxa. D'où la nécessité de la faire apparaître précisément sur les proto-positions actuelles, ou sur la modification qu'elles subissent.

[232] 1. Le § 114 donne un exemple remarquable de transformation « attentionnelle » d'une croyance : en toute croyance modifiée (conjecture, supputation, doute, question, — affirmation, négation, — supposition) est inscrite la référence à une certitude (ou proto-doxa) : on peut considérer cette certitude comme l'arrière-plan d'attention de la modification de croyance. La possibilité de déplacer le regard vers la proto-doxa atteste la priorité de cette proto-doxa sur laquelle modulent en quelque sorte tous les types de conscience *positionnelle.*

Si on pousse plus loin la précision, voici de quoi il s'agit.

La *conscience en général,* quels que soient son type ou sa forme, *est traversée par une coupure radicale :* tout d'abord, toute conscience où le moi pur ne vit pas dès le début en tant que moi « opérant » cette conscience, donc toute conscience qui n'a pas dès l'abord la forme du « cogito », comporte, comme nous le savons, à titre de possibilité idéale la modification qui lui conférera cette forme. *Deux* possibilités fondamentales s'offrent alors à l'intérieur du mode du cogito, concernant *la façon d'opérer cette conscience;* en d'autres termes : [233] *Tout cogito possède sa contre-partie qui lui correspond* exactement, si bien que son *noème* a dans le cogito parallèle son *contre-noème exactement correspondant* [1].

Le rapport entre les « actes » parallèles consiste en ceci que l'un d'eux est un « acte *réel* », le cogito un cogito « réel », « *qui pose réellement* », tandis que l'autre est une « *ombre* » d'acte, un cogito *impropre,* qui ne pose pas « réellement ». L'un agit (leistet) [2] réellement, l'autre est un simple reflet d'action.

A cette différence dans les actes correspond une différence radicale dans les *corrélats :* on a d'un côté l'action (Leistung) noématique constituée, qui a le caractère de l'action non modifiée, réelle, de l'autre la « *simple pensée* » de l'action qui lui correspond exactement. L'action réelle et l'action modifiée se correspondent idéalement avec une exactitude absolue; *elles ne sont pourtant pas de même essence.* En effet, la modification se communique aux essences : à *l'essence originaire* correspond sa *contre-essence,* qui est « l'ombre » de cette même essence.

---

[233] 1. Toutes les analyses, depuis le § 102, convergent vers cette coupure entre conscience positionnelle et conscience neutre ; ainsi, on a pris l'envergure la plus vaste de la conscience positionnelle en considérant toutes ses variations et en lui donnant un contraire à sa mesure. C'est ainsi que la conscience se comprend dans son pouvoir de « poser » et de « suspendre » la réalité naturelle.

2. Sur *Leisten* et *Leistung,* cf. *supra,* p. 222, n. 3 ; remarques terminologiques de G. Berger in LE COGITO DANS LA PHILOSOPHIE DE HUSSERL, p. 99.

Naturellement les expressions figurées d'ombre, de reflet, de portrait n'autorisent pas à insinuer qu'il s'agirait d'un pur simulacre, d'une opinion mensongère: ce serait encore faire intervenir des actes réels, des corrélats positionnels. Il n'est pas besoin de mettre en garde à nouveau contre l'autre confusion, si facile à commettre, entre la modification considérée ici et la modification imageante : à tout vécu — considéré comme phase présente du vécu dans la conscience interne du temps[3] — celle-ci fournit également une contre-partie, qui est son portrait imaginaire.

Ce partage radical des vécus intentionnels en deux classes qui sont l'une à l'égard de l'autre comme la réalité et le reflet sans force du produit noématique d'action, se manifeste ici (pour nous qui sommes partis du domaine doxique) par les *propositions fondamentales* suivantes :

Tout *cogito* est ou n'est pas en soi-même une position doxique primordiale. Mais en vertu d'un système de lois, qui encore une fois appartiennent à l'essence fondamentale et universelle de la conscience, tout cogito peut se transformer en une proto-position doxique. Mais cette transformation peut prendre des formes multiples : en particulier tout « *caractère thétique* », au sens le plus large du mot, qui se constitue dans le noème de ce cogito à titre de corrélat d'une « thèse » noétique appartenant à ce cogito (en un sens très large du mot thèse correspondant au précédent), subit la transformation en un caractère d'être et prend ainsi la forme d'une *modalité d'être au sens le plus vaste de ce mot*. De cette manière, le caractère du « vraisemblable » qui est le corrélat noématique du conjecturer, et [234] tout spécialement du « caractère d'acte » de la « thèse » du conjecturer en tant que tel, se transforme en *être*-vraisemblable ; de même le caractère noématique du « problématique », ce corrélat spécifique de la thèse de question, prend la forme de *l'être*-problématique, et le corrélat de la négation celle du *non-être :* ce sont simplement des formes qui ont reçu, si l'on peut dire, le sceau de la proto-thèse doxique actuelle. Mais la

3. Cf. *supra* p. 229.

portée de cette analyse est plus grande encore. Nous trouverons des raisons d'étendre la notion de thèse jusqu'à embrasser toutes les sphères d'actes ; nous serons ainsi amenés à parler par exemple de thèse de plaisir, de thèse de souhait, de thèse de volonté avec leurs corrélats noématiques : « agréable », « souhaité », « obligatoire dans l'ordre pratique » (praktisch gesollt), etc. Quand l'acte considéré se change en une proto-thèse doxique — ce qui est possible à priori — les corrélats aussi se transforment en modalités d'être, en un sens extrêmement étendu du mot: ainsi « l'agréable », le « souhaité », « l'obligatoire », etc., deviennent susceptibles de prédication ; en effet, dans le cas de la proto-position actuelle de croyance, on a conscience de ces choses comme *étant* agréables, *étant* souhaitées, etc. (a). Mais cette transposition doit être entendue — dans ces exemples — de telle sorte qu'elle laisse intact le noème du vécu primitif quant à son essence totale, réserve faite uniquement des changements que cette transposition amène régulièrement dans son mode de donnée. Ce point toutefois appelle encore un complément (b).

Les cas se distinguent radicalement en ceci que la proto-doxa selon le cas ou bien est réelle, la croyance étant si l'on peut dire réellement crue, ou bien se réduit à sa contre-partie inerte, au simple « se figurer par la pensée » (portant sur l'être pur et simple, sur l'être possible, etc.) [1].

C'est l'essence du vécu intentionnel considéré qui prédétermine rigoureusement ce que donnera la transmutation doxique appliquée à tel vécu primitif, et qui décide si ses composantes noématiques se développeront en proto-positions doxiques *réelles* ou exclusivement en *neutralités* proto-doxiques. Par conséquent dans l'essence de *tout* vécu de conscience est prescrit de

(a) Cf. ci-dessus, les propositions de conclusion du § 105, pp. 217 sq.

(b) Cf. en outre, ci-dessous, § 117, p. 244, premier alinéa.

[234] 1. La réduction de toute modalité de croyance à la proto-doxa permet de ramener toute l'analyse à deux cas fondamentaux : la *certitude* simple avec son corrélat : cela *est*, — et la certitude neutralisée.

façon impérieuse tout un ensemble de *positions potentielles d'être*.[2]. Que seront-elles? Cela dépend de la nature préalable de la conscience considérée : ce sera ou bien un champ de positions possibles de type réel ou bien « d'ombres de positions » possibles de type neutre.

Encore une fois la *conscience en général* est ainsi faite qu'elle répond à un double type : modèle original (Urbild) et ombre, conscience *positionnelle* et conscience *neutre*. L'une a pour caractère que sa potentialité doxique conduise à des actes doxiques qui posent réellement l'être, l'autre, qu'elle engendre uniquement [235] l'ombre (Schattenbild) de ces actes, uniquement la modification de neutralité correspondante ; en d'autres termes, la seconde ne contient rien dans son fonds noématique qu'on puisse saisir de façon doxique, ou ce qui revient encore au même, elle ne contient pas de noème « réel » mais seulement une réplique (Gegenbild) de ce noème. Seule reste offerte aux vécus neutres eux-mêmes *une* possibilité de position doxique : c'est celle qui leur appartient comme data de la conscience immanente du temps et qui les détermine précisément comme conscience modifiée d'un noème modifié[1].

Désormais nous userons, au point de vue de la terminologie, des expressions « *positionnel* » et « *neutre* ». Tout vécu, qu'il ait la forme du cogito, qu'il soit ou non un acte en quelque sens particulier, rentre dans ce couple de contraires. Le mot *positionalité* ne veut donc pas dire présence ou opération d'une position réelle ; il exprime seulement une certaine aptitude potentielle à opérer des actes doxiques qui posent l'être de façon actuelle. Néanmoins nous incluons aussi, dans la notion de vécu positionnel, le cas où un vécu est dès le début une position activement opérée; cette interprétation est

---

2. Voilà l'usage des transformations attentionnelles étudiées plus haut, cf. p. 232 n. 1. — La « thèse » du monde peut ainsi être reconnue dans des formes lointaines où elle est seulement contenue à titre de possibilité.

[235] 1. La perception du temps et, en dernière analyse, la constitution du temps dominent la double constitution « doxique » et « neutre » de la réalité transcendante ; cette constitution, nous pouvons le dire déjà, serait la *position doxique* du moi pur dans sa temporalité et dans son divers hylétique.

d'autant moins choquante que, à chaque position opérée, appartient en vertu d'une loi éidétique une pluralité de positions potentielles.

Il se confirme que la différence entre *positionalité* et *neutralité* n'exprime pas une simple propriété des positions de croyance, une simple espèce de modifications apportées à la croyance, telles que conjecturer, questionner, etc., ou, à d'autres points de vue, admettre, nier, affirmer; ce ne sont donc nullement des dérivés intentionnels issus d'un mode primordial (Urmodus), issus de la croyance au sens fort du mot. En fait il s'agit, comme nous l'avons présupposé, d'une *différence universelle dans la nature de la conscience,* mais ce n'est pas sans bonne raison que cette différence se fait jour dans le cours de notre analyse, à propos de la différence qui a été spécialement signalée dans la sphère étroite du cogito doxique, à savoir la différence entre la croyance positionnelle (c'est-à-dire actuelle, réelle) et sa contre-partie neutre (le simple « se figurer par la pensée »). Il s'est produit précisément des combinaisons éidétiques très intimes et fort remarquables entre les caractères d'acte et de croyance et tous les autres types de caractères d'acte, y compris par conséquent tous les autres types de conscience en général[2].

§ 115. — Applications. Le Concept élargi d'Acte. Opérations d'Acte et amorces d'Acte[3].

Il importe encore de tenir compte de quelques remarques faites antérieurement[a]. Le cogito en général est

(*a*) Cf. ci-dessus, § 84, pp. 168 sq.

2. Grâce à la filiation de toutes les modalités de la croyance à partir de la certitude, l'opposition limitée, étroite entre la certitude et sa forme neutre vaut *universellement* pour toute la série des modifications possibles (conjecture, doute, affirmation, négation, etc.).

3. C'est encore pour donner à la dualité de la conscience positionnelle et de la conscience neutralisée toute son extension que l'on se place une dernière fois au point de vue de l'acte (de la noèse) et non plus de l'objet (du noème), pour donner à cette notion d'acte son envergure extrême. A cet effet, on y inclut les formes non seulement les plus inattentives, mais les plus nais-

[236] l'intentionnalité explicite. Le concept du vécu intentionnel présuppose déjà en général l'opposition entre potentialité et actualité, prise naturellement dans sa signification générale ; en effet ce n'est qu'en passant au cogito explicite, et en *réfléchissant* sur le vécu non explicite et sur ses composantes noético-noématiques [1], que nous pouvons reconnaître qu'il recèle des intentionnalités, ou des noèmes, qui lui appartiennent en propre. C'est le cas par exemple pour la conscience de l'arrière-plan non observé mais observable ultérieurement, dans la perception, le souvenir, etc. Le vécu intentionel explicite est un « je pense » « opéré » (vollzogenes). Or ce même « je pense » peut aussi se transformer, à la faveur d'un déplacement de l'attention, en un « je pense » « non opéré ». Le vécu d'une perception opérée, d'un jugement, d'un sentiment, d'un vouloir « opérés », ne s'évanouit pas quand l'attention se tourne « exclusivement » vers un nouveau vécu; ce qui implique que le moi « vit » exclusivement dans un nouveau cogito. Le cogito antérieur « s'éteint », sombre dans « l'obscurité »; il conserve pourtant toujours une existence de vécu, quoique déjà modifiée. De même, des cogitationes montent à l'arrière-plan du vécu, tantôt sous la modification du souvenir ou de la neutralité, tantôt aussi sans modification. Par exemple une croyance, une croyance réelle, « s'amorce » (« regt » sich) ; nous croyons déjà « avant de le savoir ». On trouve de même, dans certaines circonstances, des positions de plaisir ou de déplaisir, des désirs, et même des décisions qui sont déjà vivantes avant que nous « vivions » « en » elles, avant que nous opérions le cogito proprement dit, avant que le moi « s'occupe » (betätigt sich) à juger, à prendre plaisir, à désirer, à vouloir.

Le cogito désigne donc en fait (et c'est ainsi que nous

santes ou évanouissantes, les plus *inchoatives*. En même temps ce paragraphe contribue indirectement à la théorie du *moi*, puisque c'est le *moi* qui vit et « opère » ses actes, § 80. Cf. MÉDITATIONS CARTÉSIENNES, pp. 38-40.

[236] 1. La réflexion, on l'a vu (§§ 77-9), révèle le vécu irréfléchi et inattentif, tel qu'il était avant l'attention réflexive.

avons introduit ce concept dès le début) l'acte *proprement dit* de percevoir, de juger, de prendre plaisir, etc. Mais par ailleurs, dans les cas décrits, la structure totale du vécu, y compris toutes ses thèses et tous ses caractères noématiques, demeure identique, lors même que cette actualité lui fait défaut. C'est dans cette mesure que nous distinguons plus nettement les *actes opérés* et les *actes non opérés;* ces derniers sont soit des actes « évanouissants » [m. à m. « qui ont dépassé le point d'opération »] (ausser Vollzug geratene), soit des *amorces d'actes* (Aktregungen). Nous pouvons aussi très bien appliquer ce dernier mot d'une façon générale aux actes non opérés. Ces amorces d'actes sont vécues avec toutes leurs intentionnalités, mais le moi n'y vit pas en tant que « *sujet opérant* ». Ainsi le concept d'acte s'élargit et prend un sens déterminé et absolument indispensable. Les actes opérés, et pour employer une expression meilleure à certains égards (pour souligner le fait qu'il s'agit de processus), les *opérations d'actes* constituent les « *prises de position* » au *sens le plus large du mot,* [237] tandis que le mot de prise de position, en son sens fort, renvoie à des actes fondés, du type de ceux que nous examinerons de plus près ultérieurement : par exemple les prises de position de la haine, qui partent de celui qui hait et vont à l'objet haï, celui-ci de son côté étant déjà constitué pour la conscience dans des noèses de degré inférieur en tant que personne ou que chose existantes; de même les prises de position de la négation ou de l'affirmation à l'égard des prétentions à l'être, se rattacheraient à ce même groupe, etc[1].

Il est clair désormais que les actes au sens le plus large portent en eux, au même titre que les cogitationes spécifiques, la distinction entre neutralité et positionalité; avant même de se transformer en cogitationes, ils ont déjà une action noématique et thétique, sauf que nous n'accédons à ces actions (Leistungen) que par le moyen des actes au sens plus étroit, par le moyen des cogitationes. Les positions et celles sur le mode du « quasi », sont déjà présentes réellement en elles, avec

---

[237] 1. Sur les prises de position au sens étroit, cf. p. 191 ; sur la prétention à l'être, cf. § 106 et début du § 110.

toutes les noèses auxquelles ces positions se rattachent : si l'on prend pour hypothèse le cas idéal où ces noèses, en même temps qu'elles se transforment en cogitationes, ne s'enrichissent pas également au point de vue intentionnel et ne changent pas à d'autres égards. En tout cas nous pouvons exclure ces altérations (et en particulier aussi les enrichissements et les remaniements intentionnels qui se produisent dans le flux du vécu aussitôt après la transformation).

Dans toutes nos explications placées sous le titre de neutralité nous avions donné le pas aux positions doxiques. La neutralité avait pour index la potentialité. Tout reposait sur ce fait que *tout caractère thétique d'acte pris en général* (toute « intention » d'acte, par exemple l'intention de plaisir, l'intention évaluante et volitive, le caractère spécifique de la position de plaisir, de volonté) *recèle en son essence un autre caractère appartenant au genre thèse doxique, qui « coïncide » à certains égards avec ce caractère thétique d'acte.* Selon que l'intention d'acte envisagée est non neutralisée ou neutralisée, la thèse doxique incluse en elle l'est aussi — à savoir la thèse qui était pensée ici en tant que *proto-thèse*[2].

Cette priorité donnée aux proto-thèses doxiques subira une limitation dans les analyses ultérieures. Il deviendra évident que la légalité éidétique que nous avons établie exige d'être déterminée plus exactement dans la mesure où ce sont d'abord et plus généralement les *modalités doxiques* (au sens spécifique qui englobe aussi l'admettre) et non les proto-thèses doxiques qui doivent jouer le rôle ou tenir la place de « thèses doxiques » incluses en toutes les thèses. Mais dans le cadre de cette priorité générale sur les autres modalités doxiques, la proto-thèse doxique, la certitude de croyance, a un privilège très particulier : ces modalités elles-mêmes peuvent se muer en thèses de croyance, si bien que, [238] à nouveau, toute neutralité a son index dans la potentialité doxique au sens tout à fait spécial qu'elle prend par référence à la proto-thèse. La manière dont le doxi-

2. Même sens que pp. 234, n. 1, 2, 235, n. 2.

que en général « coïncide » avec le thétique de toute sorte recevra par là sa détermination plus exacte (a).

Il nous faut maintenant donner une base plus large aux propositions qui viennent à l'instant d'être établies dans leur généralité la plus vaste (quoique avec quelques lacunes) ; on les a rendues évidentes seulement dans les sphères spéciales des actes. Nous n'avons pas encore expliqué à fond le parallélisme entre noèse et noème dans tous les domaines intentionnels. Ce thème capital de la section présente appelle de soi-même un élargissement de l'analyse. En opérant cet élargissement, nos observations générales concernant la modification de neutralité recevront en même temps confirmation et complément.

§ 116. — Passage a de nouvelles Analyses. Les Noèses fondées et leurs Corrélats noématiques [1].

Jusqu'à présent nous avons étudié une série de phénomènes généraux concernant la structure des noèses et des noèmes à l'intérieur d'un cadre vaste et pourtant très limité; il est vrai que l'étude n'a pas dépassé un niveau fort modeste et s'est bornée à ce qui était exigé par une nette délimitation de ces phénomènes et par notre intention directrice, à savoir de nous faire une idée générale et pourtant substantielle des groupes de problèmes impliqués par le couple universel de la noèse et du noème. En dépit des multiples complications introdui-

---

(a) Cf. en outre, ci-dessous, pp. 243 sq.

---

[238] 1. 4°) *Le parallélisme de la noèse et du noème se complique si l'on adjoint à la représentation simple :* a) *Les thèses affectives, volitives « fondées » sur la représentation,* §§ 116-7 ; b) *Les « synthèses » introduites par les opérations de mise en relation, d'explicitation, de disjonction, de colligation, etc.,* §§ 118-123. En même temps qu'on ajoute ainsi de nouveaux « caractères » au « noyau de sens » du noème, on poursuit l'analyse précédente de la *conscience positionnelle* et de son contraire, la conscience *neutralisée ;* en effet, les thèses « fondées » et les « synthèses » peuvent être considérées comme des extensions de la conscience « thétique ». Ainsi la notion de *position,* de *thèse,* ne cesse de s'universaliser à la faveur des nouvelles dimensions de caractérisation introduites.

tes, nos études portaient sur un simple soubassement du flux du vécu auquel appartiennent toujours des intentionnalités de structure encore relativement simple. Abstraction faite des dernières anticipations, nous avons privilégié les intentions sensibles, en particulier celles qui portent sur des réalités qui apparaissent, ainsi que les *représentations* sensibles qui en procèdent par obscurcissement et qui de toute évidence leur sont unies par une communauté de genre [2]. L'expression même de représentation désignait en même temps ce genre commun. Par là même d'ailleurs nous prenions en même temps en considération tous les phénomènes qui en dépendent essentiellement, par exemple les intuitions et les représentations réflexives en général, dont les objets ne sont plus des choses sensibles ([b]). La portée univer-[239] selle de nos conclusions, suggérée par la façon même dont nous avons conduit l'étude et dont nous avons souligné le caractère accessoire de toutes les analyses susceptibles de se rattacher à ce domaine liminaire, apparaît irrécusable, dès que nous élargissons le cadre de la recherche. Nous voyons alors revenir toutes les différences entre un noyau central de sens (lequel il est vrai appelle sérieusement une analyse ultérieure) et les caractères thétiques qui se groupent autour de ce noyau; on retrouve de même toutes les modifications, comme celles de la présentification, de l'attention, de la neutralisation, qui affectent le noyau de sens lui-même selon leurs manières propres, sans toutefois altérer son élément « identique ».

Nous pouvons maintenant poursuivre l'analyse selon *deux* directions différentes, conduisant l'une et l'autre à des intentionnalités fondées dans des représentations : dans la première direction nous trouvons les *synthèses* noétiques ; dans la seconde nous nous élevons à des

(*b*) La délimitation rigoureuse et essentielle du *concept* le plus vaste de *représentation,* tel qu'il procède des sphères considérées, constitue naturellement une tâche importante pour la recherche phénoménologique systématique. Pour toutes ces questions, je renvoie aux publications que j'ai en perspective ; les observations brièvement indiquées dans les études présentes sont empruntées au contenu théorique de ces futures publications.

2. Ce qu'on a appelé les *présentifications,* §§ 99-100.

types de « positions » d'une espèce nouvelle mais *fondée.*

Adoptons la seconde direction : nous tombons sur les *noèses de sentiment*, de *désir*, de *vouloir* (ce sont d'abord les noèses les plus simples possible, c'est-à-dire libres de synthèses de niveau inférieur ou supérieur); elles sont fondées sur des « représentations », des perceptions, des souvenirs, des représentations-signes, etc., et présentent dans leur structure des différences manifestes de stratification. Pour l'ensemble de ces actes nous donnons partout désormais la priorité aux formes positionnelles (ce qui ne doit pas exclure que les infrastructures puissent elles-mêmes être neutres) : en effet ce qu'on peut en dire se transpose, sous réserve de modifications convenables, dans les formes neutralisées correspondantes. Par exemple un plaisir esthétique se fonde dans une conscience neutralisée de statut perceptif ou reproductif; une joie ou une tristesse, dans une croyance ou dans une modalité de croyance (non-neutralisées); de même pour le vouloir ou le contre-vouloir, la croyance se rapportant alors à une chose évaluée en tant qu'agréable, belle, etc.; et ainsi de suite.

Ce qui nous intéresse ici, avant d'aborder les différentes espèces de structure, c'est que les nouveaux moments noétiques entraînent aussi de *nouveaux moments noématiques* dans les corrélats. Ce sont pour une part de nouveaux caractères, *analogues* sans doute aux *modes de croyance*, mais qui, en même temps, possèdent par *eux-mêmes* dans leur nouveau statut une capacité nouvelle d'être posée de façon doxologique[1]; d'autre part, à ce moment de type nouveau, se joignent également des *« appréhensions »* d'une *nouvelle espèce ;* un *nouveau sens* se constitue *qui est fondé* dans celui d'une noèse sous-jacente, en même temps qu'il l'englobe. Le nouveau sens introduit une *dimension de sens totalement nouvelle;* avec lui se constituent non plus de nou-

[239] 1. Husserl poursuit deux idées à la fois : montrer l'adjonction de nouveaux « caractères » au noyau de sens (l'agréable, le valable, etc.) ; montrer l'extension des propriétés doxiques des représentations simples aux nouveaux aspects du noème. C'est précisément le propre d'une thèse *fondée* d'ajouter du nouveau et d'*élargir* à la superstructure l'analyse de l'infrastructure.

veaux éléments déterminants de la « *chose* » brute
[240] (Sache), mais les *valeurs des choses,* les qualités de valeur (Wertheiten), ou les objectivités concrètes qui portent les valeurs : beauté et laideur, bonté et méchanceté; l'objet usuel, l'œuvre d'art, la machine, le livre, l'action, l'œuvre, etc. [1].

D'ailleurs chaque vécu complet de degré supérieur présente également dans son corrélat complet une structure semblable à celle que nous avons discernée dans les degrés inférieurs de noèses. *Dans le noème du degré supérieur, l'évalué en tant que tel est un noyau de sens, entouré de nouveaux caractères thétiques.* Le « valable », « l'agréable », le « réjouissant », ont une fonction semblable au « possible », au « conjecturé », voire même au « nul » ou au « oui réellement » — quoiqu'il serait absurde de les placer dans ces séries de caractères.

Dès lors, la conscience est une fois de plus à l'égard de ce nouveau caractère une conscience *positionnelle :* le « valable » peut être posé sur le plan doxique comme étant valable. L'« étant », qui s'attache au « valable » comme *sa* caractérisation, peut en outre être pensé sous forme *modalisée,* au même titre que tout « étant » ou que tout « certain » : la conscience est alors conscience d'une *valeur possible,* la « chose » est seulement supputée comme valable; ou encore on en a conscience comme *valable à titre de conjecture,* comme *non-valable* (ce qui n'a pas le même sens que « sans valeur », que mauvais, laid, etc.; simplement le biffage du « valable » est exprimé dans le non-valable). Toutes ces modifications affectent la conscience de valeur, les noèses d'évaluation, non pas seulement du dehors, mais du dedans, ainsi que corrélativement les noèmes. (*cf.* p. 243.)

En outre il se produit une multitude d'altérations profondes sous la forme des modifications attentionnelles; en effet les possibilités éidétiques se sont multipliées : le regard de l'attention *traversant* les différentes couches intentionelles peut se poser sur la « chose » (Sache) et sur ses moments de chose — cette première possibilité entraîne un système solidaire de modifications

[240] 1. Cf. pp. 66 et 198.

que nous connaissons déjà en tant que degré inférieur; — mais ensuite le regard peut se poser sur les valeurs, sur les déterminations constituées de degré supérieur, en traversant les appréhensions qui les constituent; il peut encore se poser sur les noèmes en tant que tels, sur leurs caractères, ou, selon l'autre direction de la réflexion, sur les noèses — tous ces mouvements du regard peuvent se produire selon les divers modes spécifiques du faire attention, du remarquer accessoirement, du ne pas remarquer, etc.

Il faut procéder à des études excessivement difficiles pour voir avec une parfaite clarté quels rapports par exemple les « appréhensions de valeur » entretiennent avec les appréhensions de chose, ou les nouvelles ca-[241] ractérisations noématiques (bon, beau, etc.), avec les modalités de croyance, comment elles s'ordonnent de façon systématique en séries et classes, et ainsi pour toutes les questions semblables[1].

§ 117. — Les Thèses fondées; Conclusion de la Doctrine de la Modification neutralisante. Le Concept général de Thèse.

Examinons maintenant les rapports de ces nouvelles couches noétiques et noématiques de la conscience avec la neutralisation. Nous apportons cette modification à la positionalité doxique. Dans les couches que nous mettons maintenant en relief, celle-ci joue en fait, comme on s'en persuade aisément, le rôle que nous lui avions attribué par avance dans la sphère la plus vaste des actes et que nous avions spécialement discutée dans celle des modalités du jugement. Dans la conscience de conjecture « réside », inclus de façon positionnelle, le « conjecturé », le « vraisemblable » ; de même aussi dans la conscience de prendre plaisir, l'« agréable », dans la conscience de la joie, le « réjouissant » etc. Ces caractères y sont inclus; autrement dit, ils sont susceptibles de position doxique et par conséquent ils sont

[241] 1. Ce sont les deux lignes de l'analyse dont nous avons signalé plus haut l'interférence, p. 239, n. 1.

prédicables. Dès lors toute conscience affective envisagée avec ses noèses affectives fondées, de type nouveau, tombe sous le concept de conscience positionnelle, tel que nous l'avons élaboré par rapport aux positionalités doxiques et finalement aux certitudes positionnelles [2].

Toutefois un examen plus serré nous contraindra à dire que, en rapportant la modification de neutralité à la positionalité doxique, aussi importantes que soient les évidences sur lesquelles repose cette relation, nous avons pourtant dans une certaine mesure pris un détour.

Commençons par comprendre clairement que les actes de plaisir (qu'ils soient ou non « opérés » [3]), et également les actes affectifs et volitifs de toute espèce sont précisément des « actes », des « vécus intentionnels », et qu'à ce trait se rattache en chaque cas « l'intentio », la « prise de position »; en d'autres termes, on peut dire en un sens très vaste, mais non dénué d'unité essentielle, que ce sont des « *positions* », mais précisément des positions doxiques. En passant nous avons dit plus haut de façon tout à fait correcte que les caractères d'acte en général sont des « *thèses* » — des thèses au sens élargi du mot ou seulement en un sens particulier des thèses de croyance ou des modalités de ces thèses. L'analogie essentielle entre les noèses spécifiques du plaisir et les positions de croyance est manifeste; de même celle des noèses de souhait, des noèses de volonté, etc. Egalement dans l'évaluer, le souhaiter, le vouloir, quelque chose est « posé », abstraction faite de la positionalité doxique qui « réside » dans ces noèses. C'est même ici la source de tout parallélisme qu'on peut instituer entre les différents types de conscience, et de toutes les classifications de ces types : ce qu'on classe, ce sont proprement les types de position.

---

2. Le but de ce paragraphe est de montrer que l'agréable, le valable contiennent implicitement une *certitude,* une *position* certaine qu'on peut en extraire, comme on a appris à le faire pour les modalités de la croyance dans les représentations simples. Et ainsi la notion de *thèse* prend une extension encore accrue qui déborde désormais largement le cadre des croyances existentielles et englobe celui des croyances pratiques et affectives.

3. Au sens du § 115.

[242] Tout vécu intentionnel implique en son essence — quoi qu'on puisse trouver par ailleurs dans sa composition concrète — la possession d'au moins un, en règle de plusieurs « caractères positionnels », de plusieurs « thèses » liées de façon hiérarchique; dans cette pluralité il en est une nécessairement qui est si l'on peut dire *archontique* (archontische), unifiant toutes les autres en elle-même et les dominant.

L'unité générique suprême qui lie tous ces « caractères d'acte » spécifiques, tous ces caractères de « position », n'exclut pas des différences essentielles et d'ordre générique. Ainsi les positions affectives sont apparentées aux positions doxiques en tant que positions, sans toutefois être aussi solidaires les unes des autres que toutes les modalités de croyance.

En même temps que la communauté éidétique d'ordre générique qui existe entre tous les caractères de position, est donnée *ipso facto* celle de leurs corrélats positionnels noématiques (des « caractères thétiques au sens noématique ») et également, si nous prenons ces derniers avec leur soubassement noématique plus large, la communauté d'essence de toutes les « propositions » (Sätze)[1]. C'est ici que se fondent en dernier ressort les analogies qu'on a toujours senties entre la logique générale, la théorie générale des valeurs et l'éthique, lesquelles, poussées dans leur dernier requisits, conduisent à la constitution de disciplines générales parallèles *d'ordre formel,* logique formelle, axiologie formelle et théorie formelle de la pratique (Praktik) (a).

Nous sommes ainsi ramenés au titre *généralisé* de « *thèse* », auquel nous rapportons la proposition suivante :

Toute conscience est « thétique », à titre soit actuel soit potentiel[2]. Le concept antérieur de « *position ac-*

(a) Sur ce point cf. ci-dessous, section IV, chap. III.

[242] 1. Le rapprochement entre *Satz* et *setzen*, — proposition et poser — sera justifié plus loin : la proposition est l'énoncé qui exprime une thèse de croyance, pp. 250 sq. ; le sens en est élargi de manière à englober toutes les positions : pratiques, affectives, existentielles.

2. Cette proposition reprend celles du § 114, mais en dissociant thétique et doxique. L'opposition générale de la positionalité et

tuelle », et avec lui celui de *positionalité*, reçoit de ce fait une extension correspondante. D'où il suit que notre doctrine concernant la neutralisation et sa relation à la positionalité se communique au concept élargi de thèse. Par conséquent la conscience thétique en général, qu'elle soit ou non opérée, comporte la modification générale que nous nommons neutralisante; elle la comporte *directement* de la façon suivante : d'un côté nous avons caractérisé ainsi les thèses positionnelles : ou bien elles sont des thèses actuelles, ou bien elles peuvent se changer en thèses actuelles; elles ont par conséquent des noèmes qu'on peut « réellement » poser — poser de façon actuelle au sens élargi du mot. A l'opposé nous avons des thèses non proprement dites, les « quasi » thèses, reflets inertes, inaptes à assumer en eux-mêmes quelque opération actuellement thétique concernant leurs noèmes qui précisément sont neutralisés. La [243] différence entre neutralité et positionalité est une différence parallèle, à la fois noétique et noématique; elle concerne directement, comme on s'en rend compte ici, toutes les sortes de caractères thétiques; il n'est pas nécessaire de faire le détour par les « positions », au sens étroit et seul usuel du mot, au sens de proto-positions doxiques — bien que ce soit seulement à l'occasion de ces dernières qu'on puisse justifier cette différence.

Cela implique toutefois que la priorité accordée à ces positions doxiques spéciales a un fondement profond dans la nature des choses. Comme il ressort de nos analyses, les modalités doxiques, et parmi elles plus particulièrement la proto-thèse doxique, celle de la certitude de croyance, ont cet avantage incomparable que leur potentialité positionnelle couvre toute la sphère de la conscience. Une loi éidétique veut que toute thèse, à quelque genre qu'elle appartienne, puisse être convertie

---

de la neutralité restait encore limitée aux représentations de *chose*, à l'exclusion des caractères affectifs et pratiques, bref a la croyance existentielle, appelée ici position doxique. Cette catégorie limitée de positions est ce qu'on appelle ordinairement position, croyance, surtout si elle a la forme-mère de la certitude et si en outre elle est formée avec attention, actualité. Sous cette dernière forme la croyance attentive s'appelle techniquement position proto-doxique actuelle.

en une position doxique actuelle, grâce aux caractérisations doxiques qui appartiennent inséparablement à son essence[1]. Un acte positionnel pose; mais, quelle que soit la « qualité »[2] de cette position, il pose aussi de façon doxique; quelle que soit la propriété posée par son intermédiaire sous d'autres modes, elle est aussi posée comme étant; seulement elle n'est pas posée actuellement. Mais l'actualité peut par essence être produite, sous forme d'une « opération » qui reste possible par principe. Toute « proposition », par exemple toute proposition de souhait, peut par conséquent être convertie en une proposition doxique; elle réalise alors d'une certaine manière deux choses en une; à la fois une proposition doxique et une proposition de souhait.

Dans ce cas il est conforme aux lois éidétiques, comme nous l'avions déjà indiqué plus haut, que *la priorité du doxique concerne proprement d'une façon générale les modalités doxiques.* En effet tout vécu affectif, toute évaluation, tout souhait, tout vouloir, est *en soi* caractérisé comme être certain ou comme être supputé ou comme évaluation, souhait, vouloir qui conjecturent, doutent [a]. Dans ce cas quand nous ne nous occupons pas des modalités doxiques de position, la valeur par exemple n'est précisément pas posée de façon actuelle dans son caractère doxique. On a conscience de la valeur dans l'évaluer, de l'agréable dans le prendre plaisir, du réjouissant dans le se-réjouir, mais de telle sorte parfois que dans l'évaluer nous ne sommes pas tout à fait « sûrs »; ou bien la chose est supputée seulement comme valable, comme peut-être valable, cependant que dans l'évaluation nous ne prenons pas encore parti pour elle. Tant que nous vivons au sein de ces modifications de la conscience en train d'évaluer, nous n'avons pas besoin de nous occuper de l'aspect doxique. Mais nous pouvons y venir quand par exemple nous vivons dans la thèse de supputation et que nous passons ensuite à la

(*a*) Cf. ci-dessus, p. 240.

[243] 1. C'est la loi qui a été énoncée *supra*, §§ 113-4.

2. Les ETUDES LOGIQUES appelaient « qualité » la modalité de croyance, par opposé à la « matière » appelée ici « sens » ou « noyau de sens ».

[244] thèse correspondante de croyance; celle-ci, saisie de façon prédicative, prend maintenant la forme suivante : « la chose devrait être valable », ou bien, en se tournant vers la face noétique et vers le moi en train d'évaluer : « elle se laisse supputer à mes yeux comme valable (peut-être valable) ». De même pour d'autres modalités.

En tout caractère thétique se dissimulent de cette façon des modalités doxiques[1], et si le mode est celui de la certitude, ce sont des proto-thèses doxiques, *coïncidant* avec les caractères thétiques quant au sens noématique. Et comme la règle vaut également pour les dérivés doxiques, en tout acte résident aussi des *proto-thèses* doxiques (mais cette fois sans coïncidence noématique).

Par conséquent nous pouvons encore dire ceci : *tout acte, ou tout corrélat d'acte, enveloppe en soi un facteur « logique », implicite ou explicite.* Un acte peut toujours être explicité logiquement, en vertu de la généralité éidétique selon laquelle la couche noétique de « l'exprimer » peut être soudée à tout ce qui est noétique (ou la couche de l'expression à tout ce qui est noématique). Il est alors évident que, quand on passe à la modification de neutralité, l'acte d'expression et ce qu'il exprime sont en tant que tels également neutralisés[2].

Il ressort de toutes ces considérations *que tous les actes en général — y compris les actes affectifs et volitifs — sont des actes « objectivants »* (Objektivierende), *qui « constituent » originellement des objets* (Gegen

---

[244] 1. Cette proposition fait le pont entre celle du § 114 : tout cogito est *doxique* ou neutre et celle que l'on vient de voir : toute conscience est *thétique* à titre actuel ou potentiel. En effet, il est possible d'extraire une modalité *doxique* (certitude, doute, etc.) de toute « thèse » : thèse de souhait, de commandement, de désir, etc. En un sens large l'élément « doxique » implicite est l'aspect « logique » de toute conscience affective ou pratique. En ce sens il y a bien un intellectualisme husserlien, mais il reste que la couche affective et pratique d'où l'on tire le « logique » par conversion est originale. Par là Husserl ouvre la voie à une phénoménologie également originale des valeurs, des biens, des utilités, de l'esthétique, de l'action, etc.

2. Sur cette couche du « Logos », cf. *infra*, § 124. Une visée affective ne reçoit une « expression logique » que par objectivation, c'est-à-dire par transposition doxique sur le plan de « l'étant ».

stände)[3]; ils sont la source nécessaire de régions d'être différentes et donc aussi des ontologies différentes qui s'y rapportent. Par exemple, la conscience qui évalue constitue un type nouveau d'objectivité : l'objectivité « axiologique », par opposé au simple monde des choses (Sachenwelt) ; c'est un « étant » relatif à une nouvelle région, dans la mesure précisément où l'essence de la conscience qui évalue prescrit des thèses doxiques actuelles à titre de possibilités idéales; ces thèses mettent en relief des objectivités dotées d'un statut nouveau — les valeurs — qui sont « visées » au sein de la conscience qui évalue. Dans les actes affectifs ces valeurs sont visées de façon affective et il suffit d'actualiser le statut doxique de ces actes pour qu'elles soient désignées doxiquement et ultérieurement qu'elles reçoivent une expression logique.

De cette façon toute conscience d'acte opérée de façon doxique est objectivante *en puissance ;* seul le *cogito doxique opère en acte l'objectivation.*

Nous atteignons ici la source la plus profonde d'où l'on puisse tirer quelque éclaircissement sur *l'universalité de l'ordre logique* et finalement sur celle du jugement prédicatif (ici nous mettons en cause la couche de l'expression significative qui n'a pas encore été traitée [245] en détail); c'est à partir de là que l'on comprend également l'ultime fondement du règne universel de la logique. On conçoit aussi, à titre de conséquence ultérieure, qu'il soit possible et même nécessaire d'édifier des disciplines formelles et matérielles, d'ordre noétique ou noématique, et des disciplines ontologiques qui portent essentiellement sur l'intentionnalité affective et volitive. Nous reprendrons ce thème ultérieurement, quand nous nous serons assurés de quelques connaissances complémentaires ([a]).

(*a*) Pour plus de détails cf. ci-dessous le chapitre de conclusion de la IVe section, pp. 303 sq.

---

3. Sur *Gegenstand* et *Objekt* dans le cadre de l'analyse noématique, cf. p. 189, n. 1.

§ 118. — SYNTHÈSES DE CONSCIENCE. FORMES SYNTACTIQUES [1].

Tournons maintenant notre attention dans la deuxième des directions indiquées ci-dessus ([b]), et considérons les formes de la conscience *synthétique :* nous voyons apparaître de multiples modes de formation de vécus par le moyen d'une liaison intentionnelle; ces modes, en tant que possibilités éidétiques, appartiennent pour une part à tous les vécus intentionnels, pour une part aux propriétés distinctives de certains genres particuliers. Une conscience ne se lie pas seulement de manière générale à une conscience; elles s'unissent en *une seule* conscience, qui a pour corrélat un *unique* noème, fondé de son côté dans les noèmes des noèses unies entre elles.

Ce n'est pas *l'unité de la conscience immanente du temps* que nous avons envisagée dans ces lignes; néanmoins on doit l'évoquer aussi; elle est en effet l'unité qui embrasse tous les vécus d'un flux de vécu, et une unité qui relie une conscience avec une conscience. Si on prend un vécu isolé, il se constitue comme une unité déployée dans le temps phénoménologique, au sein de la conscience « originelle » continue du temps. En prenant une attitude réflexive convenable, nous pouvons observer les modes sous lesquels les intervalles de vécus appartenant aux différents segments de la durée vécue se donnent à la conscience, et dire alors que la conscience totale qui constitue cette unité de durée se com-

(*b*) Cf. p. 239.

[245] 1. *b*) *Après l'étude des « thèses » fondées vient celle des « synthèses »*, §§ 118-124. On délimite d'abord le type de synthèse articulée qui sera examinée, § 118 ; on montre que la pluralité de « rayons » de pensée engagée dans une synthèse peut être traitée comme une visée simple, § 119 ; on peut ainsi étendre aux synthèses la description noético-noématique des thèses simples, § 120 ; en particulier, les synthèses embrassent le Cogito affectif et pratique aussi bien que le Cogito théorique, — l'amour aussi bien que la représentation, bien qu'une synthèse affective ne puisse « s'exprimer » qu'en s'objectivant dans une synthèse doxique, § 121 ; le moi qui opère les synthèses s'y révèle, mieux que dans les thèses, comme un Fiat créateur, §§ 122-3.

pose de façon continue de segments, au sein desquels les segments vécus de la durée se constituent; ainsi on peut dire aussi que les noèses non seulement se tiennent, mais constituent *une seule* noèse avec *un unique* noème (la durée remplie du vécu), ce noème étant fondé dans les noèmes des noèses reliées. Ce qui est vrai d'un vécu isolé l'est de tout le flux du vécu. Les vécus peuvent être aussi étrangers qu'on veut l'un à l'autre dans leur essence, ils se constituent dans leur ensemble en *un unique* flux temporel, en tant que membre d'un *unique* temps phénoménologique.

[246] Cependant cette proto-synthèse de la conscience originelle du temps (où l'on ne peut voir une synthèse active et discrète) a été expressément éliminée ainsi que la problématique qui s'y rattache[1]. Notre intention est donc maintenant de parler de synthèses qui prennent place non dans le cadre de cette *conscience* du temps, mais dans le cadre du *temps lui-même*, du temps phénoménologique concrètement rempli; ou ce qui revient au même nous allons traiter de synthèses de vécus purs et simples, en entendant par vécus, comme nous l'avons toujours fait jusqu'à présent, des unités durables, des processus qui s'écoulent dans le flux du vécu, lequel n'est lui-même que le temps phénoménologique rempli. D'autre part nous n'abordons pas non plus les *synthèses continues* d'ailleurs fort importantes, comme celles qui se rattachent essentiellement à toute conscience constitutive de la chose spatiale. Nous trouverons plus tard une occasion suffisante pour étudier de plus près ces synthèses[2]. Notre intérêt est plutôt attiré par les *synthèses articulées;* nous chercherons donc de quelle façon originale des actes discrets, discontinus, se combinent en une unité articulée, celle d'un acte synthé-

[246] 1. Ce premier sens du mot synthèse qu'on écarte, cette *Ursynthese*, renvoie à l'*Urkonstitution*, à la constitution du moi transcendantal dans la temporalité. Cf. p. 163, n. 1, 3. MÉDITATIONS CARTÉSIENNES, pp. 33-8, 46-8.

2. Ce deuxième sens du mot synthèse qu'on écarte à son tour, la synthèse de la chose spatiale, a été évoqué souvent à propos de la perception ; une grande partie de IDEEN II lui est consacrée : ici la synthèse est au niveau même du divers « d'esquisses » qu'elle unifie.

tique de niveau supérieur. Quand nous parlons de synthèse continue nous ne désignons pas « un acte d'ordre supérieur » (a); l'unité appartient plutôt (au point de vue noétique aussi bien que noématique et objectif) au même degré que ce qui est unifié. Il est d'ailleurs aisé de voir qu'une bonne part des analyses générales que nous développerons par la suite concerne de la même façon les synthèses continues et les synthèses articulées ou *polythétiques*.

Nous trouvons des exemples d'actes synthétiques de degré supérieur dans la sphère volitive : ainsi le *vouloir relationnel* (beziehende) « en raison de quelque chose d'autre », de même dans le cercle des actes *affectifs*, le *plaisir relationnel :* quand on se réjouit « *par référence à...* » (mit Rücksicht auf) ou, comme on peut dire encore « en raison de quelque chose d'autre ». On pourrait en dire autant de tous les événements d'actes semblables appartenant aux différents genres d'actes. Tous les *actes de préférence* rentrent manifestement dans ce groupe.

Nous allons soumettre à un examen plus serré un autre groupe de synthèses qui a d'une certaine manière une portée universelle. Il embrasse les synthèses de *colligation* (de rassemblement), de *disjonction* (qui porte sur le « ceci ou cela »), *d'explicitation*, de *relation*, bref toute la série de synthèses qui déterminent les formes de l'ontologie formelle en fonction des formes pures des objectivités synthétiques qui s'y constituent[3]. Si d'autre part on se place au point de vue de la structure [247] des édifices noématiques, ces synthèses se reflètent dans les *formes* apophantiques de *signification* de la *logique*

(a) Cf. PHILOSOPHIE D. ARITHMETIK, p. 80 et *passim*.

3. Sur l'ontologie formelle, cf. p. 18, n. 1, p. 20, n. 5. Les catégories de l'objectivité en général sont l'objet, l'unité, la multiplicité, la relation, etc. On voit que toutes, sauf la première, se constituent dans des actes synthétiques : de colligation, de disjonction, de relation, etc. La première tâche de la logique (PROLÉGOMÈNES A LA LOGIQUE PURE, § 67) est de déterminer les formes élémentaires de liaison. La logique apophantique les élabore au niveau des « expressions » : c'est le premier degré de cette ontologie formelle, cf. p. 22, n. 2.

formelle (de la logique des propositions orientées exclusivement vers les noèmes).

La relation à l'ontologie *formelle* et à la logique nous avertit déjà qu'il s'agit d'un groupe de synthèses bien délimité quant à son essence, mais dont le champ possible d'application présente une universalité inconditionnée par rapport aux types de vécus susceptibles d'être combinés, ces vécus de leur côté pouvant donc être à leur tour des unités noétiques aussi complexes que l'on voudra.

§ 119. — Conversion des Actes polythétiques en Actes monothétiques.

D'abord *tous* les types de synthèses articulées, d'actes polythétiques, appellent les observations suivantes :

Quel que soit le nombre des thèses et synthèses particulières incorporées à une conscience formant une unité synthétique, celle-ci possède un objet total qui lui appartient en tant que conscience formant une unité synthétique. Cet objet est appelé total par opposition aux objets qui appartiennent à titre intentionnel aux membres de degré inférieur ou supérieur de la synthèse, dans la mesure où tous jouent un rôle fondateur dans cette synthèse et s'y incorporent. Chaque noèse originale et bien délimitée, même si elle forme une couche non autonome, apporte sa contribution à la constitution de l'objet total; par exemple le moment d'évaluation, qui est un moment dépendant, puisqu'il est nécessairement fondé dans une conscience de chose, constitue la couche objective de la valeur, celle de la « qualité de valeur ». Ces couches nouvelles sont également les couches proprement synthétiques des synthèses les plus universelles de la conscience décrites plus haut; bref ce sont toutes les formes spécialement issues de la conscience synthétique comme telle, donc les formes de combinaison et les formes synthétiques qui adhèrent aux membres eux-mêmes (dans la mesure où ceux-ci sont inclus dans la synthèse).

Dans la conscience synthétique, disions-nous, se constitue un objet synthétique total. Mais il y est « objectif » (gegenständlich) en un tout autre sens que celui qui est considéré dans une thèse simple. La conscience synthétique, ou plutôt le moi pur « dans » cette conscience, se dirige sur l'objet *par plusieurs rayons* (vielstrahlig), la conscience thétique simple, par *un seul* rayon. Ainsi l'opération synthétique de colligation est une conscience « plurale » ; elle procède au rassemblement unité par unité : un et un et un. De même dans une conscience relationnelle primitive la relation se constitue dans un acte double de position. De même dans tous les autres cas.

[248] Partons donc de cette constitution polythétique, à plusieurs rayons, des objets synthétiques — par essence ces objectivités ne peuvent accéder « *originellement* » à la conscience que de façon synthétique — : à cette constitution appartient en vertu d'une loi éidétique la possibilité *de tranformer cet objet de conscience atteint par une pluralité de rayons en un objet de conscience atteint dans un unique rayon et « d'objectiver »* (gegenständlich zu machen), l'objet constitué synthétiquement dans un acte *« monothétique » au sens spécifique du mot.*

Ainsi la collection constituée par synthèse devient objective au sens exprès : elle devient l'objet d'une thèse doxique simple, si on relie après coup une thèse simple à la collection qui vient de se constituer à titre originel, donc si on réalise la liaison noétique spéciale d'une thèse à la synthèse. En d'autres termes *la conscience « plurale » peut par essence se transformer en une conscience « singulière »* (singulares) qui, de la première, fait dériver la pluralité comme un *unique* objet, comme quelque chose de simple; la pluralité peut à son tour être liée à d'autres pluralités, et d'autres objets mis en relation avec elles, etc.

La situation est manifestement la même pour la conscience *disjonctive,* dont la structure est tout à fait analogue à celle de la conscience de colligation, et pour ses corrélats ontiques ou noématiques. De même, à partir de la conscience *relationnelle,* on peut transposer la *relation,* dont la constitution originelle est synthétique, en une thèse simple qu'on rattache à la synthèse ; on peut la transformer en un objet au sens exprès, la comparer en tant que telle à d'autres relations et de façon générale l'employer comme sujet de prédicat.

Mais dans ce cas il faut saisir avec une parfaite évidence que le produit simple de l'objectivation et l'unité synthétique primitive sont en réalité une seule et même chose, et que la thèse qui succède ou l'opération qui l'extrait n'ajoutent rien d'arbitraire à la conscience synthétique, mais saisissent ce que celle-ci donne. Bien entendu il est également évident que le mode de donnée diffère essentiellement.

En logique, le droit de procéder à cette opération s'exprime dans la *loi de « nominalisation »*, selon laquelle à chaque proposition et à chaque forme partielle susceptible d'être distinguée dans la proposition correspond un élément nominal : à la proposition elle-même, disons « S est p », correspond *la proposition nominale quod* (der nominale Dassatz); par exemple à la place du sujet de nouvelles propositions, on pourra mettre le être-P. qui correspond au « est p »[1]; à la forme relationnelle « semblable » correspond la *similitude*, à la forme du pluriel, la *pluralité* [a].

[249] Les concepts issus de la « nominalisation », à supposer qu'ils soient exclusivement déterminés par les formes pures, constituent les *dérivés formels-catégoriaux de l'idée d'objectivité en général*, et fournissent le matériel conceptuel fondamental de l'ontologie formelle, en y incluant toutes les disciplines de la mathématique formelle[1]. Cette proposition est d'une importance décisive pour l'intelligence des rapports entre la logique formelle, entendue comme logique de l'apophansis, et l'ontologie formelle universelle.

(*a*) Cf. les premières tentatives dans cette direction dans les ETUDES LOGIQUES, II, *Ve Etude*, §§ 34 à 36, en outre le § 49 de la *VIe Etude* et de façon générale, pour la doctrine de la synthèse, la deuxième section de cette *Etude*.

---

[248] 1. Exemple : S est p ; l'herbe est verte. Nominalisation : l'être-P ; le vert-de-l'herbe est reposant.

[249] 1. Cf. p. 18, n. 1, p. 20, n. 5. La mathématique formelle (arithmétique pure, analyse pure, théorie de la multiplicité) fait partie de l'ontologie formelle à côté des dérivés de l'objectivité en général (relation, ordre, disjonction, etc.) ; or toutes ces catégories sont issues de la « nominalisation » des objets complexes d'opérations synthétiques : compter, colliger, disjoindre.

§ 120. — Positionalité et neutralité dans la sphère des synthèses [2].

Toutes les synthèses proprement dites — et c'est elles que nous avions eues constamment en vue — s'édifient sur des thèses simples, en prenant le mot dans le sens général que nous avons fixé plus haut et qui embrasse toutes les « intentions », tous les « caractères d'acte » ; et elles-mêmes sont des thèses, des thèses de degré supérieur ([a]). Tout ce que nous avons établi à propos de l'actualité et de l'inactualité, de la neutralité et de la positionalité, s'applique donc aux synthèses : cela se passe de développement.

Une étude plus précise serait par contre nécessaire pour établir sous quels modes différents la positionalité et la neutralité des thèses fondatrices se rapportent à celle des thèses fondées.

D'une façon générale, et si on ne se borne pas aux actes fondés tout à fait spéciaux que nous nommons synthèses, il est clair qu'on ne peut pas dire purement et simplement qu'une thèse positionnelle de degré supérieur présuppose uniquement des thèses positionnelles aux degrés inférieurs. Ainsi une intuition actuelle des essences est bien un acte positionnel et non neutralisé, fondé sur quelque conscience intuitive qui l'illustre ; mais celle-ci de son côté peut très bien être une conscience neutre, imageante. Cela est vrai également du plaisir esthétique par rapport à l'objet qui apparaît et qui plaît, et également de la conscience positionnelle qui dépeint un objet par portrait, par rapport au « portrait » qui dépeint cet objet [3].

(a) D'ailleurs le concept de synthèse présente une dualité de signification qui a peu d'inconvénient ; tantôt il désigne l'ensemble du phénomène synthétique, tantôt simplement le « caractère d'acte » d'ordre synthétique, la thèse la plus élevée du phénomène.

---

2. L'extension aux synthèses des notions de positionalité et de neutralité est l'enjeu de toute cette étude. Mais cette extension est soumise à des conditions précises.

3. C'est ce qu'on a établi *supra*, p. 225 pour l'objet-portrait et p. 239 pour le support perceptif du plaisir esthétique.

Si maintenant nous envisageons le groupe de synthèses qui nous intéresse, nous reconnaissons aussitôt que *dans ce groupe chaque synthèse dépend quant à son caractère positionnel de celui des thèses qui servent de fondement;* plus exactement elle est et ne peut être [250] que positionnelle si les thèses subordonnées sont positionnelles en totalité, et neutres si elles ne le sont pas. Colliger par exemple est soit colliger en réalité, soit colliger sur le mode du « quasi » ; l'opération est thétique de façon réelle ou neutralisée. Dans un cas, les actes qui se rapportent aux membres respectifs de la collection sont en totalité des thèses réelles, dans l'autre non. Il en est de même de toutes les autres synthèses appartenant à la classe qui se reflète dans les syntaxes logiques. La simple neutralité ne peut jamais jouer le rôle des synthèses positionnelles, elle doit au moins se transformer en « supposition » (Ansatz), par exemple dans des propositions antécédentes ou conséquentes d'un raisonnement hypothétique, ou bien dans des dénominations supposées (angesetzte) par hypothèse, comme quand on dit « le Pseudo-Denys », ou dans d'autres tournures similaires.

§ 121. — Les Syntaxes Doxiques dans la Sphère Affective et Volitive [1].

Si maintenant on se demande comment les synthèses de ce groupe arrivent à s'exprimer dans les diverses formes syntactiques que revêtent les propositions énonciatives (Aussagesätze) et que développe systématiquement la morphologie logique des propositions la réponse

[250] 1. Ce paragraphe reprend le rapport des vécus pratiques ou affectifs avec les vécus proprement doxiques (cf. §§ 116-17), mais au niveau des thèses et des synthèses. On se sert des « expressions » (qu'on étudiera à partir du § 124) pour mettre en lumière que les opérations synthétiques peuvent être appliquées à des synthèses pratiques et affectives : la « syntaxe » du « et », du « ou » etc. convient aussi bien à l'amour, à l'évaluation qu'à la représentation. Les « syntaxes » ne sont donc pas de droit doxiques. Cette conclusion s'accorde avec ce que nous savons déjà sur le « thétique » : le thétique est plus vaste que le « doxique » mais ne peut s'*exprimer* qu'en s'objectivant en thèse doxique.

est aisée. Ce sont précisément, dira-t-on, des *synthèses doxiques*, ou comme on pourra dire par allusion aux syntaxes logico-grammaticales dans lesquelles elles s'expriment, des *syntaxes doxiques*. A l'essence propre des actes doxiques se rattachent les syntaxes du « et », les formes du pluriel, les syntaxes du « ou », la position par un acte de relation d'un prédicat sur la base d'une position de sujet, etc. Nul ne mettra en doute que « croyance » et « jugement » au sens logique ne soient étroitement solidaires (même si on ne veut pas franchement les identifier), que les synthèses de la croyance ne trouvent leur « expression » sous forme de propositions énonciatives. Quelle que soit l'exactitude de cette remarque, il faut toutefois comprendre que cette interprétation n'embrasse pas toute la vérité. Ces synthèses du « et », du « ou », du « si » ou du « parce que » et du « ainsi », bref les synthèses qui se présentent d'abord comme doxiques, ne sont pas *purement* doxiques.

C'est un fait fondamental ([a]) que ces synthèses appartiennent aussi à la propre essence des thèses non-doxiques, et cela dans le sens suivant.

[251] Il y a sans aucun doute une joie collective, un plaisir collectif, un vouloir collectif, etc., ou, comme j'ai l'habitude de le dire, il y a à côté du « et » doxique (logique) un « et » axiologique et pratique. Cela est vrai aussi du « ou » et de toutes les synthèses qui appartiennent à ce groupe. Par exemple la mère qui regarde avec amour son groupe d'enfants, embrasse en *un seul* acte d'amour chaque enfant séparément et tous ensemble. L'unité d'un acte collectif d'amour n'est pas un amour plus une représentation collective, quoique celle-ci peut être rattachée à l'amour à titre d'infrastructure. C'est l'amour même qui est collectif ; il est fait de plusieurs rayons au même titre que la représentation « sous-jacente » et éventuellement que le jugement plural. Nous pouvons parler franchement d'un amour plural, exactement dans le même sens que d'une

(*a*) L'auteur a buté sur ce fait (il y a déjà plus de dix ans), en essayant de réaliser les idées d'une axiologie et d'une théorie de la pratique conçues comme analogon de la logique formelle.

représentation plurale ou d'un jugement plural. Les formes syntactiques se retrouvent dans l'essence des actes affectifs eux-mêmes, à savoir dans la couche thétique qui leur est spécifiquement propre. On ne peut en faire ici l'exposition détaillée pour toutes les synthèses ; l'exemple traité suffit à donner une indication.

Souvenons-nous maintenant de la parenté éidétique que nous avons étudiée plus haut entre thèses doxiques et thèses en général. En toute thèse se trouve incluse une thèse parallèle doxique, conforme à la fonction noématique de cette thèse — par exemple en tant que telle intention d'amour. Il est manifeste que le parallélisme entre les syntaxes appartenant à la sphère de la thèse doxique, et celles qui appartiennent à toutes les autres thèses (le parallélisme du « et », du « ou » doxique, etc., et du « et », du « ou » sur le plan des valeurs et de la volonté) est un cas particulier de cette parenté éidétique. En effet, les actes affectifs synthétiques — entendons : qui sont synthétiques du point de vue des formes syntactiques discutées ici — constituent des *objectivités synthétiques d'ordre affectif* qui, par l'intermédiaire des actes doxiques correspondants, accèdent à une objectivation explicite. Le groupe d'enfants enveloppé par l'amour est, en tant qu'*objet d'amour,* un collectif; c'est-à-dire, en appliquant de façon convenable ce qui a été développé ci-dessus, non pas seulement un collectif de chose, et *en plus* un amour, mais un *collectif d'amour.* De même que du point de vue noétique un rayon d'amour émanant du moi se partage en un faisceau de rayons, dont chacun se pose sur un objet particulier, de même il y a autant de *caractères noématiques d'amour* à se partager sur le collectif d'amour en tant que tel qu'il y a chaque fois d'objets colligés ; et il y a un nombre égal de caractères positionnels qui se lient synthétiquement dans l'unité noématique d'un caractère positionnel.

[252] Nous voyons que toutes ces formes syntactiques sont des formes parallèles, c'est-à-dire qu'elles appartiennent aussi bien aux actes affectifs eux-mêmes, avec leurs composantes affectives et leurs synthèses affectives, qu'aux positionalités doxiques qui leur sont parallèles et forment avec elles une unité éidétique ; en effet, il

est possible de tirer ces positionalités doxiques des actes affectifs, en orientant de façon convenable le regard sur les infrastructures et les superstructures respectives. Naturellement, ce qui est dit de la sphère noétique se transpose à la sphère noématique. Le « et » axiologique recèle essentiellement un « et » doxique ; toute forme syntactique d'ordre axiologique, appartenant au groupe considéré ici, recèle une forme syntactique d'ordre logique : absolument de la même façon, tout corrélat noématique simple comporte un « étant » ou une autre modalité d'être, et inclut en tant que substrat de cette modalité d'être la forme du « quelque chose » et les autres formes qui s'y rattachent. Dans tous les cas il suffit d'orienter le regard comme il convient — ce qui est éidétiquement possible — et de développer les modes thétiques ou synthético-doxiques impliqués dans un acte affectif pour que nous formions un nouvel acte à partir de cet acte affectif dans lequel d'abord nous vivons, si l'on peut dire, dans la plénitude affective, donc sans en actualiser les potentialités doxiques ; dans ce nouvel acte, l'objectivité affective qui n'était d'abord qu'en puissance se mue en une objectivité actuelle et explicitée sur le plan doxique et éventuellement sur le plan de l'expression. Il est alors possible, et cela arrive très fréquemment dans la vie empirique, que nous considérions par exemple plusieurs objets intuitifs, en les posant de façon doxique, et qu'alors nous opérions en même temps un acte affectif synthétique, par exemple en les embrassant dans l'unité d'un plaisir collectif, ou bien dans l'unité d'un acte affectif d'élection, d'un plaisir préférentiel, d'un déplaisir qui met à l'écart, sans que nous allions du tout jusqu'à donner une tournure doxique à l'ensemble du phénomène. Or c'est ce que nous faisons quand nous formons un énoncé, concernant par exemple le plaisir que nous prenons à la pluralité ou à une chose tirée de cette pluralité, ou concernant la préférence que nous donnons à l'un aux dépens de l'autre, etc.

Inutile de souligner combien il est important de poursuivre avec soin ces analyses, si nous voulons connaître l'essence des objectivités axiologiques et pratiques, et par conséquent si nous voulons aborder le problème de leurs significations et de leurs modes de conscience, de l' « origine »[1] des concepts et connaissances éthiques, esthétiques ou des concepts qui ont avec ceux-ci quelque autre parenté d'essence.

Comme ce n'est pas ici proprement notre tâche de résoudre des problèmes phénoménologiques, mais d'élaborer scientifiquement les problèmes-clés de la phénoménologie et d'esquisser les directions de recherches solidaires de ces problèmes, il doit nous suffire d'avoir mené l'analyse jusqu'à ce point.

[253]

§ 122. — Les manières d'opérer les Synthèses articulées. Le « Thème »[1].

L'empire des thèses et synthèses comporte un groupe important de modifications générales ; nous en présentons une brève ébauche qui sera ici à sa meilleure place.

Une synthèse peut être *opérée* pas à pas ; elle devient; elle naît par *production* (Produktion) *originelle.* Cette originarité du devenir dans le flux de conscience est tout à fait typique. Thèse et synthèse deviennent, tandis que le moi pur fait de façon actuelle un pas après un pas ; lui-même vit dans le pas qu'il fait et « progresse » avec lui. Sa *libre spontanéité, sa libre activité* consistent à poser, apposer, poser en antécédent et en conséquent, etc.; il ne vit point dans ces thèses comme

[252] 1. Sur l'*Ursprung,* cf. p. 107, n. 1. Ce terme désigne non la genèse psychologique, mais la constitution phénoménologique. Erfahrung und Urteil reprend en détail cette question.

[253] 1. L'étude des synthèses, prises du côté du moi qui les opère, §§ 122-3, donne lieu à une analyse de l'activité créatrice du moi, qui dépasse singulièrement le cadre de la présente étude. Le § 115 avait déjà montré les différences d'*actualité* dans les thèses simples. L'examen des synthèses permet d'aller plus loin, parce que la « production » d'une synthèse s'étale dans le temps : on peut donc surprendre une naissance, une continuation (garder dans l'esprit, sous sa prise, laisser tomber), des interférences, un passage du confus au distinct. Par là nous approchons du *fiat créateur du moi pur.* Mais cette porte est aussitôt refermée. Encore une fois la phénoménologie « tournée vers le sujet » n'est pas le thème des Ideen. Cf. § 80.

un habitant passif ; ce sont plutôt des rayons qui émanent de lui comme d'une source originelle de productions (Erzeugungen). Chaque thèse débute par une *initiative* (Einsatzpunkt), par un point où la *position prend son origine* (Ursprungssetzung); telle la première thèse, telle est aussi chacune des autres dans l'enchaînement de la synthèse. Cette « initiative » appartient précisément à la thèse comme telle ; elle est le mode remarquable où se manifeste son actualité originelle. Elle est quelque chose comme le *fiat*, l'initiative du vouloir et de l'agir.

Néanmoins il ne faut pas confondre le général et le particulier. La décision spontanée, le faire (Tun) qui consiste à vouloir et à exécuter, est *un* acte à côté d'autres actes [2] ; ses synthèses sont des synthèses particulières parmi d'autres. Mais *chaque* acte, quel que soit son type, peut être amorcé sous *le mode de spontanéité de ce qu'on peut appeler un commencement créateur* (schöpferisch); par lui le moi pur entre en scène comme sujet de la spontanéité.

Cette initiative spéciale se change aussitôt, et conformément à une nécessité d'essence, en un autre mode. Par exemple l'acte de *saisir* par perception, *d'appréhender* (Ergreifen) se change aussitôt et sans interruption en « *avoir sous son emprise* » (im Griff haben).

Un nouveau changement modal intervient encore, si la thèse était simplement un pas dans la direction d'une synthèse, le moi pur accomplit un nouveau pas et si, dans l'unité globale de la conscience synthétique, *il « continue » de « maintenir » sous son emprise* ce qu'il venait d'*avoir* sous son emprise : saisissant le nouvel objet thématique, ou plutôt, saisissant un nouveau membre du thème d'ensemble à titre de thème primaire, il continue néanmoins de retenir le membre précédemment saisi en tant qu'appartenant au même thème d'ensemble. Par exemple dans la colligation, je ne laisse pas échapper ce qui vient d'être saisi par per-

2. Le *fiat* de la conscience englobe le Cogito théorique et le Cogito pratique (vouloir, exécuter) ; il est le moment créateur de tout « acte », de toute « visée » de conscience.

[254] ception, quand je tourne le regard vers le nouvel objet pour le saisir. Quand je procède à une preuve, je parcours les prémisses degré par degré, je n'abandonne aucun degré synthétique acquis; ce que j'ai acquis, je ne le lâche pas de mon emprise; mais c'est le mode d'actualité qui s'est changé essentiellement quand j'ai opéré le nouveau thème porteur de la proto-actualité.

Dans ce cas il s'agit bien *aussi*, mais pas *seulement* d'un obscurcissement. Ou plutôt, les différences que nous avons tenté à l'instant de décrire représentent, en face du contraste clarté-obscurité, une dimension toute nouvelle, quoique les deux distinctions soient étroitement entremêlées.

Nous remarquons en outre que ces nouvelles différences sont soumises à la loi de corrélation de la noèse et du noème, au même titre que les différences de clarté et que toutes les autres différences intentionnelles. Par conséquent, aux modifications noétiques d'actualité du type impliqué ici correspondent à nouveau des modifications noématiques. Autrement dit le mode de donnée du « visé en tant que tel » change au cours des mutations de la thèse, ou à mesure que progresse la synthèse, et on peut discerner ces changements en chaque cas dans le statut noématique lui-même ; et c'est dans ce statut qu'on peut le faire apparaître comme une couche originale du noème.

Si de cette façon le mode d'actualité (en terme de noème, le mode de donnée) se transforme nécessairement en fonction de certains *types discrets* — abstraction faite des changements présentant une continuité fluante —, il subsiste à travers les mutations un noyau essentiellement commun. Du point de vue du noème, il reste un Quid, un *sens* identique ; du côté noétique demeure le corrélat de ce sens, et en outre la forme totale d'articulation par thèses et synthèses.

Mais il se produit maintenant une nouvelle modification éidétique. Le moi pur peut *se retirer* tout à fait, il *laisse* les corrélats thétiques *échapper à son « emprise » : il « se tourne vers un autre thème »*. L'objet qui tout à l'heure était encore son thème (théorique, axiologique, etc.), avec toutes ses articulations, quoique plus ou moins obscurcies, ne s'est pas évanoui de la conscience ; la conscience l'atteint encore, mais il n'est plus son son emprise thématique.

Cela est vrai également des thèses isolées comme des membres incorporés à des synthèses. Je suis en train de réfléchir ; un coup de sifflet dans la rue me distrait momentanément de mon thème (ici c'est un thème de pensée). Un instant je me tourne vers le bruit, mais pour revenir aussitôt à l'ancien thème. La saisie du bruit n'est pas effacée ; le sifflet est encore atteint dans une conscience modifiée, mais n'est plus sous l'emprise de l'esprit. Il n'appartient plus au thème — ni même [255] à un thème parallèle. On remarquera que cette possibilité d'une simultanéité entre des *thèmes* et des synthèses thématiques qui éventuellement *font irruption* et « *perturbent* » la conscience, renvoie encore à de nouvelles modifications possibles ; on voit au reste quel sujet important d'analyses phénoménologiques fournit le titre général de « *thème* », si on le rapporte à tous les types fondamentaux d'actes et de synthèses d'actes.

§ 123. — Confusion et Distinction en tant que Manières d'opérer les Actes synthétiques[1].

Considérons maintenant de nouvelles modalités portant sur l'opération des actes ; on les rencontre en tournant pour ainsi dire le dos au mode privilégié de l'actualité, source originelle des actes. Une pensée simple, ou pourvue de multiples thèses, peut surgir sous forme de pensée « *confuse* ». Elle se donne alors comme une représentation simple sans être articulée en thèses actuelles. Nous nous souvenons par exemple d'une preuve, d'une théorie, d'une conversation : elle « nous passe par la tête ». Dans ce cas nous ne sommes pas au début tournés de son côté, c'est quelque chose qui point à « l'arrière-plan ». Puis un regard du moi, formé d'un unique rayon, se dirige sur lui, et saisit l'objet noématique envisagé en une unique prise non-

[255] 1. Cette analyse fait corps avec la précédente : le confus et le distinct se rapportent à des modes « d'opération » des synthèses, lorsqu'elles passent du stade germinal, inchoatif au stade achevé.

articulée. Maintenant un nouveau processus peut intervenir : le ressouvenir confus se transforme en un ressouvenir *distinct* et clair; point par point nous nous souvenons du cours de la preuve, nous « re »-créons les thèses de la preuve et les synthèses, nous « re »-parcourons les stades de la conversation tenue hier, etc. Naturellement il n'est nullement essentiel que cette reproduction prenne la forme du ressouvenir, de la re-création des créations originaires « antérieures ». Ce peut être une *nouvelle* idée théorique qui nous est venue pour conduire à terme une théorie compliquée ; c'était d'abord une unité confuse ; puis nous l'avons déployée en plusieurs démarches librement opérées, et transformée en actualités synthétiques. Bien entendu toutes ces indications s'appliquent de la même façon à tous les types d'actes.

Cette distinction importante entre *confusion* et *distinction* joue un rôle important dans la phénoménologie des « expressions », des représentations, jugements, actes affectifs, dotés d'expression, etc. On parlera par la suite de ce groupe. Songeons seulement de quelle façon nous saisissons d'ordinaire les ensembles synthétiques toujours très complexes qui forment le « contenu de pensée » dans nos lectures, et demandons-nous, quand nous comprenons ce que nous lisons, quelle fraction accède à une actualisation réellement originaire, si l'on considère ce qu'on peut appeler l'infrastructure de pensée des expressions.

[256]

§ 124. — La Couche noético-noématique du « Logos ». Signifier et Signification[1].

A tous les actes considérés jusqu'à présent s'entrelacent de nouvelles couches d'actes : les actes expressifs, les actes « logiques » au sens spécifique ; ils

[256] 1. 5°) *Le parallélisme de la noèse et du noème dans « l'expression » (ou la « couche du Logos »)*, §§ 124-7. L'expression et la signification étaient le point de départ des ETUDES LOGIQUES. Le

n'invitent pas moins que les précédents à une élucidation du parallélisme entre noèse et noème. On connaît l'ambiguïté générale et inévitable du vocabulaire qui est conditionnée par ce parallélisme et qui se fait jour partout où les rapports en question affectent le langage; on la retrouve naturellement dans les mots expression et signification. Cette dualité de sens n'est dangereuse qu'aussi longtemps qu'on ne la reconnaît pas comme telle et qu'on n'a pas séparé les structures correspondantes. Quand on l'a fait, il suffit de veiller à ce que l'on sache chaque fois de façon indubitable à laquelle des structures les mots doivent être rapportés.

Nous adoptons pour point de départ la distinction entre la face sensible, et pour ainsi dire corporelle, de l'expression et sa face non-sensible, « mentale ». Nous n'avons pas à nous engager dans une discussion serrée de la première, ni de la façon dont les deux faces s'unissent. Il va de soi que par là même nous avons désigné des titres qui introduisent à des problèmes non dénués d'importance phénoménologique.

Nous envisageons uniquement le « signifier » (Bedeuten) et la « signification ». A l'origine ces mots ne se rapportent qu'à la sphère verbale, à celle de « l'exprimer ». Mais on ne peut guère éviter — et c'est là en même temps une démarche importante de la connaissance — d'élargir la signification de ces mots et de leur faire subir une modification convenable qui leur permet de s'appliquer d'une certaine façon à toute la sphère noético-noématique : donc à tous les actes sans tenir compte s'ils sont ou non combinés à des actes

---

point principal est de bien saisir l'expression au-dessus du « sens » mais en deçà du mot, par sa face « mentale », non corporelle. C'est le plan de la signification expressive, du Logos, du concept au sens strict du mot ; couche improductive par excellence, l'expression fidèle « coïncide » avec le noème qui l'exprime. *a*) C'est pourquoi l'expression ne pose pas de problème nouveau concernant la modalité, la positionalité, la neutralité, § 124. *b*) L'extension de l'analyse du § 123 à la couche expressive est particulièrement aisée, § 125. *c*) Il est alors possible de souligner les points où l'expression ne coïncide pas avec la couche sous-jacente, § 126. *d*) On termine par la difficile question de savoir si l'expression du souhait, du commandement, du sentiment, etc., est construite sur la doxa énonciative, § 127.

expressifs (a). Ainsi nous n'avons même jamais cessé de parler, pour tous les vécus intentionnels, du « sens » — bien que ce mot soit employé en général comme équivalent du mot « signification ». Pour plus de clarté nous réservons de préférence le mot *signification* pour l'ancienne notion, en particulier dans la tournure complexe de « *signification logique* » ou « *expressive* ». Quant au mot « sens », nous continuons de l'employer dans son ampleur plus vaste [2].

Dans la perception, pour partir d'un exemple, un [257] objet est là avec un sens déterminé, posé de façon monothétique avec sa plénitude déterminée. Nous procédons à une explicitation du donné, telle qu'elle a normalement coutume de s'adjoindre d'emblée à la première et simple saisie perceptive, et nous posons comme un tout indivis, dans une thèse relationnelle, les parties ou les moments extraits de la perception, par exemple suivant le schéma : « ceci est blanc ». Ce processus n'exige aucunement une « expression », ni au sens de mot prononcé, ni au sens de signifier par mot, ce dernier pouvant même ici se rencontrer indépendamment du mot prononcé (comme dans le cas où on aurait « oublié » ce dernier). Mais si nous avons « *pensé* » ou « *énoncé* » « ceci est blanc », nous sommes en présence d'une nouvelle couche, intimement liée au « pur visé comme tel » d'ordre perceptif ; de cette façon tout ce dont on se souvient, tout ce qui est imaginé, pris en tant que tel, est susceptible d'être explicité et exprimé. Tout « visé (Gemeint) en tant que tel », toute visée (Meinung) au sens noématique (en entendant par là le noyau noématique) est susceptible, quel que soit l'acte, de recevoir une expression au moyen de « *significations* » (Bedeutungen). Nous posons donc le principe suivant :

La signification logique est une expression.

(*a*) Cf. à cet égard la PHILOSOPHIE DE L'ARITHMÉTIQUE, pp. 28 suiv., où on distingue déjà entre la « description psychologique d'un phénomène » et le « bilan (Angabe) de sa signification », et où l'on suppose un « contenu logique » au contenu psychologique.

---

2. Cf. ci-dessus pp. 172 sq. : le sens c'est le noyau noématique.

Si le mot prononcé (Wortlaut) peut s'appeler expression, c'est uniquement parce que la signification qui lui appartient exprime ; c'est dans celle-ci que réside originellement l'exprimer. L' « expression » est une forme remarquable qui s'adapte à chaque « sens » (au « noyau » noématique) et le fait accéder au règne du « Logos »[1], du *conceptuel* et ainsi du « *général* ».

Les derniers mots sont alors à prendre en un sens tout à fait déterminé, qu'il faut séparer des autres significations de ce mot. D'une façon générale, les indications précédentes désignent un vaste thème d'analyses phénoménologiques qui sont capitales pour une élucidation éidétique de la pensée logique et de ses corrélats. Du point de vue noétique, le terme « exprimer » doit désigner une couche particulière d'actes : tous les autres actes doivent s'y adapter, chacun à leur manière, et se fondre avec elle de façon remarquable ; ainsi le sens noématique de l'acte, et par conséquent le rapport à l'objectivité (Gegenständlichkeit) qui réside dans ce sens[2], trouve son empreinte « conceptuelle » dans le moment noématique de l'exprimer. Un medium intentionnel spécifique s'offre à nous, dont le propre est par essence de refléter si l'on peut dire toute autre intentionnalité, quant à sa forme et à son contenu, de la dépeindre (abbilden) en couleurs originales et par là de peindre en elle (einbilden) sa propre forme de « conceptualité ». Toutefois il faut accueillir avec prudence ces formules qui s'imposent à nous : refléter, dépeindre ; en effet, la tournure figurée qui permet de les appliquer pourrait aisément induire en erreur.

[258] Les phénomènes qui répondent aux termes signifier et signification soulèvent des problèmes extraordinairement difficiles (*a*). Comme toute science est amenée par sa structure théorique, par tous les traits qui en elle sont de l'ordre de la « doctrine » (théorème, preuve, théorie), à s'objectiver dans un medium spécifiquement « logique », dans le medium de l'expression, les pro-

---

[258] (*a*) Comme on le voit par le t. II des ETUDES LOGIQUES, où ils forment un thème central.

---

[257] 1. Sur le *Logos*, cf. FORMALE UND TRANSZENDENTALE LOGIK, § 1.
2. C'est ce rapport qui fait l'objet de la IVe Section, pp. 265 sq.

blèmes de l'expression et de la signification sont les premiers que rencontrent les philosophes et les psychologues soucieux de logique générale, et ce sont ensuite les premiers encore qui exigent une investigation éidétique d'ordre phénoménologique dès qu'on cherche sérieusement à atteindre leur fondement ([b]). De là on est conduit à des questions de ce genre : comment faut-il entendre l'acte « d'exprimer » ce qui est « exprimé » ? Quel est le rapport des vécus expressifs aux vécus non-expressifs ? et que subissent les premiers quand intervient l'expression ? On va se trouver renvoyé à leur « intentionnalité », à leur « sens immanent », à la « matière » et à la qualité [1] (c'est-à-dire au caractère d'acte de la thèse), à la différence qui sépare d'une part ce sens et ces moments éidétiques résidant dans l'élément pré-expressif, et d'autre part la signification du phénomène expressif lui-même ainsi que les moments qui lui appartiennent en propre, etc. La littérature contemporaine montre de multiple manière à quel point les graves problèmes qu'on vient d'indiquer sont d'ordinaire sous-estimés dans leur sens plein et profond.

La couche de l'expression, — c'est là son originalité —, si ce n'est qu'elle confère précisément une expression à toutes les autres intentionnalités, n'est pas productive. Ou si l'on veut : *sa productivité, son action noématique, s'épuisent dans l'exprimer* et dans la *forme du conceptuel* qui s'introduit avec cette fonction.

La couche expressive a, quant aux caractères thétiques, une parfaite identité d'essence avec la couche qui reçoit l'expression et, dans cette coïncidence, elle en adopte tellement l'essence que nous nommons précisément la représentation expressive elle-même une représentation; nous nommons la croyance, la conjecture,

---

(*b*) En fait c'était la voie par laquelle les ETUDES LOGIQUES tentaient de pénétrer dans la phénoménologie. Une seconde voie partant du côté opposé, celui de l'expérience et des données sensibles, que l'auteur a également suivie depuis le début des années 90, n'a pas trouvé sa pleine expression dans cette œuvre.

---

[258] 1. Sur matière et qualité dans les ETUDES LOGIQUES, cf. p. 242 n. 4.

le doute, dotés d'expressions, eux aussi et en tant que totalité, croyance, conjecture, doute ; de même le souhait ou le vouloir, dotés d'expression, se nomment souhait, vouloir. Il est éclairant que même la différence [259] entre positionalité et neutralité se retrouve au plan de l'expression ; nous y avons déjà fait allusion plus haut. *La couche expressive ne peut avoir une thèse qualifiée autrement — positionnelle ou neutre — que la couche qui reçoit l'expression;* et la coïncidence ne permet pas de distinguer deux thèses mais *seulement une thèse.*

Une élucidation complète des structures impliquées ici soulève des difficultés considérables. Il n'est déjà pas facile de reconnaître qu'après abstraction de la couche sensible formée par le mot prononcé, on trouve encore une couche telle que celle que nous présupposons ici, et qu'on puisse par conséquent discerner dans chaque cas — même dans celui d'une pensée aussi peu claire, aussi vide, et aussi purement verbale qu'on voudra — une couche du signifier expressif et un soubassement constitué par ce qui est exprimé ; à plus forte raison sera-t-il difficile de bien entendre les rapports éidétiques mis en jeu par ces stratifications. En effet, il ne faut pas trop présumer de l'image de stratification ; l'expression n'est pas une sorte de vernis plaqué sur la chose, ou de vêtement surajouté ; elle réalise une formation mentale qui exerce de nouvelles fonctions intentionnelles à l'égard du soubassement intentionnel, et qui est tributaire corrélativement des fonctions intentionnelles de ce soubassement. Que veut dire à son tour cette nouvelle comparaison ? C'est sur le phénomène lui-même et sur toutes ses modifications essentielles qu'il faut en faire l'étude. En particulier, il importe de bien entendre les différentes sortes de « généralités » mises en jeu ici : d'une part celle qui appartient à chaque expression et à chaque moment d'expression, même au moment dénué d'autonomie comme : « est », « ne pas », « et », « si », etc., d'autre part la généralité des « noms communs », comme « homme », par opposé aux noms propres comme « Bruno » ; puis celle que possède une essence en elle-même dénuée de forme syntactique, par comparaison avec les différentes généralités de signification auxquelles on vient de faire allusion.

§ 125. — Les Modalités d'opération dans la Sphère logico-expressive et la Méthode de Clarification.

Il est manifeste que pour élucider les difficultés indiquées il faut se reporter particulièrement aux différences dont on a traité plus haut et qui portent sur les modes d'actualité [a], et considérer les modalités d'opération de l'acte, qui concernent non seulement toutes les thèses et synthèses, mais aussi celles qui sont dotées d'expression. Ces différences interviennent d'une *double* manière. D'une part elles affectent la couche de signification, la couche spécifiquement logique en elle-même, d'autre part les couches sous-jacentes qui servent de fondement.

[260] Quand nous lisons, nous pouvons opérer chaque signification de façon articulée et, par une libre activité, nous pouvons alors lier synthétiquement des significations à des significations de la manière déjà indiquée. *En opérant ainsi les actes de signification sous le mode de la production proprement dite,* nous réalisons une *compréhension « logique »* parfaitement *distincte*[1].

Cette distinction peut se changer en une confusion qui affecte tous les modes décrits plus haut : la proposition qu'on vient de lire sombre dans l'obscurité, perd son articulation vivante, elle cesse d'être notre « thème », d'être « encore sous notre emprise ».

Cette distinction et cette confusion sont à distinguer de celles qui affectent l'infrastructure exprimée. La compréhension distincte d'un mot, d'une proposition

(*a*) Cf. ci-dessus, § 122, pp. 253 et suiv.

[260] 1. Cette analyse prolonge celle du § 123 qui débordait sur l'expression logique des actes synthétiques. On peut ainsi suivre une ligne qui s'élève de l'attention dans la perception (§ 92) à l'actualité en général des « thèses » (§§ 113-4), à l'opération des synthèses (§ 123), enfin à l'opération de l'expression.. C'est le côté-sujet de toute intentionnalité. A ce dernier niveau, nous retrouvons comme *objet* phénoménologique les problèmes posés *avant* l'analyse par la *méthode* phénoménologique : fidélité de l'expression, clarification, etc., §§ 66-70.

(ou l'opération distincte, articulée, des actes d'énonciation) est compatible avec la *confusion des couches sous-jacentes.* Cette confusion ne signifie pas une simple absence de clarté, quoiqu'elle le signifie *aussi.* La couche sous-jacente peut être une unité confuse (c'est le plus souvent le cas) qui ne porte pas son articulation actuellement en elle-même, mais qui la doit uniquement à l'ajustement de la couche de l'expression logique qui, elle, est réellement articulée et opérée selon une actualité originelle.

Cette remarque a une signification méthodologique de la plus haute importance. Nous noterons que nos discussions antérieures sur la *méthode de clarification* [a] appellent des compléments essentiels en ce qui concerne l'énoncé qui est l'élément vital de la science. Il est dès lors aisé d'indiquer la tâche qui s'impose si l'on veut passer de la pensée confuse à la connaissance proprement dite et pleinement explicitée, à l'opération distincte et en même temps claire des actes de pensée : d'abord il faut transposer dans le mode de l'actualité originaire spontanée tous les *actes « logiques »* (les actes du signifier), dans la mesure où ils étaient encore opérés dans le mode de la confusion ; bref il faut instituer une *distinction logique* parfaite. Maintenant il faut introduire une transformation analogue dans la *couche sous-jacente* qui sert de fondement, transmuter le non-vivant en vivant, la confusion en distinction, et aussi le non-intuitif en intuitif. Ce n'est qu'en opérant ces changements dans la couche sous-jacente que nous mettrons en œuvre la méthode décrite plus haut, — à supposer que des incompatibilités ne se fassent pas jour au cours de l'entreprise et ne rendent pas superflu le travail ultérieur ; pour ce travail il ne faut pas perdre de vue que le concept d'intuition, de conscience claire, doit être étendu des actes monothétiques aux actes synthétiques [2].

[261] D'ailleurs, comme le montre une analyse plus profonde, tout dépend du *type d'évidence* qui doit être

(*a*) Cf. § 67, p. 125.

2. C'est le sens de la *VIe Etude Logique* et de son intuition catégoriale, cf. *supra* p. 9 n. 5.

réalisé en chaque cas et de la couche à laquelle cette évidence s'applique. Toutes les évidences qui se rapportent à des *relations purement logiques, à des* connexions éidétiques entre *significations noématiques* — par conséquent aux évidences que nous tirons des lois fondamentales de la logique formelle — exigent précisément que les significations soient données, c'est-à-dire exigent que soient données les propositions qui expriment les formes prescrites par la loi de signification mise en cause. Le caractère dépendant des significations a une conséquence : les exemples de constructions logiques éidétiques qui médiatisent l'évidence de la loi font intervenir également les couches sous-jacentes, celles-là mêmes qui supportent l'expression logique ; mais *ces infrastructures n'ont pas besoin d'être amenées à la clarté, lorsqu'il s'agit d'une évidence purement logique.* Sous réserve d'une modification correspondante, ces remarques s'appliquent à toutes les connaissances « analytiques » de la logique appliquée.

§ 126. — Intégralité et Généralité de l'Expression [1].

Il faut en outre souligner la différence entre *expression intégrale* et *non-intégrale* (a). L'unité de l'exprimant et de l'exprimé dans le phénomène réalise bien une certaine coïncidence, mais il n'est pas nécessaire que la couche supérieure étende à toute la couche inférieure sa fonction d'expression. L'expression est intégrale quand elle *appose sur toutes les formes et matières synthétiques de la couche sous-jacente le sceau*

[261] (a) Cf. Etudes Logiques, t. II, *IVe Etude*, § 6 suiv.

[261] 1. Après avoir montré l'extension de l'analyse néotico-noématique à l'expression, Husserl fait quelques allusions aux caratères propres de l'expression : il n'y a pas un parallélisme rigoureux entre les articulations du sens et celles de l'expression qui pourtant le « reflète » : la *IVe Etude Logique* était précisément consacrée aux problèmes spécifiques d'une grammaire pure et aux lois à priori qui règlent les « formes de significations complexes » pour qu'elles se complètent mutuellement dans une unité possible de sens (t. II, pp. 294-5). Les Ideen ne retiennent de cette étude très technique que les points qui concernent l'absence de coïncidence structurale entre le sens et l'expression signifiante : abrégements, lacunes, etc.

de la signification conceptuelle; elle n'est pas intégrale quand elle ne le fait que partiellement : ainsi, en présence d'un processus complexe, par exemple l'arrivée de la voiture qui amène des hôtes longtemps attendus, nous crions dans la maison : la voiture ! les hôtes ! — Il va de soi que ce caractère plus ou moins intégral de l'expression recoupe les différences relatives de clarté et de distinction.

L'expression a une autre façon de ne pas être intégrale, toute différente de celle que nous venons d'indiquer : elle tient à l'essence de l'expression en tant que telle et concerne sa *généralité.* Le « puisse » exprime de façon générale le souhait, la forme impérative exprime le commandement, le « pourrait », la conjecture ou le conjecturé comme tel, etc. Tout ce qui introduit dans l'unité de l'expression une détermination plus précise, est à son tour exprimé de façon générale. La généralité propre à l'essence de l'expression signifie que tous [262] les traits particuliers de la chose exprimée ne peuvent jamais se refléter dans l'expression. La couche du signifier n'est pas, ne peut pas être par principe une manière de répéter la couche inférieure. Toutes sortes de nuances dans cette couche inférieure ne passent pas dans la signification qui l'exprime ; ces nuances ou leurs corrélats ne s'expriment pas du tout : ainsi les modifications de clarté et de distinction relatives, les modifications attentionnelles, etc. Mais on rencontre même des différences essentielles dans ce qu'indique le sens particulier du mot expression, par exemple dans la façon dont les formes synthétiques et les matières synthétiques trouvent une expression.

Il faut aussi indiquer « le caractère dépendant » de toutes les significations de forme et des significations « syncatégorématiques » en général[1]. On comprend le

[262] 1. La *IVe Etude Logique* qui applique aux significations la notion de dépendance et d'indépendance, acquise dans la *IIIe Etude,* commence par la distinction des significations simples (Pierre) et complexes (homme de fer), (§ 3). Parmi celles-ci, il en est qui n'ont pas de sens en elles-mêmes, mais seulement dans un contexte ; elles sont donc « purement co-signifiantes » (p. 302). L'expression syncatégorématique qui leur est attribuée s'oppose à catégorématique. Elle vient de MARTY. Les expressions catégoréma-

sens de « et », de « si », pris isolément, du génitif séparé « des Himmels », et pourtant ces expressions sont dépendantes et appellent un complément. La question est ici de savoir ce que veut dire ce besoin d'un complément, ce qu'il signifie au point de vue des deux couches et compte tenu que les significations peuvent rester incomplètes ([a]).

§ 127. — Expression des jugements et expression des noèmes affectifs.

Il importe de faire la clarté sur tous ces points, si on veut résoudre l'un des plus anciens et des plus difficiles problèmes de la sphère des significations ; jusqu'à présent il est resté sans solution en l'absence des principes phénoménologiques évidents qu'il requiert ; voici ce problème : quel rapport existe-t-il entre l'énoncé en tant qu'expression du jugement et les expressions des autres actes ? Nous rencontrons des prédications expressives où s'exprime un « Il en est ainsi ». Nous rencontrons des conjectures, des questions, de doutes expressifs, des vœux, des commandements expressifs, etc. Au point de vue du langage nous trouvons ici des formes de propositions qui pour une part ont une structure originale, mais qui sont susceptibles d'une double interprétation : aux propositions énonciatives font suite des propositions interrogatives, des propositions conjecturales, optatives, impératives, etc. Le conflit originel est de savoir si, abstraction faite de la formule grammaticale et de ses formes historiques, on est en face de types de significations situées sur le même plan ou si toutes ces propositions ne sont pas en réalité, en vertu de leur signification, des propositions énonciatives. Dans la deuxième hypothèse, toutes les structures d'actes de cet ordre, par exemple

(a) Cf. op. cit., § 5, pp. 295 à 307.

tiques sont des constituants des expressions complexes qui sont par eux signifiantes. Ex. de signification syncatégorématique : du père, pour, néanmoins... ; ex. de signification catégorématique : le fondateur de l'éthique (§ 4).

les actes de la sphère affective, qui en eux-mêmes ne sont pas des actes de jugement, ne pourraient accéder à « l'expression » que par le détour d'un jugement qui se fonderait sur ces actes affectifs [2].

Il est pourtant insuffisant de faire porter complètement le problème sur les *actes*, sur les noèses ; si l'on persiste à omettre les noèmes sur lesquels le regard est directement dirigé lorsqu'on réfléchit ainsi sur les significations, on s'interdit de comprendre les choses. Il est absolument nécessaire, si l'on veut se frayer un chemin au terme duquel on pourra poser correctement les problèmes, de se référer aux différentes structures que nous avons discernées, d'avoir une connaissance générale de la corrélation noèse-noème, en tant qu'elle se retrouve dans toutes les intentions, dans toutes les couches thétiques et synthétiques, de même de distinguer la couche logique de la signification de la couche sous-jacente qui s'exprime par elle ; en outre d'accéder à l'évidence dans toutes les directions que la réflexion peut prendre et où des modifications peuvent être rencontrées (il s'agit ici comme ailleurs dans la sphère intentionnelle de possibilités éidétiques); mais il faut tout spécialement saisir selon l'évidence de quelle façon chaque conscience peut se transformer en une conscience judicative, comment de chaque conscience on peut faire sortir des *états de chose* de type noétique et noématique. *Le problème radical* auquel nous sommes finalement renvoyés, comme il ressort de l'enchaînement des dernières séries d'analyses de problèmes prises dans leur ensemble, peut être formulé comme suit :

Le medium du signifier expressif — ce medium ori-

2. Il ne faut pas confondre ce problème avec celui de l'originalité des *actes* de la sphère affective, pp. 197, 244. Il n'est question ici que de leur *expression :* ce qu'on exprime d'un noème de souhait, par exemple, est-ce l'élément doxique, l'énoncé de constatation, impliqué dans le souhait ? La *VIe Etude,* IIe Partie, 3e édit. pp. 204-221, aborde le problème par le biais du « remplissement » : l'expression grammaticale de la question, du souhait, du vouloir (appelés ici actes non-objectivants) recouvre-t-elle une donation de sens qui « remplit » le sens comme le perçu ou l'état de chose constaté ? ou bien exprime-t-elle seulement que le sujet annonce son vécu de question, de souhait, de vouloir sous le mode catégorique, dubitatif, etc. ?

ginal du Logos — *est-il spécifiquement doxique?* Quand la signification s'adapte à la chose *signifiée, ne coïncide-t-elle pas avec l'élément doxique qui réside lui-même en toute positionalité?*

Naturellement cela n'exclurait pas qu'il y ait plusieurs manières d'exprimer par exemple des vécus affectifs. Une seule d'entre elles serait l'expression directe : ce serait une expression simple du vécu (ou de son noème, si on choisit le sens corrélatif du mot expression); elle serait obtenue par adaptation immédiate d'une expression articulée au vécu affectif. Ce serait donc la forme *doxique* incluse dans le vécu affectif considéré selon toutes ses composantes, qui permettrait d'adapter l'expression, en tant que vécu se réduisant exclusivement à une thèse doxique (doxothetischen), au vécu affectif : en effet, si on le considère en lui-même et selon toutes ses articulations, le vécu affectif contient de multiples thèses, donc entre autres une thèse doxique.

Plus exactement, si elle voulait être fidèle et intégrale, cette expression *directe* ne se joindrait qu'aux vécus dont la *doxa n'est pas modalisée*. Si en formant un souhait je ne suis pas certain, il n'est pas correct que je dise, selon l'adaptation directe de l'expression : puisse S être p. Car, selon l'interprétation prise pour [264] base, toute expression est un acte doxique au sens fort, c'est-à-dire une certitude de croyance [a]. Elle ne peut donc exprimer que des certitudes (par exemple des certitudes de souhait, de volonté). Dans les cas de ce genre, l'expression ne doit procéder que de façon indirecte pour rester fidèle, par exemple sous la forme : « puisse peut-être S être p ». Dès que des modalités interviennent, il faut recourir, avec une matière thétique changée, aux thèses qui se trouvent pour ainsi dire cachées en elles, si l'on veut obtenir une expression aussi convenable que possible.

(*a*) On n'a *pas* le droit de dire qu'une expression *exprime* un acte doxique si, comme on le fait partout ici, on entend par exprimer le signifier lui-même. Mais si on rapporte le terme d'expression au mot prononcé, on pourrait très bien parler selon la manière en question, mais le sens serait alors complètement changé.

Si nous tenions cette interprétation pour valable, il faudrait encore ajouter ceci à titre de complément :

Il reste toujours de *multiples possibilités d'expressions indirectes* avec « périphrases ». L'essence de l'objectivité en tant que telle comporte toutes sortes de possibilités d'explicitation relationnelle, quels que soient les actes qui constituent ces objets, qu'ils soient simples ou fondés dans une pluralité ou une synthèse d'actes ; par conséquent à chaque acte, par exemple à un acte de souhait, peuvent s'ajouter différents actes qui se rapportent à lui, à son objectivité noématique, à son noème total : des enchaînements de thèses-sujets; de thèses-prédicats apposées à ces sujets ; dans ces thèses nouvelles, ce qui dans l'acte originel était visé comme un souhait, est développé sur le plan du jugement, et exprimé de façon correspondante. L'expression n'est *pas* adaptée alors au *phénomène originel,* mais *directement à la forme prédicative dérivée de lui.*

Dans ce cas il faut toujours noter que la *synthèse explicitante* ou *analytique* (le jugement considéré *avant* l'expression en tant que signification conceptuelle) et d'autre part l'énoncé ou le *jugement au sens habituel,* et finalement la *doxa* (belief) sont des choses qu'il importe de bien distinguer. Ce qu'on nomme « théorie du jugement » est fâcheusement équivoque. L'élucidation éidétique de l'idée de doxa ne se réduit pas à celle de l'énoncé ou des explicitations [b].

[b] Qu'on se rapporte pour tout ce paragraphe au chapitre de conclusion de la *VI**e Etude,* Etudes Logiques, II [3e éd., vol. III]. On voit que dans l'intervalle l'auteur n'est pas resté sur place et qu'en dépit de bien des analyses contestables et prématurées les analyses d'alors se développent dans la direction du progrès. Elles ont été bien des fois discutées sans toutefois qu'on entre véritablement dans les nouveaux motifs de pensée et dans la nouvelle conception des problèmes inaugurés dans cet ouvrage.

[265]

QUATRIÈME SECTION

RAISON ET RÉALITÉ [1]

[265] 1. La *IVe Section* fait éclater le cadre des analyses antérieures. Celles-ci avaient pour thème le « sens » du noème et les multiples « caractères » qui le modifient, au premier rang desquels on a placé les caractères doxiques. On a négligé un trait fondamental du sens (perçu, imaginé, jugé, désiré, voulu, etc.) : à savoir qu'il se *rapporte à un objet*. Cette « prétention » du « perçu en tant que tel », de « l'imaginé en tant que tel », bref du « visé en tant que tel » pose un problème de validité qui est le problème même de la *raison ;* ce problème, comme on le voit, ne concerne pas une « couche » nouvelle du sens, comme l'était par exemple la couche du jugement et la couche de l'expression logique, mais une dimension absolument nouvelle, une *référence à l'objet.* Ce rebondissement de la description pose les plus extrêmes difficultés d'interprétation. Husserl déclare ici qu'on n'a pas encore rendu compte du plus intime de l'intentionnalité si dans le « sens » visé, dans le corrélat lui-même de la conscience, on ne discerne pas un mouvement de dépassement, une flèche qui le traverse et qui indique la direction de..., l'intention ou la prétention à... l'objectivité. Non seulement la conscience se dépasse dans un sens visé, mais ce sens visé se dépasse dans un objet. Le sens visé n'était encore qu'un contenu, — contenu « intentionnel », certes, et non « réel », comme il est répété ici même après le § 97. — Voici que cette inclusion spécifique, cette inclusion intentionnelle du sens

transcendant dans l'immanence du vécu semble éclater à nouveau. Comme E. Fink le souligne dans l'article déjà cité (pp.364-6), cette nouvelle péripétie paraît difficilement conciliable à première vue avec l'idée d'une constitution intégrale de l'étant-du-monde dans et par la conscience. S'il faut en croire Fink, nous aurions ici l'exemple le plus flagrant de l'attitude indéterminée des IDEEN, à mi-chemin d'une psychologie intentionnelle et d'une phénoménologie vraiment constituante : le noème psychologique n'est qu'un « sens » mental qui se réfère à un objet *hors* de lui ; le noème transcendantal serait le monde lui-même dans son « sens » *et* dans son « étant » : la relation du noème à l'objet serait donc elle-même à *constituer* par la conscience transcendantale, comme ultime structure du noème. Les dernières lignes du § 129 vont dans ce sens : la visée objective du noème est déclarée « *parallèle* » à la visée même de la conscience comme noèse. Constituer le noème c'est, pour l'Ego transcendantal, le constituer comme *sens-visant-un-étant*. Dans la langue de Fink, que Husserl contresigne formellement dans sa préface des *Kant-Studien*, « le noème transcendantal, considéré dans le procès infini de l'identification, ne peut pas renvoyer à un étant qui serait au delà de cette infinité et indépendant de lui-même ; il *est* l'étant même, il est vrai selon une profondeur jusqu'ici méconnue de son sens ontique caché : à savoir comme unité transcendantale de validité. Ici, le « rapport à l'objet » a seulement le sens de la référence d'un noème actuel (c'est-à-dire d'un corrélat d'un acte transcendantal isolé) à la multiplicité des corrélats d'actes qui, à la faveur d'une synthèse incessante de remplissement, édifient l'unité de l'objet à titre de pôle idéal », o.c. pp. 364-5. Tout le § 131 confirme cette interprétation. V. aussi p. 280 et pp. 302-3.

CHAPITRE PREMIER

LE SENS NOÉMATIQUE ET LA RELATION A L'OBJET[2]

§ 128. — INTRODUCTION.

Les pérégrinations phénoménologiques de notre dernier chapitre nous ont conduit en gros dans toutes les sphères intentionnelles. En suivant le principe radical de la distinction en analyse réelle(reeller) et intentionnelle, noétique et noématique, nous sommes partout tombés sur des structures qui ne cessent de se ramifier à nouveau. Nous ne pouvons plus nous refuser à cette idée évidente que, en fait, cette distinction nous met en face d'une structure fondamentale qu'on peut suivre à travers toutes les structures intentionnelles ; ainsi elle forme nécessairement le motif conducteur qui domine toute la méthode phénoménologique et déter-

2. Le CHAPITRE I *pose le problème général du rapport du noème à l' « objet ». En demandant en quel sens cet objet est* réel, *on accède aux problèmes de la conscience rationnelle que le* CHAPITRE II *résout dans une théorie du voir originaire.* LE CHAPITRE III *prolonge ces vues dans les problèmes d'ontologie formelle et matérielle.*

a) *Le problème du noème et de la référence à l' « objet » est posé aux* §§ 128-129. b) *L'analyse centrale qui mène du « sens » à l' « objet » visé par le noème est alors développée dans les* §§ 130-2 : *il apparaît que l'objet est au sens ce que le sujet d'une proposition est à ses prédicats, à savoir le centre unificateur, le principe identique distinct d'eux et pourtant déterminé seulement par eux.* c) *On applique cette notion de sens aux actes simples, aux synthèses, aux expressions logiques,* §§ 133-4. d) *Le* § 135 *enfin introduit les problèmes de la raison par le biais de l'idée de réalité.*

mine le cours de toutes les recherches consacrées au problème de l'intentionnalité.

Il est clair en même temps que cette distinction nous conduit *ipso facto* à mettre en lumière celle de deux régions d'êtres radicalement opposées et pourtant rapportées par essence l'une à l'autre. Nous avons souligné plus haut que la conscience en général doit être considérée comme une région originale de l'être. Mais nous avons reconnu ensuite que la description éidétique de la conscience renvoie à celle de ce qui dans la conscience accède à la conscience, que le corrélat de la conscience est inséparable de la conscience, sans pourtant être réellement (reell) contenu en elle. Ainsi le noématique se distingue comme une *objectivité* qui appartient à la conscience et qui pourtant garde son *originalité*[3]. Nous soulignons du même coup que, tandis que les objets pris purement et simplement (entendus au sens non modifié) se rangent sous des genres suprêmes foncièrement différents, tous les sens d'objet et tous les noèmes pris dans leur intégralité, aussi différents qu'ils puissent être, relèvent par principe d'un unique genre suprême. Mais il importe aussi de noter que les essences de noème et de noèse sont inséparables l'une de l'autre : toute différence ultime du côté noématique renvoie, sur le plan éidétique, aux différences ultimes du côté noétique. Cette propriété se retrouve naturellement dans toutes les formations du genre et de l'espèce.

Dès qu'on a reconnu que l'intentionnalité est essentiellement à double face, noèse et noème, on en conclut qu'une phénoménologie systématique ne peut pas borner ses efforts à une seule face, se réduire à une ana-[266] lyse réelle (reelle) des vécus, et spécialement des vécus intentionnels. C'est pourtant une tentation très forte au début; en effet le passage historique et naturel de la psychologie à la phénoménologie incline à entendre tout naturellement sous le nom d'étude immanente des vécus purs et de leur essence propre celle de ses compo-

3. Allusion à l'analyse de la IIe *Section* où la conscience et la réalité ont été d'abord opposées (chap. II) puis rapportées l'une à l'autre (chap. III).

santes réelles (a). En réalité, des deux côtés se découvrent de vastes domaines offerts à la recherche et constamment rapportés l'un à l'autre; il apparaît pourtant que de grandes étendues les séparent. Dans une large mesure, ce qu'on a pris pour une analyse d'acte, pour une analyse noétique, est intégralement obtenu en orientant le regard vers le « visé en tant que tel » : c'était donc bien des structures noématiques que dans ce cas on décrivait.

Dans nos considérations prochaines nous allons nous attacher à la structure générale du noème, en adoptant un point de vue qui jusqu'à présent a été souvent nommé, mais sans servir de fil conducteur à l'analyse noématique : *le problème phénoménologique de la relation de la conscience à une objectivité* (Gegenständlichkeit) possède avant tout une face noématique. Le noème a en soi-même une relation à l'objet au moyen de son « sens » propre. Comment le « sens » de la conscience rejoint-il « l'objet » (Gegenstand) qui est le sien et qui peut être « le même » à travers une diversité d'actes de statut noématique très différent? A quoi reconnaît-on ce trait dans le sens ? Ces questions font apparaître de nouvelles structures dont l'importance extraordinaire est par elle-même éclairante. Car en avançant dans cette direction et d'autre part en réfléchissant sur les noèses parallèles, nous aboutissons finalement à cette question : Que signifie proprement la « prétention » de la conscience à se « rapporter » réellement à quelque chose d'objectif, à être « valide » (triftig)? Comment élucider phénoménologiquement, en fonction du couple noèse-noème, le rapport « valable » ou « non-valable » à l'objet? Nous voilà du même coup devant les *grands problèmes de la raison ;* notre but, dans cette section, sera de les tirer au clair sur le terrain transcendantal, de les formuler comme *problèmes phénoménologiques.*

(a) C'est encore le point de vue des ETUDES LOGIQUES. Et si, à un degré important, la nature des choses contraint, même dans cet ouvrage, à entreprendre des analyses noématiques, celles-ci néanmoins sont plutôt considérées comme des indices révélateurs des structures noétiques parallèles ; le parallélisme essentiel des deux structures n'est pas encore clairement reconnu dans cet ouvrage.

§ 129. — « Contenu » (Inhalt) et « Objet » (Gegenstand) ; le Contenu comme « Sens ».

Dans nos analyses antérieures, une structure noématique universelle a joué un rôle constant ; on l'a carac- [267] térisée en distinguant un certain « *noyau* » *noématique* et des « *caractères* » variables qui lui appartiennent; joint à ces caractères le noème concret paraît entraîné dans le flux de modifications de types différents. Ce noyau n'avait pas encore été reconnu scientifiquement. Il se détachait de façon intuitive, se révélait dans son unité et avec une clarté suffisante pour que nous puissions d'une façon générale nous rapporter à lui. Le moment est venu de le considérer de plus près et de le placer au centre de l'analyse phénoménologique. Dès qu'on le fait, on voit surgir des distinctions d'une importance universelle, qu'on peut suivre à travers toutes les classes d'actes et qui peuvent servir de guide dans de vastes groupes de recherches.

Nous prenons pour point de départ l'expression courante si équivoque de contenu de conscience. Par contenu nous entendons le « sens », dont nous disons que, en lui ou par lui, la conscience se rapporte à un objet en tant qu'il est le « sien ». Nous adoptons la proposition suivante qui servira pour ainsi dire de titre et de but à notre discussion :

Tout noème a un « *contenu* », à savoir son « sens »; par lui le noème se rapporte à « son » *objet*.

De nos jours on entend souvent vanter comme un grand progrès qu'on ait enfin acquis la différence fondamentale entre acte, contenu et objet. Ces trois mots ainsi rapprochés sont devenus de véritables expressions magiques, en particulier depuis la belle étude de Twardowski [a]. Cependant en dépit du grand, de l'indubitable service que cet auteur a rendu en dénonçant avec pénétration certaines confusions courantes et en met-

---

(*a*) K. Twardowski. Zur Lehre vom Inhalt und Gegenstand der Vorstellungen. (Contribution à la théorie du contenu et de l'objet de représentation), Vienne, 1894.

tant en évidence leur point faible, il faut bien avouer, sans lui en faire un reproche, qu'il n'a pas, dans son élucidation des essences conceptuelles mises en jeu, considérablement dépassé les résultats bien connus atteints par les philosophes des générations antérieures (en dépit de leur confusion imprudente). Un progrès n'était pas possible précisément avant une phénoménologie systématique de la conscience. Tant qu'ils n'ont pas été élucidés phénoménologiquement, des concepts comme « acte », « contenu », « objet » des « représentations », ne sont d'aucun secours. Qu'y a-t-il qui ne puisse être appelé acte, qui ne puisse surtout être appelé contenu d'une représentation et même représentation ? Et ce qu'on peut appeler ainsi demanderait à être soi-même reconnu scientifiquement.

A ce point de vue un premier pas, et à mon sens un pas nécessaire, a été tenté en soulignant de façon phénoménologique le rôle de la « matière » et de la « qualité », grâce à l'idée « d'essence intentionnelle », distinguée de l'essence cognitive[1]. Ces distinctions n'étaient opérées [268] et désignées qu'en considérant uniquement les noèses : cette unilatéralité est aisément surmontée, si on tient compte des parallèles noématiques. Nous pouvons donc entendre les concepts en un sens noématique; la « qualité » (qualité de jugement, qualité de souhait, etc.), ne signifie pas autre chose que ce que nous avons traité plus haut comme caractère « de position », comme caractère « thétique » au sens le plus large du mot. L'expression issue de la psychologie contemporaine (celle de Brentano) me paraît aujourd'hui peu convenable : toute thèse originale a une qualité, mais elle-même ne peut être considérée comme qualité. Dès lors il est manifeste que la « matière », qui est dans chaque cas le « Quid » et qui reçoit de la « qualité » sa caractéristique positionnelle, correspond au « noyau noématique ».

La tâche est désormais de mettre en œuvre ce commencement, d'élucider, de dissocier plus complètement

[267] 1. C'est le langage des ETUDES LOGIQUES (cf. également p. 182 n. 2 et p. 242, n. 2). Ve *Etude : « des vécus intentionnels et de leurs contenus »*, §§ 20-21 : matière = sens ; qualité = modalité thétique. Matière + qualité = essence intentionnelle ou significative. Essence intentionnelle + plénitude intuitive = essence cognitive.

ces concepts et d'en poursuivre l'application correcte à travers tous les domaines noético-noématiques. Tout progrès réellement acquis dans cette direction doit être pour la phénoménologie d'une importance exceptionnelle. Il ne s'agit pas de propriétés spéciales, latérales, mais de moments éidétiques qui appartiennent à la structure centrale de tout vécu intentionnel.

Pour serrer les choses de plus près, prenons pour point de départ la réflexion suivante :

Le vécu intentionnel a, dit-on d'ordinaire, « *rapport à un objet* »; mais on dit aussi qu'il est la « *conscience de quelque chose* », par exemple la conscience d'un pommier en fleurs, du pommier qui est ici dans ce jardin. Nous ne tiendrons pas d'abord pour nécessaire, en face de ces exemples, d'opposer ces deux façons de parler. Si nous nous souvenons de nos analyses antérieures, nous trouvons la noèse complète, rapportée au noème complet. Mais par la suite il devient clair que cette relation ne peut pas être celle que l'on désigne quand on parle de la relation de la conscience à son objet intentionnel; en effet à tout moment noétique d'ordre thétique correspond un moment dans le noème; au sein de celui-ci le noyau noématique se sépare du faisceau des caractères thétiques qui le caractérisent. Evoquons en outre le « regard sur... » qui, dans certaines circonstances, traverse la noèse (traverse le cogito actuel) et transforme les moments spécifiquement thétiques en rayons issus de l'actualité positionnelle du moi; et notons avec précision comment ce moi, avec ses rayons, se « dirige » maintenant sur l'objet, en tant que moi qui saisit l'être, qui conjecture, qui souhaite, etc., etc.; notons comment son regard traverse le noyau noématique : nous nous apercevons alors qu'en parlant de la relation (et spécialement de la « direction ») de la conscience à son objet, nous sommes renvoyés à un moment [269] suprêmement *intime* du noème. Ce n'est pas le noyau lui-même décrit tout à l'heure, mais quelque chose qui forme pour ainsi dire le centre nécessaire du noyau et qui sert de « support » aux propriétés noématiques qui lui appartiennent en propre, à savoir aux propriétés du « visé en tant que tel », une fois que celles-ci ont subi la modification noématique.

En procédant plus soigneusement, nous nous apercevons qu'en fait ce n'est pas seulement pour la « conscience », pour le vécu intentionnel, mais aussi pour le *noème pris en lui-même*, que s'impose la distinction entre « contenu » et « objet ». Par conséquent le noème aussi se rapporte à un objet et possède un « contenu », au « moyen » (mittels) duquel il se rapporte à l'objet : par là l'objet est le même que celui de la noèse; il se confirme donc que le « parallélisme » se poursuit jusqu'au bout[1].

§ 130. — DÉLIMITATION DE L'ESSENCE DE « SENS NOÉMATIQUE ».

Serrons de plus près ces structures remarquables. Nous simplifierons la réflexion en laissant de côté les modifications attentionnelles et en nous limitant en outre aux actes positionnels; c'est dans ces thèses que nous vivrons, de préférence dans une thèse partielle ou dans l'autre, selon la succession des degrés de fondation; pendant ce temps les autres sont opérées sans doute, mais à titre secondaire. Nous aurons par la suite, et sans difficulté, à rendre manifeste que notre analyse n'est aucunement atteinte dans son universelle validité par cette simplification. Il s'agit précisément d'une essence qui n'est pas affectée par ces modifications.

Plaçons-nous donc au cœur d'un cogito vivant : il est par essence, au sens exprès du mot, « *dirigé* » vers une objectivité. En d'autres termes, son noème possède une « objectivité » — entre guillemets — avec un certain fonds noématique qui peut être développé dans une description nettement délimitée, c'est-à-dire *qui décrive « l'objet visé tel qu'il est visé » et élimine toutes les expressions « subjectives »*. On use alors d'expressions empruntées à l'ontologie formelle, telles que « objet », « propriété », « état de chose », « figure », « cause », — de déterminations de choses telles que « rude », « dur », « coloré », — toutes ces expressions étant entre guillemets et ayant leur sens modifié noématiquement. Par

[269] 1. Cf. p. 265 n. 1, *ad finem*.

contre sont *exclues* de la description de cet objet visé comme tel, les expressions telles que : « de façon per-
[270] ceptive », « de façon mémorielle », « clairement intuitif », « de façon pensée », « donné » — elles appartiennent à une autre dimension de la description, non à l'objet dont on a conscience, mais à la *façon dont on en a conscience* [1]. Par contre on retomberait dans le cadre de la description qui est ici en cause, si on disait à propos d'une chose qui apparaît : « sa face antérieure » a *telle ou telle détermination* quant à la couleur, la forme, etc.; sa « face postérieure » a « une » couleur, mais qui n'est « *pas déterminée exactement* »; une « *indétermination* » subsiste à tel ou tel point de vue; on ne sait si elle est ainsi ou autrement.

Ce qui est vrai des objets dans la nature l'est d'une façon tout à fait générale et vaut, par exemple, pour les objets-valeurs : la description englobe outre celle de la « chose » (Sache) visée, l'indication des prédicats de « valeur »; ainsi de l'arbre qui apparaît nous disons, « en vertu du sens » de cette visée d'évaluation : il est couvert de fleurs qui ont une odeur « merveilleuse »; les prédicats de valeur ici aussi ont leurs guillemets, ce ne sont pas les prédicats d'une valeur pure et simple, mais d'un noème de valeur.

Il devient par là même évident qu'un *statut* (Gehalt) *tout à fait invariable* est délimité en chaque noème. Toute conscience a son « *Quid* » et tout ce qui est visé a « son » aspect objectif; il est évident que dans le principe on doit pouvoir faire cette description noématique du « Quid », tel exactement qu'il est visé; l'explicitation et la saisie conceptuelle nous permettent de former un

---

[270] 1. La référence à l'objet est donc cet aspect du « Quid » du noème qui est le plus opposé à l'aspect du « Quomodo » (en tant que perçu, que souvenu, que regardé attentivement, etc.). Ce texte confirme Fink qui réduit la différence du sens et de l'objet à celle du « noème comme objet dans le comment (*im wie*) de ses modes de donnée et de l'objet comme moment noématiquement identique des noèmes dans leurs changements incessants » (art. cité p. 364). On arrive alors à ceci : quand on a éliminé le Quomodo de tout corrélat de pensée, il reste le Quid ou sens ; à son tour, ce sens est considéré comme faisceau de prédicats et sens *de* quelque chose. Le « de » désigne la visée objective de tout prédicat renvoyant à un « quelque chose » qu'il détermine.

système clos de « *prédicats* » formels ou matériels, effectivement déterminés ou même laissés « indéterminés » (visés « à vide ») ([a]); ces prédicats, considérés dans leur *signification* modifiée, déterminent le « *contenu* » de ce noyau objectif du noème qui est ici en cause.

§ 131. — « L'Objet », le « X déterminable pris au Sens noématique ».

Mais les prédicats sont prédicats de « *quelque chose* » et ce « quelque chose » appartient lui aussi au noyau mis en cause, sans pouvoir manifestement en être séparé; c'est le centre unificateur dont nous avons parlé plus haut. C'est le point de jonction ou le « support » des prédicats, mais il n'est nullement leur unité au sens où on nomme unité un complexe quelconque, une liaison quelconque de prédicats. Il faut nécessairement le distinguer d'eux, bien qu'on ne puisse le mettre à part [271] et l'en séparer, de même qu'inversement ils sont *ses* prédicats, impensables sans lui et pourtant susceptibles d'être distingués de lui. L'objet intentionnel, disons-nous, ne cesse d'être atteint par la conscience dans le progrès continu ou synthétique de la conscience; mais il ne cesse de s'y « donner autrement » ; c'est « *le même* » objet, donné simplement dans d'autres prédicats, avec un autre statut de détermination; « il » se montre seulement de différents côtés, ce qui avait permis aux prédicats demeurés indéterminés de recevoir une détermination plus précise; ou bien « *lui* », l'objet est resté inchangé pendant tout le temps où il s'est donné; maintenant « il » change, « lui » l'identique; à la faveur de ce changement ,il croît en beauté, il perd en valeur d'utilité, etc. Entendons cette analyse comme *description noématique* de ce qui, à ce moment, est visé en tant que tel ; et conduisons cette description, comme cela est toujours possible, selon la règle de l'adéquation pure : « l'objet » intentionnel identique se distingue alors avec évidence des « prédicats » variables et

(*a*) Ce vide de l'indétermination ne doit pas être confondu avec le vide intuitif, le vide de la représentation confuse.

changeants. Il se distingue en tant que *moment noématique central :* il est *« l'objet »* (der *« Gegenstand »*), « l'unité objective » (das « Objekt »), *« l'identique »*, le « sujet déterminable de ses prédicats possibles » — *le pur* X *par abstraction de tous ses prédicats* — et il se distingue *de* ces prédicats; ou plus exactement, des noèmes de prédicats.

A *l'unique* objet nous ordonnons de multiples modes de conscience, actes ou noèmes d'actes. Il est manifeste qu'il n'y a là rien de fortuit; nul objet n'est pensable sans que ne soit également pensable une multiplicité de vécus intentionnels, liés selon une unité continue ou proprement synthétique (polythétique), au sein desquels « lui », l'objet, est atteint par la conscience en tant qu'identique, bien que sous un mode différent au point de vue noématique : de telle sorte que le noyau caractérisé est variable, mais *« l'objet »*, le pur sujet des prédicats, est précisément identique. Il est clair que nous pouvons déjà considérer toute fraction abstraite de la durée immanente d'un acte comme un « acte », et l'acte total comme une certaine unité concordante, formée par les actes continûment liés. Nous pouvons dire alors : plusieurs noèmes d'actes ont ici des *noyaux* chaque fois *différents,* de telle sorte toutefois qu'ils *s'agrègent en une unité identique,* en une unité où le « quelque chose », le déterminable qui réside en chaque noyau, est atteint par la conscience en tant qu'identique.

De même des actes *séparés,* par exemple deux perceptions ou une perception et un souvenir. peuvent s'agréger en une unité « concordante »; cette agrégation, qui [272] manifestement n'est pas étrangère à l'essence des actes fusionnés, a une originalité : grâce à elle, le « quelque chose » des *noyaux* précédemment *séparés,* qui tantôt est déterminé de telle façon, tantôt de telle autre, est atteint par la conscience comme le même quelque chose, ou comme un « objet » identique par concordance.

Ainsi en tout noème réside un pur quelque chose objectif qui est son centre unificateur; en même temps nous voyons comment du point de vue noématique on peut distinguer deux sortes de concepts d'objet : cet *« objet pur et simple » d'ordre noématique* et *« l'objet dans le comment de ses déterminations* » (in Wie seiner Bestimmtheiten) — en y incluant les indéterminations qui chaque fois « restent en suspens » et qui sont co-visées, impliquées sous ce mode dans la visée de l'objet. Ce « comment » est alors à prendre tel exactement que le prescrit l'acte considéré, tel par conséquent qu'il appartient réellement à son noème. Le « *sens* » dont nous avons parlé à plusieurs reprises est *cet « objet-dans-le-comment », pris sur le plan noématique* (dieser noematische Gegenstand im Wie), avec tout ce que la *description caractérisée plus haut* peut y découvrir d'évident et exprimer en concepts.

Remarquons que nous avons dit à dessein « sens » et non « noyau ». En effet il apparaîtra que pour accéder au noyau réel, dans son intégralité complète, il nous faut faire rentrer en ligne de compte un nouveau type de distinction qui ne trouve pas son expression dans la description caractérisée plus haut et qui, pour nous, définit le « sens ». Si nous nous tenons d'abord purement à ce que la description saisit, le « sens » est une pièce maîtresse du noème. Il varie en général d'un noème à l'autre; dans certaines conditions au contraire il est absolument semblable, voire même caractérisé comme « identique », si toutefois « l'objet dans le comment de ses déterminations » s'offre à la description comme le même objet et comme un objet absolument semblable. En aucun noème il ne peut faire défaut, ni son centre nécessaire, le point unificateur, le pur X déterminable, faire défaut. Pas de « sens » sans le « *quelque chose* », et en outre sans « *contenu déterminant* ». Il est dès lors évident que ce n'est pas l'analyse ni la description ultérieure qui pourront seules l'imposer (einlegt), mais qu'il repose (liegt) réellement dans le corrélat de la conscience, à titre de condition de possibilité d'une description évidente et antérieurement à cette description.

Par le moyen de cet X vide porteur de sens et attaché au sens, et grâce à la concordance et à la fusion des divers sens en unités de degré quelconque (cette possibilité étant fondée dans l'essence de chacun d'eux), tout sens a son objet; bien plus, des sens différents se rapportent au *même objet*, dans la mesure précisément où ils peuvent s'incorporer à des unités de sens, où les différents [273]

X déterminables des sens ainsi unifiés viennent coïncider entre eux et coïncider avec le X du sens total appartenant à l'unité du sens considéré.

Notre analyse peut être étendue des actes monothétiques aux actes *synthétiques* ou, plus distinctement, polythétiques [1]. Dans une conscience articulée en plusieurs thèses, chaque membre a la structure noématique qu'on vient de décrire; chacun a son X avec son « contenu déterminant »; mais en outre le noème de l'acte synthétique total détient, en rapport avec la thèse « archontique » ([a]), le X synthétique et *son* contenu déterminant. Tandis que l'acte est opéré, le rayon du regard du moi pur se partage en une quantité de rayons et se pose sur les X qui forment l'unité synthétique. A la faveur du changement introduit par la nominalisation [2], le phénomène synthétique global se modifie, de telle sorte qu'un seul rayon d'actualité se porte sur le X synthétique suprême.

§ 132. — Le Noyau entendu comme le Sens selon son Mode de Plénitude (im Modus seiner Fülle)

Le sens, tel que nous l'avons déterminé, ne constitue *pas une essence concrète* [3] dans l'ensemble du noème, mais une sorte de *forme* abstraite qui habite en lui. En effet si nous nous attachons au sens, et donc au « visé » en respectant le statut de détermination avec lequel il est visé, on voit clairement apparaître un *second* concept de « l'objet dans le comment » — *dans le comment de ses modes de données.* Si nous faisons abstraction alors des modifications attentionnelles, de toutes les distinctions telles que celles qui concernent les modes d'opération, nous rencontrons — sans quitter jamais la sphère privilégiée de la positionalité — les différences qui portent sur la plénitude de clarté et qui sont si déterminantes au point de vue épistémologique. Une

(*a*) Cf. § 114, p. 242.

[273] 1. Cf. p. 246 sq.

2. Cf. p. 248.

3. Concret se rapporte à indépendant, abstrait à dépendant, p. 29.

chose dont on a une conscience obscure, prise comme telle, et la même chose dont on a une conscience claire, sont très différentes si on considère leur concrétion noématique, comme le sont aussi les vécus dans leur totalité. Mais rien n'empêche que le statut de détermination avec lequel est visée la chose dont on a une conscience obscure, soit absolument identique à celui de la chose dont on a une conscience claire. Les descriptions coïncideraient et une conscience synthétique d'unité pourrait englober les deux faces de cette conscience, de telle sorte que nous aurions vraiment à faire à la même chose visée. Dès lors nous entendrons par *noyau complet* la pleine concrétion de la composante noématique considérée, donc *le sens selon son mode de plénitude.*

[274] § 133. — La Proposition noématique. Proposition thétique et synthétique. Les Propositions dans le domaine des Représentations.

Il faudrait maintenant suivre soigneusement ces distinctions dans tous les domaines d'actes et, pour être complet, tenir compte des *moments thétiques* qui ont un rapport particulier au sens en tant que noématique. Dans les *Etudes Logiques,* ils étaient dès le début incorporés (sous le titre de qualité) au concept de sens (« d'essence significative ») (des « bedeutungsmässigen Wesens ») [1]; c'est donc au sein de cette unité que les deux composantes de « matière » (de sens dans la conception présente) et de qualité étaient distinguées [(a)].

(*a*) Loc. cit., Ve *Etude*, §§ 20 et 21, pp. 386-396 [3e éd., vol. II, pp. 411-425]. Cf. par ailleurs, *VIe Etude,* § 25, p. 559 [3e éd., vol. III, pp. 86-90]. La neutralité qui « tient en suspens » ne peut pas naturellement être comptée aujourd'hui, comme elle l'était alors, comme une « qualité » (thèse) à côté d'autres qualités : c'est une modification qui « reflète » toutes les qualités et par conséquent la totalité des actes en général.

[274] 1. Cf. les références aux Etudes Logiques, ci-dessus p. 182 n. 2, p. 267 n. 1. Dans les Ideen, Husserl décide d'appeler proposition l'ensemble sens + caractère thétique, c'est-à-dire le Quid perçu, imaginé, etc. + le mode de croyance (certitude, doute, conjecture, etc.), réservant le terme de proposition expressive pour les énoncés de la couche expressive (§§ 124-7).

Pourtant il semble convenable de définir le terme de sens comme étant uniquement cette « matière », et ensuite de désigner l'unité du sens et du caractère thétique par le mot de *proposition*. Nous avons alors des *propositions à un seul membre,* comme dans les perceptions et les autres intuitions thétiques, et des *propositions* à plusieurs membres, *synthétiques,* telles que les propositions doxiques prédicatives (les jugements), les propositions conjecturales avec leur matière articulée de façon prédicative, etc. Parmi les propositions à un ou plusieurs membres, nous avons en outre les *propositions de plaisir, les propositions de souhait, les propositions de commandement, etc.* Le concept de proposition subit sans doute ainsi une extension extraordinaire et peut-être choquante ; il n'enfreint pourtant pas les bornes d'une unité éidétique remarquable. Il ne faut même jamais perdre de vue que les concepts de sens et de proposition ne contiennent aucune allusion à l'expression et à la signification conceptuelle, mais que d'autre part ils contiennent, subordonnés à eux-mêmes, toutes les propositions expressives, ainsi que les significations propositionnelles.

Il ressort de nos analyses que ces concepts désignent une couche abstraite qui appartient à la texture complète de tous les noèmes. Il est d'une portée immense pour notre connaissance que nous saisissions cette couche dans son universalité, en y englobant toutes les différences, par conséquent que nous comprenions avec évidence qu'elle a réellement sa place dans *toutes les sphères d'actes.* Même dans les *intuitions* simples, les concepts de sens et de proposition, qui se rattachent de façon inséparable au concept d'objet, trouvent leur nécessaire application; il faut nécessairement former les concepts particuliers de *sens intuitif* et de *proposition intuitive*[2]. Prenons un exemple dans le domaine de la perception externe : on peut par intuition extraire

2. Sur l'extension du sens comme de la croyance aux représentations simples du percevoir, de l'imaginer, du souvenir, cf. ci-dessus p. 215 n. 1. Chez Husserl ces notions de sens et de croyance (réunies dans celle de proposition) ne sont pas monopolisées par une théorie du jugement.

(herausschauen) de « l'objet perçu en tant que tel », en faisant abstraction du caractère de la perceptivité, le sens de l'objet; il apparaît alors comme quelque chose qui avant toute pensée explicitante et conceptuelle [275] réside dans ce noème; c'est *le sens comme chose* (Dingsinn) *de cette perception*, qui change d'une perception à l'autre (même à l'égard de « la même » chose). Si nous prenons ce sens au complet, dans sa *plénitude* intuitive, on voit se former un concept déterminé et très important, le concept *d'apparence*. C'est à ces divers sens que correspondent les propositions, propositions intuitives, propositions de représentation, propositions perceptives, etc., etc. Dans une phénoménologie des intuitions externes qui, en tant que telle, ne traite pas d'objets purs et simples, au sens non modifié, mais de noèmes, entendus comme corrélats des noèses, les concepts tels que ceux que nous mettons en lumière ici occupent le centre de la recherche scientifique.

Revenons d'abord au thème général; nous découvrons une nouvelle tâche : il s'agit de distinguer systématiquement les types fondamentaux de sens, sens simples et synthétiques (c'est-à-dire appartenant aux actes synthétiques), de premier degré et de degré supérieur. Nous suivrons pour une part les types fondamentaux de détermination portant sur le contenu, pour une part les formes fondamentales de formation synthétique qui interviennent de la même manière dans tous les domaines de signification; nous tiendrons un compte général de tous les facteurs qui, par leur forme ou leur contenu, jouent un rôle déterminant dans la structure générale des sens, qu'ils soient communs à toutes les sphères de la conscience ou propres à des sphères délimitées par leur genre; et ainsi nous nous élèverons jusqu'à *l'idée d'une morphologie systématique et universelle des sens* (des significations). Si de plus on fait entrer en ligne de compte la distinction systématique des caractères positionnels, nous réaliserons en même temps une *typologie* (Typik) *systématique des propositions.*

§ 134. — Morphologie apophantique [1].

Une tâche capitale est ici d'esquisser de façon systématique une *morphologie* « analytique » *des significations « logiques »* ou des *propositions prédicatives*, des « jugements » au sens où la logique formelle prend ce mot; elle ne tient compte que des formes de la *synthèse analytique* ou *prédicative* et laisse indéterminés les termes signifiants qui sont engagés dans ces formes. Quoique cette tâche soit spéciale, elle a une portée universelle, en ce sens que le titre de synthèse prédicative désigne une classe d'opérations possibles, applicables à tous les types possibles de sens : à savoir l'explicitation et l'appréhension relationnelle de la chose explicitée, en tant que détermination rapportée au sujet de détermination, en tant que partie rapportée au tout, en tant que relatum rapporté à son centre de référence, etc. C'est ainsi qu'interfèrent les opérations de collection, [276] de disjonction, de liaison hypothétique. Ces combinaisons précèdent tout énoncé et toute saisie sous forme d'expression ou de « concept » [1]; celle-ci ne fait son entrée qu'avec l'énoncé et vient alors se souder à toutes les formes et matières à titre d'expression significative.

Nous avons déjà maintes fois rencontré l'idée de cette morphologie; comme nous l'avons établi, elle constitue le soubassement nécessaire, par principe, d'une mathesis universalis vraiment scientifique. Désormais les conclusions de nos études présentes mettent fin à son isolement; elle trouve sa terre d'élection au sein de la morphologie générale des sens que nous avons au moins conçu en tant qu'idée, et regagne définitivement son lieu naturel dans la phénoménologie noématique.

---

[275] 1. Sur l'apophantique, cf. p. 22 n. 2. Sur les synthèses du jugement, § 118. Sur l'analyse comme explicitation, *ibid.*, p. 246. L'important ici est la mise en place d'une théorie des propositions (comme discipline particulière et antérieure à la phénoménologie) dans l'édifice de la phénoménologie et en particulier par rapport à la théorie du sens noématique. Cf. Formale und transzendentale Logik, IIe partie.

[276] 1. Sur le sens étroit du mot concept au plan de l'expression, § 124.

Serrons de plus près cette analyse.

Les opérations syntactiques d'ordre analytique sont, disions-nous, des opérations possibles, applicables à tous les sens ou propositions possibles, quel que soit le statut de détermination qu'implique en soi, sous forme « non-explicitée », le sens noématique considéré (ce sens n'est rien d'autre que l'objet « visé » en tant que tel et considéré dans le comment de ses déterminations). Mais on peut toujours l'expliciter et accomplir l'une ou l'autre des opérations qui par essence sont solidaires de l'explicitation (de « l'analyse »). Les formes synthétiques qui prennent naissance ainsi (nous les nommons aussi syntactiques pour rappeler les « syntaxes » grammaticales) sont tout à fait déterminées; elles appartiennent à un système invariable de formes; on peut les dégager par abstraction et les saisir dans des expressions conceptuelles. Prenons par exemple le perçu en tant que tel, donné dans une thèse simple de perception : nous pouvons le traiter analytiquement d'une manière qui se traduit dans des expressions telles que celles-ci : « Ceci est noir; c'est un encrier; cet encrier noir n'est pas blanc; s'il n'est pas blanc il est noir », etc. A chaque nouveau pas, nous avons un nouveau sens; à la proposition primitive à un seul membre se substitue une proposition synthétique qui, en vertu de la loi selon laquelle toutes les propositions proto-doxiques peuvent être exprimées, passe au stade de l'expression ou de l'énoncé prédicatif. A l'intérieur des propositions articulées chaque membre possède sa forme syntactique qui procède de la synthèse analytique.

Supposons que les positions qui se rattachent à ces formes de sens soient des *proto-positions doxiques* ; on voit alors apparaître différentes formes de jugements au sens logique (les *propositions apophantiques*). Nous concevons l'idéal d'une détermination *a priori* de toutes ces formes où nous dominerions en un système exhaustif l'ensemble de ces formes qui, bien qu'étant d'une diversité infinie, sont néanmoins délimitées par des lois; ce but final représente l'idée d'une *morphologie des propositions apophantiques ou syntaxes.*

[277] Mais les positions, et en particulier l'ensemble des

positions synthétiques, peuvent aussi être des *modalités doxiques*. Nous conjecturons quelque chose et explicitons ce dont nous avions conscience sous le mode du « conjecturé » ; ou bien quelque chose se présente comme problématique et nous explicitons le problématique dans la conscience de question, etc. Si nous exprimons les corrélats noématiques de ces modalités : « S pourrait être p », « est-ce que S est p? » etc., et que nous faisons également la même chose pour le jugement prédicatif simple, de la façon dont nous exprimons aussi l'affirmation et la négation (par exemple : « S n'est pas p », « S est *pourtant* p », « S est certainement, réellement p ») — on voit alors s'élargir le *concept de forme* et l'idée d'une morphologie des propositions. La forme est désormais [a] déterminée de façon multiple, pour une part au moyen des formes proprement syntactiques, pour une part au moyen des modalités doxiques. Il reste toujours alors une thèse totale qui se rattache à la proposition totale et, incluse dans cette thèse totale, une thèse doxique. En même temps, par le moyen d'une explicitation et d'une opération de prédication qui changent la caractéristique modale en un prédicat, on peut transformer chacune de ces propositions, ainsi que l'expression conceptuelle qui lui est directement adaptée, en une proposition énonciative, en un jugement portant *sur* la modalité d'un contenu de telle ou telle forme (par exemple : « Il est certain, il est possible, vraisemblable que S soit p »).

Ce qui est vrai des modalités du jugement l'est aussi des *thèses fondées*, des sens et propositions de la *sphère affective et volitive*, des synthèses qui s'y rattachent spécifiquement et des modes correspondants d'expression. On peut alors aisément caractériser le but des nouvelles morphologies de propositions et spécialement de propositions synthétiques.

On voit en même temps que *la morphologie de toutes les propositions se reflète dans une morphologie convenablement élargie des propositions doxiques* — à

(a) Au sens donné dans les développements ci-dessus, § 127, pp. 262 et suiv., et également §§ 105 suiv., pp. 217 suiv.

condition d'accueillir dans la matière du jugement, au même titre que les modalités de l'être, celles du devoir-être (si l'on se permet cette tournure qui souligne l'analogie). Il n'est pas besoin de longues explications pour interpréter cette inclusion; il suffira de l'illustrer par des exemples : au lieu de dire : « puisse S être p », nous dirons : puisse-t-il être que S soit p, cela est souhaitable (erwünscht), (non souhaité) (nicht gewünscht); au lieu de dire : « S doit être p », nous dirons : cela doit être que S soit p, cela est une obligation (ein Gesolltes), etc.

La phénoménologie elle-même ne reconnaît pas pour sa tâche d'élaborer systématiquement cette morphologie; [278] comme l'enseigne la morphologie apophantique, celle-ci consiste à dériver des configurations axiomatiques fondamentales toutes les possibilités systématiques susceptibles de conduire aux autres configurations; la tâche de la phénoménologie se borne à analyser l'*a priori* qu'on peut exhiber (aufweisbaren) dans une intuition *immédiate*, à fixer les essences et leurs rapports, susceptibles d'évidence immédiate et à en poursuivre la description dans tout le système des couches de la conscience transcendantalement pure. Le phénoménologue embrasse dans sa totalité indivisible ce qu'en logique théorique on traite isolément sous forme de doctrine formelle des significations; en effet le logicien ayant son intérêt tourné d'un seul côté fait comme si cette doctrine existait pour elle-même; il ne remarque pas et ne comprend pas les relations noématiques et noétiques dans lesquelles son objet est impliqué au point de vue phénoménologique. La grande tâche du phénoménologue est de poursuivre *dans toutes les directions* les combinaisons phénoménologiques entre essences. Toutes les fois qu'on exhibe un concept logique fondamental par simple voie axiomatique, on fournit un titre d'étude phénoménologique. Déjà on a mis en lumière de façon simple quelques éléments dans leur universalité logique la plus vaste : la « proposition » (la proposition judicative), la proposition catégorique ou hypothétique, la détermination attributive, l'adjectif ou le relatif substantivés, etc.; ces éléments, une fois réintroduits dans les connexions éidétiques d'ordre noématique qui leur correspondent et d'où le regard théorique les a prélevés, fournissent à la phénoménologie pure de vastes groupes de problèmes.

§ 135. — OBJET ET CONSCIENCE. PASSAGE A LA PHÉNOMÉNOLOGIE DE LA RAISON.

Tout vécu intentionnel a un noème et dans ce noème un sens au moyen duquel il se rapporte à l'objet; inversement[1], tout ce que nous nommons *objet*, ce dont nous parlons, ce que nous avons sous les yeux à titre de réalité, tenons pour possible ou invraisemblable, pensons de façon aussi indéterminée qu'on voudra, tout cela est déjà par là même un objet de conscience; autrement dit, d'une façon générale, tout ce qui peut être et s'appeler monde et réalité doit être représenté (vertreten) dans le cadre de la conscience réelle et possible au moyen de sens ou de propositions correspondants, remplis par un contenu (Gehalt) plus ou moins intuitif. Il résulte que si la phénoménologie opère des « mises hors circuit », si en tant que phénoménologie transcendantale elle met entre parenthèses toute position actuelle de réalité et opère toutes les autres mises entre parenthèses que nous avons décrites plus haut, une raison plus profonde nous permet maintenant de comprendre le sens et la légitimité de la thèse précédente : à savoir que tout ce qui est mis hors circuit au sens phénoménologique demeure néanmoins, sous réserve d'un certain changement de signe, dans le cadre de la [279] phénoménologie ([a]). Cette raison la voici : les réalités (Wirklichkeiten) naturelles (realen) ou idéales mises hors circuit sont représentées (vertreten) dans la sphère phénoménologique par la multiplicité totale des sens et des propositions qui leur corerspondent.

(*a*) Cf. § 46, p. 142.

[278] 1. Ce langage inversé, qui rapporte l'objet à la conscience, rattache finalement toute l'analyse antérieure au thème central de la philosophie husserlienne, à la constitution : la conscience constitue l'objet comme identique en le visant à travers des noèmes variables.

Par exemple[1] la chose réelle (wirklich) de la nature est représentée par tous les sens et par toutes les propositions plus ou moins « remplies », la chose jouant dans ces propositions le rôle de corrélat de vécus intentionnels possibles, selon qu'elle est déterminée ou ultérieurement déterminable de telle ou telle façon; la chose est donc représentée par une multiplicité de « noyaux complets » ou, ce qui revient au même ici, par l'ensemble de tous les « modes subjectifs d'apparaître » possibles où elle peut être noématiquement constituée en tant qu'identique. Cette constitution se réfère d'abord à une conscience individuelle possible par essence, puis également à une conscience communautaire possible, c'est-à-dire à une pluralité possible par essence de moi, de consciences et de flux de conscience qui entretiennent des « échanges »; c'est pour cette pluralité de consciences qu'*une* chose peut être donnée et identifiée de façon intersubjective en tant que réalité objective identique. Il faut noter à chaque instant que tous nos développements, y compris ceux-ci, doivent être placés sous le signe des réductions phénoménologiques et entendus selon l'universalité de l'essence.

D'un autre côté, à chaque chose et finalement à l'ensemble du monde des choses, avec son unique espace et son unique temps, correspond la multiplicité des processus noétiques possibles, la multiplicité des vécus possibles rapportés à ce monde et appartenant à des individus singuliers et à des unités communautaires; ces vécus en effet comportent dans leur essence, à titre de parallèle du divers noématique considéré ci-dessus, la propriété remarquable de se rapporter par leur sens et leurs propositions à ce monde de choses. On découvre donc dans ces vécus la multiplicité des data hylétiques, avec les « appréhensions » appropriées, les caractères thétiques d'actes, etc.; tous ces moments élaborent par leurs combinaisons et leur unité ce que nous nommons la conscience empirique de ces choses. L'unité de la chose s'oppose à la multiplicité idéale indéfinie de

[279] 1. L'exemple de la chose naturelle domine les IDEEN, mais les valeurs, les personnes, les objets mathématiqués posent les mêmes problèmes. Cf. p. 280, et surtout § 152.

vécus noétiques; ces vécus ont un statut éidétique bien déterminé et susceptible d'être embrassé par l'esprit en dépit de son infinité; ils s'accordent en ceci qu'ils sont la conscience de « la même » chose. Cette unicité de la chose accède dans la sphère de la conscience au rang de donnée, elle apparaît au sein de vécus qui à leur tour se rattachent au groupe que nous avons délimité ici.

En effet, si nous nous sommes bornés à la conscience empirique, ce n'était qu'à titre d'exemple; de même quand nous nous sommes limités aux « choses » [280] du « monde ». Tout, absolument tout, est prescrit éidétiquement, quelle que soit l'extension que nous donnions au cadre de l'étude et quel que soit le plan de généralité ou de particularité sur lequel nous nous mouvions, — et même si nous descendons jusqu'à l'ultime concret. La sphère du vécu est rigoureusement soumise à des lois quant à sa structure éidétique transcendantale et toute configuration [1] éidétique possible, selon noèse et noème, n'y est pas moins impérieusement déterminée que n'est déterminée par l'essence de l'espace toute figure possible susceptible d'y être tracée : ce sont des lois d'une validité inconditionnée qui commandent. Ce qu'on appelle ici de part et d'autre possibilité (existence (Existenz) éidétique) [2] est donc une possibilité absolument nécessaire; c'est un membre absolument invariable qui a sa place dans l'édifice lui-même absolument invariable d'un système éidétique. Le but est d'en acquérir une connaissance scientifique, c'est-à-dire de lui imprimer une forme théorique et de l'embrasser en un système de concepts et d'énoncés de lois qui n'ait pas d'autre source que la pure intuition des essences. Toutes les distinctions fondamentales qui constituent l'ontologie formelle, et la

---

[280] 1. L'expression de configuration (Gestaltung) rappelle que les prescriptions éidétiques qui règlent l'enchaînement de la conscience transcendantale sont au vécu et aux essences inexactes de la conscience ce qu'est la génération des figures en géométrie. Ces deux pages (279-280) donnent un pressentiment des ambitions de l'idéalisme husserlien : toute trancendance *réduite*, — y compris la transcendance de l'éidétique (§§ 59-60) — doit être constituée.

2. Cf. p. 43 n. 3.

doctrine des catégories qui s'y adjoint — la doctrine qui a pour objet la distribution de l'être en régions et en catégories ainsi que la constitution des ontologies matérielles (sachhaltigen) appropriées — servent de titres principaux à des recherches phénoménologiques possibles, comme nous le comprendrons jusque dans le détail en avançant dans l'analyse. A ces recherches correspondent nécessairement des connexions éidétiques entre noèse et noème, qu'on doit pouvoir décrire systématiquement, en respectant possibilités et nécessités.

Examinons avec plus de précision ce que signifient ou devaient signifier les relations éidétiques signalées dans l'analyse précédente entre objet et conscience ; nous y trouvons une dualité de sens et, en la serrant de plus près, nous remarquons que nous sommes arrivés à un tournant important de nos recherches [3]. Nous ordonnons à un objet une multiplicité de « propositions » ou de vécus possédant un certain statut noématique, si bien que par son moyen il devient possible à priori de procéder à des synthèses d'identification, grâce auxquelles l'objet peut et doit se présenter comme le même objet. Le X, doté dans les différents actes ou noèmes

3. Ce « tournant » est celui qui découvre les problèmes du chap. II sur la *phénoménologie de la raison.* Et ce tournant consiste en ceci : la « référence du noème à un objet » est apparue comme la référence à un X sujet des déterminations-prédicats constituées par le « sens » de l'objet. On demande alors : ce pôle d'identité est-il *réel ?* Question au premier abord étrange : car, d'une part, la notion de réalité semble avoir été déjà « constituée » comme modalité de croyance (plus exactement comme « caractère d'être » corrélatif de la croyance certaine, § 103) ; elle semble donc comprise dans la notion de proposition qui additionne sens et croyance (ou caractère thétique) : § 133. D'autre part, si l'analyse de la réalité n'est pas épuisée par celle des caractères thétiques, qu'est-ce que la notion de réalité peut ajouter à celle de « X identique unificateur des prédicats » ? Il n'est pas douteux que par cette méthode de rebondissement incessant, Husserl cherche à radicaliser le problème de la réalité. Suspendue par l'ἐποχή, la réalité provoque un effort renouvelé de la conscience constituante : la constitution des caractères thétiques ne portait que sur la réalité des déterminations prédicables contenues dans le « sens ». Le réel n'était encore que le corrélat d'une certitude d'attribution. Il s'agit de savoir ce qu'est la *réalité* du X unificateur des déterminations attribuées. Ainsi, toujours, la réalité semble échapper à la constitution transcendantale.

d'actes d'un « statut de détermination » différent, est nécessairement atteint par la conscience comme étant le même. Mais *est-il réellement le même?* et *l'objet lui-même est-il « réel »* ? Pourrait-il ne pas être réel, alors que les multiples propositions concordantes et même intuitivement remplies — quel que soit leur statut éidétique — continueraient de se déployer sur le plan de la conscience ?

Ce qui nous intéresse ici ce n'est pas la facticité de la conscience et de son déroulement, mais bien les pro- [281] blèmes éidétiques qu'il nous faudrait formuler ici[1]. La conscience, ou le sujet lui-même de la conscience, *juge* sur la réalité, s'interroge à son sujet, conjecture, doute, résout le doute et exerce ainsi la « *juridiction de la raison* ». N'est-ce pas dans l'enchaînement éidétique de la conscience transcendantale, donc sur le terrain purement phénoménologique, qu'on doit pouvoir élucider l'essence de ce droit et corrélativement l'essence de la « réalité », — celle-ci étant rapportée à tous les types d'objets, et compte tenu de toutes les catégories formelles et régionales ?

Quand nous parlions de la « constitution » noético-noématique des objectivités, par exemple des objectivités de chose, il subsistait donc une dualité de sens. Chaque fois que nous en parlions, nous pensions de préférence à des objets « réels », à des choses du « monde réel », ou au moins « d'un » monde réel en général. Que signifie alors ce mot « réel », appliqué à des objets qui pour la conscience ne peuvent être donnés qu'au moyen de sens et de propositions ? Que signifie-t-il, appliqué à ces propositions elles-mêmes, à la spécification éidétique de ces noèmes ou des noèses parallèles ? Que signifie-t-il, appliqué aux modes particu-

[281] 1. La facticité à laquelle il est fait allusion est l'ordre de fait que réalisent les « enchaînements » ou « configurations » de vécus pour prescrire tel monde et non tel autre. On se rappelle que c'est cette *téléologie* qui pose le problème de la transcendance de Dieu, p. 110. Si donc on ne pose pas le problème de l'ordre de *fait*, le problème de la réalité est celui de la corrélation entre deux essences : conscience rationnelle et réalité, celle-ci exerçant sa « juridiction » sur celle-là, celle-là se « légitimant » dans celle-ci. C'est de là que partira le CHAPITRE II.

liers de leur structure, relativement à la forme et à la plénitude ? Comment cette structure se particularise-t-elle en fonction des régions particulières d'objet ? La question est donc de savoir comment, en respectant l'exigence d'une science phénoménologique, on pourra décrire noétiquement ou noématiquement tous les enchaînements immanents à la conscience qui rendent nécessaire, précisément dans sa réalité, un objet pur et simple (ce qui, selon le langage habituel, signifie toujours un objet *réel*). Au sens *plus large* du mot, un objet se « constitue » — « qu'il soit réel ou non » — au sein de certains enchaînements immanents à la conscience qui comportent une unité évidente, dans la mesure où ils entraînent par essence la conscience d'un X identique.

En fait, ce qui vient d'être dit ne concerne pas seulement des réalités en quelque sens fort. Les questions de réalité se rencontrent dans *toutes* les connaissances en tant que telles, y compris dans nos connaissances phénoménologiques qui ont rapport à la constitution possible d'objets. Toutes ont leurs corrélats dans des « objets » (Gegenständen) qui sont tenus comme « étant réellement ». Quand, peut-on demander partout, l'identité du X « visé » noématiquement est-elle une « identité réelle » et non pas « simplement » visée, et que signifie partout ce « simplement visé » [2] ?

Il nous faut donc consacrer de nouvelles réflexions aux problèmes concernant la réalité et aux problèmes corrélatifs concernant la conscience rationnelle qui légitime en soi-même cette réalité.

---

2. Cette question souligne la difficulté centrale de l'idéalisme trancendantal : si la réalité échappe sans cesse à la constitution (cf. p. 280 n. 3), la tâche de cet idéalisme est de combler l'écart toujours renaissant entre le « simplement visé » (ou noème) et la « réalité ».

[282] CHAPITRE II

PHÉNOMÉNOLOGIE DE LA RAISON [1]

Quand on parle d'objet pur et simple, on entend normalement des objets appartenant à telle ou telle catégorie d'être, qui sont réels, qui ont un être véritable. Quoi qu'on dise alors de ces objets — si du moins on parle rationnellement — ce qui est alors énoncé aussi bien que pensé doit pouvoir être « *fondé* », « *légitimé* » (ausweisen), « *vu* » (sehen) directement ou atteint dans une « *évidence* » (Einsehen) *médiate. Par principe il doit exister une corrélation* dans la sphère logique, dans celle de l'énoncé, entre « *l'être véritable* » ou « *réel* » et « *l'être légitimable rationnellement* »; et cette corrélation doit valoir pour toutes les modalités doxiques d'être ou de position. Il va de soi que cette possibilité d'une légitimation par la raison, dont il est question ici, ne doit pas être entendue comme une possibilité empirique, mais comme une possibilité « idéale », éidétique [2].

---

[282] 1. Le chapitre II résout le problème de la réalité — de la légitimation rationnelle — dans une théorie du « *voir* ». La théorie du noème avait déjà opposé l'*originaire* au reproduit, à l'imaginé, au souvenu (§ 99) et en avait fait un « caractère noématique ». Il s'agit donc d'étendre au X de tout objet le caractère positionnel qui a été mis en lumière dans le cadre encore limité des déterminations noématiques. Cette radicalisation de la théorie de l'*intuition*, son épanouissement dans une vaste philosophie de l'*évidence* confirme le caractère propre du transcendantalisme husserlien où le *voir* est le moment culminant de la *constitution*. Comprendre Husserl, serait comprendre que la plus haute « donation » de la conscience transcendantale est le « voir ». Cf. p. 7 n. 5 et 6 ; p. 106 n. 1. Ce chapitre est inséparable de la *VIe Etude Logique* qui lie intuition et remplissement des significations vides.

2. Sur la position du problème raison-réalité, cf. p. 281 n. 1. Toute la *IIIe Méditation cartésienne* reprend la théorie de l'évidence en ajoutant la théorie de l'évidence « habituelle » (pp. 51-3).

§ 136. — La Première Forme fondamentale de la Conscience rationnelle : le « Voir » donateur originaire.

Si on demande ce que veut dire légitimer rationnellement, c'est-à-dire en quoi consiste la *conscience rationnelle*, nous rencontrons plusieurs distinctions, en présentifiant intuitivement quelques exemples et en amorçant l'analyse éidétique qu'ils invitent à opérer :

Premièrement la distinction entre les vécus positionnels où la chose posée vient *se donner de façon originaire,* et ceux où elle ne vient *pas* se donner ainsi : donc entre les actes de « *perception* », de « *vision* » — *en un sens très large* — et *ceux qui ne sont pas des « perceptions ».*

Ainsi une conscience de souvenir, par exemple le souvenir d'un paysage, ne se donne pas de façon originaire, le paysage n'est pas perçu comme si nous le voyions réellement. Non pas que la conscience de souvenir n'ait pas de droit propre : seulement elle n'est pas une conscience qui « voit ». Pour *toutes les espèces* de vécus *positionnels* la phénoménologie présente un analogue de cette opposition : nous pouvons par exemple former de façon « aveugle » le jugement prédicatif: deux plus un égale un plus deux, mais nous pouvons aussi former le même jugement sur le mode de l'évidence. L'état de chose, l'objectivité synthétique qui correspond à la synthèse du jugement, est alors une donnée originaire, il est saisi de façon originaire[3]. Il ne l'est plus *après* l'opération vivante de l'évidence qui s'obscurcit aussitôt en une modification rétentionnelle. [283] Celle-ci a sans doute une supériorité rationnelle sur toute autre conscience obscure ou confuse portant sur le même sens noématique, par exemple sur la reproduction « irréfléchie » de quelque chose qu'on a une fois appris et peut-être compris avec évidence ; mais elle ne constitue plus une conscience donatrice originaire.

3. La *VIe Etude Logique* montre que les relations intelligibles sont elle-mêmes susceptibles d'intuition, appelée « intuition catégoriale », en ce sens qu'elle aussi « remplit » une signification « à vide » (IIe Section, en particulier §§ 45 sq).

Cette distinction ne touche pas le sens pur ou proposition ; celui-ci reste identique dans les deux membres de chacun de ces couples d'exemples ; pour la conscience il peut être à chaque instant saisi intuitivement comme identique. La distinction concerne *la façon dont le simple sens ou la proposition sont ou non remplis,* étant entendu que ce sens n'est qu'une simple abstraction dans le noème concret de la conscience et appelle un appoint de moments complémentaires.

La plénitude du sens n'est pas seule à compter ; il faut aussi considérer le *comment* de ce remplissement. Un des modes selon lesquels le sens est vécu est le mode « *intuitif* » : « l'objet visé en tant que tel » y est atteint intuitivement par la conscience ; l'intuition donatrice originaire est précisément un cas particulièrement remarquable de ces modes intuitifs. Dans la perception du paysage, le sens est rempli de façon perceptive ; l'objet perçu avec ses couleurs, ses formes, etc., (dans la mesure où elles « tombent sous la perception ») accède à la conscience sous le mode du « corporel ». Nous rencontrons des caractéristiques semblables dans toutes les sphères d'actes. De plus, en vertu du parallélisme, la situation peut être abordée par ses deux faces, sa face noétique et sa face noématique. En nous tournant vers le noème, nous découvrons le caractère de corporéité (Leibhaftigkeit), en tant que plénitude (Erfülltheit) originaire, fusionné avec le sens pur; et *le sens, joint à ce caractère, joue alors le rôle de soubassement à l'égard du caractère positionnel du noème,* ou en d'autres termes, à l'égard du caractère d'être. On peut faire l'analyse parallèle en se tournant vers la noèse.

Or il faut joindre au caractère positionnel un caractère rationnel spécifique qui le distingue : par essence ce nouveau caractère s'adjoint au précédent, — et s'adjoint *uniquement* — *si* le caractère positionnel se fonde sur un sens rempli, sur un sens donateur originaire, mais non pas sur un sens quelconque.

Ici comme dans chaque espèce de conscience rationnelle le mot appartenance prend une signification originale. Quand par exemple une chose apparaît corporellement, on dira que sa position *appartient à* son apparaître ; la position n'est pas une avec cet ap-

paraître seulement de façon générale (à titre de fait universel, — ce qui est ici hors de question): l'unité qu'elle forme avec lui est *sui generis;* elle est « *motivée* » par l'apparaître, non pas encore une fois de façon quelconque, mais « *motivée rationnellement* ».
[284] Autrement dit, la position trouve dans la donnée originaire son *fondement originel de validité*[1]. Dans d'autres modes de donnée, le fondement de validité sans doute ne fait pas nécessairement défaut; ce qui manque toutefois c'est la prérogative du fondement *originel,* qui joue son rôle remarquable dans l'appréciation comparée des fondements de validité.

De même la position de l'essence ou de l'état de chose éidétique, qui est donné de façon « originaire » dans *l'intuition éidétique,* « appartient » à sa « matière » (Materie) positionnelle, au « sens » dans son mode de donnée. C'est une position rationnelle et, en tant que *certitude de croyance,* elle est originellement motivée ; elle possède le caractère spécifique de *l'évidence* (der einsehenden). Si la position est *aveugle* et si on effectue les significations verbales en se fondant sur un soubassement d'actes qui réalisent eux-mêmes une conscience obscure et confuse, le caractère rationnel de l'évidence fait nécessairement défaut ; il est *impossible par essence de concilier* l'évidence avec ce mode de donnée (si on tient encore à employer le mot donnée dans ce cas); elle est incompatible avec ce mode dont le noyau de sens se revêt dans le noème. D'autre part cela n'exclut pas la présence de quelque caractère rationnel secondaire, comme le montre l'exemple de la présentification rétrospective imparfaite de connaissances éidétiques.

La vision intellectuelle (Œinsicht), de façon générale *l'évidence* (Evidenz) est donc un processus tout à fait irréductible ; par « son » noyau *c'est l'unité que forme une position rationnelle avec ce qui la motive par es-*

[284] 1. Nous avons ici la réponse à la première difficulté soulevée plus haut (p. 280 n. 3) : le réel n'est-il pas simplement le corrélat de la certitude et tout n'en a-t-il pas été dit dans le cadre de l'analyse des caractères de croyance ? On voit ici que l'intuition « motive », « légitime », « fonde » le caractère de croyance étudié au § 103.

sence, la situation d'ensemble pouvant être entendue en termes noétiques, mais aussi noématiques. Le mot de motivation convient de préférence à la relation entre le poser (noétique) et la proposition noématique *sous son mode de plénitude* (Erfülltheit). On comprend immédiatement l'expression « *proposition évidente* » (evidenter) dans sa signification noématique.

La dualité de sens du mot évidence (Evidenz), appliqué tantôt au caractère noétique ou aux actes complets (par exemple l'évidence du juger), tantôt aux propositions noématiques (par exemple le jugement logique évident, la proposition énonciative évidente), est un cas particulier de cette dualité générale et nécessaire qui s'attache aux expressions désignant des moments de la corrélation entre noèse et noème. Il suffit d'en démontrer la source par la phénoménologie pour lui ôter toute nocivité et même pour en faire apparaître le caractère indispensable.

Il faut encore noter que le mot *remplissement* (Erfüllung) a encore un double sens, mais dans une direction toute différente : une première fois il désigne le « *remplissement de l'intention* » : c'est un caractère que la *thèse* actuelle adopte grâce au mode particulier du sens ; dans le deuxième cas il désigne précisément [285] le caractère propre de ce mode lui-même, ou la propriété particulière que possède le sens en question de receler en soi un « plein (Fülle) » qui fournit une motivation rationnelle.

§ 137. — Evidence et Vision intellectuelle (Einsicht). Evidence « Originaire » et « Pure », Assertorique et Apodictique[1].

Les deux exemples invoqués plus haut illustrent en même temps une *seconde* et une *troisième* distinction essentielles. Nous nommons d'habitude évidence et

[285] 1. *La première tâche d'une phénoménologie de la raison est de conquérir l'envergure totale du voir :* a) *Au plan de la « sensibilité » et de l' « entendement », comme on dit dans la VIe Etude Logique,* § 137 ; b) *Sous sa forme inadéquate* (ex. : perception de chose) et *adéquate* (ex. : évidence du vécu), § 138 : c) *En tenant*

vision intellectuelle (Einsicht) — ou voir *intellectuel* (Einsehen) — une conscience doxique positionnelle et dans ce cas une conscience donatrice *adéquate* qui « exclut l'être-autrement » (Anderssein) ; la thèse est motivée par les données adéquates d'une façon tout à fait exceptionnelle ; au sens le plus élevé du terme elle est un acte de « raison ». L'exemple de l'arithmétique est une bonne illustration. Celui du paysage met bien en jeu un « voir », mais non une évidence au sens fort habituel du mot, une évidence intellectuelle, un « voir dans »... Plus exactement, le contraste des deux exemples nous révèle une *double différence :* dans l'un il s'agit des *essences,* dans l'autre de quelque chose *d'individuel ;* deuxièmement le donné originaire, dans l'exemple éidétique, est *adéquat ;* dans l'exemple emprunté à la sphère empirique il est *inadéquat.* Ces deux différences, qui dans certaines circonstances se recoupent, s'avéreront importantes quand on considérera le type d'évidence.

Pour ce qui est de la première distinction, il faut constater sur le plan phénoménologique que le *voir* si l'on peut dire *« assertorique », portant sur quelque chose d'individuel,* — par exemple « s'apercevoir » d'une chose ou d'un état de chose individuel, — se distingue essentiellement d'un *voir « apodictique »,* de la *vision intellectuelle d'une essence ou d'un état de chose éidétique;* il en est de même aussi de la modification que subit cette vision intellectuelle quand les deux sortes du voir se mélangent ; c'est le cas dans l'application d'une vision éidétique à une chose qui tombe sous la vision assertorique, et, de façon générale, *dans la connaissance de la nécessité qui s'attache à l'être-tel* (des Soseins) d'un individu une fois posé [2].

L'évidence et la vision intellectuelle, au sens fort qu'elles ont d'ordinaire, sont prises dans le même sens : celui d'une vision intellectuelle apodictique. Nous proposons de séparer les deux mots pour la terminologie. Nous avons absolument besoin d'un mot plus général

---

compte des diverses modalités de croyance, § 139 ; d) *des formes théoriques et pratiques de la croyance,* § 139 (suite).

2. Cf. § 6.

qui embrasse dans sa signification le voir assertorique et le voir intellectuel [le « voir-dans »] apodictique. Il faut considérer le principe suivant comme une connaissance phénoménologique de la plus haute importance : l'un et l'autre appartiennent réellement à *un unique* genre éidétique ; plus généralement encore, *la conscience rationnelle en général désigne un genre su-* [286] *prême de modalités thétiques* dans lequel précisément se découpe l'espèce nettement délimitée du « voir » (dans son sens élargi à l'extrême) qui se rapporte aux données originaires. On a alors le choix pour désigner le genre suprême : ou bien on étendra (comme tout à l'heure, mais encore bien au delà) la signification du mot voir, ou bien celle du mot « voir dans » (Einsicht), «évidence » (Evidenz). Le plus convenable serait d'adopter pour concept suprême le mot *évidence*. On disposerait alors, pour désigner toute thèse rationnelle caractérisée par une relation de motivation au caractère originaire du donné, de l'expression : *évidence originaire*. Il faudrait en outre distinguer entre évidence *assertorique* et *apodictique* et réserver au mot *vision intellectuelle* [vue-dans], la charge particulière de désigner cette *apodicité*. Par la suite il faudrait opposer vision intellectuelle *pure* et *impure* (par exemple la connaissance de la nécessité d'un fait dont l'être lui-même n'est pas nécessairement évident), — et de même, de façon tout à fait générale, *évidence pure et impure*.

On voit encore apparaître d'autres distinctions, à mesure qu'on avance plus profondément dans l'étude; ces distinctions, situées au niveau des soubassements qui servent de motivation, affectent le caractère d'évidence. Par exemple la distinction entre l'évidence *purement formelle* (« analytique », « logique ») et l'évidence *matérielle* (a priori d'ordre synthétique). Néanmoins nous ne devons pas aller ici au delà d'une première ébauche.

§ 138. — Evidence Adéquate et Inadéquate.

Reportons-nous maintenant à la deuxième distinction indiquée plus haut concernant l'évidence ; elle est solidaire de cette autre distinction entre donnée adéquate et inadéquate, et nous donne en même temps l'occasion de décrire un type nettement caractérisé d'évidence « impure ». Sans doute la position de la *chose* est rationnelle quand elle se fonde sur une apparence corporelle ; mais l'apparence ne peut jamais être qu'une apparence unilatérale, « imparfaite » ; or ce qui s'offre à la conscience de façon corporelle c'est non seulement ce qui « proprement » apparaît, mais tout simplement cette chose même, le tout de la chose selon son sens global, bien que ce sens ne soit intuitif que sous une face et de plus reste indéterminé à bien des égards. Ce qui apparaît « proprement » de la chose ne peut alors être séparé et traité pour soi-même comme une chose; dans le sens complet de la chose, le corrélat du sens forme une partie *sans indépendance* qui ne peut acquérir une unité et une *indépendance* comme sens que dans un tout, lequel recèle *nécessairement* des composantes vides et des composantes indéterminées.

Par principe une chose naturelle (ein Dingreales), un être doté d'un tel sens, ne peut apparaître que de façon « *inadéquate* » dans les limites finies de l'apparence[1].
[287] Au principe précédent se rattache par essence le suivant : *si une position rationnelle repose sur une telle apparence donatrice inadéquate, elle ne peut jamais être « définitive »* ; elle ne peut jamais être « insurmontable » ; aucune position prise isolément n'équivaut à l'assertion pure et simple : « la chose est réelle »; mais seulement à l'assertion : « cela est réel », à supposer que le cours ultérieur de l'expérience ne suscite pas des « motifs rationnels plus forts » qui révèlent que la position primitive doit être « biffée » par la suite. La position n'est donc rationnellement motivée que par l'apparence considérée en soi et pour soi, à l'état isolé (par le sens de perception imparfaitement rempli).

La tâche de la phénoménologie de la raison, dans la

[286] 1. Nous retrouvons ici, mise en place dans une théorie générale du voir, l'analyse de l'*inadéquation* qui avait seulement servi à distinguer la « perception transcendante » et la « perception immanente », §§ 42-4.

sphère des types d'être qui ne peuvent être donnés que de façon inadéquate (dans la sphère des *transcendances* au sens de réalités naturelles), est donc d'étudier les différents processus prescrits à priori dans cette sphère. Il lui faut répondre clairement à ces questions : quel rapport la conscience inadéquate du donné, l'apparaître unilatéral, entretient-il avec un seul et même X déterminable, à mesure que se développent ces apparences qui ne cessent de se renouveler et de se transformer les unes dans les autres ? Quelles possibilités éidétiques se font jour ici ? Comment d'une part un cours d'expérience est-il possible, comment se fait-il que sans cesse il soit rationnellement motivé par les positions rationnelles qui précèdent continuellement ? Comment peut-il être précisément ce cours de l'expérience, tel que les lacunes des apparences précédentes se comblent et que ses indéterminations se déterminent plus exactement et que le processus se poursuive à la façon *d'un remplissement de part en part concordant dont la force rationnelle ne cesse de croître ?* Il faut d'autre part élucider les possibilités inverses, *les cas de fusion ou de synthèse polythétique où une discordance apparaît :* le X qui continue d'être atteint par la conscience comme identique se révèle être « *autrement déterminé* », — autrement que ne l'indiquait la primitive donation de sens. Une nouvelle tâche se propose alors : comment certaines composantes positionnelles appartenant au cours antérieur de la perception sont-elles *biffées,* elles et leur sens ? Comment dans certains cas toute la perception peut-elle si l'on peut dire *exploser* et éclater en « *appréhensions concurrentes de chose* », en *suppositions de chose* » (Dingansätze) qui se contredisent ?[1] Comment les thèses correspondant à ces suppositions peuvent-elles se supprimer et à l'occasion de cette suppression se modifier de façon originale ? Ou bien comment une thèse demeurée sans modification « conditionne »-t-elle le biffage de la « contre-thèse » ? Tous

[287] 1. Il ne faut pas oublier que l'hypothèse de l'anéantissement du monde (§ 49) est l'hypothèse-limite d'une concurrence radicale, d'une discordance totale des apparences où nul sens ne se « légitime », où tout sens est auto-destructeur.

les autres processus semblables demandent également à être élucidés.

[288] Pour plus d'exactitude il faut aussi étudier les modifications caractéristiques que subissent les positions rationnelles primitives, du fait que, au cours d'un remplissement concordant, elles reçoivent un *accroissement phénoménologique positif* quant à leur « *force* » *de motivation,* qu'elles gagnent constamment en « *poids* », que par conséquent elles ne cessent pas d'avoir par essence un certain poids, mais un poids qui change *graduellement.* Il faut en outre analyser les autres possibilités : comment le poids des positions est-il affecté par les « *contre-motifs* » ? Comment dans le *doute* se « *tiennent* »-ils mutuellement « *en balance* » ? Comment une position, en concurrence avec une autre de poids « plus élevé », est-elle « *surmontée* » et « *abandonnée* » ? etc.

Pour finir il faut naturellement soumettre à une vaste analyse éidétique les processus qui se produisent dans le sens, en tant que *matière* (Materie) *positionnelle,* et qui déterminent essentiellement les changements survenant dans les caractères positionnels (par exemple les processus de « conflit », ou de « rivalité » entre apparences). En effet, ici comme partout ailleurs, il n'est pas de place au hasard, à la facticité, tout est motivé selon l'exigence immuable des essences.

Il faudrait de la même manière, dans le prolongement d'une phénoménologie générale des données noétiques et noématiques, poursuivre *l'exploration éidétique de tous les actes rationnels immédiats.*

A toute région et à toute catégorie d'objets présumés correspond au point de vue phénoménologique non seulement un *type fondamental de sens* ou de *propositions,* mais aussi *un type fondamental de conscience donatrice originaire;* à cette conscience se rattache un *type fondamental d'évidence originaire* qui par essence est motivée par une donnée originaire répondant à ce type fondamental.

Cette évidence — le mot étant pris en notre sens élargi — ou bien est *adéquate,* n'est susceptible par principe d'aucun « renforcement » ni « affaiblissement », et ne tolère donc *aucune échelle de degrés dans son poids;* ou bien elle est *inadéquate* et donc *susceptible d'accroissement et de diminution.* Pour savoir si tel ou tel type d'évidence est possible dans une sphère donnée, il faut consulter à quel genre appartient son type ; elle est donc préfigurée à priori, et c'est une absurdité de vouloir transporter la perfection que l'évidence possède dans une sphère (par exemple celle des rapports entre essences) dans d'autres sphères qui l'excluent essentiellement.

Il faut encore noter que nous avons le droit d'étendre la signification des concepts « adéquat » et [289] « inadéquat », qui primitivement se rapportent aux modes de donnée, aux caractéristiques éidétiques des positions rationnelles elles-mêmes, puisque ces propriétés caractéristiques se fondent au moyen des modes de donnée; cette connexion justifie précisément l'extension du sens : — c'est là une de ces équivoques inévitables qu'entraînent les transferts de signification, mais qui sont sans danger du moment qu'on les reconnaît pour telles et qu'on a distingué en pleine connaissance de cause ce qui est primitif et ce qui est dérivé.

§ 139. — ENTRELACEMENTS DES DIVERS TYPES RATIONNELS. VÉRITÉ THÉORIQUE, AXIOLOGIQUE, ET PRATIQUE[1].

Une position, quelle que soit sa qualité, a, d'après ce qui précède, sa validité comme position de sens, si elle est rationnelle ; le caractère rationnel s'identifie au caractère de validité ; il lui « survient » (zukommt) en vertu de son essence, et non point à titre de fait fortuit, à la faveur des circonstances fortuites d'un moi posant en fait ces objets. Corrélativement on dit aussi de la *proposition* qu'elle est justifiée : elle se présente dans la conscience rationnelle munie du caractère noématique de validité ; celui-ci de plus appartient par essence

[289] 1. Ce paragraphe remet en place, par rapport à l'intuition, d'abord la filiation des modes de croyance à partir de la protodoxa (§§ 103-9), puis la théorie de la croyance affective, axiologique, pratique (p. 242 et § 121).

à la proposition en tant que thèse noématique qualifiée de telle ou telle manière, avec telle ou telle matière de sens. Plus exactement, un plein (Fülle) de telle ou telle espèce lui « appartient « en propre; celui-ci de son côté fonde le caractère rationnel de la thèse.

La proposition ici a en elle-même son droit. Mais il peut arriver aussi que « *quelque chose parle en faveur d'une proposition* »; sans être « elle-même » rationnelle, la proposition peut néanmoins avoir part à la raison. Nous n'avons pas oublié, pour demeurer dans la sphère doxique, la relation spéciale des modalités doxiques à la proto-doxa[a]; c'est à elle que toutes renvoient. Considérons d'autre part les caractères rationnels qui appartiennent à ces modalités : tout de suite s'impose l'idée que toutes, quelle que soit par ailleurs la différence des matières et des soubassements de la motivation, renvoient si l'on peut dire à un caractère proto-rationnel qui appartient au domaine de la proto-croyance correspondante : elles renvoient à l'évidence originaire et finalement parfaite. Il est remarquable qu'entre ces deux façons de renvoyer à l'originaire il existe une profonde solidarité éidétique.

Pour s'en tenir à une simple indication, notons ceci : une conjecture peut en soi être caractérisée comme rationnelle. Si nous suivons la référence qu'elle comporte à la proto-croyance correspondante et si nous adoptons cette proto-croyance sous la forme d'une « supposition » (Ansetzens), « quelque chose parle en faveur de cette conjecture ». Ce n'est pas la croyance elle-même, la croyance pure et simple qui est caractérisée comme rationnelle, quoiqu'elle ait part à la raison. Comme on le voit, il nous faut introduire d'autres distinctions dans la théorie de la raison et leur consacrer d'autres 901 études. Nous voyons surgir des relations éidétiques entre les *différentes* qualités (Qualitäten) et leurs caractères rationnels distinctifs ; ces relations sont *réciproques* et *finalement toutes les lignes ramènent à la proto-croyance et à sa « proto-raison »*, ou *« vérité »*.

La *vérité* est manifestement le corrélat qui correspond

(a) Cf. § 104, p. 215.

au caractère rationnel parfait de la proto-doxa, de la certitude de croyance. Nous avons des corrélats équivalents dans des expressions telles que : « une proposition proto-doxique, par exemple une proposition énonciative est vraie », et : « le caractère de parfaite rationalité survient à la croyance correspondant au juger ». Naturellement il n'est pas question ici de l'existence de fait d'un vécu ni de celle du sujet qui juge ; du point de vue éidétique néanmoins il va de soi que la vérité ne peut être donnée actuellement que dans une conscience actuelle d'évidence, y compris la vérité du « il va de soi », la vérité de l'équivalence caractérisée plus haut, etc. Si l'évidence de la proto-doxa, l'évidence de la certitude de croyance nous fait défaut, il se peut qu'en considérant son statut comme sens : « S est p », une modalité doxique soit évidente, par exemple la conjecture que « S devrait être p ». Cette évidence modale est manifestement équivalente et nécessairement liée à une évidence proto-doxique qui suppose un changement du sens : à savoir à l'évidence ou à la vérité : « il est à conjecturer (il est vraisemblable) que S est p » ; elle est équivalente en outre à la vérité : « quelque chose parle en faveur de l'idée que S est p », et en outre : « quelque chose parle en faveur de cette idée que S p. est vrai », etc. Toutes ces équivalences suggèrent des connexions éidétiques qui exigent une investigation phénoménologique radicale.

Or l'évidence n'est pas une simple dénomination pour des processus rationnels de ce genre qui se borneraient à la sphère de la croyance (et même uniquement à celle du jugement prédicatif) ; elle s'applique à *toutes les sphères thétiques*, en particulier à tous les rapports rationnels si importants qui s'instituent *entre* elles.

L'analyse s'étend par conséquent à cet ensemble de problèmes dont on connaît l'extrême difficulté et l'amplitude énorme, et qui concerne la place de la raison dans la sphère des thèses affectives et volitives ([a]), ainsi

(*a*) Une première impulsion dans cette direction a été donnée par Brentano dans son ouvrage génial VOM URSPRUNG DER SITTLICHEN ERKENNTNIS (L'origine de la connaissance morale (1889), ouvrage auquel je me sens grandement redevable.

que leurs combinaisons avec la raison « théorique », c'est-à-dire doxique. La « *vérité* théorique » ou « *doxologique » ou évidence* (Evidenz) a pour pendant la « *vérité ou évidence axiologique et pratique* » ; sur ce plan les « vérités » répondant à la dernière dénomina-
[291] tion passent au stade de l'expression et de la connaissance sous forme de vérités doxologiques, à savoir de vérités spécifiquement logiques (apophantiques) ([a]). Inutile de dire que pour traiter ce problème, il faut instituer des recherches du genre de celles que nous avons tenté plus haut de mettre en œuvre : elles concerneraient les relations éidétiques qui rattachent les thèses doxiques à tous les autres types de position, aux types de l'affectivité et de la volonté, et en outre les relations qui ramènent toutes les modalités doxiques à la protodoxa. C'est précisément par ce moyen qu'on fera comprendre dans ses ultimes fondements pourquoi la certitude de la croyance, et parallèlement la vérité, joue un rôle si prédominant dans toute la raison; d'ailleurs ce rôle montre en même temps de façon indubitable que le problème de la raison, tel qu'il se pose dans la sphère doxique, doit être résolu avant celui de la raison axiologique et pratique.

§ 140. — Confirmation. Justification sans Evidence. Equivalence de la Vue Intellectuelle positionnelle et neutre [1].

D'autres études sont nécessaires pour résoudre les problèmes que nous proposent *les rapports de « coïncidence »* (Deckung) (pour ne citer qu'un cas bien carac-

(*a*) La connaissance est surtout le nom que prend la vérité logique : du point de vue du sujet, c'est le corrélat de son acte de jugement évident ; mais c'est aussi le nom donné à toute espèce d'acte de jugement évident et finalement à l'acte doxique rationnel.

[291] 1. *Après avoir pris une vue aussi vaste que possible de l'évidence* (§§ 137-139) *on examine les divers processus de* vérification, *c'est-à-dire de passage de la position non-motivée à la position motivée;* a) *suivant que celle-ci peut être originaire ou* non, § 140; b) *immédiate ou médiate,* § 141.

térisé) qu'on peut instituer en vertu de leur essence *entre des actes ayant même sens et même proposition, mais comportant une valeur rationnelle différente.* Par exemple un acte évident et un acte non-évident peuvent se recouvrir ; en passant du second au premier, l'acte évident prend alors le caractère d'un acte qui légitime, l'autre, le caractère d'un acte qui *se* légitime. La position évidente de l'une joue le rôle de « confirmation » à l'égard de la position dénuée d'évidence de l'autre. La « proposition » « se vérifie » ou même « se confirme », le mode imparfait de donné se transforme en mode parfait. Que représente, que peut représenter ce processus ? C'est l'essence des types de positions considérés qui le prescrit, l'essence des propositions en cause, prises selon leur remplissement parfait. Il faut élucider phénoménologiquement les formes de vérification qui pour chaque genre de propositions sont par principe possibles.

Si la position n'est pas irrationnelle, on peut puiser dans son essence des possibilités motivées qui montrent que l'on peut, et comment on peut, la transformer en une position rationnelle actuelle qui la vérifie. Il faut bien voir que toute évidence imparfaite ne dessine pas à l'avance un processus de remplissement qui aboutisse [292] à une évidence originaire *correspondante,* à une évidence qui ait le même sens ; au contraire certains types d'évidence excluent par principe cette vérification si l'on peut dire originaire. C'est par exemple le cas pour le retro-souvenir et d'une certaine façon pour tout souvenir en général[1]; c'est aussi le cas par essence pour l'intropathie[2], à laquelle nous attribuerons dans le prochain livre un type fondamental d'évidence (et que nous étudierons alors de plus près). En tout cas nous avons désigné dans ces lignes des termes phénoménologiques d'une grande importance.

Il faut encore noter que la possibilité motivée citée plus haut se distingue nettement de la possibilité

---

[292] 1. Cf p. 140.

2. Cf. p. 8. Les MÉDITATIONS CARTÉSIENNES montrent qu'une nouvelle ἐποχή est nécessaire pour délimiter ma sphère propre d'appartenance (p. 83) et dévoiler ainsi le type propre d' « apprésentation » de l'autre (pp. 91-102).

vide (a) : elle est motivée de manière déterminée par les éléments qu'inclut en soi-même la proposition considérée avec son remplissement donné. Une possibilité vide, c'est que, sous la face invisible pour le moment de cette table de travail, il y ait dix pieds au lieu des quatre qu'elle a en réalité. Une possibilité motivée c'est ce nombre quatre à l'égard de la perception déterminée que je suis en train d'opérer. Pour chaque perception en général, ce qui est motivé c'est que les « circonstances » de la perception *puissent* changer de certaines façons et que, « en conséquence », la perception *puisse* se transformer de façon correspondante en une série de perceptions d'un type déterminé, prescrites par le sens de ma perception, et qui la remplissent et confirment sa position.

D'ailleurs il faut encore distinguer deux cas, concernant la possibilité « vide » ou « nue » de légitimation : ou bien la *possibilité coïncide avec la réalité,* de telle sorte que l'évidence de la possibilité entraîne *ipso facto* la conscience d'une donnée *originaire* et la conscience rationnelle *originaire;* ou bien rien de tel ne se produit. C'est le cas dans l'exemple cité à l'instant. *L'expérience réelle,* et non pas seulement un déroulement de perceptions « possibles » sur le plan de la présentification, fournit une *légitimation* réelle de *positions portant sur la réalité naturelle* (Reales), par exemple de positions d'existence portant sur des processus de la nature. Par [293] contre dans le cas d'une *position éidétique,* ou d'une proposition éidétique, *la présentification intuitive de son remplissement parfait est équivalente à ce remplissement même.* On peut de même poser à priori « l'équivalence » de la présentification intuitive, et même de

(a) C'est une des équivoques les plus essentielles du terme « possibilité », quoiqu'il y en ait encore d'autres (la possibilité au sens de la logique *formelle,* l'absence de contradiction dans l'ordre mathématique formel). Il est d'une importance essentielle que la possibilité qui entre en jeu dans la théorie des probabilités, et, en conséquence, que la conscience de la possibilité (l'être supputé) dont nous avons parlé dans la doctrine des modalités doxiques comme étant parallèle à la conscience de conjecture, ait pour corrélat des possibilités *motivées.* A partir de possibilités non motivées ne s'édifie jamais une probabilité ; seules les possibilités motivées ont un « poids », etc.

la simple imagination d'une relation éidétique, avec la vue évidente de cette relation ; autrement dit, l'une se transforme dans l'autre par un simple changement d'attitude et la possibilité de cette transformation réciproque n'est pas fortuite mais répond à une nécessité éidétique.

§ 141. — Position rationnelle Immédiate et Médiate. Evidence médiate[1].

Comme on le sait, toute fondation médiate renvoie à une fondation immédiate. Pour tous les domaines d'objets et pour toutes les positions qui s'y rapportent la *source ultime de toute légitimité* réside dans *l'évidence* immédiate et, pour la délimiter plus étroitement, dans *l'évidence originaire,* ou dans la donnée originaire qui la motive. Mais on peut puiser indirectement à cette source, et de bien des façons ; on peut en dériver la valeur rationnelle d'une position qui n'a pas en elle-même d'évidence, ou, si elle est immédiate, la renforcer ou la confirmer.

Envisageons le dernier cas. Un exemple donnera une idée des difficiles problèmes qui concernent le rapport *des positions rationnelles immédiates dénuées d'évidence à l'évidence originaire* (en prenant ce mot en notre sens, rapporté au caractère originaire du donné). D'une *certaine façon* tout *souvenir* clair a une légitimité primitive, immédiate : considéré en soi il « pèse » quelque chose, que ce soit beaucoup ou peu, il a un « poids ». Mais il n'a qu'une légitimité relative, imparfaite. Si l'on considère ce qu'il présentifie, disons une chose passée, il enveloppe un rapport au présent actuel. Il pose le passé, mais, en même temps que lui, il pose nécessairement un horizon, de façon aussi vague, aussi obscure et indéterminée que l'on voudra; une fois

[293] 1. L'évidence médiate a un sens beaucoup plus large que le sens logique d'inférence (et à plus forte raison de déduction). Ainsi, la légitimité du souvenir est *puisée* à celle de la perception. L'inférence n'est qu'un cas particulier de médiation. Il est examiné à la fin du paragraphe.

porté à la clarté et à la distinction thétique, cet horizon devrait se laisser expliciter en une chaîne de souvenirs opérés de façon thétique, et ceux-ci aboutiraient à des *perceptions actuelles, au hic et nunc actuel.* Il en est de même de tous les souvenirs en notre sens *très large*[2], rapporté à tous les modes du temps.

On ne peut méconnaître que ces propositions expriment des évidences éidétiques. Elles signalent les relations éidétiques dont l'établissement permettrait d'élucider le sens et le type de vérification dont chaque souvenir est capable et dont elle a « besoin ». Le souvenir se renforce à mesure qu'on avance, de souvenir en souvenir, le long de la chaîne des souvenirs susceptibles de rendre le premier plus distinct et dont le terme ultime vient se confondre avec le présent de perception. Le renforcement est jusqu'à un certain point réciproque, les poids des divers souvenirs sont fonctionnellement dépendants les uns des autres ; enchaîné avec d'autres, chaque souvenir prend une force croissante, à mesure que ses liaisons s'étendent ; il a une force supérieure à celle qu'il aurait dans une chaîne plus courte, ou s'il restait isolé. Or quand l'explicitation est poussée jusqu'au *maintenant actuel, quelque rayon venant de la lumière de la perception et de son évidence rejaillit sur toute la série.*

[294]

On pourrait même dire ceci : *la rationalité, la légitimité du souvenir est secrètement empruntée à la force de la perception;* elle fait sentir son efficacité à travers toute confusion et toute obscurité, même si la perception « manque sa pleine consommation ».

En tout cas il est nécessaire de recourir à cette vérification pour faire ressortir clairement *quel* élément est proprement le porteur de ce reflet médiat de la validité perceptive. Le *type propre d'inadéquation* du souvenir consiste en ceci : du non-souvenu peut se mêler au « réellement souvenu », ou bien différents souvenirs viennent à la traverse et pourraient se faire passer pour l'unité d'un souvenir : cependant, en développant leur horizon afin de l'actualiser, les séries de souvenirs impliqués se disjoignent, et ainsi le bloc unifié de souve-

2. Cf. p. 140.

nirs « explose » et se fragmente en une multitude d'intuitions de souvenirs incompatibles; il faudrait décrire ici des processus semblables à ceux que nous avons indiqués occasionnellement pour les perceptions [a] (d'une manière qui permet manifestement d'être considérablement généralisée).

Tout ceci est destiné à signaler par le moyen d'exemples l'ensemble si vaste et si important des problèmes qui ont pour thème le « *renforcement* » et la « vérification » des positions rationnelles immédiates (comme aussi à illustrer la division des positions rationnelles en pures et impures, non-mêlées et mêlées) ; on comprend d'abord *un* des sens où cette proposition est valable : toute position rationnelle médiate, et en conséquence toute connaissance rationnelle prédicative et concep-[295]tuelle renvoie à *l'évidence.* Bien entendu, seule l'évidence originaire est la source « originelle » de validité; par exemple la position rationnelle du souvenir, et de même celle de tous les actes reproductifs, y compris de l'intropathie, ne sont pas primitives mais de certaines manières « dérivées ».

Mais il y a encore d'autres manières de puiser à la source du donné originaire.

On a déjà fait allusion en passant à une forme de ce genre : c'est le cas où les valeurs rationnelles s'affaiblissent dans le glissement incessant de l'évidence vivante à la non-évidence. Indiquons maintenant un groupe de cas essentiellement différents ; celui où une proposition est rapportée *médiatement,* par *un enchaînement synthétique* dont toutes les démarches sont *évidentes,* à des fondements immédiatement évidents. Il se forme ainsi un nouveau type général de positions rationnelles, qui présente au point de vue phénoménologique un caractère rationnel différent de l'évidence immédiate. Ainsi nous avons ici encore un type « *d'évidence* médiate », dérivée, — celle qui d'ordinaire est exclusivement visée par l'expression d'évidence médiate. Ce caractère dérivé de l'évidence ne peut apparaître, en vertu de son essence, qu'au dernier anneau d'une chaîne positionnelle : elle part des évidences immédiates, se

(*a*) Cf. ci-dessus, § 138, pp. 287 sq.

développe sous des formes différentes mais est soutenue par des évidences dans toutes ses autres démarches; ces évidences sont alors pour une part immédiates, pour une part déjà dérivées, en partie évidentes, en partie non, originaires ou non-originaires. Ainsi se trouve dessiné un nouveau secteur de la théorie phénoménologique de la raison. La tâche est ici d'étudier, au point de vue noétique et noématique, les processus éidétiques généraux et spéciaux de la *raison qui interviennent dans la fondation médiate, dans la légitimation médiate*, en tenant compte de chaque type et forme et de toutes les sphères thétiques, de ramener à leurs origines phénoménologiques les différents « principes » qui président à cette légitimation ; ceux-ci étant par exemple de types essentiellement différents selon qu'il s'agit d'objets immanents ou transcendants, susceptibles d'être donnés de façon adéquate ou inadéquate; en partant de ces origines phénoménologiques, la tâche est enfin de rendre « intelligible » ces principes, en faisant entrer en ligne de compte toutes les couches phénoménologiques mises en jeu.

§ 142. — Thèse rationnelle et Etre[1].

La compréhension générale de l'essence de la raison qui donne son but aux divers groupes d'étude qu'on vient d'indiquer — la raison étant prise en son sens le plus vaste, étendu à *tous les types de positions*, y compris les positions axiologiques et pratiques — permet *ipso facto* d'accéder à une élucidation générale des corrélations éidétiques entre *l'idée de l'être véritable*

[295] 1. *Les* §§ 142-5 *sont consacrés à une vue d'ensemble du problème de la vérité et de l'être :* a) *Cette vue est dominée par cette équivalence fondamentale dans l'intuitionnisme husserlien : l'être* véritable *est le corrélat d'une conscience qui le donne de façon* originaire *et parfaitement* adéquate, § 142. b) *Et comme la chose physique ne peut être donnée adéquatement dans un système fini d'apparences, l'être véritable de la chose reste une Idée au sens kantien, c'est-à-dire le principe régulateur d'une série ouverte d'apparences sans cesse concordantes,* §§ 143-4. c) *Cette théorie de l'évidence est définitivement opposée à une interprétation affectiviste et en général psychologiste et replacée, pour finir, dans le cadre de la conception transcendantale,* § 145.

(wahrhaft) et les idées de vérité, de raison, de conscience.

[296] A cet égard, il n'est pas rare qu'on arrive à la conception générale suivante : on peut tenir pour des corrélats équivalents non seulement : « objet existant véritablement » et « à poser rationnellement » — mais encore : « objet existant véritablement » et « objet à poser dans une thèse de raison originelle et parfaite ». L'objet ne serait pas donné à cette thèse rationnelle de façon incomplète et seulement « unilatérale ». Le sens qui lui est sous-jacent à titre de matière (Materie) ne laisserait, en ce qui concerne le X déterminable, aucune possibilité « ouverte » dans aucune direction prescrite concevable : il n'y aurait plus rien de déterminable qui ne serait déjà nettement déterminé; nul sens qui ne serait pleinement déterminé et circonscrit. Puisque la thèse de la raison doit être originelle, elle doit avoir pour fondement rationnel la *donnée originaire* de ce qui est déterminé en un sens complet : le X n'est pas seulement visé selon sa pleine détermination mais, à la faveur de celle-ci, donné de façon originaire. L'équivalence indiquée prend désormais le sens suivant :

A tout objet « qui existe véritablement » correspond par principe (dans l'*a priori* de la généralité inconditionnée des essences) *l'idée d'une conscience possible* dans laquelle l'objet lui-même peut être saisi de façon *originaire* et dès lors *parfaitement adéquate*. Réciproquement, si cette possibilité est garantie, l'objet est *ipso facto* ce qui existe véritablement.

Le point suivant est encore d'une importance particulière : dans l'essence de toute *catégorie d'appréhension* (celle-ci étant le corrélat de chaque catégorie d'objet) se trouve rigoureusement prescrit le type de configurations qui peuvent être adoptées par les appréhensions concrètes, parfaites ou imparfaites, des objets de cette catégorie. En outre, pour toute appréhension incomplète est prescrit par voie d'essence comment elle peut être rendue parfaite, comment son sens peut être achevé, rempli par l'intuition, et comment l'intuition peut être encore enrichie.

Chaque catégorie d'objet (ou chaque région et chaque catégorie en notre sens plus étroit, au sens fort) est une essence générale qui demande par principe à être élevée au rang de donnée adéquate. *Ainsi donnée adéquatement,* elle prescrit une *règle générale évidente,* applicable à tout objet particulier qui accède à la conscience dans un divers de vécus concrets (lesquels naturellement ne doivent pas être entendus ici comme des singularités individuelles, mais comme des essences, des concrets de degré ultime). Elle prescrit selon quelle règle un objet tombant sous sa juridiction pourrait être [297] élevé au rang de détermination complète, de donnée originaire adéquate quant à son sens et son mode de donnée; elle prescrit quels enchaînements de conscience, discontinus ou s'écoulant continûment, et quelle dotation éidétique concrète doivent présenter ces enchaînements. Les développements prochains du chapitre de conclusion (à partir du paragraphe 149) feront comprendre ce que recèlent ces courtes propositions. Une brève indication tirée d'un exemple suffira ici : les déterminations invisibles d'une chose, nous le savons par évidence apodictique, sont nécessairement spatiales, comme toutes les déterminations de chose : cela nous fournit une règle conforme aux lois qui commandent les manières possibles de compléter, dans l'espace, les faces invisibles de la chose qui apparaît; cette règle, pleinement développée, s'appelle géométrie pure. Parmi les autres déterminations de chose nous avons les déterminations temporelles et matérielles (materielle) : à elles ressortissent de nouvelles règles qui commandent divers achèvements possibles (non-arbitraires par conséquent) du sens, et en conséquence qui commandent des intuitions (ou des apparences) thétiques possibles. Le statut éidétique de ces intuitions, les normes auxquelles se conforme leur matière (Stoffe), ainsi que leurs caractères possibles, noématiques ou noétiques, d'appréhension — tout cela est prescrit *a priori.*

§ 143. — LA DONNÉE ADÉQUATE D'UNE CHOSE ENTENDUE COMME IDÉE AU SENS KANTIEN.

Mais avant d'aborder ce point il est nécessaire d'ajouter quelques mots, afin d'écarter l'apparence de con tradiction avec notre analyse antérieure (p. 286). Il n'y a par principe, disions-nous, que des objets qui apparaissent de façon inadéquate (qui par conséquent ne peuvent être perçus également que de façon inadéquate). Et pourtant nous ne pouvons passer sous silence la restriction que nous avons adjointe. Naus avons dit : des objets qui peuvent être perçus de façon inadéquate *dans une apparence close, finie* (abgeschlossener). Il est des objets — et tous les objets transcendants, toutes les « *réalités naturelles* » incluses sous le titre de nature ou de monde se rattachent à ce groupe — qui ne peuvent être donnés, avec une détermination intégrale et une intuitivité également intégrale, dans aucune conscience close, finie.

Pourtant la donnée parfaite de la chose est prescrite *en tant qu'« Idée »* (au sens kantien) ; cette idée désigne un système, absolument déterminé en son type éidétique, qui règle le développement indéfini d'un apparaître continu, ou bien, servant de champ à ce développement, un *continuum d'apparences* déterminé *a priori*, possédant des dimensions différentes mais déterminées, et réglé par un ordre éidétique rigoureux.

Ce continu est plus exactement déterminé comme [298] infini en tous sens, composé en toutes ses phases d'apparences du même X déterminable, et ordonné de façon si cohérente et tellement déterminée quant à son statut éidétique que n'importe laquelle de ses *lignes*, poursuivie sans relâche, révèle un enchaînement concordant d'apparences (celui-ci devant être lui-même désigné comme l'unité d'une apparence mouvante) ; dans ce système, c'est un seul et même X donné de façon ininterrompue qui se détermine « plus exactement », mais jamais « autrement », à la faveur de cette concordance jamais démentie.

Dès lors, si une unité close de déroulement, et donc un acte fini qui serait toujours en cours est impensable en raison de l'infinité en tous sens du continu (nous aurions une infinité finie, ce qui est contradictoire), néanmoins l'idée de ce continuum et l'idée de la donnée parfaite qu'il préfigure sont des idées *évidentes*, aussi évidentes que peut l'être précisément une « Idée » qui prescrit en vertu de son essence un *type propre d'évidence.*

L'idée d'une infinité motivée par essence n'est pas elle-même une infinité; l'évidence selon laquelle cette infinité ne peut pas par principe être donnée n'exclut pas, mais plutôt exige que soit donnée avec évidence l'*Idée* de cette infinité [1].

§ 144. — La Réalité et la Conscience donatrice originaire. Notations finales.

Il reste donc que l'Eidos : être-véritable est le corrélat équivalent de l'Eidos : être-donné-adéquatement et : pouvoir-être-posé-avec-évidence, — ce dernier terme étant entendu au sens soit d'une donnée finie soit d'une donnée sous forme d'idée. Dans le premier cas l'être est l'être « immanent », l'être en tant que vécu clos sur soi ou que corrélat noématique de ce vécu; dans le second cas c'est l'être transcendant c'est-à-dire l'être dont la « trancendance » repose précisément dans l'infinité du corrélat noématique qu'il appelle à titre de « matière » (Materie) d'être [2].

Quand l'intuition qui donne est *adéquate* et *immanente,* ce n'est pas le sens et l'objet, mais le sens rempli de façon originaire et l'objet qui coïncident. L'objet est précisément ce qui est saisi, posé dans l'intuition adéquate, en personne, en original (als originäres selbst); il est saisi avec évidence en vertu de cette originarité, avec une évidence absolue en vertu de l'intégralité du sens et du remplissement intégral et originaire de ce sens.

Quand l'intuition donatrice est une intuition qui *transcende,* l'élément objectif ne peut accéder au rang de donnée adéquate; seule peut être donnée *l'idée* de cet

[298] 1. L'unité du flux vécu était aussi une telle Idée saisie dans une idéation intuitive, § 83. — Cf. Méditations cartésiennes, pp. 52-3 : « le monde, idée corrélative d'une évidence empirique parfaite ».

2. Nous retrouvons ici dans le cadre de la phénoménologie de la raison, la distinction de l'être transcendant et de l'être immanent, § 42-4.

objet ou celle de son sens et de son « essence cognitive »[3]; avec cette idée est donnée une règle *a priori* qui commande les infinités ordonnées des expériences inadéquates.

[299] Il est impossible, sur la base des expériences faites à un moment donné, et en se fondant sur cette règle (ou sur le système complexe de règles que celle-ci inclut) de déduire de façon univoque comment doit se dérouler le cours ultérieur de l'expérience. Au contraire, un nombre infini de possibilités restent ouvertes, qui néanmoins sont préfigurées quant à leur type par cette régulation *a priori* si riche de contenu. Le système de règles de la géométrie détermine avec une rigueur absolue toutes les formes possibles de mouvements susceptibles de compléter les fragments de mouvement observés *hic et nunc,* mais il n'indique aucun mouvement réel que puisse tracer la chose qui se meut réellement. Quel secours apporte la pensée empirique fondée sur l'expérience ? Comment est-il possible de déterminer scientifiquement les choses en tant qu'unités posées empiriquement quand pourtant elles incluent un nombre infini de significations ? Comment à l'intérieur de la thèse de la nature peut-on réaliser l'ambition d'une détermination univoque conforme à *l'idée* de l'objet naturel, du processus naturel, etc. (laquelle, en tant qu'idée d'un individu singulier, est pleinement déterminée) ? Toutes ces questions appartiennent à un autre plan de la recherche. Elles relèvent de la phénoménologie de la raison spécifiquement appliquée à l'expérience et en particulier aux sciences physiques, psychologiques, et en général aux sciences de la nature; cette phénoménologie de la raison réduit à leurs sources phénoménologiques les règles ontologiques et noétiques qui appartiennent à la science de l'expérience en tant que telle. Mais cela implique qu'elle explore et soumette à une investigation éidétique les couches phénoménologiques, tant noétiques que noématiques, dans lesquelles le contenu de ces règles vient s'insérer.

---

3. Sur « l'essence cognitive » cf. dans les ETUDES LOGIQUES, p. 182, n. 2 et p. 267, n. 1.

§ 145. — CONSIDÉRATIONS CRITIQUES SUR LA PHÉNOMÉNOLOGIE DE L'EVIDENCE.

Il ressort clairement des considérations précédentes que la *phénoménologie de la raison, la noétique au sens fort*, qui se propose de soumettre à une élucidation intuitive non la conscience en général mais la conscience rationnelle, présuppose intégralement la phénoménologie générale. C'est même un fait d'ordre phénoménologique que — dans l'empire de la positionalité ([a]) — *la conscience thétique soit régie par des normes dans chacun de ses genres;* les normes ne sont que des lois éidétiques qui se rapportent à certaines relations noéticonoématiques appelant, quant à leur type et leur forme, [300] une analyse et une description rigoureuses. Naturellement il faut toutes les fois faire entrer en ligne de compte la contre-partie négative de la raison, « *l'irraison* »; de même que la phénoménologie de l'évidence inclut celle de sa contre-partie, *l'absurdité* ([a]). La *doctrine*

---

[299] (*a*) En se transposant dans la sphère l'imagination et de la neutralité tous les processus thétiques deviennent « sans force », à la façon de purs « reflets » ; il en est de même avec tous les processus de la raison. Les thèses neutres ne peuvent être « confirmées », mais « quasi » confirmées ; elles ne sont pas évidentes, mais « quasi» évidentes, etc. 1

[300] (*a*) Cf. ETUDES LOGIQUES, II, *VI*[e] *Etude*, § 39, p. 594 sq. [3e éd., vol. III, pp. 121 sq.] en particulier p. 598 [3e éd., vol. III, p. 126]. Toute la *VI*[e] *Etude* d'une façon générale, fournit les préliminaires phénoménologiques permettant de traiter les problèmes de la raison discutés dans le chapitre présent 1.

---

[299] 1. Sur le « quasi » (gleichsam) de neutralisation, cf. §§ 109 sq.

[300] 1. Le § 39 de la *VI*[e] *Etude Logique* est consacré à une énumération des différents sens du mot vérité, en fonction de la définition de l'évidence comme remplissement originaire d'une visée de sens. Au sens premier la vérité est l'*accord* même, la coïncidence du visé et du donné et l'évidence est le vécu lui-même intuitif de cette coïncidence. En un second sens, la vérité est un idéal à atteindre en général, non donné dans tel vécu d'évidence, à savoir l'*idée* d'une adéquation absolue en tant que telle ; on peut encore appeler vraie, en un troisième sens, la *plénitude* de l'intuition qui « rend vrai » en remplissant, ou enfin en un quatrième sens la *rectitude* de la visée que l'intuition « rend vraie ». Il reste entendu que « l'intuition catégoriale », comme « l'intuition sensible », peut jouer ce rôle de « vérification ».

éidétique générale de l'évidence, avec ses analyses portant sur les distinctions éidétiques les plus générales, forme une partie relativement restreinte, quoique fondamentale de la phénoménologie de la raison. Par là se confirme — et les considérations qu'on vient de poursuivre suffisent déjà à le faire voir parfaitement — ce qui a été brièvement opposé au début de ce livre ([b]) aux interprétations aberrantes de l'évidence.

L'évidence n'est pas en fait un indice psychologique qui serait attaché à un jugement (et d'ordinaire c'est seulement à propos du jugement qu'on parle d'évidence) et qui nous appellerait, à la façon d'une voix mystique venue d'un monde meilleur, pour nous dire : ici est la vérité! Comme si une pareille voix avait quoi que ce soit à dire à de libres esprits comme les nôtres, et n'était pas tenue de faire valoir ses titres de validité. Nous n'avons plus besoin de nous affronter plus longtemps avec le scepticisme ni d'examiner les scrupules de style ancien que ne peut surmonter aucune théorie de l'évidence qui recourt à des indices et à des sentiments : à savoir si un malin génie (selon la fiction cartésienne) ou une altération fatale du cours effectif de ce monde ne pourraient pas faire que précisément chaque jugement faux soit affecté de cet indice, de ce sentiment de nécessité intellectuelle ou d'obligation transcendante, etc. Si l'on procède à l'étude des phénomènes eux-mêmes mis en cause et en se plaçant dans le cadre de la réduction phénoménologique, on reconnaît avec une parfaite clarté qu'il s'agit ici d'un mode spécial de position (par conséquent nullement d'un contenu accollé en quelque façon à un acte, d'un appendice de quelque nature que ce soit); ce mode de position appartient aux essences éidétiquement déterminées, constitutives du

b) Cf. ci-dessus, Ire section, chap. II, en particulier § 21, pp. 39 sq.

Ainsi la notion de vérité, pas plus que celles de position, de sens de croyance, etc., n'est bornée par Husserl à la sphère du jugement et de son corrélat ou état de chose (Sachverhalt) : réduite au jugement, la vérité n'a plus que le sens 2 et 4 et le mot être convient mieux au sens 1 et 3. — On arrive ainsi aux couples de contraires : évidence-absurdité ; vérité-fausseté : être-non-être (p. 126).

noème (par exemple le mode de l'évidence intellectuelle primitive appartient à la constitution noématique de l'intuition éidétique qui est donatrice originaire). On reconnaît en outre que ce sont encore des lois éidétiques qui règlent les relations entre les actes positionnels qui n'ont pas cette constitution spéciale et ceux qui l'ont; qu'il y a par exemple une conscience du « *remplissement de l'intention* », la conscience d'une justification et d'un renforcement spécialement appliqués aux caractères thétiques, de même qu'on rencontre les [301] *caractères opposés d'invalidation* et *d'infirmation*. En conséquence on reconnaît que les principes logiques exigent une élucidation phénoménologique profonde et que par exemple le principe de contradiction nous renvoit à des relations éidétiques de vérification possible et d'infirmation possible (ou de biffage rationnel) ([a]). D'une façon générale on arrive à cette évidence qu'il ne s'agit nulle part de faits contingents mais de processus éidétiques, solidaires de leurs connexions éidétiques, et que par conséquent ce qui a lieu dans l'Eidos joue à l'égard du fait le rôle d'une norme absolument infrangible. On comprend aussi clairement dans ce chapitre de la phénoménologie que tout vécu positionnel (par exemple un vécu quelconque de jugement) ne peut pas être évident de la même manière et spécialement ne peut être immédiatement évident; en outre, tous les

---

[301] (*a*) Cf. ETUDES LOGIQUES, II, *VI*[e] *Etude*, § 34, pp. 583 sq. [3e éd. t. III., pp. 111 sq.]. Il est regrettable que *W. Wundt* porte sur ce point un jugement tout différent, comme il le fait sur l'ensemble de la phénoménologie. Une recherche qui pourtant ne transgresse pas le moins du monde les bornes du donné purement intuitif est tenue par lui pour « pure scolastique ». Dans les *Petits Ecrits* (I, p. 613) il présente la distinction entre les actes qui donnent un sens et ceux qui le remplissent comme un « schéma formel choisi » par nous ; le fruit de nos analyses serait une « répétition verbale » du type « le plus primitif » : « l'évidence c'est l'évidence, l'abstraction c'est l'abstraction ». Il introduit la conclusion de sa critique par ces mots que je me permets encore de citer : « La tentative de Husserl, d'intention plus théorique que pratique, de fonder une nouvelle logique aboutit à l'occasion de chacune de ses analyses conceptuelles, — pour autant qu'elles ont un contenu positif, — à cette assurance que A est vraiment = A et qu'il n'en est pas autrement ». Op. cit. pp. 613-4.

modes de position rationnelle, tous les types d'évidence immédiate ou médiate, prennent racine dans des connexions phénoménologiques dans lesquelles les régions d'objets fondamentalement différentes se séparent les unes des autres du point de vue noético-noématique.

Il importe en particulier d'étudier systématiquement en fonction de leur constitution phénoménologique les processus continus d'unification tendant à l'identité et les identifications synthétiques dans tous les domaines. Une fois qu'on s'est familiarisé — et c'est le premier point, et qui s'impose — avec la structure interne des vécus intentionnels en tenant compte de toutes les structures générales, avec le parallélisme de ces structures, les stratifications au sein du noème tels que sens, sujet du sens, caractères thétiques, plénitude, il reste à montrer avec une parfaite clarté comment dans toutes ces unifications synthétiques on n'a pas à faire à des liaisons purement quelconques entre des actes, mais à une liaison qui tend à l'unité d'un acte *unique*. Comment en particulier des unifications tendant à l'unité sont-elles possibles? Comment ici et là le X détermi- [302] nable vient-il à coïncider? Qu'en est-il dans ce cas des déterminations du sens et de ses lacunes, c'est-à-dire ici de ses moments d'indétermination? De même comment peuvent accéder à la clarté et à l'évidence analytique les types de plein, ainsi que les formes du renforcement, de la légitimation, de la connaissance progressive, aux degrés inférieurs et supérieurs de la conscience ?

Toutes ces études et les études parallèles consacrées à la raison seront toutefois conduites selon l'attitude « transcendantale », phénoménologique[1]. Il n'est point de jugement porté ici qui soit un jugement naturel, présupposant à titre d'arrière-plan la thèse de la réalité

[302] 1. La fin de ce chapitre souligne l'interprétation nettement idéaliste de la notion de réalité. L'intuitionnisme est intégré dans la philosophie transcendantale comme un type spécifique de « configuration » et « d'enchaînement » prescrit par le flux du vécu de l'Ego transcendantal. Cette intégration du *voir* dans le *constituer* est sans doute le point le plus difficile de la philosophie phénoménologique. Les MÉDITATIONS CARTÉSIENNES développent ce thème de « l'objet intentionnel comme guide transcendantal », 26-7.

naturelle, même pas au moment où l'on traite de la phénoménologie appliquée à la conscience de la réalité, à la connaissance de la nature, à l'intuition et à l'évidence axiologiques rapportées à la nature. Partout nous nous conformons aux configurations des noèses et des noèmes, nous esquissons une morphologie systématique et éidétique, nous faisons ressortir des nécessités et des possibilités éidétiques, ces dernières étant entendues comme des possibilités nécessaires, c'est-à-dire comme des formes d'unification réglant la compatibilité, prescrites dans les *essences* et délimitées par des lois éidétiques. « L'objet » est partout pour nous un titre appliqué à des connexions éidétiques de la conscience; il se présente d'abord comme le X noématique, comme le sujet du sens, impliqué dans des types éidétiques différents de sens et de propositions. Il se présente en outre sous le titre « d'objet réel » : il est alors un titre appliqué à certaines connexions rationnelles, considérées du point de vue éidétique, dans lesquelles le X qui introduit l'unité en termes de sens reçoit une position conforme à la raison.

Nous rencontrons encore des titres semblables appliqués à certains groupes — éidétiquement délimités et à fixer au moyen d'une étude éidétique — de configurations de conscience présentant une cohérence « téléologique » : ce sont les expressions « objet possible », « vraisemblable », « douteux », etc. [2]. Les connexions ne cessent alors de changer, mais leur nouveauté exige une description rigoureuse : par exemple il est aisé de voir que la *possibilité* du X déterminé de telle et telle façon ne se justifie pas simplement parce que ce X est donné de façon originaire avec son fonds de sens, par conséquent parce qu'on s'est référé à la réalité; de simples supputations fondées reproductivement peuvent également se renforcer mutuellement dans une convergence harmonieuse; de même le *douteux* se légitime dans des phénomènes de conflit entre des intuitions modalisées présentant une certaine spécification descriptive ; et

2. On a déjà envisagé une reprise des modalités doxiques (étudiées §§ 103-8) du point de vue de la phénoménologie de la raison, c'est-à-dire sous l'angle de la légitimation intuitive.

ainsi de suite. A ces problèmes se rattachent les études empruntées à la théorie de la raison, qui se rapportent à la distinction entre choses (Sachen), valeurs, objectivités pratiques, et où l'on recherche les formations de conscience qui ont à leur égard un rôle constituant. Ainsi la phénoménologie englobe réellement l'ensemble [303] du monde naturel et tous les mondes idéaux qu'elle met hors circuit : elle les englobe en tant que « sens du monde » (Weltsinn), grâce aux lois éidétiques qui relient le sens des objets et le noème en général au système clos des noèses, et spécialement au moyen des connexions éidétiques, rationnellement ordonnées, qui ont pour corrélat « l'objet réel »; celui-ci à son tour représente par conséquent un index qui renvoie chaque fois à des systèmes parfaitement déterminés de configurations de conscience présentant une unité téléologique. gique.

CHAPITRE III

LES DEGRÉS DE GÉNÉRALITÉ DANS LA PROBLÉMATIQUE DE LA RAISON THÉORIQUE[1]

Les méditations que nous avons consacrées à la problématique d'une phénoménologie de la raison se sont développées jusqu'à présent sur un plan si élevé de généralité qu'il n'était pas possible d'apercevoir les ramifications essentielles des problèmes et leur relation avec les ontologies formelles et régionales. Il nous faut à cet égard tenter de serrer de plus près la question; c'est à ce prix seulement que pourra nous apparaître la signification pleine de l'éidétique phénoménologique de la raison ainsi que toute la richesse de ces problèmes.

---

[303] 1. LE CHAPITRE III *a pour but d'appliquer à des disciplines connues, comme les ontologies formelles et matérielles, les vues acquises sur les structures noético-noématiques et sur les notions d'évidence, de vérité, de réalité. En retour ces disciplines, antérieures à la phénoménologie, sont mises en place dans l'édifice de la phénoménologie transcendantale. Après un rappel des thèmes généraux* (§ 146) *on applique la phénoménologie de la raison :* a) *à la logique formelle et à quelques disciplines parallèles,* § 147 ; b) *à l'ontologie formelle,* § 148 ; c) *aux ontologies matérielles,* § 149 ; l'exemple de la région chose est plus longuement traité, §§ 150-1 ; puis celui d'autres régions fondées dans la région chose, § 152. Ce chapitre n'est qu'une esquisse de la grande entreprise de FORMALE UND TRANSZENDENTALE LOGIK : toute la seconde partie de cet important ouvrage est consacrée au passage de la logique, au sens traditionnel, à une logique à fondement transcendantal. Les MÉDITATIONS CARTÉSIENNES appliquent aussi à la constitution des objectivités formelles l'idée que l'objet intentionnel est un « guide transcendantal », une « règle de structure du moi transcendantal », pp. 43-6. 53-4.

§ 146. — Les Problèmes les plus généraux.

Revenons aux sources de la problématique de la raison et suivons-la aussi systématiquement que possible dans ses ramifications.

Le titre du problème qui embrasse toute la phénoménologie est l'intentionnalité. Il exprime en effet la propriété fondamentale de la conscience, et tous les problèmes phénoménologiques, y compris ceux de l'hylétique, s'y incorporent. Ainsi la phénoménologie commence avec les problèmes de l'intentionnalité mais elle le fait d'abord en termes généraux et sans faire entrer en ligne de compte les questions concernant l'être réel (« véritable ») de ce qui, dans la conscience, accède à la conscience. Nous laissons hors de question le fait que la conscience positionnelle avec ses caractères thétiques peut, au sens le plus général du terme, être caractérisée comme un « visé » et qu'à ce titre elle se situe nécessairement sous l'opposition rationnelle de la validité et de la non-validité. Nous étions en état d'aborder ces problèmes seulement dans les derniers chapitres, en nous référant aux structures fondamentales de la conscience dont nous avons acquis l'intelligence dans l'intervalle. Comme nous nous en tenons à des amorces éidétiques, nous conduisons l'analyse sur le plan le plus général possible, comme l'exige la nature du problème. Dans toutes les sphères éidétiques la voie systématique conduit de la généralité la plus haute à la plus basse, lors même que l'analyse viendrait dans sa quête à s'attacher à des points particuliers. Nous avons parlé de [304] raison et de thèses rationnelles en général, d'évidence originaire et dérivée, adéquate et inadéquate, d'évidence intellectuelle (Einsicht) des essences et d'évidence (Evidenz) appliquée à l'individu, etc. Les descriptions que nous avons esquissées présupposaient déjà une large base phénoménologique, toute une série de distinctions difficiles que nous avions élaborées dans les chapitres consacrés aux structures les plus générales de la conscience. Sans les concepts de sens, de proposition, de proposition remplie (d'essence cognitive dans le langage des *Etudes Logiques*[1]), il est tout à fait impossible d'accéder à une formulation radicale d'un problème quelconque concernant la raison théorique. Ces concepts à leur tour en présupposent d'autres, ainsi que les distinctions éidétiques correspondantes ; les différences entre positionalité et neutralité, entre les caractères thétiques et leur matière (Materie), la mise à part des modifications éidétiques qui n'entrent pas dans l'Eidos de « proposition » comme par exemple les modifications attentionnelles, etc. En même temps, afin de ne pas sous-estimer l'ampleur des analyses requises dans la couche la plus générale de la raison théorique dont nous parlons ici, nous soulignons que les descriptions éidétiques du dernier chapitre doivent être tenues pour de simples ébauches. Comme partout ailleurs nous avons ici aussi mis à exécution notre simple projet méthodique, à savoir, à l'occasion de chaque nouvelle couche qui doit être dépeinte comme un champ de recherches phénoménologiques, de nous préparer une base solide suffisante pour que nous puissions donner de l'assurance à ces recherches, formuler les problèmes initiaux et fondamentaux qui s'y rapportent, et jeter un regard libre sur le cercle des problèmes qui enveloppent les précédents.

§ 147. — Les Ramifications du Problème. La Logique formelle, l'Axiologie et la Théorie de la Pratique[2].

La phénoménologie générale de la raison se ramifie si l'on fait entrer en ligne de compte de nouvelles distinctions structurelles qui ont un rôle déterminant à

[304] 1. Cf. p. 182, n. 2.

2. La phénoménologie peut intégrer ces disciplines envisagées par le détour de la théorie des actes *synthétiques* au sens du § 118. On y rencontre les deux groupes d'actes synthétiques qui nous intéressent ici : d'abord les synthèses opérées selon les formes de l'ontologie formelle, à savoir les synthèses de colligation, de disjonction, de relation, d'explicitation, etc. ; ensuite les actes « fondés » : actes affectifs et volitionnels où s'opère la position de valeur et qui à ce titre se présentent comme actes axiologiques.

l'égard des caractères rationnels : les différences portant sur les types fondamentaux de thèses, les distinctions en thèses simples et fondées et les distinctions qui recoupent les précédentes entre thèses à un seul membre et synthèses. Les principaux groupes de problèmes concernant la raison (les problèmes de l'évidence) se rapportent aux genres fondamentaux de thèses et aux matières (Materien) positionnelles que celles-ci exigent par essence. Au premier rang se tiennent naturellemnt la proto-doxa, les modalités doxiques avec les modalités d'être qui leur correspondent.

En poursuivant ces fins relatives à la raison théorique, on aboutit nécessairement aux *problèmes qui concernent l'élucidation de la logique formelle au niveau de la raison théorique* et celle des disciplines parallèles que j'ai appelées *axiologie formelle et théorie de la pratique*[1]. [305]

Reportons-nous d'abord aux développements consacrés ci-dessus[a] à la morphologie des propositions et spécialement à celle des propositions *synthétiques*, dans son rapport à la synthèse doxique prédicative et aussi aux formes synthétiques appartenant aux modalités doxiques puis aux actes affectifs et volitifs. (Par exemple les formes de la préférence, de l'évaluation et du vouloir « en raison d'autre chose », les formes du « et » et du « ou » axiologiques). Dans ces morphologies on s'occupe de la forme pure des propositions synthétiques sous leur aspect noématique, sans mettre en question leur validité ou leur non-validité rationnelles.

Mais dès que nous posons ces questions, à propos bien entendu des propositions en général, dans la mesure où nous les pensons comme exclusivement déterminées par les formes pures, nous nous plaçons sur le terrain de la logique formelle et des disciplines formelles parallèles qui ont été nommées plus haut et qui, en vertu de leur essence, sont édifiées sur les morphologies correspondantes qui leur servent de soubassement. Les *formes synthétiques* — qui en tant que telles présupposent manifestement toutes sortes de thèses, ou de pro-

(a) Cf. §§ 133 sq., pp. 273-278.

[305] 1. Cf. p. 212.

positions, appartenant à la *catégorie* de propositions considérées, mais les laissent indéterminées dans leur particularité — *enveloppent des conditions à priori de validité qui trouvent leur expression dans les lois éidétiques des disciplines en question.*

Plus spécialement, dans les formes pures de la synthèse *prédicative* (analytique), résident les conditions *a priori* de possibilité de la *certitude rationnelle d'ordre doxique,* ou en termes noématiques de la *vérité possible.* Son élaboration objective est la tâche de la logique formelle au sens le plus étroit du mot : *l'apophantique formelle* (la logique formelle des « jugements »)[2], qui trouve ainsi son fondement dans la morphologie de ces « jugements ».

Des remarques similaires s'appliquent aux synthèses qui appartiennent à la sphère affective et volitive, et à leurs corrélats noématiques ; elles s'appliquent par conséquent à leurs types de « propositions » synthétiques, dont la morphologie systématique doit ici aussi fournir le soubassement sur lequel s'édifient les doctrines de validité formelle. C'est précisément dans les pures *formes* synthétiques appartenant à ces sphères (par exemple dans les relations de moyen à fin) que résident réellement les *conditions de possibilité de la*
[306] *« vérité » axiologique et pratique.* Dans ce cas, par un procédé d'« objectivation », qui par exemple se réalise également dans les actes affectifs, toute *rationalité* axiologique et pratique se convertit, de la façon que nous connaissons[1], en rationalité doxique, du point de vue noématique en *vérité* et du point de vue objectif en *réalité ;* nous parlons de buts, de moyens, de motifs de préférence, etc., vrais ou réels.

Toutes ces relations sont bien entendu l'objet de recherches phénoménologiques propres de la plus haute importance. Déjà la façon dont nous venons de caractériser les disciplines formelles est d'ordre phénoménologique et présuppose bien des conclusions tirées de nos analyses. Le chercheur qui s'engage dans la *logique pure* traitée « dogmatiquement » saisit par abstraction

2. Cf. § 119 (fin), p. 249.

[306] 1. Cf. § 121.

les formes apophantiques (« proposition en général » ou « jugement », jugement catégorique, hypothétique, conjonctif, disjonctif, etc.) et établit dans ce but des axiomes de vérité formelle. Il ignore tout de la synthèse analytique, des relations éidétiques entre noèse et noème, de l'insertion des essences qu'il dégage et fixe conceptuellement, dans le système complexe d'essences que forme la conscience pure ; il étudie à part ce qui ne peut être pleinement compris que dans cet enchaînement éidétique total. Seule la phénoménologie, en retournant aux sources de l'intuition au sein de la conscience transcendantalement pure, met en pleine lumière ce qui est proprement impliqué lorsque nous parlons tantôt des conditions formelles de la vérité, tantôt de celle de la connaissance. D'une façon générale c'est elle qui nous éclaire sur les *essences* et les *relations éidétiques* qui ressortissent aux concepts de connaissance, d'évidence, de vérité, d'être (objet, état de chose, etc.); elle nous apprend à comprendre la structure du juger et du jugement : en quoi la structure du noème détermine la connaissance, quel rôle particulier y joue la « proposition », et à nouveau la possibilité variable qu'elle atteigne sa « plénitude » cognitive. Elle montre quels modes de remplissement conditionnent éidétiquement le caractère rationnel d'évidence, quels types d'évidence sont en jeu en chaque cas, etc. En particulier c'est elle qui nous fait comprendre que les *vérités à priori de la logique* mettent en jeu des relations éidétiques qui rattachent la *possibilité d'un remplissement intuitif* de la proposition (l'état de chose correspondant s'élevant en même temps au plan de l'intuition synthétique) à *la forme synthétique pure de la proposition* (la forme purement logique), et que cette possibilité est en même temps la condition d'une validité possible.

Elle montre également qu'il faut faire ici une double distinction qui correspond à la corrélation entre noèse [307] et noème. Dans l'apophantique formelle (dans la théorie du syllogisme par exemple) on traite des jugements entendus comme propositions noématiques, et de leur « vérité formelle ». Le point de vue est entièrement noématique. Par contre, dans la *noétique apophantique formelle,* le point de vue est noétique : on parle de la rationalité, de la correction du juger ; on formule des *normes* qui régissent cette correction, celles-ci étant rapportées aux formes des propositions. Par exemple on ne peut pas tenir une contradiction pour vraie ; quiconque porte un jugement en accord avec les formes de prémisses autorisées par les modes valables de l'inférence, est « contraint » de tirer des conclusions de forme correspondante, etc. Replacées dans leur contexte phénoménologique, ces parallèles deviennent immédiatement intelligibles. Les événements qui concernent le juger, la noèse, ainsi que ceux qui par essence leur correspondent dans le noème, dans l'apophansis, sont précisément étudiés dans leurs relations mutuelles nécessaires et en tenant compte de toute la complexité du tissu de conscience.

Les mêmes considérations s'appliquent naturellement aux autres disciplines formelles, en ce qui concerne le parallélisme des régulations noétiques et noématiques.

§ 148. — Les Problèmes de la Raison théorique ressortissant a l'Ontologie formelle[1].

Un changement d'orientation nous conduit de ces disciplines aux *ontologies* correspondantes. Ce passage est déjà donné au point de vue phénoménologique par les déplacements généralement possibles du regard, susceptibles d'être opérés à l'intérieur de chaque acte : et ainsi les composantes amenées sous le regard apparaissent entrelacées mutuellement les unes dans les autres par tout un réseau de lois éidétiques. L'attitude première est en direction de l'objet ; la réflexion noématique conduit aux éléments noématiques, la réflexion noétique aux éléments noétiques. Partant de ces composantes, les disciplines qui nous intéressent ici en tirent par abstraction des formes pures, l'apophantique formelle dégageant des formes noématiques et la noétique qui lui fait pendant, des formes noétiques. De même que ces formes sont liées les unes aux autres, elles sont

[307] 1. Sur la définition de l'ontologie formelle, cf. pp. 18, n. 1, 22, n. 2. FORMALE UND TRANSZENDENTALE LOGIK, Ire partie, §§ 24-6, 54.

toutes deux reliées par des lois éidétiques à des formes ontiques qui peuvent être saisies en ramenant le regard en arrière vers les composantes ontiques.

Toute loi de la logique formelle peut être convertie en loi équivalente de l'ontologie formelle. Le jugement qui portait sur des jugements porte maintenant sur des états de chose ; il ne porte plus sur des membres de jugements (par exemple des significations nominales), mais sur des objets, non plus sur des significations prédicatives mais sur des marques caractéristiques, etc. On ne parle plus de vérité, de validité des propositions judicatives, mais de la composition des états de chose, de l'être des objets, etc.

[308] Bien entendu le statut phénoménologique de cette conversion demande à être clarifié, en le référant à celui des concepts qui servent d'étalon.

L'ontologie formelle déborde d'ailleurs largement la sphère de ces simples transformations des vérités apophantiques formelles. D'importantes disciplines s'y adjoignent à la faveur de ces processus de « nominalisation » dont nous avons parlé ci-dessus [a]. Dans l'acte plural de jugement, le pluriel se présente comme thèse plurale. Par la mutation de nominalisation il devient l'objet : groupe, et ainsi se forme le concept fondamental de *théorie des groupes*. Dans cette théorie le jugement porte *sur* des groupes pris comme objets, possédant leurs types particuliers de propriétés, de relations, etc. Il en est de même pour les concepts de relation, de nombre, etc., en tant que concepts fondamentaux des *disciplines mathématiques*. Comme nous l'avons dit à propos des simples morphologies de propositions, il nous faut répéter ici que la tâche de la phénoménologie n'est pas de développer ces disciplines, donc de faire des mathématiques, de la syllogistique, etc. Seuls l'intéressent les axiomes et leur structure conceptuelle : ce sont autant de thèmes pour des analyses phénoménologiques.

Il est aisé de transposer ce qu'on vient de dire à *l'axiologie formelle* et à *la théorie formelle* de la pratique, ainsi qu'aux autres *ontologies formelles* qu'il

(*a*) Cf. § 119, pp. 247 sq.

faut leur adjoindre à titre de desiderata théoriques : *celle des valeurs* (en un sens très élargi du mot), celle des biens, — bref celles qui correspondent à toutes les sphères ontiques qui servent de corrélats à la conscience affective et volitive.

On remarquera *que le concept d' « ontologie formelle » a élargi son sens au cours de ces considérations.* Les valeurs, les objectivités pratiques se placent sous le titre formel « d'objet », de « quelque chose en général ». Au point de vue de l'ontologie analytique universelle, ce sont donc des objets matériellement déterminés ; les ontologies « formelles » rattachées à ces objets matériels et qui traitent des valeurs et des objectivités pratiques sont des disciplines matérielles. D'autre part on ne peut nier la force des analogies qui se fondent sur le parallélisme entre les genres thétiques (la croyance ou ses modalités, l'évaluation, le vouloir) et les synthèses et formations syntactiques spécifiquement coordonnées à ces genres thétiques ; ces analogies sont même si frappantes que Kant [b] considère franchement comme « analytique » le rapport entre la volonté de [309] la fin et la volonté des moyens et confond ainsi l'analogie avec l'identité. Ce qui est proprement analytique et qui appartient à la synthèse prédicative de la doxa ne doit pas être confondu avec son analogon formel qui se réfère aux synthèses entre des thèses affectives et volitives. Des problèmes importants et profonds de la phénoménologie de la raison ont leur point de départ dans une élucidation radicale de ces analogies et de ces parallèles.

§ 149. — Les Problèmes des Ontologies régionales ressortissant a la Raison théorique. Le Problème de la Constitution phénoménologique

Après avoir discuté les problèmes relatifs à la raison théorique que nous posent les disciplines formelles, il

(*b*) Cf. Fondements de la Métaphysique des mœurs (A 417) : « Qui veut la fin veut... aussi les moyens absolument nécessaires pour l'atteindre qui sont en son pouvoir. Cette proposition, pour autant qu'elle concerne le vouloir est analytique. »

faudrait passer aux *ontologies matérielles* et d'abord aux *ontologies régionales* [1].

Toute région d'objets se constitue conformément à la conscience (bewusstseinsmässig). Un objet déterminé par le genre régional a, en tant que tel, pour autant qu'il est réel, une façon prescrite à priori de pouvoir être perçu, représenté en général de façon claire ou confuse, pensé, légitimé. Nous plaçant au point de vue des fondements de la rationalité, nous sommes donc ramenés aux sens, aux propositions, aux essences cognitives; mais cette fois non pas aux simples formes, mais, étant donné que nous considérons la généralité matérielle de l'essence régionale et catégoriale, aux propositions dont le statut de détermination est pris selon sa détermination *régionale. Chaque région fournit ici le fil conducteur qui orientera vers un groupe original et bien délimité de recherches.*

Prenons pour guide la région « chose matérielle ». Si nous comprenons bien ce rôle de guide de la région, nous saisissons en même temps un problème général qui commande une discipline phénoménologique importante et relativement autonome : c'est *le problème de la « constitution » générale des objectivités de la région « chose » dans la conscience transcendantale,* ou, en termes plus brefs, « de la constitution phénoménologique de la chose en général » [2]. En liaison intime avec ce point, nous découvrons également la méthode de recherche qui convient à ce problème-clé. On peut appliquer ensuite la même remarque à *chaque* région et à chaque discipline relative à sa constitution phénoménologique.

Voici de quoi il s'agit. L'idée de chose, pour s'en tenir à cette région et puisque nous parlons maintenant

---

[309] 1. Sur la définition des ontologies régionales, cf. pp. 19, n. 1, 20, n. 5, 22, n. 1, 30, n. 1. Alors que la Ire section traitait les régions comme objets d'une science à priori, la IVe section les traite comme « prescrites par la conscience », c'est-à-dire comme transcendantalement constituées : une région est alors un type à priori de légitimation originaire pour des visées possibles de la conscience. Le premier traitement était logique, pré-phénoménologique, le second seul est phénoménologique, c'est-à-dire transcendantal.

2. C'est un des sujets principaux de IDEEN II.

d'elle, est représentée (vertreten) à la conscience, par la notion conceptuelle de « chose », dotée d'un certain [310] fonds noématique. A chaque noème correspond par essence un groupe idéalement clos de noèmes possibles qui tirent leur unité de leur aptitude à former une unité synthétique par coïncidence. Si le noème, comme il l'est ici, est concordant, on peut trouver également dans ce groupe des noèmes intuitifs et en particulier des noèmes donateurs originaires où les autres noèmes du groupe appartenant à un autre type trouvent leur remplissement, en venant coïncider et s'identifier à eux et en puisant en eux, dans le cas de la positionalité, la confirmation, la plénitude de la force rationnelle.

Nous partons donc de la représentation verbale, et peut-être tout à fait obscure, de chose, telle qu'elle se présente précisément à nous. En toute liberté nous élaborons des représentations intuitives de la même « chose »-en-général et nous éclaircissons le sens vague du mot. Comme il s'agit d'une « représentation générale » il nous faut procéder par des exemples. Nous formons des intuitions imaginaires arbitraires de chose, par exemple la libre intuition de chevaux ailés, de corbeaux blancs, de montagnes dorées, etc. ; ce serait bien encore des choses, et les représentations que nous en avons servent donc aussi bien d'exemples que les représentations de choses empruntées à l'expérience réelle. Opérons l'idéation : nous saisissons sur ces exemples, avec une clarté intuitive, l'essence de « chose » en tant que sujet de déterminations noématiques délimitées dans leurs traits généraux.

Il faut maintenant noter (en se souvenant de ce qui a été établi plus haut ([a])) que de cette façon l'essence de « chose » est bien donnée de façon originaire, mais non point, par principe, de façon adéquate. Nous pouvons élever le noème ou le sens-de-chose au rang d'une donnée adéquate; mais les multiples sens de la chose, même pris dans leur plénitude, ne contiennent pas, à titre de composante originairement intuitive qui leur serait immanente, l'essence régionale de « chose », pas plus que les multiples sens relatifs à une seule et même

(a) Cf. § 143, p. 297.

chose individuelle ne contiennent l'essence individuelle de cette chose. En d'autres termes, qu'il s'agisse de l'essence d'une chose individuelle ou de l'essence régionale de chose en général, il ne suffit nullement d'une intuition singulière de chose ou bien d'une série close ou d'une collection d'intuitions de choses pour atteindre sous forme *adéquate* l'essence désirée dans toute la plénitude de ses déterminations éidétiques. Par contre pour une intuition inadéquate de l'essence chacune suffit ; elle a toujours le grand avantage sur une saisie vide de l'essence, telle qu'elle peut être instituée au moyen d'exemples sur la base d'une représentation obscure, d'avoir donné l'essence de façon originaire.

[311] Cela est vrai de tous les degrés de généralité éidétique, depuis l'essence de l'individuel jusqu'à la région chose.

Mais nous pouvons former l'évidence éidétique suivante, dont la portée est très générale : *toute donnée imparfaite* (tout noème qui donne de façon inadéquate) *recèle en soi une règle qui commande la possibilité de son perfectionnement.* Il appartient à l'essence de l'apparence du centaure que j'ai présentement devant moi — cette apparence donnant l'essence de centaure « sous une seule face » — que je puisse rechercher les différentes faces de la chose, déterminer et rendre intuitifs par un libre jeu de l'imagination ces aspects demeurés d'abord indéterminés et en suspens. Nous sommes *libres* dans une large mesure dans la poursuite de ce processus imaginatif qui rend l'objet toujours plus parfaitement intuitif et le détermine avec plus de précision; nous pouvons même comme il nous plaît accorder intuitivement au centaure imaginé des propriétés qui le déterminent avec plus de précision ou des changements de propriétés ; *mais nous ne sommes pas complètement libres,* si l'intuition doit progresser dans le sens d'un développement *concordant,* où le sujet déterminable soit le même identiquement et *puisse* demeurer sans cesse déterminable de façon concordante. Nous sommes liés par exemple par un *espace* conforme à des lois : c'est un cadre qui nous est impérieusement prescrit par l'idée d'une chose possible en général. Aussi arbitrairement que nous tentions de déformer l'objet imaginaire, les formes spatiales ne cessent point d'engendrer des formes spatiales.

Que signifie maintenant au point de vue phénoménologique ce terme de règle ou de loi ? Qu'implique ce fait que la *région « chose »* donnée de façon inadéquate *prescrive des règles qui commandent le cours des intuitions possibles,* — et par conséquent manifestement aussi celui des perceptions possibles ?

La réponse est ceci : l'essence de ce noème de chose implique, comme on peut le voir avec une évidence absolue, la possibilité idéale *que des intuitions sans cesse concordantes aient un « développement illimité »* (Grenzenlosigkeit im Fortgange) ([a]) ; cette possibilité, bien entendu, se conforme à des directions de type déterminé prescrites à priori (l'enchaînement continu des noèses correspondantes présentera également un cours illimité). Nous nous souvenons ici des analyses antérieures concernant l'acquisition, sur le plan de l'évidence, de l' « idée » générale de chose [1] ; ces analyses restent valables pour tous les degrés inférieurs de généralité, jusqu'à l'ultime concrétion de la chose individuellement déterminée. Sa transcendance a pour expression cette possibilité d'un développement illimité des intuitions qu'on a d'elle. Il est toujours possible que les intuitions se transforment à nouveau en conti-[312]nua d'intuitions et que les continua déjà donnés s'élargissent encore. Il n'est pas de perception de chose qui ait un point final ; il reste toujours une marge pour de nouvelles perceptions susceptibles de déterminer plus étroitement les indéterminations, de remplir des lacunes. Chaque nouveau progrès enrichit le statut de déterminations du noème de chose qui ne cesse d'appartenir à la même chose X. Nous accédons à cette évidence éidétique : *toute* perception et *tout* divers de perception sont susceptibles d'être élargis ; le processus est donc sans fin ; dès lors nulle saisie intuitive de l'essence de la chose ne peut être si intégrale qu'une

(*a*) Cf. Kant, CRITIQUE DE LA RAISON PURE, le 5e argument sur l'espace (A 25).

[311] 1. Cf. § 143

perception ultérieure ne puisse plus lui apporter rien de nouveau au point de vue noématique.

D'autre part nous saisissons pourtant de façon évidente et adéquate « l'idée » de chose. Nous la saisissons dans le *libre* mouvement pour parcourir les possibilités, dans la conscience que le développement des perceptions concordantes est sans limite. Ainsi nous saisissons d'abord, sans remplissement, l'idée de chose, de cette chose individuelle comme étant donnée « aussi loin que s'étend » précisément l'intuition concordante, mais comme demeurant en même temps déterminable « *in infinitum* ». Le « ainsi de suite » est un moment évident et absolument indispensable dans le noème de chose.

Nous fondant sur la conscience de cette absence de limites, illustrée par des exemples, nous saisissons en outre « l'idée » des directions déterminées de ce développement infini, et cette idée s'applique à chacune des directions du cours de l'intuition dans laquelle nous nous engageons. A nouveau nous saisissons *l' « idée » régionale de chose en général* comme étant l'élément identique qui se maintient à travers les développements infinis quoique déterminés selon *tel ou tel type,* et qui s'annonce dans les séries infinies de noèmes répondant à un type déterminé et appartenant à ces développements infinis.

Comme la chose, toute *propriété* (Beschaffenheit) appartenant au contenu éidétique de la chose, et au premier rang toute « *forme* » *constitutive,* est une idée; la règle s'applique à tous les degrés, depuis la généralité de la région jusqu'à la particularité ultime. Nous dirons plus exactement :

La chose se donne en son essence idéale comme *res temporalis,* sous la « *forme* » *nécessaire du temps.* L' « idéation » intuitive[1] (qui mérite ici tout particulièrement son nom en tant qu'intuition de l' « idée ») nous révèle la chose comme durant nécessairement, comme susceptible par principe d'une extension sans fin de durée. Nous saisissons par « *intuition pure* » (cette idéation est en effet le concept kantien de l'intuition

[312] 1. Cf. § 143

pure, mais clarifié par la phénoménologie) « l'idée » de la temporalité et celle de tous les moments éidétiques inclus en elle.

La chose, conformément à son idée, est en outre *res extensa;* par exemple elle est capable du point de vue spatial de changements de formes d'une variété infinie [313] et, quand la forme ou le changement de forme se maintiennent identiques, de changements de position d'une variété infinie : elle est « mobile » in infinitum. Nous saisissons l' *« idée » de l'espace* et les idées qu'elle enveloppe.

Enfin la chose est *res materialis,* elle est une unité *substantielle* et comme telle une unité, un nœud de *relations causales* susceptibles, en vertu de leur possibilité, de prendre un nombre infini de formes. Même dans le cas de ces propriétés spécifiquement naturelles (realen) nous nous heurtons à des idées. Ainsi *toutes* les composantes des idées de chose sont elles-mêmes des idées ; *chacune implique le « ainsi de suite »* qui indique des possibilités « infinies ».

Ce que nous développons ici n'est pas une « théorie », n'est pas de la « métaphysique ». Il s'agit ici de nécessités éidétiques indissolublement incluses dans le noème de chose et corrélativement dans la conscience qui donne la chose ; elles demandent à être saisies exclusivement par l'évidence et à être systématiquement explorées.

§ 150. — Suite. La Région chose. comme Fil conducteur transcendantal.

Maintenant que nous avons pour l'essentiel acquis la compréhension de l'infini qu'enveloppe l'intuition de la chose en tant que telle (en fonction de la noèse et du noème) — ou, comme on pourrait dire encore, de l'idée de chose et des dimensions de l'infini qu'elle enveloppe — nous pourrons également comprendre bientôt jusqu'à quel point la *région de chose* peut servir de *fil conducteur* dans des recherches phénoménologiques.

Partant de l'intuition d'une chose individuelle, continuant à percevoir ses mouvements, ses rapprochements et ses éloignements, ses tours et détours, ses changements de forme et de qualité, son comportement causal, nous *opérons* un enchaînement continu de perceptions qui coïncident de telle et telle façon, s'agrègent en une conscience d'unité : le regard se dirige alors sur le facteur identique, sur le X du sens (ou de la proposition positionnelle ou neutralisée), sur ce seul et même facteur qui *se* change, tourne, etc. Il en est de même également quand dans l'intuition libre nous suivons les séries sans fin de modifications possibles selon leurs différentes directions fondamentales, avec la conscience de pouvoir développer sans limites ce processus intuitif. Il en est encore de même quand nous passons au point de vue de l'idéation et que nous élevons à la clarté l'idée régionale de chose : nous procédons alors comme le géomètre avec la liberté et la pureté de son intuition géométrique.

Mais tout cela ne nous renseigne pas sur les processus de l'intuition elle-même et sur les essences et les [314] infinités éidétiques qui se rattachent à *elle*, ni sur sa matière (Stoffen) et ses moments noétiques, sur ses structures noématiques, sur les couches qui de part et d'autre peuvent être distinguées et saisies sur le plan éidétique. *Nous ne voyons pas* ce que nous vivons de façon actuelle (ou ce dont nous avons une conscience irréfléchie sous la modification imageante). Il faut donc changer d'attitude, recourir aux différentes « réflexions » : hylétiques, noétiques, noématiques (toutes ensemble méritent à bon droit ce nom de réflexion parce qu'elles sont les déviations de l'orientation primitive et « directe » du regard sur le X) [1]. Ce sont ces réflexions qui nous ouvrent un champ d'étude vaste et cohérent en soi-même, une problématique imposante, subordonnée à l'idée de « région de chose ».

Une question se pose alors :

---

[314] 1. Les MÉDITATIONS CARTÉSIENNES (p. 30) décrivent cette réflexion comme un *dédoublement du moi ;* « au-dessus du moi naïvement intéressé au monde s'établira en *spectateur désintéressé* le moi phénoménologique. Ce *dédoublement du moi* est à son tour accessible à une réflexion nouvelle, réflexion qui, en tant que transcendantale, exigera encore une fois l'attitude désintéressée du spectateur, préoccupé seulement de voir et de décrire de manière adéquate »

Comment décrire systématiquement les noèses et les noèmes qui appartiennent à l'unité de la conscience de chose dans le cas des représentations intuitives ?

Si nous nous limitons à la sphère noématique, la question prend cette forme :

Quel aspect prennent les multiples intuitions positionnelles, les « *propositions intuitives* », où une chose « réelle » vient se donner et légitimer sa réalité par voie d'intuition, dans une « expérience » originelle ?

Si on fait abstraction des thèses doxiques, quel aspect prennent les simples *apparences* — entendues au sens noématique — qui, en soi et considérées au point de vue purement éidétique, « font apparaître » une seule et même chose, la chose qui à ce moment est pleinement déterminée et qui appartient à titre de corrélat *nécessaire* à ce divers d'intuitions ou d'apparences ? Par principe, la phénoménologie ne saurait se contenter de formules vagues, de généralités obscures, elle exige une élucidation, une analyse et une description menées dans un esprit systématique et qui pénètrent au cœur des connexions éidétiques, jusqu'à leurs particularisations les plus reculées : elle exige un *travail* exhaustif.

L'idée régionale de chose, son X identique, pris avec son statut de sens déterminant et posé comme étant, *prescrit des règles qui s'imposent au divers des apparences.* Autrement dit, ce n'est pas un divers quelconque, rassemblé au hasard, comme le souligne déjà ce simple fait que ce divers, considéré en soi-même et d'un point de vue purement éidétique, se rapporte à la chose, à la chose déterminée. L'idée de la région prescrit des séries d'apparences pleinement déterminées, rigoureusement ordonnées, progressant à l'infini et, si on les prend comme totalité idéale, strictement délimitées et closes ; elle requiert que leur développement réalise une organisation interne déterminée ; cette organisation doit, par essence et en un sens accessible à la recherche, être solidaire des idées partielles [315] qui sont désignées en termes généraux dans l'idée régionale de chose comme les composantes de cette dernière. Il apparaît par exemple — pour considérer un aspect de cette organisation — que l'unité qui convient à une simple *res extensa* est pensable sans l'unité que régit l'idée de la *res materialis,* quoique une *res materialis* ne soit point pensable si elle n'est une *res extensa.* Il ressort en effet (nous ne quittons jamais l'intuition éidétique propre à la phénoménologie) que toute apparence de chose enveloppe nécessairement en soi une couche que nous nommons le *schéma de chose :* à savoir la pure forme spatiale remplie de qualités « sensibles » — dépourvue de toute détermination de « substantialité » et de « causalité » (entre guillemets, pour faire entendre que ces propriétés sont modifiées noématiquement)[1]. Déjà l'idée qui s'y rattache d'une *simple res extensa* s'offre comme un titre pour une quantité de problèmes phénoménologiques.

Il est bien des choses que dans notre naïveté phénoménologique nous prenons pour de simples faits : ainsi, « pour nous hommes », une chose spatiale apparaît toujours selon une certaine « orientation » : par exemple dans notre champ visuel elle est orientée selon le haut et le bas, la droite et la gauche, le proche et le lointain ; nous ne pouvons voir une chose qu'à une certaine « profondeur » ou « distance » ; toutes les distances variables où elle peut être vue se réfèrent à un centre de toutes les orientations en profondeur qui reste invisible, quoiqu'il nous soit familier en tant que point-limite idéal, et que nous localisons dans la tête. Tous ces prétendus faits (Faktizitäten), par conséquent toutes les contingences prétendues de l'intuition spatiale, étrangères à l'espace « vrai », « objectif », se révèlent être, jusque dans les plus humbles particularisations empiriques, des nécessités éidétiques. Il s'avère ainsi que tout ce qui a le caractère d'une chose spatiale ne peut être perçu non seulement des hommes, mais même de Dieu — en tant que représentant idéal de la connaissance absolue[2] — qu'au moyen d'apparences où elle est donnée et doit être donnée sous une « perspective » variable, selon des modes multiples quoique déterminés, et présentée ainsi selon une « orientation » variable.

---

[315] 1. C'est ce que IDEEN II appelle le « fantôme ».
2. Cf. p. 157 (*a*).

La tâche dès lors n'est pas simplement d'établir ces principe à titre de thèse générale, mais de les poursuivre jusque dans leurs configurations singulières. Le problème de « *l'origine de la représentation spatiale* », dont on n'a jamais saisi le sens le plus profond, le sens phénoménologique, se réduit à l'analyse phénoménologique des *essences* impliquées par les divers phénomènes noématiques (et noétiques) où l'espace se figure intuitivement et se « constitue » en tant qu'unité des apparences, des modes descriptifs où se figure le spatial.

Il est clair que le *problème de la constitution* signifie uniquement ceci : il est possible d'embrasser par l'intuition et de saisir théoriquement les séries réglées d'apparences qui convergent *nécessairement* dans l'unité [316] d'une chose qui apparaît, — en dépit des infinis qu'elles enveloppent (et que précisément l'on peut maîtriser de façon univoque par l'idée déterminée du « ainsi de suite ») ; ces séries peuvent être analysées et décrites selon leur originalité *éidétique*, et la *fonction de corrélation, conforme aux règles, entre la chose déterminée qui apparaît, prise comme unité, et le divers infini mais déterminé des apparences,* peut être soumise à une pleine évidence et ainsi dépouillée de tout mystère.

Ce qui est vrai de l'unité que comporte la *res extensa* (et aussi la *res temporalis*) ne l'est pas moins des unités supérieures, des unités fondées que désigne l'expression « chose *matérielle* », c'est-à-dire *substantielle-causale.* Toutes ces unités se constituent, au niveau de l'intuition empirique, dans un « divers » ; et dans tous les cas il est nécessaire de mettre en pleine lumière les connexions éidétiques à double face, sans omettre aucune couche, et en considérant le sens et la plénitude du sens, les fonctions thétiques, etc. Finalement on doit en retirer une idée parfaitement évidente de ce que représente dans la conscience phénoménologiquement pure l'idée de la chose réelle, et des raisons qui en font le corrélat absolument nécessaire d'une connexion noético-noématique soumise elle-même à une étude de structure et à une description éidétique.

§ 151. — Les Couches de la Constitution transcendantale de la Chose. Considérations complémentaires [1].

Ces recherches sont essentiellement commandées par les différents *degrés et couches de la constitution de la chose dans le cadre de la conscience empirique originaire.* Chaque degré, et chaque couche dans ce degré, a pour caractère de *constituer une unité originale,* qui de son côté est un *chaînon intermédiaire nécessaire* dans la constitution totale de la chose.

Considérons par exemple le degré de la constitution simplement perceptive de la chose qui a pour corrélat la chose sensorielle munie de ses qualités sensibles : nous nous référons à un unique flux de conscience, aux perceptions possibles d'un unique sujet personnel de perceptions. Nous trouvons ici toutes sortes de couches d'unité : les *schémas sensuels,* les « *choses visuelles* » d'ordre inférieur et supérieur qui doivent être parfaitement dégagées en respectant cet ordre et étudiées en fonction de leur constitution noético-noématique, aussi bien isolément que dans leur enchaînement. La couche *supérieure* de ce degré est celle de la chose *substantielle causale :* c'est déjà une réalité naturelle au sens spéci- [317] fique du mot, mais elle reste encore liée par constitution à un *unique* sujet de l'expérience et à son divers idéal de perceptions.

Le *degré immédiatement supérieur* est ensuite la *chose identique sur le plan de l'intersubjectivité,* qui est une

---

[316] 1. La Ve des Méditations cartésiennes donne toute son ampleur à ce problème de la constitution du monde dans l'intersubjectivité ; cf. en particulier pp. 102-9. Cette faible place donnée à l'intersubjectivité dans Ideen I, déclare Husserl dans le *Nachwort zu meinen* « Ideen... » (p. 11), fausse la perspective d'ensemble : « l'idéalisme transcendantal-phénoménologique » n'a pas vaincu « l'idéalisme psychologiste » tant qu'il n'a pas résolu la difficulté du « solipsisme transcendantal ». La difficulté avait été traitée dans les cours du semestre d'hiver 1910-11. Mais en 1913 Husserl espérait publier prochainement le t. II des Ideen. — Cf. en outre sur cette question Formale und transzendentale Logik, § 96.

unité constitutive d'ordre plus élevé. Sa constitution se réfère à une pluralité illimitée de sujets en relation de « compréhension mutuelle ». Le monde intersubjectif est le corrélat de l'expérience intersubjective, c'est-à-dire médiatisée par « l'intropathie ». Nous sommes ainsi renvoyés aux multiples unités de choses sensorielles déjà constituées à titre individuel par les divers sujets; en conséquence nous sommes renvoyés aux divers de perceptions qui leur correspondent et qui appartiennent donc à des sujets personnels et à des flux de conscience différents; mais avant tout c'est au fait nouveau de l'intropathie que nous sommes renvoyés et à la question de savoir comment elle joue un rôle constituant dans l'expérience « objective » et confère une unité à ces divers séparés les uns des autres.

Sur tous ces points les recherches doivent être conduites de façon à tenir compte de la totalité des moments et des faces qu'exige la nature des choses. Ainsi, pour nous conformer au but qui convient à une introduction, nous nous sommes contentés plus haut de considérer un système préliminaire, fondamental de divers d'apparences constituantes : celui où une seule et même chose ne cesse point d'apparaître de façon concordante. Les perceptions viennent purement et simplement coïncider, selon toutes leurs lignes systématiques, au cours de leur développement illimité ; les thèses ne cessent de recevoir confirmation. Nous n'avons ici que des déterminations plus précises mais non divergentes. Aucune des déterminations que le cours antérieur de l'expérience (à l'intérieur de ce système idéalement clos) a permis de poser, n'est « biffée » et « remplacée » par d'autres déterminations appartenant à cette même catégorie de propriétés que prescrit formellement l'essence régionale. Rien ne vient détruire la concordance ; nul événement ne compense en sens contraire la destruction ; encore moins rencontre-t-on cette « explosion » de la concordance par laquelle la chose posée est purement et simplement biffée. Mais la phénoménologie ne doit pas moins prendre en considération ces éventualités contraires ; elles aussi jouent ou peuvent jouer un rôle en relation avec la constitution possible. Le chemin de la connaissance de fait, comme celui de la connaissance idéalement possible, passe par des erreurs ; cela est déjà vrai au degré le plus bas de la connaissance, celui de la saisie intuitive de la réalité. Ainsi le cours de la perception où des brèches partielles rompent la concordance et où la concordance ne peut être maintenue qu'au moyen de « ratures », demande à être caractérisé systématiquement en fonction [318] de ses diverses composantes éidétiques, noétiques et noématiques : les changements dans le mode d'appréhension, les processus thétiques *sui generis,* les changements et les pertes de valeur qui affectent la chose précédemment saisie — par exemple en tant que « simulacre », qu' « illusion », — le passage à un « conflit » qui par endroits demeure non résolu, etc. Face à la synthèse continue de concordance, il faut faire droit aux synthèses de conflit, de méprise et de détermination divergente : pour une phénoménologie de la « réalité vraie », la phénoménologie du « *vain simulacre* » est elle aussi absolument indispensable.

§ 152. — Transposition du Problème de la Constitution transcendantale a d'autres régions.

On voit aisément que ce qui a été dit ici par voie d'exemples sur la constitution de la *chose* matérielle — et en considérant cette constitution dans le système du divers de l'expérience *antérieure* à toute « pensée » — doit pouvoir être appliqué à toutes *les régions d'objets,* quant au problème et à la méthode. Dans le cas des « perceptions sensibles » nous rencontrons maintenant naturellement les espèces d'actes donateurs originaires, ordonnés par essence aux régions considérées ; ces actes doivent être au préalable dégagés et explorés par l'analyse phénoménologique.

De très difficiles problèmes sont suscités par *l'entrelacement des différentes régions.* Ils conditionnent l'entrelacement qui se produit dans les configurations constituantes au sein de la conscience. La *chose* n'est pas isolée face au sujet de l'expérience, comme l'ont déjà montré les indications données plus haut sur la constitution intersubjective du monde « objectif » des choses. Or ce sujet d'expérience se constitue lui-même dans l'expérience comme réalité mondaine, comme *homme* ou *bête*, de même que les *communautés intersubjectives* se constituent comme communautés d'êtres animés[1].

Ces communautés, bien qu'essentiellement fondées dans des réalités psychiques naturelles, qui à leur tour sont fondées dans des réalités physiques, se révèlent être de *nouvelles objectivités d'ordre plus élevé.* D'une façon générale il apparaît qu'il y a beaucoup de types d'objectivités qui défient les interprétations aberrantes du psychologisme et du naturalisme. Tels sont tous les types *d'objets-valeurs* et d'objets *pratiques,* toutes les institutions concrètes du monde civilisé qui déterminent notre vie réelle à la façon de dures réalités, tels que par exemple l'*Etat,* le *droit,* la *coutume,* l'*Eglise,* etc. Toutes ces entités objectives (Objektitäten) doivent être décrites comme elles viennent se donner, en fonction de leurs types fondamentaux et en respectant la [319] hiérarchie de leurs degrés, et il faut à leur propos poser et résoudre les *problèmes de constitution.*

Tout naturellement leur constitution renvoie à celle des choses spatiales et des sujets psychiques. Elles sont précisément fondées dans ces réalités naturelles. Finalement à la base de toutes les autres réalités on trouve au plus bas degré la réalité matérielle, et ainsi la *phénoménologie de la nature matérielle* occupe indubitablement une *position privilégiée.* Mais si on considère sans préjugés les unités fondées et si on les ramène par la phénoménologie à leurs sources, celles-ci sont précisément fondées et *d'un type nouveau;* l'élément nouveau qui se constitue avec elles ne peut jamais, comme l'enseigne l'intuition des essences, se réduire à de simples sommes d'autres réalités naturelles. *Ainsi chaque type spécial de réalité de ce genre introduit en fait avec soi sa propre phénoménologie constitutive,* et par là même une *nouvelle doctrine concrète de la raison.* Partout la tâche est la même pour le principal : il importe

[318] 1. Cf. pp. 70, 103, 175 ; IDEEN II étudie longuement cette constitution des *animalia* et des hommes.

d'élever à la connaissance le système intégral des configurations de conscience qui constituent la donnée originaire de ces entités objectives, en tenant compte de tous les degrés et de toutes les couches, et ainsi de rendre intelligible l'équivalent en terme de conscience du type considéré de « réalité ». Et même tout ce qu'on pourrait dire ici, et non sans vérité, pour éliminer les nombreuses et faciles erreurs d'interprétations concernant la corrélation de l'être et de la conscience (comme par exemple que toute réalité « se dissout en phénomènes psychiques »), ne peut être dit qu'en se fondant sur les connexions éidétiques impliquées par les groupes constitutifs et que l'on ne peut saisir que dans l'attitude phénoménologique et à la lumière de l'intuition.

§ 153. — L'Extension totale du Problème transcendantal. Articulations des Recherches.

Une discussion maintenue à un niveau de généralité aussi élevé que celui qui jusqu'à présent nous a été seul accessible, ne peut susciter aucune représentation satisfaisante de l'étendue immense des recherches dont on vient de reconnaître la possibilité et de poser l'exigence. A cet effet on aurait besoin, au moins pour les types fondamentaux de réalité, de quelques échantillons d'analyses détaillées ; il faudrait donc procéder comme nous l'avons fait pour la problématique des structures générales de la conscience. Cependant, dans le prochain volume, la discussion des questions controversées dont s'occupe la pensée contemporaine, concernant les rapports mutuels des grands groupes de science [320] que désignent les titres de sciences de la nature, de psychologie, de sciences de l'esprit, et surtout concernant leur relation à la phénoménologie, nous donnera l'occasion de poser les problèmes de constitution de façon plus proche et saisissable. Au moins sera-t-il apparu clairement déjà ici que ces discussions ont pour enjeu des problèmes sérieux et que nous voyons s'ouvrir devant nous des champs de recherches qui ont pour thème *tout ce qui, dans les sciences matérielles* (sachhaltigen), *est de l'ordre des principes au sens authentique de ce mot.* « L'ordre des principes » ne désigne rien d'autre que ce qui vient se grouper autour des idées régionales sous forme de concepts fondamentaux et de connaissances fondamentales, et qui trouve et même doit trouver son développement systématique dans des ontologies régionales correspondantes.

Ce qui vient d'être dit peut être transposé de la sphère matérielle à la sphère *formelle* et aux *disciplines ontologiques* qui *lui* sont appropriées, donc à tous les principes et à toutes les sciences en général reposant sur des principes, à condition d'élargir comme il convient l'idée de constitution. Par là s'élargit, il est vrai, le cadre des recherches constitutives, au point de pouvoir embrasser finalement l'ensemble de la phénoménologie.

Cette remarque s'imposera d'elle-même, si nous ajoutons les considérations complémentaires qui suivent :

En première ligne, les problèmes concernant la constitution de l'objet se rapportent au divers d'une conscience donatrice originaire possible. Il se rapporte donc, dans le cas des choses, à la totalité des *expériences* possibles, aux perceptions d'une seule et même chose. A quoi s'ajoute la considération complémentaire des types positionnels de conscience d'ordre reproductif et l'exploration de leur fonction rationnelle constitutive, ou ce qui revient au même, de leur fonction par rapport à la connaissance par intuition simple ; ajoutons de même la considération de la représentation obscure (qui est encore une conscience simple) et des problèmes de raison et de réalité qui s'y rapportent. En bref nous ne quittons pas d'abord la *simple sphère de la « représentation ».*

A cette question se rattachent les recherches correspondantes relatives aux fonctions de la sphère supérieure dite *sphère* de *l'« entendement » ou de la « raison »*, au sens *plus étroit* du terme[1], avec ses synthèses d'explicitation, de relation, et en général « logiques » (puis également ses synthèses axiologiques et pratiques), avec ses opérations « conceptuelles », ses énoncés, ses formes nouvelles et médiates de fon-

[320] 1. Cf. § 118.

dation. Des objectivités données d'abord dans des *actes monothétiques*, par exemple dans de simples expériences (ou que l'on pense en idée comme étant données) peuvent être par conséquent soumises au jeu des *opérations synthétiques ;* par leur moyen il est possible [321] de constituer des objectivités synthétiques de degré toujours plus élevé qui enveloppent dans l'unité de leur thèse totale une multiplicité de thèses, et dans l'unité de leur matière (Materie) totale, une pluralité de matières désarticulées. On peut colliger, « construire » des collections (des groupes) ordonnés selon une diversité de degrés (groupes de groupes), on peut « ex-traire » ou « dis-traire » des « parties » du « tout », des propriétés, des prédicats par rapport à leurs sujets, « mettre en relation » des objets avec des objets, « faire » à volonté de celui-ci un terme de référence, de celui-là l'objet référé, etc. Toutes ces synthèses peuvent être opérées « réellement », « au sens propre », c'est-à-dire *selon le caractère originaire* (Originarität) *de la synthèse ;* l'objectivité synthétique possède alors, de par sa forme synthétique, le caractère du donné originaire (par exemple de la collection, de la subsomption, de la relation, etc., réellement données) et elle possède le caractère intégral de l'originarité si les thèses l'ont, si par conséquent les caractères thétiques sont originairement motivés comme rationnels. On peut également introduire les images libres, mettre en relation le donné originaire et le quasi-donné, ou opérer les synthèses complètement sous forme modifiée, transformer ce dont nous avons ainsi conscience en une « supposition », « construire » des hypothèses, « en » tirer des conséquences ; ou bien opérer des comparaisons et des distinctions, soumettre à nouveau à des opérations synthétiques les identités ou les différences ainsi données, joindre à toutes ces opérations des idéations, des positions ou des suppositions éidétiques et ainsi à l'infini.

A la base de ces opérations nous trouvons en outre des actes de degré plus bas ou plus élevé d'objectivation dont les uns sont intuitifs, les autres non-intuitifs, voire tout à fait confus. En cas d'obscurité ou de confusion, on peut s'efforcer de clarifier les « constructions » synthétiques, de soulever la question de leur possibilité, de leur résolution par le moyen de « l'intuition synthétique », ou encore celle de leur « réalité », celle de leur résolution possible au moyen d'actes synthétiques explicites et donateurs originaires, voire en recourant à des « inférences » ou des « preuves » médiates. Au point de vue phénoménologique tous ces types de synthèses reliés aux objectivités synthétiques « constituées » en leur sein, doivent être soumis à une enquête : il faudrait élucider les différents modes de donnée et leur signification par rapport à « l'être réel » de ces objectivités ou par rapport à leur être possible *véritable,* à leur être-vraisemblable *réel,* en tenant compte toujours de toutes les questions de raison et de vérité, ou de réalité. *Ici aussi* nous avons *par conséquent des « problèmes de constitution ».*

Sans doute les synthèses logiques sont fondées sur les thèses inférieures, prises avec leurs matières (Materien) (leurs sens) simples, mais de telle façon que le [322] faisceau des lois éidétiques qu'on rencontre au degré synthétique, et spécialement les lois rationnelles — dans une sphère « formelle » très vaste, mais rigoureusement délimitée — sont indépendantes des matières particulières qui caractérisent les *membres* de la synthèse. C'est précisément ce qui rend possible *une logique générale* et *formelle* qui fait abstraction de la « matière » de la connaissance logique et la pense selon une généralité indéterminée que l'on peut faire varier librement (comme « un quelque chose quelconque »). *Dès lors les recherches qui se rapportent à la constitution se scindent également* en deux groupes : celles qui se rattachent aux concepts *formels* fondamentaux et ne prennent qu'eux comme « fil conducteur » dans les problèmes concernant la raison ou concernant la réalité et la vérité ; d'autre part celles qui ont été dépeintes plus haut et qui se rattachent aux concepts *régionaux* fondamentaux, et d'abord aux concepts de la *région elle-même,* en posant la question de savoir *comment* un individu d'une telle région vient à être donné. En introduisant les *catégories régionales* et les recherches qu'elles prescrivent, on fait leur juste place aux *déterminations particulières que la matière régionale* (Materie) fait subir à la *forme synthé-*

tique; on rend également justice à l'influence qu'*exerce sur la réalité régionale la législation* (*Bindungen*) *particulière à cette région* (comme celle qui trouve son expression dans les axiomes régionaux).

Ce qui vient d'être dit peut manifestement se transposer à toutes les sphères d'actes et d'objets, *par conséquent à toutes les objectivités dont la constitution doit faire intervenir des actes affectifs avec leurs thèses et leurs matières à priori spécifiques;* comment élucider à son tour ce nouveau problème, en tenant compte de la forme et de la particularité de la matière? C'est pour la phénoménologie constitutive correspondante une tâche immense et à peine soupçonnée; encore moins a-t-elle été entreprise.

Par là même la relation intime des phénoménologies constitutives aux ontologies à priori, et finalement à *toutes* les disciplines éidétiques, devient également évidente (nous exceptons ici la phénoménologie elle-même). *La hiérarchie des différentes théories éidétiques formelles et matérielles prescrit d'une certaine façon la hiérarchie des phénoménologies constitutives,* détermine leur degré de généralité et leur fournit les « *fils conducteurs* » sous forme de concepts fondamentaux et de propositions fondamentales d'ordre ontologique et d'ordre éidétique matériel. Par exemple les concepts fondamentaux de l'ontologie de la nature, tels que le temps, l'espace, la matière et leurs dérivés immédiats, sont des indices [1] qui désignent des couches de la conscience constituante dans l'ordre des choses matérielles, de même que les propositions fondamentales qui s'y [323] rattachent sont des indices qui désignent des connexions éidétiques dans et entre ces couches. L'élucidation phénoménologique du plan purement logique fait

[322] 1. Ce terme d'*index* qui revient fréquemment à la fin de IDEEN I résume le changement de perspective entre les ETUDES LOGIQUES et les IDEEN : les à priori que le premier ouvrage tendait à *opposer* à la conscience psychologique servent maintenant à *diagnostiquer* dans la conscience transcendantale les « configurations » et « enchaînements » qui prescrivent la structure de ces à priori. Le passage du psychologisme au logicisme n'est pas annulé : c'est au contraire la mise au jour de l'à priori qui a permis la découverte corrélative d'un nouveau plan de conscience, non plus psychologique, mais transcendantal. Cf. *Introduction*, IIIe Partie.

alors comprendre, en en donnant les raisons, ce fait que toutes les propositions *médiates* de la théorie pure du temps, de la géométrie et de même de toutes les disciplines ontologiques sont les indices d'une législation éidétique immanente à la conscience transcendantale et les indices de son divers constituant.

Mais il faut noter expressément que ces connexions entre les phénoménologies constitutives et les ontologies formelles et matérielles correspondantes *n'impliquent aucunement que les premières se fondent sur les secondes. Le phénoménologue ne porte pas de jugement d'ordre ontologique* quand il reconnaît dans un concept ou une proposition ontologique l'indice d'une connexion éidétique constitutive, quand il voit en eux un fil conducteur qui l'oriente vers quelque légitimation d'ordre intuitif qui porte en soi-même son droit et sa validité. Cette constatation générale recevra ultérieurement confirmation dans des analyses plus profondes que d'ailleurs l'importance de cette situation exige.

Une solution compréhensive des problèmes de constitution qui tiendrait un compte égal des couches noétiques et noématiques de la conscience, équivaudrait manifestement à une phénoménologie exhaustive de la raison selon toutes ses configurations formelles et matérielles, qu'elles soient en même temps anormales (négativement rationnelles) ou normales (positivement rationnelles). En outre, il faut bien admettre qu'une phénoménologie de la raison, aussi exhaustive que celle-ci, coïnciderait avec la phénoménologie en général, et qu'un traitement systématique de toutes les descriptions de conscience exigées par le terme global de constitution de l'objet devrait embrasser absolument toutes les descriptions de conscience.

FIN

GLOSSAIRE

abbilden, Abbildung.	dépeindre, copier, copie.
Abgehobenheit.	relief (dans l'attention).
Ablehnung.	refus.
Ableitung (cf. *Abwandlung*).	dérivation (syntactique et logique).
Abschattung, sich abschatten (cf. *Darstellung*).	esquisse, s'esquisser (cf. figuration).
absolut.	absolu.
Abstraktion, Abstraktum, abstrahieren.	abstraction, abstrait, abstraire.
Abstufung.	gradation.
Absurdität (*Widersinn*).	absurdité.
Abwandlung (cf. *Modifikation*).	mutation (phénoménologique).
abweisen (*sich*).	(se) démentir.
achten, Achtung.	observer, observation.
Adäquatheit.	adéquation.
Affirmation, Affirmat (cf. *Bejahung*).	affirmation, affirmatum.
Akt, aktuel, Aktualität.	acte, actuel, actualité.
Allgemeinheit (*Generalität*).	généralité.
Analysis, analytisch.	analyse, analytique.
Animalia.	êtres animés.
Anknüpfung (cf. *Verknüpfung*).	liaison (aperceptive).
Anmutung, anmuten.	supputation, supputer.
Annahme, annehmen.	admettre.
Anschauung, Anschaulichkeit.	intuition, intuitivité.
Ansatz, ansetzen.	supposition, supposer.
apodiktisch, Apodiktizität.	apodictique, apodicité.
Apophansis, -tik.	Apophansis, -tique.
Apperzeption.	aperception.

Art (*Spezies*), *Artung*.	espèce, spécification.
Artikulation (*Gliederung*).	articulation.
Attention (*Aufmerksamkeit*), *attentional*.	Attention, attentionnel.
Auffassung.	appréhension (fonction de la noèse).
Aufhebung.	suspension.
Aufmerksamkeit (*Attention*).	attention.
Ausbreitung.	étendue.
Ausdehnung (cf. *Extension, Ausbreitung*).	extension (spatiale).
Ausdrück, -lich.	expression, -ssif.
Ausfüllung (cf. *Erfüllung*).	remplissement.
Aussage, -satz.	énoncé, proposition énonciative.
ausschalten.	mettre hors circuit.
ausweisen, Ausweisung.	légitimer, -ation.
Axiologie (cf. *Wert*).	axiologie.
Axiom.	axiome.
Bau (*Struktur*).	structure (interne et hiérarchique).
Bedeutung, -ten.	signification, -ier.
Begehrung.	désir.
Begriff, -lich.	concept, -uel.
Begründung (cf. *Grund*).	fondation.
Behauptung.	assertion.
Bejahung (cf. *Affirmation*).	affirmation.
bekräftigen (cf. *bestätigen*).	confirmer.
bekunden (*sich*).	s'annoncer.
bemerken.	remarquer.
Beschaffenheit (cf. *Eigenschaft*).	propriété (constitutive).
Beschreibung (*Deskription*).	description.
beseelen.	animer (fonction de la noèse).
Besonderung, das besondere.	particularisation, le particulier.
Bestand : 1° surtout *Bestände, -stück, -teil* (cf. *Komponente*); 2° (*Wesens*) *bestand*.	1° composante (surtout au pluriel); 2° fonds (éidétique).
bestätigen (cf. *bekräftigen*).	confirmer.
beziehen, sich beziehen, -hung, -hend, Bezogenheit (cf *Referent*).	mettre en relation, se référer, relation, -onnel, référence.

Bewährung.	vérifier.
Bewusstsein, bewusst, -ssthei-ten.	conscience, dont on a conscience, aspects conscienciels.
Bezeichnung (cf. *Zeichen*).	désignation.
Bild, -lich.	(image-) portrait, en portrait.
bilden, -dung, Gebilde.	construire, -ction, produits de-.
Blick, -strahl, erblicken.	regard, rayon du -, regarder.
bloss (cf. *schlicht*).	simple (ex. simple apparence), au sens restrictif.
Bürgschaft (cf. *gewährleisten*).	garantie.
Charakter, -isierung.	caractère (positionnel, etc.), -isation.
Cogito, -tatio(nes).	Cogito, -tatio(nes).
darstellen, Darstellung (cf. *Abschattung*).	figurer, -ation (cf. esquisse).
Dasein (cf. *Existenz*), *-setzung.*	existence, position de -.
Data, Empfindungsdata.	data, data sensuels.
decken (sich), -ung.	coïncider, coïncidence.
definite.	(multiplicité) définie.
denken, sich (bloss) denken, Gedanke.	penser, se figurer (simplement) par la pensée, pensée.
Deskription (cf. *Beschreibung*).	description.
deutlich, -keit.	distinct, -ction (opp. à confus).
Dies-da, Diesheit.	ceci-là, eccéité.
Differenz, niederste Differenz.	différence, -spécifique, -ultime.
Ding, -lichkeit, cf. *Sache.*	chose, opp. 1° à vécu en général; 2° à êtres animés et hommes.
Doxa, -isch.	doxa, doxique, cf.. croyance.
durchstreichen.	biffer (d'un trait), cf. négation.
echt, -heit.	authentique, -cité.
Eidos, eidetisch, -tik, cf. *Wesen, Essenz.*	Eidos, éidétique.

eigen, Eigenheit, Eigenschaft, Eigensein, Eigenwesen.	propre, spécificité, propriété (qualificative), être propre, essence propre.
Eigentümlichkeit.	trait caractéristique, distinctif.
Einbildung, -en, cf. *Fiktion, fingieren.*	feindre, fiction.
eindeutig, -keit.	univoque, univocité.
Einfühlung.	intropathie (cf. *Vocabulaire technique et critique de la Philosophie,* par Lalande).
Einheit, -lich.	unité, -taire.
einklammern, -rung.	mettre entre parenthèses, mise entre -
einseitig.	unilatéral.
einsehen, Einsicht, -tig, cf. *Evidenz.*	vue intellectuelle, évidence intellectuelle, éidétique, -dent.
Einstellung.	attitude (naturelle, etc.).
einstimmig, -keit.	concordant, -dance.
Einzelheit, cf. *Vereinzelung, Individuation.*	cas individuel.
Empfindung (cf. *sensuell*).	sensation, en composition : sensuel (cf. Data).
Entkräftigung, cf. *Bekräftigung.*	infirmation.
Entrechnung.	invalidation.
Entschluss.	décision.
Entstehung.	genèse.
Erfahrung, cf. *empirisch.*	expérience, en composition: empirique.
erfassen, -ung.	saisir, saisie (des essences, etc.).
Erfüllung, erfüllender Sinn.	remplissement (d'une intention vide), sens qui remplit.
Erinnerung, Wiedererinnerung, Vorerinnerung.	souvenir, pro-souvenir, resouvenir.
Erkenntnis, -mässig, -theoretisch.	connaissance, cognitif, épistémologique.
Erlebnis, erleben, Erlebnisstrom.	le vécu, vivre, flux du vécu.
Erscheinung (dist. de *Schein*), *-nen.*	apparence (dist. de simulacre), apparaître.
erzeugen, -gung, cf. *Produktion.*	produire, production.

Essenz, cf. *Eidos, Wesen.*	essence.
Ethik.	Ethique.
etwas.	quelque chos.
Evidenz, cf. *Einsicht.*	évidence (au sens général d'intuition).
exakt, -heit.	exact (science).
Existenz, cf. *Dasein.*	existence.
explizieren, Explikation.	expliciter, -citation.
Extension, cf. *Ausdehnung.*	extension (spatiale).
Faktum, faktisch, Faktizität,	fait (en tant que contingent), de fait, facticité.
fingieren, -giert, Fiktion, Fiktum, fingierende Phantasie.	feindre, fictif, fiction, fictum, imagination créatrice.
Folge, -rung.	conséquence, -cution.
fühlen, Gefühl, Gefühls.	sentir, sentiment, affectif.
Form, -al, -alisierung, -ung (cf. *Bildung*).	forme (en logique), formel, passage au formel, formation.
Formenlehre.	morphologie.
fortdauern.	perdurer.
Frage, fraglich.	question, problématique.
Fülle, cf. *erfüllen.*	le plein, plénitude.
fundierte Akte (opp. à *schlichte*).	actes fondés.
funktionellen Problemen.	problèmes fonctionnels (constitution).
Gattung.	genre.
geben, gebender Akt, originär gebende Anschauung.	donner, acte donateur, intuition donatrice originaire.
Gebiet.	domaine (logique).
Gefallen, -nd, sich gefallen.	plaisir, qui plaît, prendre plaisir.
Gegenbild, -motiv, -noema, -thesis, -wesen.	contre-partie, -motif, -noème, -thèse, -essence.
Gegenstand, -lich (*Objekt*).	objet, objectif.
Gegenwart, -wärtig, -wärtigung (cf. *Vergegenwärtigung*).	présence, présent, -tation (opp. à présentification).
Gehalt.	statut (éidétique, de détermination, sensible).

Geist, -eswissenschaften.	esprit, sciences de l'esprit.
gelten, gültig, Geltung, Gültigkeit.	valoir, valable, validité.
Gemüt, Gemüts-.	affectivité, affectif.
Generalität, -sierung (opp. à *Formalisierung*), cf. *Allgemeinheit, Verallgemeinerung.*	le général, généralisation.
Gerichtetsein auf.	être dirigé sur (attention).
Gestalt, -tung.	forme (figure, contour), configuration (géométrique, éidétique, de conscience, etc.).
gewahren.	s'apercevoir.
gewährleisten.	garantir.
Gewicht.	poids (des possibles, etc.).
gewiss, -heit.	certain, certitude.
Glaubensmodalität (cf. *Doxa*).	modalité de la croyance.
gleichsam.	quasi (modification de neutralité).
gleichzeitig.	simultané.
Gliederung, gegliedert.	articulation, -lé.
Gott.	Dieu.
Grenze.	limite.
Griff.	emprise du moi.
Grund.	fondement.
handeln, -lung (cf. *tun* et *leisten*).	agir, action (opp. à connaître).
Hintergrund.	arrière-plan.
hinweisen.	renvoyer à.
Hof.	aire.
Horizont.	horizon (de monde, de temps, etc.).
Hyle, Hyletik.	hylé, hylétique.
Ich, Ichsubjekt.	je (moi), sujet personnel.
Idee, ideel, ideal, Idealismus, Ideation.	idée, idéel, idéal, -isme, idéation.
Identifikationssynthesen.	synthèses d'identification.
jetzt.	maintenant.
Immanenz.	immanence.
Impression.	impression (au sens d'originaire).
Individuum, -ell.	individu -uel.
Inhalt.	contenu.

Intentio, Intention, -nal, -nalität.	intentio, intention, -nnel, -nalité.
Intersubjektivität.	intersubjectivité.
Intuition (cf. *Anschauung*).	intuition.
Iteration.	redoublement.
Kategorie.	catégorie.
Kausalität.	causalité.
Kern.	noyau (noématique, etc.).
Klarheit, Klärung.	clarté, clarification.
kolligieren, Kolligation, Kollektion.	colliger, colligation, collection.
Komponent (cf. *Bestand*).	composante.
Konkretum, konkret, Konkretion.	concret, concrétion.
Konstitution.	constitution.
Körperlichkeit (cf. *Leib*).	corporéité.
Korrelat, -tion.	corrélat, -tion.
Kraft, (cf. *be-, ent-kräftigen*).	force (de motifs, etc.).
Kultur, -wissenschaften.	civilisation, sciences de la -.
Leib (cf. *Körperlichkeit*), *leibhaft.*	corps, corporel, vif (au sens d'originaire).
leisten (cf. *Handeln* et *Tun*).	agir (opp. à suspendre, à neutraliser).
Logos, Logik, -isch.	logos, logique.
Mannigfaltigkeit.	le divers, multiplicité.
Materie, -al.	matière, -ériel (dans le jugement : opp. à caractère de croyance).
Materie, iell.	matière, -ériel, (opp. à esprit).
meinen, vermeinen, das vermeinte, die Meinung.	viser, le visé, la visée.
Menge, Mengenlehre.	groupe, théorie des groupes.
Modus (cf. *Weise*), *-dalität, -difikation.*	mode, -alité, -ification.
möglich, -keit.	possible -bilité.
Moment.	moment (abstrait).
Morphe (cf. *Auffassung*), *Morphologie* (cf. *Formenlehre*).	morphé, morphologie.
Motivation.	motivation.
Natur, -lich, -wissenschaften.	nature, -el, sciences de la -.

Negat, -tion (cf. *Verneinung*).	le nié, négation.
Neutralität, -isation.	neutralité (modification de -), -isation.
nichtig, -keit, Vernichtung.	nul, néant, anéantissement (du monde).
Noema, -atisch.	noème, -atique.
Noesis, -etik, -etisch.	noèse, étique.
Nominalisierung.	nominalisation.
Notwendigkeit.	nécessaire.
Objekt (cf. *Gegenstand*), *-ivität, -ivation, -ivierung* cf. *Vergegenständlichung*). *chung*).	objet, objectivité, -ivation.
ontisch, -tologie.	ontique, -tologie.
Operation (cf. *Vollzug*).	opération (d'un acte).
originär, -rität, originär gebende Erfahrung.	originaire, -narité, expérience donatrice originaire.
Person, -nal.	personne, -nnel.
Phänomen, -nologie.	phénomène, -ménologie.
Phantasie, -sma, -siert, -sierend.	image (mentale, opp. à *Bild*, image-portrait), phantasme, imaginaire, imageant.
Phoronomie.	cinématique.
plural.	plural, au pluriel.
Position (cf. *setzen*), *-nal, -nalität.*	position, -nnel, -nalité.
potential, -lität.	potentiel, -alité.
Prinzip, -piell.	principe, de principe, par principe.
Prädikat, prädizieren, -kation.	prédicat, -quer, -cation.
Präsumption, prätendieren, -tention.	présomption, prétendre (à l'être), -tention.
Prinzip, piell.	principe, de (par) principe.
Produktion (*Erzeugung*).	production (d'un acte).
Protention (*Vorerinnerung*)	protention.
Qualität.	qualité : 1° sensible; 2° comme caractère positionnel.
quasi (*Gleichsam*).	quasi (neutralisation).
Rationalität (*Vernünftikgeit*), *-lisierung.*	rationalité, -isation.

Raum.	espace.
real ,-lität (cf. *wirklich*).	réel (= mondain); réalité naturelle, mondaine.
reel.	réel (uniquement pour les composantes du vécu).
Rechtsprechung.	juridiction (de la raison).
Reduktion.	réduction (phénoménologique).
Referent, Referat (cf. *Bezogenheit*).	centre de référence, objet de référence.
Reflexion.	réflexion.
Region.	région (d'être).
Regel, -lung.	règle, -gulation.
Regung.	amorce (d'acte).
Reproduktion (cf. *Vergegenwärtigung*).	reproduction (modification).
Retention (cf. *Protention*).	rétention (souvenir primaire).
richten (*sich*), *gerichtet-sein.*	se diriger (regard), être dirigé sur.
Richtung (*Zuwendung*).	direction.
Rückbeziehung, -erinnerung.	rétro-référence, -souvenir.
Sache, sachlich (cf. *Ding*).	chose opp. à *Wert,* valeur. q.q.fois à présupposition : « retour aux choses mêmes ».
Sachverhalt, Wesenssachverhalt.	état de chose, état (de chose) éidétique.
Satz.	proposition.
setzen, Setzung (*Position, Thesis*).	poser, position.
Schachtelung.	emboîtement (de noèses).
Schatten, Schattenbild.	ombre (d'acte, de noème).
schauen, erschauen, anschauen, -uung.	Voir, intuition.
Schein (opp. à *Erscheinung*).	simulacre.
Schichte, -tungen.	couche, stratification.
schlechthin.	purement et simplement.
schlicht.	simple (acte, représentation), opp. à fondé.
Schluss.	inférence.
Seele.	âme.
sehen, sichtighaben.	voir (perception), avoir un aperçu.

Sein, Seinscharakter, Sosein.	être, caractère d'être, ontologique, être-tel.
Selbst, -heit, selbständig, -beobachtung.	soi-même, ipséité, indépendant, introspection.
Singularität.	singularité (éidétique).
Sinn, -gebung (cf. *Bedeutung*).	sens, donation de sens.
Sinnendaten.	data sensuels, hylé.
Sinnlich, -keit, sensuell (cf. *Empfindung*).	sensible, -bilité, sensuel (hylé).
Spezialität, Spezies (opp. à *Gattung*).	espèce, spécification.
soeben (gegangen).	(qui vient) justement (d'exister).
Spontaneität.	spontanéité.
Steigerung.	accroissement (de force, de clarté).
Stellungnahme.	prise de position.
Stoff (Hyle).	matière, opp. à forme (hylé).
streng, opp. à *exakt.*	rigoureux.
Struktur (Bau).	structure.
Stufe, -enbildung, -enfolge.	degré (dans une hiérarchie), hiérarchie.
Subjekt, -ivität.	sujet, subjectivité.
Substrat.	substrat.
Synkategorematika.	syncatégorématiques.
Strahl.	rayon (du regard).
Syntax, -aktisch.	syntaxe, syntactique.
Synthesis.	synthèse : 1° d'identification; 2° dans les actes « fondés ».
Tatsache, -enwissenschaft. (cf. *Faktum*).	fait (en tant qu'empirique), sciences de
Teil, opp. à *Ganz.*	partie.
Teleologie.	téléologie.
Terminus.	terme (grammatical).
Theorie, Theoretisierung.	théorie, passage (d'une science) au stade théorique.
Thesis (Position), thetisch, mono-, polythetisch.	thèse (position), thétique, mono-, polythétique.
Transzendenz, -ental.	transcendance, -antal.
treu.	fidèle (expression).
Triebe.	impulsion.

triftig, -keit.	valide, -dité.
tun (cf. *handeln, leisten*).	agir, opp. à pâtir.
Typik.	typologie.
Umfang.	extension (logique).
Umwelt (*Umgebung*).	monde environnant, environnement.
unselbständig.	dépendant (partie, moment).
Unterschicht, -lage.	infrastructure.
Unverträglichkeit. (cf. *Widerstreit*).	incompatibilité.
Ur-aktualität, Ur -kategorie, -glaube, -doxa, -form, -modus, -bewusstsein, -vernunft, -region, -synthesis, -thesis, -erlebnis, -gegenständlichkeit.	proto-actualité, proto-, etc...
Ursprung.	origine.
Urteil.	jugement.
Verallgemeinerung (*Generalisation*).	généralisation.
Vereinzelung (cf. *Einzelheit*), (*Individuation*).	individuation.
Verflechtung.	entrelacement.
Verknüpfung.	liaison (aperceptive).
Vergegenständlichung (*Objektivation*).	objectivation.
Verhalt.	état de chose (corrélat du jugement).
vermeinen (*meinen*).	viser (intentionnellement).
vermuten, -tung.	conjecturer, -ture (modalité de croyance).
Verneinung (*Negation*).	négation.
Vernichtung.	anéantissement (du monde).
Vernunft, -ig, -igkeit (*Rationalität*).	raison, rationnel, rationalité.
Verworrenheit, opp. à *Deutlichkeit.*	confusion.
vollziehen, Vollzug (*Operation*).	opérer, -ation (d'un acte).
vollständig.	intégral (expression).
Voraussetzung.	présupposition.
Vorerinnerung (*Protention, Erwartung*).	pro-souvenir.

Vorstellung.	représentation.
verzeichnen.	prescrire.
waches Ich.	moi vigilant.
wahr, -heit, bewahren.	vrai, vérité, vérifier.
wahrscheinlich, -keitslehre.	vraisemblable, théorie des probabilités.
Wahrnehmung, -nehmbar, -nehmbarkeit.	perception, perceptible, -bilité.
Wandlung (Abwandlung).	mutation (cf. dérivation).
Was.	Quid.
Weise (Modus).	mode.
Welt.	monde.
Wert, werten, Wertheit, Wertung, Wert (sach)- verhalt.	valeur, évaluer, qualité de valeur, évaluation, état de valeur.
Wesen, Wesens-, (Eidos), -tlich.	essence, éidétique, essentiel.
Widersinn.	absurdité.
Widerstreit.	conflit.
Wiedererinnerung.	re-souvenir.
wirklich, -keit (dist. de *real. Realität*).	réel, réalité (1° modalité de croyance; 2° être véritable).
wissen, -schaft.	savoir, science.
wollen, Willens-, Willensmeinung.	vouloir, volitif, visée volontaire.
Wort, -laut.	mot, mot prononcé.
Wunsch.	souhait.
Zeichen (cf. *bezeichnen*).	signe (cf. désigner).
Zeit, -bewusstsein.	temps, conscience de-.
zufällig, -keit.	contingent, -gence.
zusammenschliessen (sich).	s'agréger.
Zusammengehörigkeit.	appartenance.
Zusammenhang, -hängend.	connexion, enchaînement du vécu, des essences, du divers, etc., — cohérent.
Zustand.	état (de conscience).
Zustimmung.	assentiment.
Zuwendung, sich zuwenden.	conversion (du regard), se tourner.
Zweifel.	doute.

INDEX ANALYTIQUE

D'après l'Index Analytique établi par le Dr Ludwig Landgrebe, de Fribourg en B.

N.-B. — Les chiffres à côté des mots renvoient aux pages de l'édition allemande (on retrouvera cette pagination en marge de notre traduction). Les chiffres en caractères gras désignent les passages les plus caractéristiques.

1. Ce mot qu'on ne rencontre pas expressément dans les *Ideen* caractérise assez bien les thèmes qui sont groupés ici sous ce mot.

TABLE DES MATIÈRES[1]

1. Les pages indiquées dans la première colonne et entre crochets sont celles du texte original en allemand ; elle figurent en marge de la traduction. Les pages indiquées dans la seconde colonne sont celles de la traduction française.

Chapitre II

Les Fausses Interprétations du Naturalisme

Deuxième Section

CONSIDÉRATIONS PHÉNOMÉNOLOGIQUES FONDAMENTALES

Chapitre Premier

La Thèse de l'Attitude Naturelle et sa Mise hors Circuit

Chapitre II

La Conscience et la Réalité Naturelle

Chapitre III

La Région de la Conscience Pure

Chapitre IV

Les Réductions Phénoménologiques

Troisième Section

MÉTHODES ET PROBLÈMES DE LA PHÉNOMÉNOLOGIE PURE

Chapitre Premier

CONSIDÉRATIONS PRÉLIMINAIRES DE MÉTHODE

Chapitre II

LES STRUCTURES GÉNÉRALES DE LA CONSCIENCE PURE

Chapitre III

Noèse et Noème

Chapitre IV

Problématique des Structures Noético-Noématique

Quatrième Section

RAISON ET RÉALITÉ

Chapitre Premier

LE SENS NOÉMATIQUE ET LA RELATION A L'OBJET

Chapitre II

PHÉNOMÉNOLOGIE DE LA RAISON

Chapitre III

Les Degrés de Généralité dans la Problématique de la Raison Théorique

DU MÊME AUTEUR

Aux Éditions Gallimard

LA CRISE DES SCIENCES EUROPÉENNES ET LA PHÉNOMÉNOLOGIE TRANSCENDANTALE

tel

Dernières parutions

94. Edmund Husserl : *Idées directrices pour une phénoménologie.*
95. Maurice Leenhardt : *Do Kamo.*
96. Elias Canetti : *Masse et puissance.*
97. René Leibowitz : *Le compositeur et son double (Essais sur l'interprétation musicale).*
98. Jean-Yves Tadié : *Proust et le roman.*
99. E. M. Cioran : *La tentation d'exister.*
100. Martin Heidegger : *Chemins qui ne mènent nulle part.*
101. Lucien Goldmann : *Pour une sociologie du roman.*
102. Georges Bataille : *Théorie de la religion.*
103. Claude Lefort : *Le travail de l'œuvre : Machiavel.*
104. Denise Paulme : *La mère dévorante.*
105. Martin Buber : *Judaïsme.*
106. Alain : *Spinoza.*
107. Françoise Collin : *Maurice Blanchot et la question de l'écriture.*
108. Félicien Marceau : *Balzac et son monde.*
109. Ludwig Wittgenstein : *Tractatus logico-philosophicus,* suivi de *Investigations philosophiques.*
110. Michel Deguy : *La machine matrimoniale ou Marivaux.*
111. Jean-Paul Sartre : *Questions de méthode.*
112. Hannah Arendt : *Vies politiques.*
113. Régis Debray : *Critique de la Raison politique ou L'inconscient religieux.*
114. Jürgen Habermas : *Profils philosophiques et politiques.*
115. Michel de Certeau : *La Fable mystique.*
116. Léonard de Vinci : *Les Carnets, 1.*
117. Léonard de Vinci : *Les Carnets, 2.*
118. Richard Ellmann : *James Joyce, 1.*
119. Richard Ellmann : *James Joyce, 2.*
120. Mikhaïl Bakhtine : *Esthétique et théorie du roman*
121. Ludwig Wittgenstein : *De la certitude.*

122. Henri Fluchère : *Shakespeare, dramaturge élisabéthain.*
123. Rémy Stricker : *Mozart et ses opéras.*
124. Pierre Boulez : *Penser la musique aujourd'hui.*
125. Michel Leiris : *L'Afrique fantôme.*
126. Maître Eckhart : *Œuvres (Sermons-Traités).*
127. Werner Jaeger : *Paideia (La formation de l'homme grec).*
128. Maud Mannoni : *Le premier rendez-vous avec le psychanalyste.*
129. Alexandre Koyré : *Du monde clos à l'univers infini.*
130. Johan Huizinga : *Homo ludens (Essai sur la fonction sociale du jeu).*
131. Descartes : *Les Passions de l'âme* (précédé de *La Pathétique cartésienne* par Jean-Maurice Monnoyer).
132. Pierre Francastel : *Art et technique aux* XIX*e et* XX*e siècles.*
133. Michel Leiris : *Cinq études d'ethnologie.*
134. André Scobeltzine : *L'art féodal et son enjeu social.*
135. Ludwig Wittgenstein : *Le Cahier bleu et le Cahier brun* (suivi de *Ludwig Wittgenstein* par Norman Malcolm).
136. Yves Battistini : *Trois présocratiques (Héraclite, Parménide, Empédocle)* (précédé de *Héraclite d'Éphèse* par René Char).
137. Étienne Balazs : *La bureaucratie céleste (Recherches sur l'économie et la société de la Chine traditionnelle).*
138. Gaëtan Picon : *Panorama de la nouvelle littérature française.*
139. Martin Heidegger : *Qu'est-ce qu'une chose ?*
140. Claude Nicolet : *Le métier de citoyen dans la Rome républicaine.*
141. Bertrand Russell : *Histoire de mes idées philosophiques.*
142. Jamel Eddine Bencheikh : *Poétique arabe (Essai sur les voies d'une création).*
143. John Kenneth Galbraith : *Le nouvel État industriel (Essai sur le système économique américain).*
144. Georg Lukács : *La théorie du roman.*
145. Bronislaw Malinowski : *Les Argonautes du Pacifique occidental.*
146. Erwin Panofsky : *Idea (Contribution à l'histoire du concept de l'ancienne théorie de l'art).*
147. Jean Fourastié : *Le grand espoir du* XX*e siècle.*
148. Hegel : *Principes de la philosophie du droit.*
149. Sören Kierkegaard : *Post-scriptum aux Miettes philosophiques.*
150. Roger de Piles : *Cours de peinture par principes*

151. Edmund Husserl : *La crise des sciences européennes et la phénoménologie transcendantale.*
152. Pierre Francastel : *Études de sociologie de l'art.*
153. Gustav E. von Grunebaum : *L'identité culturelle de l'Islam.*
154. Eugenio Garin : *Moyen Âge et Renaissance.*
155. Meyer Schapiro : *Style, artiste et société.*
156. Martin Heidegger : *Questions I et II.*
157. G. W. F. Hegel : *Correspondance I, 1785-1812.*
158. G. W. F. Hegel : *Correspondance II, 1813-1822.*
159. Ernst Jünger : *L'État universel* suivi de *La mobilisation totale.*
160. G. W. F. Hegel : *Correspondance III, 1823-1831.*
161. Jürgen Habermas : *La technique et la science comme « idéologie ».*
162. Pierre-André Taguieff : *La force du préjugé.*
163. Yvon Belaval : *Les philosophes et leur langage.*
164. Sören Kierkegaard : *Miettes philosophiques — Le concept de l'angoisse — Traité du désespoir.*
165. Raymond Lœwy : *La laideur se vend mal.*
166. Michel Foucault : *Les mots et les choses.*
167. Lucrèce : *De la nature.*
168. Elie Halévy : *L'ère des tyrannies.*
169. Hans Robert Jauss : *Pour une esthétique de la réception.*
170. Gilbert Rouget : *La musique et la transe.*
171. Jean-Paul Sartre : *Situations philosophiques.*
172. Martin Heidegger : *Questions III et IV.*
173. Bernard Lewis : *Comment l'Islam a découvert l'Europe.*
174. Émile Zola : *Écrits sur l'art.*
175. Alfred Einstein : *Mozart.*
176. Yosef Hayim Yerushalmi : *Zakhor. Histoire juive et mémoire juive.*
177. Jacques Drillon : *Traité de la ponctuation française.*
178. Francis Bacon : *Du progrès et de la promotion des savoirs.*
179. Michel Henry : *Marx I. (Une philosophie de la réalité).*
180. Michel Henry : *Marx II. (Une philosophie de l'économie).*
181. Jacques Le Goff : *Pour un autre Moyen Âge (Temps, travail et culture en Occident : 18 essais).*
182. Karl Reinhardt : *Eschyle (Euripide).*
183. Sigmund Freud : *Correspondance avec le pasteur Pfister (1909-1939).*
184. Benedetto Croce : *Essais d'esthétique.*

Ouvrage reproduit
par procédé photomécanique
Impression S.E.P.C.
à Saint-Amand (Cher), le 8 août 1991.
Dépôt légal : août 1991.
Premier dépôt légal : février 1985.
Numéro d'imprimeur : 1821.

ISBN 2-07-070347-9./Imprimé en France.

54026